utb 4454

Eine Arbeitsgemeinschaft der Verlage

Böhlau Verlag · Wien · Köln · Weimar
Verlag Barbara Budrich · Opladen · Toronto
facultas · Wien
Wilhelm Fink · Paderborn
A. Francke Verlag · Tübingen
Haupt Verlag · Bern
Verlag Julius Klinkhardt · Bad Heilbrunn
Mohr Siebeck · Tübingen
Nomos Verlagsgesellschaft · Baden-Baden
Ernst Reinhardt Verlag · München · Basel
Ferdinand Schöningh · Paderborn
Eugen Ulmer Verlag · Stuttgart
UVK Verlagsgesellschaft · Konstanz, mit UVK / Lucius · München
Vandenhoeck & Ruprecht · Göttingen · Bristol
Waxmann · Münster · New York

Mira Kadrić | Klaus Kaindl (Hg.)

Berufsziel Übersetzen und Dolmetschen

Grundlagen, Ausbildung, Arbeitsfelder

A. Francke Verlag Tübingen

Prof. Dr. Mira Kadrić und **Prof. Dr. Klaus Kaindl** lehren am Zentrum für Translationswissenschaft der Universität Wien.

Bibliografische Information der Deutschen Nationalbibliothek

Die Deutsche Nationalbibliothek verzeichnet diese Publikation in der Deutschen Nationalbibliografie; detaillierte bibliografische Daten sind im Internet über http://dnb.dnb.de abrufbar.

© 2016 · Narr Francke Attempto Verlag GmbH + Co. KG
Dischingerweg 5 · D-72070 Tübingen
www.francke.de · info@francke.de

Einbandgestaltung: Atelier Reichert, Stuttgart
Titelbild: © gyasemin · istockphoto
Satz: typoscript GmbH, Walddorfhäslach
Druck und Bindung: Friedrich Pustet GmbH & Co. KG, Regensburg
Printed in Germany

UTB-Nr. 4454
ISBN 978-3-8252-4454-5

Inhaltsverzeichnis

Translation als zentrale Nebensache in einer globalisierten Welt
– eine Einführung *(Mira Kadrić & Klaus Kaindl)* 1

Teil I Berufsziel Translation: Grundlagen

1   Translatorisches Handeln als Beruf *(Christina Schäffner)*   19
2   Translatorisches Handeln: Anforderungen und Kom-
petenzen *(Hanna Risku)* 39

Teil II Translatorische Tätigkeiten: Kompetenzen, Arbeitsstrategien, Vermittlung

1   Simultandolmetschen *(Franz Pöchhacker)*   65
2   Konsekutivdolmetschen *(Barbara Ahrens)*   84
3   Dolmetschen als Dienst am Menschen *(Mira Kadrić)* . . .   103
4   Multimodales und mediales Übersetzen *(Klaus Kaindl)* .   120
5   Literaturübersetzen *(Waltraud Kolb)*   137
6   Fachübersetzen *(Peter Sandrini)*   158
7   Arbeiten in der Sprachindustrie *(Gerhard Budin)*   182
8   Recherche und Arbeitsmittel *(Frank Austermühl)*   200

Teil III Translatorische Arbeitsfelder und reflektierte Praxis

1   Arbeitsfeld Europäische Institutionen
(Martina Prokesch-Predanovic & Karin Reithofer-Winter)   221

2   Arbeitsfeld Politik und Diplomatie
     (Christian Koderhold & Mascha Dabić) 233
3   Arbeitsfeld öffentlicher Sektor *(Liese Katschinka)* 247
4   Arbeitsfeld Wirtschaft *(Elke Anna Framson)* 263
5   Arbeitsfeld Literatur *(Margret Millischer)* 278
6   Arbeitsfeld Kunst und Kultur *(Yvonne Griesel)* 291
7   Lokalisierung von Websites *(Karl-Heinz Freigang)* 303

Teil IV Ausblick

Berufsziel Translation: Zurück in die Zukunft
(Michèle Cooke) 323
Kurzbiographien 337

Translation als zentrale Nebensache in einer globalisierten Welt – eine Einführung

Mira Kadrić & Klaus Kaindl

Übersetzungen und Dolmetschungen begegnen uns täglich, sie sind allgegenwärtige Phänomene und ohne sie sähe unser Alltag ganz anders aus. Wer zur Installierung der Software auf dem neuen Computer ein Handbuch zu Rate zieht, eine Blu-ray-Disc mit Untertiteln abspielt, den neuesten Roman von Michel Houellebecq auf Deutsch liest, in den Sportnachrichten im Fernsehen ein Interview mit dem brasilianischen Fussballer Ronaldinho verfolgt und dabei über dem Originalton seine Antworten auf Deutsch hört, konsumiert Übersetzungen und Dolmetschungen. Man kann ohne Übertreibung sagen, dass Translation für den Informations- und Bildungsfluss der Welt unverzichtbar ist und in allen Lebenssituationen eine wichtige Rolle spielt: im öffentlichen Raum, wenn es z. B. um faire Behördenverfahren oder einen guten Zugang zur Gesundheitsversorgung geht, ebenso wie im privaten Bereich, wenn wir ein übersetztes Buch lesen, eine Gebrauchsanweisung konsultieren oder eine amerikanische Fernsehserie in Synchronfassung ansehen. Ohne Translation würden internationale Organisationen wie die Europäische Union oder die Vereinten Nationen ebenso wenig funktionieren wie Wirtschaftsunternehmen, die ihre Produkte global vermarkten. Der Bedarf an Translation, an Übersetzungen und Dolmetschungen ist enorm und bildet ein wirtschaftlich relevantes Marktsegment. Unser Zeitalter der Globalisierung ist somit zweifellos auch das Zeitalter der Translation. Migrationsströme, immer engere wirtschaftliche Verflechtungen und Bevölkerungswachstum werden den Bedarf an Translation in Zukunft sogar noch ansteigen lassen.

Die angeführten Beispiele machen jedoch auch deutlich, dass viele Übersetzungen und Dolmetschungen gar nicht bewusst wahrgenommen werden. Neben der Tatsache, dass Translation eine Selbstverständlichkeit zu sein scheint, hat dies auch mit der Unsichtbarkeit jener zu tun, die diese Aufgaben erledigen. Selbst dort, wo TranslatorInnen im wahrsten Sinne des Wortes in Erscheinung treten, etwa bei einem Gipfeltreffen von StaatspräsidentInnen, fehlen sie oft auf den Aufnahmen im Fernsehen und den Fotos in Zeitungen.

Aber gerade weil TranslatorInnen oft nicht in Erscheinung treten, sondern im Hintergrund agieren, herrschen meist unklare Vorstellungen über ihre Aufgaben und die mit dieser Tätigkeit verbundenen Anforderungen. Und auch die Vorstellungen über die verschiedenen Arbeitsbereiche und Einsatzgebiete sind oft diffus. Der vorliegende Band unternimmt den Versuch, einen Überblick über die vielen translatorischen Tätigkeitsfelder und die dafür nötigen Kompetenzen zu geben. Als AutorInnen wurden dafür maßgebliche VertreterInnen der Wissenschaft und erfahrene PraktikerInnen, also ÜbersetzerInnen und DolmetscherInnen aus verschiedenen Tätigkeitsbereichen, gewonnen. Die einzelnen Beiträge wenden sich zum einen an Studierende translationswissenschaftlicher und interkultureller Fächer bzw. Interessierte an einer solchen Ausbildung. Ihnen will dieser Band eine Orientierung bieten, welche Voraussetzungen sie für die translatorische Ausbildung mitbringen sollten, welche Fertigkeiten und Techniken das Studium vermittelt und welche Berufsfelder und Einsatzgebiete ihnen nach abgeschlossenem Studium offenstehen und was sie dort erwartet. Zum anderen sind Lehrende an translatorischen Ausbildungsstätten angesprochen. Sie sollen einen Überblick über eine sich rasch wandelnde translatorische Berufspraxis erhalten sowie Unterstützung bei der Feststellung, welche Kompetenzen künftigen TranslatorInnen jedenfalls vermittelt werden sollten. Diesen beiden Hauptzielgruppen und allen an Translation Interessierten wollen wir einen Überblick über das translatorische Tätigkeitspanorama mit all seinen theoretischen und pragmatischen Facetten geben (von der Ausgestaltung der Auftragsverhältnisse, den Erwartungen der Auftraggebenden bis hin zum Einsatz von neuen Medien und Techniken).

Wir gehen dabei von einem breiten Verständnis von Übersetzen und Dolmetschen aus. Wenn von beiden Tätigkeitsbereichen die Rede ist, so sprechen wir von Translation, ein Oberbegriff, der von Otto Kade (1968) geprägt wurde. Unser Verständnis von Translation orientiert sich dabei am Ansatz von Justa Holz-Mänttäri (1984) und meint mündliche und schriftliche Textproduktion für fremden Bedarf über Sprach- und Kulturgrenzen hinweg. Wie vielfältig und unter-

schiedlich die verschiedenen Formen der translatorischen Textproduktion sein können, soll nicht zuletzt dieser Band zeigen.

Berufspraxis und Wissenschaft

Im Gegensatz zu vielen anderen Studiengängen ist das Studium im
Bereich Translation auf konkrete Berufsbilder ausgerichtet. Vielleicht
sind gerade deshalb auch die Erwartungen der Studierenden in
diesem Bereich weniger auf Wissenschaft und Forschung als auf
den Erwerb von Fertigkeiten und konkreten Handlungspraktiken
ausgerichtet. Professionelle Translation ist jedoch keine angeborene
Fähigkeit, die durch praktisches Üben lediglich verfeinert werden
muss, sondern eine komplexe kulturelle Praxis, deren Ausübung von
zahlreichen Faktoren abhängt, die sowohl sprachlicher, kultureller,
kognitiver als auch soziologischer, ideologischer und ethischer Natur
sein können. Theoretische Reflexion und wissenschaftliche Auseinandersetzung sind daher integrative Bestandteile einer professionellen Translationspraxis, wie vielfach betont wird (u. a. Wilss 1983;
Reiß 1995; Chesterman/Wagner 2002; Kaindl 2005; Kadrić 2011).

Dass das Verhältnis zwischen Translationstheorie und -praxis
lange Zeit angespannt war, ist Teil der Geschichte dieses Faches.
Der Annäherungsprozess zwischen beiden ist zwar noch im Gange, es
ist jedoch unübersehbar, dass das gegenseitige Misstrauen zum
großen Teil überwunden ist. Dies hat zum einen mit veränderten
Erwartungen der PraktikerInnen an die Translationstheorie zu tun.
PraktikerInnen erkennen inzwischen vielfach den Vorteil von wissenschaftlichen Theorien an, die nicht allein auf subjektiven Erfahrungswerten, sondern auf methodisch gewonnenem Wissen basieren.
Durch dieses erhalten sie einen Erklärungs- und Argumentations-
rahmen, der ihnen hilft, praktische Entscheidungen bewusster, systematischer und widerspruchsfrei zu treffen.

Doch auch die Translationswissenschaft hat sich im Laufe ihrer
Geschichte der Praxis angenähert und so zu einer Entspannung
beigetragen. Die ursprüngliche Distanz der Theorie zur gelebten
Berufspraxis ist dabei auf die Anfänge der Disziplin und die damit
verbundenen Erkenntnisinteressen zurückzuführen.

Reflexionen über die Tätigkeit und wie man sie ausüben sollte, gibt
es seit Jahrtausenden. Von Cicero, Hieronymus (der im Übrigen als

Schutzpatron der ÜbersetzerInnen gilt) über Luther bis hin zu Goethe, Schleiermacher und Benjamin spannt sich der Bogen von Schriftstellern, Theologen und Philosophen, die sich mit der Frage der Übersetzung auseinander gesetzt haben. Die Basis bildete dabei immer die eigene praktische Erfahrung, aus der jeweils Grundsätze und Leitlinien abgeleitet wurden. Eine wissenschaftliche Beschäftigung im eigentlichen Sinne entwickelte sich allerdings erst nach dem 2. Weltkrieg. Die Übersetzungswissenschaft wurde dabei eigentlich als eine Hilfswissenschaft für die Entwicklung der Maschinellen Übersetzung „erfunden". Dementsprechend konzentrierten sich die ersten Theorien auf das Sprachsystem, auf die von Saussure als *langue* bezeichnete Ebene der Sprache. Nicht die konkrete Sprachverwendung, sondern der abstrakte Regelapparat der Sprache stand im Mittelpunkt. Der Faktor Mensch, also jene Personen, die Übersetzungen und Dolmetschungen anfertigen, blieb weitgehend ausgeklammert.

Nachdem die Programme zur Maschinellen Übersetzung entgegen der ursprünglichen Erwartungen nicht so einfach und rasch zu entwickeln waren, wandte man sich ab Ende der 1960er Jahre verstärkt dem Text als Übersetzungsgrundlage zu. Die textlinguistischen Ansätze, wie sie etwa von Katharina Reiß (1971) vertreten wurden, rückten die Pragmatik, also den Verwendungszusammenhang von Sprache, in den Mittelpunkt. Die neue Ausrichtung führte dazu, dass man sich nicht mehr auf Strukturen konzentrierte, sondern die kommunikativen Zusammenhänge als wesentlich für die Übersetzung erachtete. Eine entscheidende Ausweitung erfuhr dieser Ansatz durch die sogenannte „Neuorientierung (Snell-Hornby 1986) in den 1980er Jahren. Sprachverwendung wurde nunmehr in ihrer kulturellen Einbettung betrachtet, die Übersetzung war nicht länger lediglich Sprach-, sondern Kulturtransfer (vgl. Vermeer 1986). Diese sogenannte funktionale Sichtweise auf Translation brachte auch einen, wie Prunč (2007:141) es nennt, „Paradigmenwechsel" mit sich. War bisher der Ausgangstext der Maßstab für die Translation, wurde nun der Zweck, den der Zieltext erfüllen sollte, zum entscheidenden Kriterium für das translatorische Handeln. Er führte auch zu einer entscheidenden Aufwertung der TranslatorInnen, die nunmehr in ihrer Rolle als ExpertInnen einen wichtigen Platz in der Theoriebildung einnahmen (vgl. Holz-Mänttäri 1984).

Damit war ein Anstoß gegeben, nicht länger lediglich Sprachen, Texte oder Kulturen in der translationswissenschaftlichen Betrachtung in den Mittelpunkt zu stellen, sondern die Person des/der TranslatorIn selbst. Chesterman spricht folgerichtig auch von den sogenannten „Translator Studies", die mit den 1990er Jahren zunehmend an Bedeutung gewannen. TranslatorInnen wurden nun verstärkt aus unterschiedlichen Perspektiven analysiert (vgl. Chesterman 2009:19 f.): Einerseits begann man sich für die Rolle von TranslatorInnen in der Geschichte zu interessieren, ihre Einstellungen, ihre ethischen Positionen und ihren Beitrag zur Entwicklung einer Kultur; andererseits rückten die kognitiven Prozesse, die Wege der Entscheidungsfindung, der Einfluss von Emotionen und Einstellungen einer Person im Zuge des Translationsprozesses in den Fokus der Forschung. Und schließlich bekamen auch soziologische Fragen mehr Gewicht, wie etwa der Status von TranslatorInnen, Berufsorganisationen, Arbeitsbedingungen, Akkreditierungssysteme etc. In diesem Zusammenhang ist auch die Darstellung von TranslatorInnen in literarischen Werken und Filmen zu erwähnen, die sich zu einem neuen Forschungszweig entwickelt hat, in dem u. a. untersucht wird, welchen Einfluss die fiktionale Darstellung von ÜbersetzerInnen und DolmetscherInnen auf die Wahrnehmung in der Öffentlichkeit hat (vgl. Kaindl/Kurz 2010).

Die Translationswissenschaft hat also in ihrer relativ kurzen Geschichte einen weiten Weg zurückgelegt, indem sie sich von einer abstrakten, strukturfixierten Sichtweise auf Translation verabschiedet und zu einer Disziplin entwickelt hat, die das Phänomen ganzheitlich, vor allem auch unter Einbeziehung der handelnden TranslatorInnen und ihrer Berufsrealität, erforschen und erklären will.

Berufspraxis und universitäre Ausbildung

Jahrhundertelang erfolgte der Erwerb translatorischer Kompetenz intuitiv und autodidaktisch. Abgesehen von einigen historischen Beispielen – zumeist für Dolmetscher im diplomatischen Dienst, wie etwa die sogenannten „Sprachknaben" zur Zeit Maria Theresias – war die Ausbildung im Bereich Übersetzen und Dolmetschen nicht institutionalisiert. Erst im 20. Jahrhundert – das auch als das Jahrhundert der Übersetzung bezeichnet wird, da aufgrund verschiedener politischer und wirtschaftlicher Notwendigkeiten ein immer höherer Bedarf an Translationsleistungen entstand – wurden universitäre Ausbildungsstätten gegründet. Die Entwicklung der einzelnen Studienrichtungen im Bereich Translation in Europa könnte man dabei zusammenfassend wie folgt beschreiben: die 1930er bis 1950er Jahre als Gründungsphase der ersten Institute, die 1960er Jahre als Stabilisierungsversuch im Bemühen, Übersetzungs- und Dolmetschfertigkeiten „praktisch" zu vermitteln. Die 1970er Jahre brachten eine Reorganisation und neue Studienpläne, während die echte Emanzipierung des Faches erst Ende der 1980er Jahre begann („Neuorientierung"). Die 1990er Jahre können als Konsolidierungsphase des Faches bezeichnet werden: translationswissenschaftliche Theorien und Anwendungsmodelle mit interdisziplinärer Ausrichtung finden Verbreitung (vgl. Kadrić 2011:17f.). Insgesamt ist weltweit ein rasanter Anstieg an translatorischen Ausbildungsstätten festzustellen, die sich allein von den 1970er bis in die 1990er Jahre verfünffacht haben (vgl. Caminade/Pym 1998).

Die Entwicklungen der letzten beiden Jahrzehnte führten nicht nur quantitativ, sondern auch qualitativ zu wesentlichen Änderungen – insbesondere durch die Einführung der neuen Studienarchitektur in europäischen Ländern. Die in den Leitbildern und Curricula der Hochschulen definierten Ziele und die sich daraus ergebende Einforderung einer hohen Qualität der forschungsgeleiteten Lehre sollen idealerweise dazu führen, dass Forschung und Lehre miteinander kommunizieren, dass die an den Universitäten tätigen Lehrenden und Forschenden die Auseinandersetzung um Zielsetzungen und Definitionskriterien gemeinsam mitgestalten und dass Forschung und Lehre in ihrer Bedeutung in einem komplementären Verhältnis stehen.

Die Curricula der einschlägigen Ausbildungsstätten in Europa weisen bei all ihrer Verschiedenheit unverkennbare gemeinsame Züge auf. Trotz länderspezifisch abgestimmter Konzeptionen der Studien ist allen universitären Translationsausbildungen die Vorbereitung auf die berufliche Wirklichkeit gemeinsam. Im Wesentlichen stimmen auch die fachlichen Lehrinhalte dahingehend überein, dass das Studium die Vermittlung von Sprach-, Kultur- und Sachkompetenz, Recherchierkompetenz, das Trainieren von Techniken, das Erlernen von Translationsstrategien usw. umfasst.

Darüber hinaus sollen universitäre Lehre und Studium im Rahmen der Erlangung einer Gesamtkompetenz den Studierenden ermöglichen, über ihre Rolle in der Gesellschaft und ihre Verantwortung sich selbst und der Gesellschaft gegenüber nachzudenken. Dies ist umso wichtiger, als die Bedeutung hochwertiger Translationsleistungen für Demokratie, Rechtsstaat und Sozialstaat zunehmend erkannt wird. Als Beispiel sei hier das Dolmetschen im öffentlichen Raum genannt. Zentrale Gesundheitsbehörden und Krankenanstalten unternehmen in Europa in jüngster Zeit Anstrengungen, um eine flächendeckende Versorgung der Krankenhäuser mit qualifizierten Dolmetschleistungen sicherzustellen. Ähnliches gilt für das Polizei- und Gerichtsdolmetschen. Seit der Jahrtausendwende hat sich die Europäische Kommission bemüht, mittels interdisziplinär besetzter ExpertInnenforen den Standard der Dolmetschung vor den Strafgerichten der Union zu verbessern. Auch ÜbersetzerInnen arbeiten längst nicht mehr – wie es einem alten Klischee entspricht – im stillen Kämmerlein, sondern interagieren und kooperieren mit anderen ExpertInnen. TranslatorInnen benötigen in der heutigen Zeit somit ein feines soziales und kommunikatives Sensorium. Die Translationsqualität bestimmt etwa den Ausgang eines Asyl- oder Strafverfahrens und damit den weiteren Lebensweg von Menschen mit. Ähnliches gilt für die Kommunikationsmittlung im Gesundheitswesen. Fehler bei der Dolmetschung können hier zu Fehldiagnosen und dramatischen Folgen führen.

Die steigenden gesellschaftlichen Erwartungen und damit verbunden die gesellschaftliche Verantwortung sowie die Anforderungen des Arbeitsmarktes müssen auch in der Translationsausbildung ihren Niederschlag finden. Zwar ist es äußerst wichtig, fachliche Kenntnisse, Fähigkeiten und Fertigkeiten zu erwerben, doch dies allein genügt immer weniger. Vielfältige Einsatzmöglichkeit auf dem Arbeitsmarkt und eine anzustrebende gesellschaftlich-politische Bildung machen es nötig, neben Fach- und Methodenkompetenz auch sozial-kommunikative und affektiv-ethische Studienkomponenten in die Ausbildung zu integrieren. Das bedeutet, dass man bereits während des Studiums selbstständiges Handeln lernt, interaktiv und selbstverantwortlich agiert und Probleme selbstständig löst.

Die zeitgenössische Translationsdidaktik definiert daher das Lernen als Prozess und selbstständiges, reflexives Handeln. Es beinhaltet Strategien, die die bewusste Wahrnehmung und Reflexion der fachlichen und metafachlichen Fähigkeiten fördern, aber auch gesellschaftliche Zusammenhänge hinterfragen und berücksichtigen (vgl. u. a. Arrojo 1996; Kiraly 2000; Chesterman/Wagner 2002; Cronin 2005; Gile 2009; Kadrić 2011; Kearns 2013; Pöchhacker 2013). Vor einem solchen Hintergrund muss auch die häufig erhobene Forderung nach „Praxisnähe" des Unterrichts neu definiert werden. Jahrzehntelang erschöpfte sich die Translationslehre „in der möglichst interessanten Wiedergabe der Tipps und Tricks erfahrener Praktiker" (Prunč 2004:11) Praxisrelevanz war dabei ein rein subjektiver Erfahrungswert, der jedoch zu einer umfassenden, professionellen und fundierten Kompetenzvermittlung nicht ausreicht. Dafür ist eine entsprechende wissenschaftliche Fundierung und pädagogische (Vor)Bildung der Lehrenden notwendig. In diesem Zusammenhang wäre eine Diskussion um die Ausbildung von Lehrenden äußerst wichtig (vgl. Kiraly 2000; Englund Dimitrova 2002; Kelly 2005, 2008 und 2010; Kadrić 2011; Pym 2011).

Wenn wir daher die Aufgabe des Translationsunterrichts in der Vermittlung einer Gesamtkompetenz sehen, so ist damit eine ganzheitlich integrative Fähigkeit gemeint, die in die miteinander vernetzten Komponenten der Fach-, Methoden-, Sozial- und Individualkompetenz gegliedert werden kann. Die Fachkompetenz als Teil der materiellen Bildung fragt nach dem Wissen, das die Studierenden ansammeln; die Methodenkompetenz meint Fähigkeiten und Fertigkeiten im Umgang mit Wissen; die Sozialkompetenz vermittelt durch die Wahl von Sozial- und Aktionsformen im Unterricht insbesondere die Team- und Kooperationsfähigkeit; und schließlich die Individualkompetenz, die darauf Wert legt, dass Themen nicht nur sachadäquat, sondern vor allem auch interaktions- und kommunikationsadäquat behandelt werden.

Ein solcher Translationsunterricht, der den Menschen in das Zentrum seiner didaktischen Ziele rückt, ist letztlich entscheidend dafür, dass zukünftige TranslatorInnen nicht nur die sachliche und fachliche Kompetenz, sondern auch das Selbstvertrauen und das Selbstbewusstsein erwerben, um ihre Tätigkeit im Dienste der Gesellschaft erfolgreich ausüben zu können.

Aufbau des Buches

Die Beiträge dieses Bands sind in drei Abschnitte gegliedert. Der erste Abschnitt stellt Grundlagen translatorischen Handelns vor, die für ein grundsätzliches Verständnis von Translationsprozessen nötig sind; der anschließende zweite Abschnitt nimmt spezifische Arbeitsfelder in den Blick und stellt die Kompetenzen und Fertigkeiten vor, über die TranslatorInnen in verschiedenen Arbeitsfeldern verfügen müssen. Damit sollen die Grundlagen für den Arbeitsalltag von DolmetscherInnen und ÜbersetzerInnen vor dem Hintergrund des aktuellen Stands der Wissenschaft vorgestellt werden. Im dritten Abschnitt steht die Darstellung der Berufspraxis im Vordergrund. Ausgewiesene PraktikerInnen – die auch in der Lehre tätig sind und zum Teil auch wissenschaftlich arbeiten – stellen den Ablauf der translatorischen Arbeit in den maßgeblichen Tätigkeitsfeldern wie Wirtschaft, Politik und Kunst vor. Die Abschnitte zwei und drei verhalten sich dabei komplementär und sollen so zu einem möglichst ganzheitlichen und multiperspektivischen Verständnis der Tätigkeiten und Praxisfelder führen.

Der erste Abschnitt des Bandes beschäftigt sich mit den allgemeinen professionellen Grundlagen im Arbeitsfeld Translation. *Christina Schäffner* gibt einen Überblick darüber, welches Spektrum an Aufgaben und Aufträgen der Arbeitsmarkt DolmetscherInnen und ÜbersetzerInnen bietet, welche gemeinsamen Rollenbilder Dolmetschende und Übersetzende vorfinden und welche Kompetenzen von ihnen auf dem Arbeitsmarkt erwartet werden bzw. für eine hochwertige Berufsausübung erforderlich sind. *Hanna Risku* schließt an diese Kompetenzanforderungen an, schlüsselt die nötigen Fertigkeiten für das Dolmetschen und Übersetzen weiter auf und stellt die maßgeblichen Kompetenzmodelle vor. Dabei werden auch die aktuellen Entwicklungen auf dem Arbeitsmarkt mit der rasch steigenden Bedeutung neuer Technologien berücksichtigt.

Der zweite Teil des Bandes behandelt zentrale translatorische Tätigkeiten und Techniken und ihre didaktische Aufbereitung. Am Anfang dieses Abschnitts stehen drei Beiträge zum Dolmetschen. Der einleitende Text von *Franz Pöchhacker* beschäftigt sich mit dem Simultandolmetschen, der Text von *Barbara Ahrens* mit dem Konsekutivdolmetschen. Diese beiden Beiträge folgen der traditionellen Einteilung in Simultandolmetschen und Konsekutivdolmetschen, arbeiten die Spezifik des jeweiligen Modus heraus, zeigen, welche Kompetenzen für das Simultandolmetschen einerseits und das Konsekutivdolmetschen andererseits nötig sind und wie diese Kompetenzen gelehrt und erlernt werden können. *Mira Kadrić* beschäftigt sich mit dem Dolmetschen im sozialen Gefüge und diskutiert die Rolle von Dolmetschenden im öffentlichen Raum, vor allem im institutionellen Umfeld. Ihr Text beschreibt die Spezifika und Herausforderungen dieses Tätigkeitsbereich und stellt sie in einen didaktischen Kontext.

Der daran anschließende Schwerpunkt zu übersetzerischen Tätigkeitsfeldern wird von einem Beitrag von *Klaus Kaindl* eingeleitet, in dem die Kategorien Modus und Medium als zentrale Kategorien der (übersetzerischen) Textproduktion beleuchtet werden. Anhand der Filmübersetzung wird dabei exemplarisch gezeigt, welchen Einfluss nonverbale und mediale Aspekte auf die Übersetzung haben. Das literarische Übersetzen hat bei der Entwicklung der Translationswissenschaft eine wichtige Rolle eingenommen und stellt für viele Studierende ein Wunschziel dar. In das Tätigkeitsfeld literarischer ÜbersetzerInnen fallen Prosa, Lyrik und Theaterstücke, aber etwa auch Essays oder philosophische Texte. *Waltraud Kolb*, die sowohl als Praktikerin als auch Wissenschaftlerin in diesem Bereich verankert ist, beschreibt die hiefür nötigen Kompetenzen und Arbeitsstrategien.

Neben dem literarischen Übersetzen stellt das Fachübersetzen den zweiten großen Tätigkeitsbereich dar. Sowohl in der Ausbildung als auch in der Berufspraxis nimmt es eine zentrale Stellung ein. Das Fachübersetzen reicht von der Übersetzung von Gerichtsurteilen über Bedienungsanleitungen bis zur Übersetzung von Websites und Software und stellt aufgrund seiner Vielgestaltigkeit besondere Anforderungen an Praxis und Lehre. *Peter Sandrini* situiert die Fachübersetzung im Kontext der transkulturellen Fachkommunikation und gibt einen Überblick über die komplexen und auch spannenden Probleme, mit denen ÜbersetzerInnen konfrontiert sind.

Gerhard Budin beleuchtet einen weiteren Aspekt der transkulturellen Fachkommunikation und stellt die Sprachindustrie als Tätigkeitsfeld für ÜbersetzerInnen vor. Unter diesem Begriff werden eine Reihe unterschiedlicher Tätigkeiten und Aufgaben subsumiert, die jedoch alle dem translatorischen Handeln zuordenbar sind. Der Autor beleuchtet das breite, rasch wachsende Tätigkeitsfeld mit einem Schwerpunkt auf europäischen Entwicklungen. So beschreibt er etwa das EMT-Projekt der Europäischen Kommission, das in den letzten Jahren entwickelt wurde.

Der abschließende Beitrag des zweiten Abschnitts ist den Arbeitstechniken und -mitteln gewidmet, die bei Übersetzungstätigkeiten zum Einsatz kommen. *Frank Austermühl* beschreibt die unterschiedlichen Recherchewege und Werkzeuge, die Übersetzenden zur Verfügung stehen – moderne Techniken spielen naturgemäß auch hier eine wichtige Rolle.

Der dritte Teil dieses Bandes stellt ausgesuchte Bereiche aus den jeweiligen translatorischen Arbeitsfeldern vor. Die Leserinnen und Leser sollen durch die Beiträge dieses Abschnitts einen Eindruck bekommen, welche Arbeitsmöglichkeiten TranslatorInnen vorfinden und wie die Rahmenbedingungen in unterschiedlichen Berufsfeldern im Einzelnen aussehen. Dieser Abschnitt wird mit dem Beitrag von *Martina Prokesch-Predanovic* und *Karin Reithofer-Winter* zum Arbeitsfeld der Europäischen Institutionen eröffnet – beide Autorinnen verfügen über langjährige Berufspraxis in den EU-Institutionen. Die Europäische Union ist der größte und wichtigste translatorische Bedarfsträger, der zugleich einen hohen qualitativen Anspruch hat. Allein die Existenz eigener Generaldirektionen für Dolmetschen und für Übersetzen innerhalb der Kommission unterstreicht die zentrale Stellung, die Dolmetschen und Übersetzen in der täglichen Arbeit der Union mit ihren vielen Arbeitssprachen einnehmen.

Auch wenn die Europäische Union der größte öffentliche Auftraggeber von Translationsleistungen in Europa ist, gibt es natürlich auch außerhalb ein breites Arbeitsfeld des politischen und diplomatischen Dolmetschens. Mit ihm befassen sich *Christian Koderhold* und *Mascha Dabić*, die in diesem Bereich über reiche Erfahrungen verfügen und auch in der Lehre tätig sind. Ausgehend von der historischen Bedeutung des diplomatischen Dolmetschens beschreiben sie die vielen Facetten des Dolmetschens in Politik und Diplomatie sowie die unterschiedlichen Einsatzfelder, die vom Begleitdolmetschen bei Staatsbesuchen bis zur Dolmetschung bei von der UNO organisierten ExpertInnenkonferenzen reichen.

Die Bedeutung des Dolmetschens (und Übersetzens) im öffentlichen Raum wurde schon mehrfach angesprochen. Behörden, Krankenhäuser und Schulen schenken der Qualität von Dolmetschungen in jüngster Zeit viel Beachtung. Dolmetschende werden Gerichtsverhandlungen beigezogen, sie unterstützen Diagnose- und Therapiegespräche oder Elternsprechtage und Studienberatungen an Schulen. *Liese Katschinka*, langjährige Gerichtsdolmetscherin und Präsidentin von EULITA (European Legal Interpreters and Translators Association), beschreibt diesen Sektor am Beispiel des Gerichts- und Polizeidolmetschens.

Die Privatwirtschaft bildet neben dem öffentlichen Sektor den zweiten großen Translationsmarkt. So vielfältig wirtschaftliche Aktivitäten sein können, so divers sind auch die Übersetzungs- und Dolmetschleistungen, die von der Wirtschaft nachgefragt werden. *Elke Framson*, die den internationalen Translationsmarkt aus langjähriger Praxis kennt und sich zudem wissenschaftlich mit ihrem Beruf auseinandersetzt, bietet in ihrem Beitrag einen Überblick über translatorisches Arbeiten in der Wirtschaft und damit einen Einblick in ein wichtiges Feld des Fachübersetzens. Dabei geht sie auch auf die Konsequenzen ein, die die Entwicklung des Englischen zur globalen *lingua franca* mit sich bringt.

Die Arbeit des literarischen Übersetzens übt seit jeher auf viele eine große Faszination aus. *Margret Millischer*, selbst als literarische Übersetzerin tätig, beschreibt die Licht- und Schattenseiten der Praxis des Literaturübersetzens. An ihre Beschreibung schließt der Beitrag von *Yvonne Griesel* an, die das Arbeitsfeld Kunst und Kultur beschreibt. Dolmetschende und Übersetzende finden hier zum Teil für den Translationsberuf ungewohnte Rahmenbedingungen vor – etwa wenn sie zum Teil eines Theaterensembles werden. Yvonne Griesel arbeitet die besonderen Reize, aber auch Schwierigkeiten dieses Felds heraus, in dem sie selbst langjährige Erfahrungen gesammelt hat und mit dem sie sich auch aus wissenschaftlicher Perspektive befasst.

Im letzten Beitrag dieses Abschnitts wird die zentrale Rolle von Medien und Technik im Übersetzungsprozess nochmals deutlich gemacht. *Karl-Heinz Freigang*, Trainer und Berater im Bereich Übersetzungstechnologie und Softwarelokalisierung, befasst sich mit der Arbeit im Multi-Media-Bereich und legt einen Schwerpunkt seiner Beschreibung auf die praktischen Herausforderungen bei der Lokalisierung von Websites, also die Anpassung von (globalen) Internetinhalten an regionale und kulturelle Gegebenheiten.

Abgeschlossen wird dieser Band mit einem Text von *Michèle Cooke*, die den Bogen von den traditionellen Kernkompetenzen des translatorischen Handelns zu den Anforderungen der Zukunft spannt. Neben der Darstellung konkreter Handlungsanleitungen für Lehrende und Studierende wird – wie zu Beginn – noch einmal deutlich gemacht, was Translation ist: ein zentraler und spannender Bestandteil unseres Lebens.

Literatur

Arrojo, Rosemary. 1996. Postmodernism and the teaching of translation. In: Dollerup, C./Appel, V. (eds.) *Teaching Translation and Interpreting 3: New Horizons. Papers from the Third Language International Conference.* Amsterdam/Philadelphia: Benjamins, 97–103.

Caminade, Monique/Pym, Anthony. 1998. Translator-Training Institutions. In: Baker, M. (ed.) *Routledge Encyclopedia of Translation Studies.* London/New York: Routledge, 280–285.

Chesterman, Andrew. 2009. The Name and Nature of Translator Studies. *Hermes* 42, 13–22.

Chesterman, Andrew/Wagner, Emma. 2002. *Can theory help translators? A dialogue between the ivory tower and the wordface.* Manchester: St. Jerome.

Cronin, Michael. 2005. Deschooling translation: beginning of century reflections on teaching translation and interpreting. In: Tennent, M. (ed.) *Training for the new millennium: pedagogies for translation and interpreting.* Amsterdam/Philadelphia: John Benjamins, 249–265.

Englund Dimitrova, Birgitta. 2002. Training and educating the trainers – a key issue in translator's training. In: Hung, E. (ed.) *Teaching Translation and Interpreting 4: Building bridges.* Amsterdam/Philadelphia: John Benjamins, 73–82.

Gile, Daniel. 2009. *Basic Concepts and Models for Interpreter and Translator Training.* Revised Version. Amsterdam/Philadelphia: Benjamins.

Holz-Mänttäri, Justa. 1984. *Translatorisches Handeln. Theorie und Methode.* Helsinki: Suomalainen Tiedeakatemia.

Kade, Otto. 1968. Kommunikationswissenschaftliche Probleme der Translation. *Grundfragen der Übersetzungswissenschaft. Beihefte zur Zeitschrift Fremdsprachen II,* 3–19.

Kadrić, Mira. [3]2009. *Dolmetschen bei Gericht. Anforderungen, Erwartungen, Kompetenzen.* Wien: facultas.

Kadrić, Mira. 2011. *Dialog als Prinzip. Für eine emanzipatorische Praxis und Didaktik des Dolmetschens.* Tübingen: Gunter Narr.

Kadrić, Mira. 2014. Giving interpreters a voice: interpreting studies meets theatre studies. *The Interpreter and Translator Trainer (ITT)* 8:3, 452–468.

Kaindl, Klaus. 2005. Perturbation als Kommunikationsprinzip. Zum Verhältnis von Theorie und Praxis der Translation. In: Sandrini, P. (Hg.) *Fluctuat nec mergitur. Translation und Gesellschaft. Festschrift für Annemarie Schmid zum 75. Geburtstag.* Frankfurt a. M.: Peter Lang, 47–57.

Kaindl, Klaus/Kurz, Ingrid (Hg.) 2010. *Selbstlos, machtlos, meinungslos? Interdisziplinäre Analysen von ÜbersetzerInnen und DolmetscherInnen in belletristischen Werken.* Wien/Münster: LIT-Verlag.

Kelly, Dorothy. 2005. *A Handbook for Translator Trainers. A Guide to Reflective Practice.* Manchester/Northampton: St. Jerome.

Kelly, Dorothy. 2008. Training the trainers: towards a description of translator trainer competence and training needs analysis. In: Bastin, G. L./Fiola M. A. (eds.) *La formation en traduction: pédagogie, docimologie et technologie, TTR* 21:1, 99–125.

Kearns, John (ed.) 2008. *Translator and Interpreter Training. Issues, Methods and Debates.* London: Continuum International Publishing Group.

Kelly, Dorothy. 2010. Translation didactics. In: Gambier, Y./van Doorslaer, L. (eds.) *Handbook of Translation Studies.* Amsterdam/Philadelphia: John Benjamins, 389–396.

Kiraly, Don. 2000. *A Social Constructivist Approach to Translator Education. Empowerment from Theory to Practice.* Manchester: St. Jerome.

Pöchhacker, Franz. 2013. Teaching interpreting/Training interpreters. In: Gambier, Y./van Doorslaer, L. (eds.) *Handbook of Translation Studies.* Amsterdam/Philadelphia: John Benjamins, 174–180.

Prunč, Erich. 2004. Translationswissenschaft und Translationspraxis. Fremde oder Verbündete? *Universitas Sonderausgabe* 4/04, 9–16.

Prunč, Erich. 2007. *Entwicklungslinien der Translationswissenschaft: von den Asymmetrien der Sprachen zu den Asymmetrien der Macht.* Berlin: Frank & Timme.

Pym, Anthony. 2011. Training translators. In: Malmkjær, K./Windle, K. (eds.) *The Oxford Handbook of Translation Studies.* Oxford: Oxford University Press, 475–489.

Reiß, Katharina. 1971. *möglichkeiten und grenzen der übersetzungskritik. Kategorien und kriterien für eine sachgerechte beurteilung von übersetzungen.* München: Hueber.

Reiß, Katharina. 1995. *Grundfragen der Übersetzungswissenschaft. Wiener Vorlesungen von Katharina Reiß,* hrsg. von M. Snell-Hornby/M. Kadrić. Wien: WUV-Verlag.

Snell-Hornby, Mary (Hg.) 1986. *Übersetzungswissenschaft – eine Neuorientierung. Zur Integrierung von Theorie und Praxis.* Tübingen: Francke.

Vermeer, Hans J. 1986. Übersetzen als kultureller Transfer. In: Snell-Hornby, M. (Hg.), 30–53.

Wilss, Wolfram. 1983. Zum Theorie/Praxis-Bezug in der Übersetzungswissenschaft. In: *Vierzig Jahre Institut für Übersetzer- und Dolmetscherausbildung der Universität Wien.* Tulln: Dr. D. Ott-Verlag, 127–139.

Teil I   Berufsziel Translation: Grundlagen

1 Translatorisches Handeln als Beruf

Christina Schäffner

Einleitung

Im Jahre 1997 erschien das Buch *Berufsfelder für Übersetzer und Dolmetscher*, herausgegeben von Ingrid Kurz und Andrea Moisl. In diesem Band berichten PraxisvertreterInnen über ihre Arbeit in verschiedenen Institutionen (u. a. bei internationalen Organisationen, in Botschaften, als Freiberufler) und über spezifische Anforderungen beim Umgang mit bestimmten Themen bzw. Textsorten (u. a. literarisches Übersetzen, Wirtschaftsübersetzen, Gerichtsdolmetschen). In der 2002 erschienenen zweiten Auflage dieses Bandes verweisen die Herausgeberinnen auf neue Einsatzgebiete in der Berufslandschaft infolge einer „rasanten technischen Entwicklung" (Kurz/Moisl 2002:11), und deshalb wurden Beiträge zur Tätigkeit als Community Interpreter, Translation Lead in der Software-Lokalisierung und als Language Technologies Expert neu aufgenommen.

Mehr als zehn Jahre später ist es normal geworden, von einer Sprachindustrie zu sprechen, und Marktforschungsunternehmen wie Common Sense Advisory veröffentlichen jährliche Berichte über den internationalen Entwicklungsstand dieser Industrie. Diese Berichte enthalten sowohl ein Ranking der jeweils 100 weltweit führenden Sprachdienstleister als auch Information zum Umsatz, zu Entwicklungstrends und zu den in jedem Jahr am schnellsten wachsenden Branchen. Der im Juni 2014 veröffentliche Bericht *The Language Services Market: 2014* hat als Untertitel ‚An Annual Review of the Translation, Localization, and Interpreting Services Industry' (vgl. Kelly/Stewart 2010). Der Bericht gliedert den Abschnitt *The Language Services Market* in die Haupttätigkeitsfelder Übersetzen, Lokalisierung und Dolmetschen, spezifiziert diese weiter und nennt u. a. Software-Lokalisierung, Spiele-Lokalisierung, Multimedia-Lokalisierung, Lokalisierung, Web-Globalisierung, Internationalisierung, Tele-

Vielfalt der Berufsfelder

fondolmetschen, Videodolmetschen, Maschinen-Übersetzen, Translationsmanagement, Translationstechnologie, Transkreation, Qualitätssicherung (im englischen Originalbericht: Software localization, Game localization, multimedia [audio, video, e-learning] localization, web globalization, internationalization, telephone interpreting, video interpreting, machine translation, translation management, translation technologies, transcreation, testing and quality assurance). Laut diesen Umfragen von Common Sense Advisory gehören Transkreation, Website-Globalisierung, Internationalisierung, und Telefondolmetschen in den letzten vier Jahren zu den Tätigkeiten mit den größten Zuwachsraten.

Solche Jahresberichte zur Entwicklung der internationalen Sprachindustrie zeigen schon die Vielfalt der Berufsfelder in der gegenwärtigen Situation. Allerdings haben ähnliche Analysen auch immer wieder darauf hingewiesen, dass die Sprachindustrie fragmentiert und unreguliert ist. Das heißt, dass es in vielen Ländern möglich ist, Übersetzen und Dolmetschen als Tätigkeiten auszuüben, ohne eine spezifische Qualifikation vorweisen zu müssen. Darüber hinaus ist auch die Berufsbezeichnung ÜbersetzerIn bzw. DolmetscherIn meist nicht gesetzlich geschützt (geschützt sind zum Teil mit bestimmten Zulassungen verbundene Bezeichnungen wie „öffentlich bestellter und beeidigter Übersetzer" oder „allgemein beeideter und gerichtlich zertifizierter Dolmetscher"). Das wirft natürlich auch die Frage auf: Was für eine Art Beruf ist der Beruf ÜbersetzerIn und DolmetscherIn? Was macht einen Beruf aus?

Beruf und Status

In einer im Auftrag der Generaldirektion Übersetzen der Europäischen Kommission durchgeführten Studie zum Status des Berufs in der Europäischen Union verweisen die Autoren darauf, dass in der Ausgabe der Statistischen Systematik der Wirtschaftszweige in der Europäischen Gemeinschaft von 2008 Übersetzen und Dolmetschen gemeinsam als eigenständige Kategorie erscheinen, wohingegen es in früheren Jahren nur einen Eintrag für ‚Secretarial and translation activities' gab (Pym et al. 2012:13). In der Statistik von 2008 erscheinen Übersetzen und Dolmetschen in der übergeordneten Gruppe ‚Sonstige freiberufliche, wissenschaftliche und technische

Tätigkeiten', gemeinsam mit Ateliers für Textil-, Schmuck- und Grafikdesign u.ä. sowie Fotografie und Fotolabors, gefolgt von einer weiteren relativ langen Liste von Dienstleistungen (u.a. Maklergeschäfte, meteorologische Tätigkeiten, Umweltberatung). Interessanterweise sind auch die beiden anderen Klassen noch weiter spezifiziert hinsichtlich der Tätigkeiten, z.B. als Modedesign für Textilien, Kleidung, Schuhe, Schmuck, Möbel und sonstigen Innendekorationsbedarf und andere Gebrauchsgüter, Grafikdesign, oder Innenraumgestaltung im ersten Fall, und als Fotografie für Privatpersonen und kommerzielle Nutzer, Filmbearbeitung oder Tätigkeit von Fotojournalisten im zweiten Fall. Nur zu Übersetzen und Dolmetschen gibt es keinerlei Zusatzinformation oder Untergliederung (URL: Eurostat).

Wenn Übersetzen und Dolmetschen folglich zu Wirtschaftszweigen gehören, deren jährliches Wachstum und deren Umsatz gemessen werden kann, was bedeutet das dann für Übersetzen und Dolmetschen als Berufe? Das Gabler Wirtschaftslexikon definiert Beruf als „dauerhaft angelegte, i.d.R. eine Ausbildung voraussetzende Betätigung, die Arbeitskraft sowie Arbeitszeit überwiegend in Anspruch nimmt" (URL: Wirtschaftslexikon/Beruf). Laut Duden ist Beruf eine „[erlernte] Arbeit, Tätigkeit, mit der jemand sein Geld verdient; Erwerbstätigkeit" (URL: Duden/Beruf). Auch wenn in der heutigen schnelllebigen Zeit „dauerhaft" sicher relativ zu sehen ist, so sind die wichtigen Aspekte in diesen Definitionen „Ausbildungsnachweis" und „auf Erwerb ausgerichtete spezialisierte Betätigung". Qualifikationsnachweise werden normalerweise im Rahmen einer spezifischen Ausbildung erworben. Für den Status eines Berufes wichtig ist auch die Existenz von Berufsorganisationen, in die man normalerweise aufgenommen werden kann, wenn ein Qualifikationsnachweis vorliegt und wenn man die entsprechenden Standards und Satzungen anerkennt. Die Berufsverbände ihrerseits können sich dafür einsetzen, dass ÜbersetzerInnen und DolmetscherInnen für ihre Arbeit angemessen bezahlt und auch sozial abgesichert werden. Ausbildungsmöglichkeiten und Rolle der Berufsverbände waren auch wichtige Faktoren für die o.g. Studie zum Status des Berufs in der Europäischen Union.

Interessanterweise gibt es keinen allgemein anerkannten Oberbegriff für den Beruf. Die Bezeichnung TranslatorIn hat sich (noch?) nicht durchgesetzt und wird im deutschsprachigen Raum auch kaum

Voraussetzungen für Anerkennung des Berufes

Keine einheitliche Berufsbezeichnung

verwendet. In den 1960er/1970er Jahren war vor allem in der ehemaligen Deutschen Demokratischen Republik die Benennung „Sprachmittler" für den Beruf und „Sprachmittlung" für die Tätigkeit verbreitet (z. B. Kade 1968; Jäger/Dalitz 1984), wobei jedoch die Betonung auf „Sprache" der Komplexität der Tätigkeit nicht gerecht wird. Selbst die Berufsverbände haben normalerweise nur die Oberbegriffe Übersetzer und Dolmetscher in ihren Namen (Berufsverband der Dolmetscher und Übersetzer [BDÜ] in Deutschland, der Österreichische Übersetzer- und Dolmetscherverband UNIVERSITAS, Institute of Translation and Interpreting [ITI] in Großbritannien). Der Berufsverband in der ehemaligen DDR hieß Vereinigung der Sprachmittler, was auch die damalige enge Beziehung zwischen Ausbildung und Praxis reflektiert. Die spezifischeren Berufsfelder und Tätigkeiten, die sich unter diesen Oberbegriffen zusammenfassen lassen, sind jedoch vielfältig, wie bereits oben mit der Liste in den Marktberichten von Common Sense Advisory angedeutet. Diese Vielfalt in den Mittelpunkt zu stellen war das Ziel einer internationalen Konferenz, die im September 2014 an der Universität Murcia stattfand (der Call for Papers sprach von „examining the multiple faces of translation"). Unter anderem waren Beiträge zu den folgenden Kategorien erwünscht:

- Specialised Translation (Scientific, Technical, Economic, Legal, Sworn and Judicial)
- Audiovisual Translation (Dubbing, Subtitling etc.)
- Software, Website and Videogame Localization, Machine Translation, Manual post-editing etc.
- Literary and Humanistic Translation
- Conference Interpreting and Public Service Interpreting
- Terminology, Documentation and Computer Technology Applied to Translation

Ein Blick auf diese Liste zeigt Überschneidungen mit den Kategorien der Common Sense Advisory-Berichte und stellt auch einen repräsentativen Querschnitt der aktuellen Berufsfelder im Bereich Übersetzen und Dolmetschen dar. Im vorliegenden Band werden mehrere dieser spezifischen Berufe bzw. Tätigkeiten genauer dargestellt. In diesem Einleitungskapitel sollen folglich nur einige allgemeinere Bemerkungen zu Tätigkeitsgruppen und Berufsprofilen gemacht werden.

Rollenbilder

Eine weitgehend akzeptierte Grobunterteilung des Berufs ist ÜbersetzerIn und DolmetscherIn. Übersetzen involviert die Arbeit mit schriftlichen Dokumenten und Dolmetschen die Arbeit mit mündlicher Sprache. Dass diese Unterteilung stark vereinfacht ist (z. B. kann SimultandolmetscherInnen eine Rede in schriftlicher Form vorliegen, ÜbersetzerInnen können ihren Zieltext diktieren), wurde in der Translationswissenschaft wiederholt betont (bereits Kade 1968 hatte die Existenzdauer und die Existenzweise des Ausgangstextes als Unterscheidungskriterien genannt). Sowohl ÜbersetzerInnen als auch DolmetscherInnen können in einem festangestellten Arbeitsverhältnis sein (in internationalen Organisationen wie z. B. der UNO, der Generaldirektion Übersetzen der Europäischen Kommission; in nationalen Organisationen wie z. B. im Sprachendienst des Auswärtigen Amtes des Bundesrepublik Deutschland; in spezifischen Übersetzungsfirmen; in Übersetzungsabteilungen von Unternehmen verschiedener Branchen) oder freiberuflich arbeiten. Die Vor- und Nachteile fester Anstellungen bzw. freiberuflicher Tätigkeit (Zeiteinteilung, Arbeitsort, Kosten, Kundenfindung usw.) werden oft in einschlägigen Publikationen, vor allem in Zeitschriften der Berufsverbände, angesprochen.

Eine weitere Gemeinsamkeit von ÜbersetzerInnen und DolmetscherInnen ist die Spezialisierung auf ein oder einige wenige Fachgebiete, z. B. Medizin, Technik, Recht, Wirtschaft, Politik. Eine solche Spezialisierung kann unter Umständen auch nur ein bestimmtes Thema innerhalb eines Fachgebiets betreffen (z. B. Nukleartechnik, Verwaltungsrecht, Sicherheitspolitik). FachübersetzerInnen arbeiten auch oft mit bestimmten Textsorten, die für das entsprechende Fachgebiet besonders übersetzungsrelevant sind (z. B. medizinische Fallstudien, Rechtsgutachten, Urkundenübersetzung). DolmetscherInnen, die für internationale Organisationen arbeiten, berichten oft, dass eine engere Spezialisierung für sie nicht infrage kommt, da die tägliche Arbeit (z. B. Kommissionssitzungen, Expertentreffen) vielfältig ist und kurzfristige thematische Vorbereitung erfordert. Auch beim literarischen Übersetzen kann die Thematik so vielfältig sein, dass die jeweilige Recherche über einzelne Fachgebiete sowie Kultur- und Zeiträume hinausgeht. LiteraturübersetzerInnen werden in der Öffentlichkeit stärker wahrgenommen, sie sind eher ‚sichtbar' (Venuti 1995),

Spezialisierung auf ein Fachgebiet

da ihre Namen heutzutage üblicherweise auf der Titelseite von Büchern erscheinen und auch Preise für literarische Übersetzungen verliehen werden. In wirtschaftlicher Sicht spielen literarische Übersetzungen allerdings im Vergleich zu anderen Textsorten und Fachgebieten eine untergeordnete Rolle.

Einfluss des Mediums auf Übersetzungstätigkeit

Neben der Fachspezialisierung kann die Arbeit von ÜbersetzerInnen auch durch bestimmte Anforderungen des Mediums beeinflusst sein. Das betrifft u. a. den Bereich des audio-visuellen oder multimedialen Übersetzens, also z. B. Synchronisation, Untertitelung, Übertitelung, voice-over, Audiodeskription für Hörbehinderte, und auch Übersetzung von Libretti für Opern, von Liedertexten und Comics. Bei all diesen Textsorten gibt es ein systematisches Zusammenspiel mehrerer semiotischer Systeme (Wort und Bild, Text und Musik) sowie formal-technische Aspekte wie verfügbarer Platz (bei Untertitelung oder Sprechblasen bei Comics) oder Lippenbewegung (bei der Filmsynchronisation). Bei diesen Tätigkeiten arbeiten ÜbersetzerInnen folglich oft gemeinsam mit anderen ExpertInnen im Team. Ein weiterer wichtiger Aspekt ist, dass ÜbersetzerInnen Zugriff auf das Gesamtdokument haben und nicht nur den sprachlichen Text zugeschickt bekommen. Denn wie sonst kann man entscheiden, ob der Text auf die Melodie passt oder synchron mit den Lippenbewegungen bei Großaufnahmen ist? Ähnliche Entscheidungen, bei denen die Expertise der ÜbersetzerInnen gefragt ist, betreffen kulturspezifische Aspekte, z. B. Konventionen aller Art (u. a. Anredeformen, Maße und Gewichte), Tabus, Farbsymbolik. Solche Aspekte können bei der Übersetzung von Werbetexten und anderen Texten, mit denen das Image eines Unternehmens betont werden soll, besonders relevant werden.

,Transkreation' als Bezeichnung für Adaptationen

Für die Übersetzung von Werbetexten wird aufgrund der besonderen Relevanz kulturspezifischer Aspekte häufig die Bezeichnung ,Transkreation' (,transcreation') oder auch ,kreative Adaption' statt Übersetzen verwendet. Eine Übersetzungsfirma, die ,transcreation' als eine ihrer Dienstleitungen auflistet, gibt die folgende Charakterisierung:

> Transcreation is the process of recreating precise brand content for a target language. Standard translation and localization services don't effectively preserve the creative and emotional intent of creative content that allows it to best resonate in other languages and cultures.

To ensure this content will be successful internationally, transcreation adapts the intent of the original text. (URL: Transcreation)

Solche Beschreibungen implizieren auch ein ziemlich enges Verständnis von Übersetzen als weniger kreativ, was auch dem gängigen Verständnis von Übersetzen als zweckorientiertem Handeln bzw. translatorischem Handeln in der Translationswissenschaft entgegensteht (vgl. die bekannten Definitionen der Translation, etwa Vermeer 1987, 1996; Reiß/Vermeer 1991; Nord 1997, 2005; Holz-Mänttäri 1984; Hönig 1995). In funktionalen Übersetzungstheorien wurde auch darauf verwiesen, dass Kreativität durchaus in jeglicher Übersetzung relevant ist (z.B. Kussmaul 2000), da Übersetzen nicht auf eine rein mechanische Tätigkeit oder simple Substitution von Wörtern reduziert werden kann. Trotz solcher Einsichten in der Translationswissenschaft ist es in der Praxis der Sprachindustrie geläufig, andere Bezeichnungen zu verwenden, wann immer das translatorische Handeln komplexer erscheint als es die Schaffung eines Zieltextes auf der Grundlage eines Ausgangstextes erfordert. Außer der Benennung Transkreation zeigt sich das auch in den Bezeichnungen ‚Lokalisierung' für Software und Videospiele oder ‚transediting' für Pressetexte. Lokalisierung bezeichnet jegliche Modifizierung, die Dokumente „linguistically and culturally appropriate to the target locale (country/region and language)" machen (Esselink 2000:3). So werden bei der Software-Lokalisierung auch Online-Hilfen und Handbücher an die Bedingungen des jeweiligen regionalen Marktes adaptiert, was u.a. Adaptionen von Datumsangaben oder Symbolen einschließt. Unabhängig davon, ob man solche Benennungen akzeptiert oder nicht, so wird doch der Blick geschärft für spezifische Aspekte dieser Tätigkeiten (zu den Konsequenzen solcher Benennungen für die Konzeptualisierung und theoretische Reflektion zum Übersetzen siehe auch Schäffner 2012a, 2013).

Beim Dolmetschen wird üblicherweise nach dem Dolmetschmodus zwischen Simultan-, Konsekutiv- und Begleitdolmetschen unterschieden, oder auch nach dem Einsatzgebiet (z.B. Verhandlungsdolmetschen, Konferenzdolmetschen, Gerichtsdolmetschen, Begleitdolmetschen etc.). Neben den Anforderungen, die sich aus dem Themenbereich ergeben, stellt auch der Modus spezielle Anforderungen an kognitive Fähigkeiten (wie Speicherfähigkeit im Gedächtnis, Notationstechnik, Antizipationsstrategien) und soziale Kom-

Dolmetschen und neue Technologien

petenzen (wie Interaktionskompetenz, Deutung von Körpersprache). Besonders im Bereich des Kommunaldolmetschens (Dolmetschen im öffentlichen Sektor, Gesundheitswesen, Bildungswesen, im Gefängnis, für Polizei, bei Asylanhörungen, vor dem Arbeitsamt usw.) können die konkreten Lebensumstände der Gesprächspartner (z. B. Flüchtlinge aus Kriegsgebieten) oder die Umstände des Einsatzes selbst (bei Naturkatastrophen, in Gebieten ethnischer Konflikte) auch für DolmetscherInnen zusätzliche emotionale Konflikte auslösen. Fragen der professionellen Ethik sind deshalb wesentlicher Bestandteil der Ausbildung und sind in letzter Zeit vor allem im Zusammenhang mit dem Rollenverständnis von KommunaldolmetscherInnen auch verstärkt zum Thema von Publikationen geworden (z. B. in den Publikationen der Critical Link Konferenzen, u. a. Schäffner/Kredens/Fowler 2013 oder auch Feinauer/Lesch 2013 mit einer Untersuchung zum Konflikt im Rollenverständnis beim Einsatz von DolmetscherInnen im Gesundheitswesen in Südafrika). Die Diskussion zum Rollenverständnis betrifft vor allem auch Fragen, wo sinnvollerweise (wenn überhaupt) eine Trennung zwischen DolmetscherIn und KulturmittlerIn und Beistand bzw. InteressenvertreterIn (advocacy) gezogen werden kann. In der Praxis hat das auch zu neuen Formen von Bedarfsausbildung für humanistisches Dolmetschen in Konflikt- und Notfällen geführt. Ein solches Beispiel neuer Ausbildungsformen stellt das In-Zone Projekt der Universität Genf dar, bei dem es um Dolmetscherausbildung ‚in the field' geht (URL: In-Zone). Neben dem Dolmetschen vor Ort, wo DolmetscherInnen normalerweise sichtbar sind (bzw. zumindest hörbar bei der Arbeit in einer Kabine beim Konferenzdolmetschen oder beim Live-Dolmetschen im Fernsehen), führt der Einsatz neuer Technik auch zu neuen räumlichen Konstellationen für DolmetscherInnen. Das zeigt sich z. B. beim Telefondolmetschen (z. B. für Polizei oder Krankenhaus) oder beim Videodolmetschen für Gericht oder Gefängnis, bei Konferenzen, im Theater, im Fernsehen, um nur einige Beispiele zu nennen. Sowohl das lautsprachliche als auch gebärdensprachliche Dolmetschen nutzen diese modernen Techniken.

Beim Übersetzen wie beim Dolmetschen ist es wichtig, sich im jeweiligen Fachbereich, auf den man spezialisiert ist, terminologisch und sachlich auf dem neuesten Stand zu halten. Das erfordert ständige Weiterbildung, wofür auch die Berufsverbände umfangreiche Programme entwickeln. Besonders für FreiberuflerInnen sind auch eine engagierte Kundenpflege sowie unternehmerische Fähigkeiten unerlässlich. In Übersetzungsfirmen sind solche Aufgaben wie Kundengewinnung und Abrechnung oft auf mehrere Angestellte verteilt.

In der Sprachindustrie gehören zu den Tätigkeiten, für die eine Ausbildung als ÜbersetzerIn oder DolmetscherIn eine gute Grundlage ist, auch die Arbeit als ProjektmanagerIn, KorrektorIn, fachliche PrüferIn, TerminologIn usw. ProjektmanagerInnen für Übersetzungen koordinieren den gesamten Ablauf, vom Empfang des Übersetzungsauftrags bis zur Lieferung des Endprodukts an den Kunden. Das schließt Aufgaben ein wie Auftrags- und Ausgangstextanalyse, Auswahl der für das spezielle Fachgebiet geeigneten ÜbersetzerInnen, Kalkulation der Kosten, Erstellung des Werkvertrags, Kommunikation mit dem Auftraggeber und den ÜbersetzerInnen und LektorInnen sowie die Abrechnung der Leistungen. Bei Übersetzungsprojekten in mehrere Sprachen mit Layoutaufgaben müssen Projektmanager häufig eine Vielzahl einzelner Arbeitsschritte organisieren, koordinieren und überwachen. Projektmanager benötigen deshalb – genau wie ÜbersetzerInnen – sprachliche und fachliche Kenntnisse und Kompetenz im Umgang mit Übersetzungstechnologien (Translation-Memory-Systeme, Terminologieverwaltungsmodule) sowie darüber hinaus Verständnis von Auszeichnungssprachen (wie SGML oder XML), von speziellen Technologien für Qualitätssicherungsprogramme oder Projektmanagement-Anwendungen, und natürlich soziale Kompetenzen im Umgang mit Kunden und MitarbeiterInnen. Zur Tätigkeit von ÜbersetzerInnen in Sprachdienstleistungsunternehmen gehört auch das Korrekturlesen bzw. Überarbeiten von angefertigten Übersetzungen als Stufen der Qualitätssicherung. Maßnahmen der Qualitätssicherung in Übersetzungsdienstleistungen sind in dem internationalen Standard EN 15038 verankert, dem sich immer mehr Unternehmen verpflichtet fühlen. Auch die Editierung von Ergebnissen der Maschinenübersetzung gehört heute mehr und mehr zu den Tätigkeiten von ÜbersetzerInnen, die ebenfalls mit Blick auf die Qualitätssicherung durchgeführt werden müssen.

Größere Sprachdienstleistungsunternehmen und auch Übersetzungsabteilungen in Unternehmen, Behörden oder Institutionen (wie z. B. in der Europäischen Kommission) haben eigene Terminologieabteilungen. Die Arbeit der Terminologen besteht in der Erstellung

Projektmanagement und Terminologie

und Pflege von meist mehrsprachigen Terminologie-Datenbanken und Fachglossaren, in denen die für die Arbeit des jeweiligen Unternehmens notwendigen und spezifischen Fachbegriffe mit Definitionen, Kontextangaben und fremdsprachlichen Entsprechungen enthalten sind. Solche Terminologie-Datenbanken erleichtern die Suche nach Entsprechungen und garantieren somit Konsistenz innerhalb der Texte und zwischen den Texten. ÜbersetzerInnen selbst fungieren oft als Termini-Lieferanten aufgrund ihrer Recherchen im Zusammenhang mit konkreten Aufträgen.

Spektrum der Dienstleistungen

Diese Vielfalt der konkreten Tätigkeiten und Arbeitsschritte, die Sprachdienstleistungsanbieter zu erfüllen haben, hat auch dazu geführt, dass Sprachdienstleister für ihre Arbeit nicht allein mit dem Hinweis auf Übersetzen werben, sondern eine ganze Reihe von Diensten auflisten, wie Lokalisierung, Texten und Schreiben, Editieren, technische Dokumentation usw. Eine renommierte Firma in Großbritannien etwa listet 14 verschiedene Dienstleistungen auf: translation, copywriting, voiceover, quality audits, subtitling, interpreting, telephone interpreting, desktop publishing and typesetting, translation memory and terminology management, proofreading, transcription, transcreation and adaptation, multi-lingual SEO, online review tools (URL: Comtec). Obwohl nicht immer alle diese Tätigkeiten als typisch für Übersetzen bzw. Dolmetschen erscheinen, so geben sie doch einen guten Einblick in die gegenwärtige Sprachindustrie.

Dieses weite und vielfältige Arbeitsfeld führt zu den Fragen: Handelt es sich bei ÜbersetzerIn und DolmetscherIn um einen Beruf oder um mehrere Berufe, für die spezielle Bezeichnungen gefunden werden müssen? Und wie können wir in der Ausbildung all diesen Anforderungen der Berufswelt gerecht werden?

Ein Beruf oder mehrere?

Im Februar 1999 führten wir an der Aston University in Birmingham ein Symposium unter dem Titel *Translation in the Global Village* durch. Hauptreferentin war Mary Snell-Hornby, die in ihrem Beitrag Translation im weiteren Kontext von multilingualer und multikultureller Kommunikation situierte und illustrierte, wie Globalisierungstendenzen und technologische Entwicklungen die Translation

beeinflussen und welche Folgen dies für das Berufsprofil von ÜbersetzerInnen hat (in ihrem Beitrag ging es schwerpunktmäßig um
Übersetzen). In Anlehnung an einen Artikel von Schmitt (1998)
stellte sie dar, was ÜbersetzerInnen in der heutigen Welt tun, die
durch Globalisierung, Hybridisierung und interkulturelle Unterschiede gekennzeichnet ist. Neben der Arbeit mit einer Vielzahl
technischer Hilfsmittel und Recherche mit Internetressourcen, Foren
und sozialen Netzwerken (social media) sind ÜbersetzerInnen auch
häufiger mit Ausgangstexten konfrontiert, deren sprachliche Struktur
ebenfalls durch Merkmale von Hybridität gekennzeichnet ist (Snell-
Hornby illustriert dies mit International English). In der folgenden
Diskussion führte dies zu der Frage: Hat sich wirklich das Wesen des
Übersetzens verändert oder nur das Tätigkeitsprofil? Besonders Peter
Newmark vertrat vehement die Meinung, dass ÜbersetzerInnen zwar
mehr Tätigkeiten ausübten, oft zusätzlich zu ihrer eigentlichen
übersetzerischen Arbeit, dass diese Vielfalt an Tätigkeiten allerdings
nicht das Wesen des Übersetzens berühre, das für ihn in der korrekten
Wiedergabe der Bedeutungen eines Textes in einer anderen Sprache
für neue Leser besteht. Newmark sieht in der korrekten Wiedergabe
der Bedeutungen eines Textes in einer anderen Sprache den Bezugs-
punkt für jegliche spezifische Aufgabe oder Form, wie z. B. Syncho-
nisation oder Untertitelung (Newmark 2000).

    Diese Argumentation berührt natürlich die Definition von Über-
setzen und hat auch Folgen für die Charakterisierung der Übersetzungskompetenz und die Gestaltung der Ausbildung. Das traditionell
enge Verständnis von Übersetzen als äquivalenter Bedeutungsüber-
tragung wird den Anforderungen der Industrie und des Marktes auf
keinen Fall gerecht und ist auch in der Translationswissenschaft seit
geraumer Zeit nicht mehr präsent. In Reaktion auf Newmark betonte
Snell-Hornby, dass translatorisches Handeln mehr ist als sprachliche
Transkodierung mit einer ergänzenden technologischen Komponente.
Sie beschreibt das Berufsprofil für das 21. Jahrhundert wie folgt:

Neu zu definieren-de Translations-kompetenz

> Translators (and interpreters) are experts for interlingual and intercul-
> tural communication, and assume full responsibility for their work.
> They have acquired the necessary professional expertise, above all
> linguistic, cultural and subject-area competence, and are equipped
> with suitable technological skills to meet the challenges of the mar-
> ket today and those to be expected over the coming years. On the
> basis of source material presented in written, spoken or multi-medial

form, and using suitable translation strategies and the necessary work tools, they are able to produce a written, spoken or multi-medial text which fulfils its clearly defined purpose in another language or culture. Translators are engaged in fields ranging from scientific and literary translation over technical writing and pre- and postediting to translation for stage and screen. (Snell-Hornby 2000:25 f.)

Diese Charakterisierung Snell-Hornbys basiert stark auf Definitionen des Übersetzens in funktionalen Translationstheorien, vor allem Vermeers, aber auch Holz-Mänttäris Beschreibung der Translation als artifiziell-professionell ermöglichte Kommunikation. Fast fünfzehn Jahre später ist diese Charakterisierung des Berufsbilds nach wie vor zutreffend, auch wenn weitere Tätigkeitsfelder und weitere Spezialisierungen dazugekommen sind und auch die technischen Hilfsmittel viel weiter entwickelt sind. Die Beachtung der in der Berufspraxis erforderlichen Tätigkeiten hat Folgen für die Beschreibung des Kompetenzprofils, das in Snell-Hornbys o. a. Charakterisierung stark auf die Arbeit mit Texten beschränkt ist. Das Kompetenzprofil, das für das Projekt Europäischer Master in Übersetzen (EMT) von der Europäischen Kommission initiiert wurde, reflektiert diese Markterfordernisse in treffender Weise (zum Kompetenzbegriff der TranslatorInnen ▶ I.2).

Kompetenzprofil und Ausbildung

Die Notwendigkeit, ein breites Kompetenzprofil zu erstellen, wurde von der Sachverständigengruppe für das EMT-Projekt dezidiert mit dem Hinweis auf die Entwicklung der Märkte im Zuge der Globalisierung und den technischen Fortschritt begründet. Diese Entwicklungen gehen mit einem raschen Wandel der beruflichen Praxis sowie der qualitativen Anforderungen an Übersetzungsdienstleistungen einher.

Das EMT-Kompetenzprofil beschreibt „die Fähigkeiten, die Übersetzer benötigen, um auf dem heutigen Markt zu bestehen" (URL: Europa/Kompetenzprofil). Allein schon die Bezeichnung „Kompetenzprofil von Translatoren, Experten für die mehrsprachige und multimediale Kommunikation" trägt der Marktentwicklung Rechnung und betont darüber hinaus die Professionalität der Tätigkeit. Des Weiteren sind auch verschiedene Formen des Dolmetschens in dieses Profil eingeschlossen, d. h. die Bezeichnung Translator ist hier als Oberbegriff zu verstehen.

Das Kompetenzprofil ist als ein Referenzkatalog konzipiert, der spezifische Berufskompetenzen als ein minimales Qualitätsanforderungsprofil an AbsolventInnen am Ende der Ausbildung in einem Master-Studiengang umfasst. Die folgenden sechs Kompetenzbereiche sind in dem Dokument aufgeführt, wobei jeder einzelne Bereich weiter durch spezifische und interdependente Merkmale charakterisiert ist:

EMT-Kompetenzprofil

1. *Dienstleistungskompetenz* (mit interpersoneller und Produktionskomponente)
2. *Sprachenkompetenz*
3. *Interkulturelle Kompetenz* (mit soziolinguistischer und textbezogener Komponente)
4. *Recherchenkompetenz*
5. *Fachkompetenz*
6. *Technikkompetenz* (URL: Europa/Kompetenzprofil)

Wurden Sprachen-, Fach-, Textkompetenz sowie Kompetenz im Umgang mit technischen Hilfsmitteln schon wiederholt in Modellen der Translationskompetenz aufgeführt (z. B. Kiraly 2000; Risku 1998; PACTE 2003), so zeigt sich die professionelle Ausrichtung insbesonders stark in der Dienstleistungskompetenz. Einige wenige Merkmale dieser Kompetenz sollen zur Illustration genügen. Unter der interpersonellen Komponente finden sich:

- imstande sein, sich den Markterfordernissen und den Beschäftigungsprofilen anzupassen (die Nachfrageentwicklung zu verfolgen);
- Kontakte zu seinen Kunden bzw. potenziellen Auftraggebern knüpfen und pflegen können (Marketing);
- mit Auftraggebern verhandeln können (um Termine, Honorare/ Fakturierung, Arbeitsbedingungen, Zugang zu Informationen, Vertragsbedingungen, Rechte und Pflichten, Anforderungen an die Übersetzung, Aufgaben usw. festzulegen);
- in der Lage sein, Anweisungen, Termine, Verpflichtungen, Umgangsformen, Teamzwänge einzuhalten bzw. zu wahren.

Zur Produktionskomponente gehören u. a.:

- in der Lage sein, eine Übersetzung anzufertigen und anzubieten, die dem Bedarf des Kunden, d. h. dem Zweck (*Skopos*) und der Situation der Übersetzung, gerecht wird;
- eigene Übersetzungsschwierigkeiten benennen und bewerten und geeignete Lösungen finden können;
- die einschlägige Metasprache beherrschen (um die eigene Arbeit, Vorgehensweise und Entscheidungen professionell darlegen zu können).

Neue Ausbildungs-
inhalte Das EMT-Projekt hat auch als ein wesentliches Ziel, die Qualität der Übersetzerausbildungsgänge zu verbessern. Da der Beruf nicht reglementiert ist, kann das Kompetenzprofil auch als Referenzrahmen für die Optimierung der Ausbildungsprogramme verwendet werden. Zumindest innerhalb Europas ist die Ausbildung von ÜbersetzerInnen und DolmetscherInnen auf Universitätsebene zur Normalität geworden, was auch von der Sprachindustrie geschätzt und zunehmend erwartet wird (Stellenangebote verweisen heute schon oft auf einen Master-Abschluss als Einstellungsvoraussetzung). Innerhalb der letzten Jahre hat sich auch die universitäre Ausbildung geändert und sich zunehmend den Markterfordernissen angepasst. Das zeigt sich u. a. in einem verstärkten Praxisbezug der Ausbildung (z. B. Einbeziehung von professionellen ÜbersetzerInnen und DolmetscherInnen in die Ausbildung, Arbeit mit authentischen Aufträgen, Praktika in Übersetzungsfirmen und bei Sprachendienstanbietern). Themen wie Produktivität, Kosten, Termineinhaltung, Qualitätsmanagement, Ethik gehören heute immer mehr zu Standardthemen der Ausbildung, ebenso wie das Erlernen des Umgangs mit Translation-Memory-Systemen und anderen elektronischen Hilfsmitteln (siehe auch Gouadec 2007; Schäffner 2012 b).

Beispiele für
Lehrinhalte auf
OPTIMALE-
Website Die didaktischen Herausforderungen der tätigkeitsspezifischen Kompetenzen und Anforderungen waren auch Gegenstand des OPTIMALE-Projekts (Optimising Professional Translator Training in a Multilingual Europe). Beispiele für Lehrinhalte, Material und Methoden, durch die eine Arbeitsmarktfähigkeit der Absolventen erreicht werden kann, finden sich auf der Optimale-Website (URL: Optimale).

Natürlich muss sich auch die Universitätsausbildung ständig an der Berufspraxis orientieren und ihre Lehrinhalte und -methoden entsprechend anpassen. Das heißt, die rasche Entwicklung der Märkte im Zuge der Globalisierung und der technische Fortschritt stellen auch für die Ausbildung und die AusbilderInnen eine ständige Herausforderung dar. Die o. g. Konferenz in Murcia hatte folglich auch ,Didactics of Translation and Interpreting' als eines ihrer Themen. Eine andere Konferenz, die im Mai 2015 an der Universität Porto stattfand, richtete sich direkt an Universitäten und die Sprachindustrie, haben doch beide Seiten die gemeinsame Verantwortung, für die Nachhaltigkeit (sustainability) des Berufs zu sorgen, und das kann nur in enger Kooperation erfolgen. Die Porto-Konferenz stand unter dem Thema ,Challenges for University Programmes and Language Services Providers', und im Call for Papers hieß es u. a.:

> Few professions have been so radically changed by globalization in the last twenty years than that of language services providers (LSPs) […] The universities have struggled to innovate their curricula in order to meet demands that their graduates should be qualified for a job. However, the market continues to change, driven by technology, the recession and the laws of supply and demand. As with other industries, large international organizations and companies subcontract smaller ones or freelancers, and all are becoming the beneficiaries (victims?) of the videoconference, the virtual office and the ,cloud'. Besides, LSPs often feel their work is being threatened by amateurs, volunteer collaborative networks, crowd sourcing, and fansubbing.

Wie wir sehen, haben wir einerseits eine Situation, die anerkennt, dass sich Übersetzen und Dolmetschen zu professionellen Berufsbildern entwickelt haben, zum anderen gibt es jedoch auch neue Formen von Tätigkeiten, wie ,fan-translation' und ,crowd-sourcing', die zum einen die Praxis mit ihren Qualitätsstandards vor neue Herausforderungen stellen, und zum anderen auch Möglichkeiten für neue Forschungsthemen für die Translationswissenschaft bereitstellen. Das Bewusstsein um die Komplexität des Berufs hat auch dazu geführt, dass ÜbersetzerInnen und DolmetscherInnen als Personen in ihrem speziellen Arbeitsumfeld mehr ins Zentrum der Aufmerksamkeit geraten sind. Zu diesem Arbeitsumfeld gehören heutzutage ganz selbstverständlich der Umgang mit Computern (hardware und software) und Interaktionen im Team.

Der Einsatz von Hilfsmitteln für das computergestützte Übersetzen (die englische Bezeichnung CAT-tools ist auch im Deutschen

Einsatz von CAT-tools

verbreitet) und auch die zunehmende Verfügbarkeit von freizugänglichen Maschinenübersetzungssystemen haben dazu geführt, dass sich die Erwartungen und Anforderungen der Kunden bezüglich Qualität, Termin und Kosten erhöht haben. Die Arbeit der ÜbersetzerInnen und DolmetscherInnen erfolgt immer in bestimmten situativen Kontexten, in denen die kognitiven, materiellen und organistorischen Aspekte der beruflichen Praxis die konkrete Tätigkeit sowie die Entwicklung und weitere Ausformung des beruflichen Kompetenzprofils beeinflussen. Eine weitere Konferenz, die im März 2015 an der Universität Stendhal Grenoble stattfand, war ausschließlich diesem Thema gewidmet. Sie stand unter dem Thema: ‚Translators at Work: Ergonomic Approaches to Translation Practice and Training' (URL: Wordpress/translators at work). Ziel dieser Konferenz war es zu erörtern, welchen Einfluss neue Arbeitsbedingungen und die Veränderungen im Arbeitsumfeld auf die ÜbersetzerInnen und ihre Leistung haben und wie solche Veränderungen antizipatorisch in universitäre Ausbildungsprogramme sowie berufsbezogene Weiterbildungslehrgänge integriert werden können.

Dass sich Konferenzen solchen Fragestellungen zuwenden zeigt, dass sowohl die Translationswissenschaft als auch die Sprachindustrie dem Wohlergehen (in gesundheitlicher und sozialer Hinsicht) und der Identität der ÜbersetzerInnen und DolmetscherInnen größere Aufmerksamkeit schenken.

Aussichten für AbsolventInnen?

Die Herausforderungen, die sich durch Tätigkeiten ergeben, die nicht von qualifizierten ÜbersetzerInnen durchgeführt werden wie ‚fantranslation' und ‚crowd-sourcing', sowie die Zunahme der Maschinenübersetzungssysteme sind zentrale Themen sowohl für die Translationswissenschaft als auch für die Sprachindustrie. Angesichts solcher Entwicklungen stellt sich natürlich auch die Frage, ob es für AbsolventInnen von Studiengängen im translatorischen Handeln auch genügend Arbeitsplätze und Einsatzmöglichkeiten gibt, oder ob der Markt nicht schon gesättigt ist.

Ich hatte einleitend auf die Jahresberichte von Common Sense Advisory verwiesen, die in den letzten Jahren ein ständiges Wachstum an Sprachdienstleistungen gemeldet haben. Es wurde auch betont, dass die Sprachindustrie der einzige Wirtschaftszweig war, der während der Wirtschafts- und Finanzkrise (ca. 2008–2012) ein ungebrochenes Wachstum aufwies. Die Sprachindustrie weltweit ist ein Wirtschaftsbereich, der Milliarden von Euros umsetzt. Von der Generaldirektion Übersetzen der Europäischen Kommission in Auftrag gegebene Untersuchungen zum Stand der Industrie (vor allem *Contribution of translation to the multilingual society in the EU* von 2010) bestätigen eine positive Marktentwicklung der Sprachindustrie. Common Sense Advisory nannte im Jahresbericht von 2010 einen Umsatz von weltweit 26 Milliarden US Dollar (Kelly/ Stewart 2010). Laut Common Sense Advisory sind 58,07 % aller Sprachdienstleister der Welt in Europa angesiedelt, davon 17,71 % in Westeuropa. Die Europäische Kommission rechnete mit einem jährlichen Anstieg des Umsatzes der Sprachindustrie um mindestens 10 % bis 2015, was einem Umsatz von 16,5 bis 20 Milliarden Euro entspräche.

Angesichts solch optimistischer Voraussagen für die Sprachindustrie sind auch die Aussichten für AbsolventInnen positiv. Dabei sollte man jedoch immer im Auge behalten, dass man für eine Industrie ausgebildet ist, die vielfältig ist (wie die o. a. Auflistung der Teilbereiche der Sprachdustrie zeigt) und sich auch weiterhin rasch entwickeln wird. Ständige Weiterbildung und Offenheit gegenüber neuen Entwicklungen sind deshalb unerlässlich für Erfolg im Beruf. Diese zu erwartenden Entwicklungen der Sprachindustrie und der Berufsbilder stellen auch an die universitäre Ausbildung die Anforderung, die Programme ständig auf ihre Qualität und ihren Praxisbezug hin zu überprüfen und entsprechend anzupassen. Das erfordert auch, dass sich die Ausbildenden selbst ständig weiterbilden. Das Kompetenzprofil für Ausbildende, das im Rahmen des EMT-Projekts erstellt wurde, bietet einen guten Referenzrahmen für die Fortbildung der Trainer (URL: Europa/Kompetenzprofil). Notwendig ist auch, dass die Translationswissenschaft die Berufspraxis weiterhin in ihren Forschungsgegenstand einschließt. Diese Forderungen bedeuten letztendlich auch, dass die Arbeit als LektorIn bzw. DozentIn in der Ausbildung von ÜbersetzerInnen und DolmetscherInnen zu den Berufen von AbsolventInnen von translatorischen Studiengängen gehören genauso wie eine Tätigkeit als ForscherIn im Bereich Translationswissenschaft.

Anstieg des Sprachindustrieumsatzes erwartet

Literatur

DUDEN: Abrufbar unter: http://www.duden.de/rechtschreibung/Beruf (Stand: 20/01/2016).

Comtec. Your translation partner. Abrufbar unter: http://www.comtectranslations.co.uk/ (Stand: 20/01/2016)

EMT-Expertengruppe. 2009. Kompetenzprofil von Translatoren, Experten für die mehrsprachige und multimediale Kommunikation. Abrufbar unter: http://ec.europa.eu/dgs/translation/programmes/emt/key_documents/emt_competences_translators_de.pdf (Stand: 20/01/2016).

Eurostat. http://epp.eurostat.ec.europa.eu/cache/ITY_OFFPUB/KS-RA-07–015/DE/KS-RA-07–015-DE.PDF (Stand: 01/02/2016).

Esselink, Bert. 2000. *A Practical Guide to Localization*. Amsterdam/Philadelphia. John Benjamins.

European Commission's Directorate-General for Translation. 2010. *Contribution of translation to the multilingual society in the EU*. Abrufbar unter: http://ec.europa.eu/dgs/translation/publications/studies/index_en.htm (Stand: 20/01/2016)

Feinauer, Ilse/Lesch, Harold M. 2013. Health workers: idealistic expectations versus interpreters' competence. *Perspectives: Studies in Translatology* 21:1, 117–132.

Gabler Wirtschaftslexikon. Abrufbar unter: http://wirtschaftslexikon.gabler.de/Definition/beruf.html (Stand 20/01/2016).

Gouadec, Daniel. 2007. *Translation as a Profession*. Amsterdam/Philadelphia: John Benjamins.

Holz-Mänttäri, Justa. 1984. *Translatorisches Handeln: Theorie und Methode*. Helsinki: Suomalainen Tiedeakatemia.

Hönig, Hans G. 1995. *Konstruktives Übersetzen*. Tübingen: Stauffenburg.

In-Zone Project *Training interpreters in the field*. Abrufbar unter: http://inzone.fti.unige.ch/ (Stand: 20/01/2016).

Jäger, Gert/Dalitz, Günter. 1984. *Die Sprachmittlung und ihre Hauptarten*. Leipzig: Karl-Marx-Universität. Sektion Theoretische und angewandte Sprachwissenschaft.

Kade, Otto. 1968. *Zufall und Gesetzmäßigkeit in der Übersetzung*. (Beiheft I zur Zeitschrift Fremdsprachen). Leipzig: Enzyklopädie.

Kelly, Nataly/Stewart, Robert G. 2010. The Language Services Market: 2010. Abrufbar unter: http://www.commonsenseadvisory.com/AbstractView.aspx?ArticleID=1162 (Stand 20/01/2016).

Kiraly, Don. 2000. *Social Constructivist Approach to Translator Education. Empowerment from Theory to Practice*. Manchester: St. Jerome.

Kurz, Ingrid/Moisl, Andrea (Hg.). 1997. *Berufsfelder für Übersetzer und Dolmetscher*. Wien: WUV Universitätsverlag.

Kurz, Ingrid/Moisl, Andrea (Hg.). 2002. *Berufsbilder für Übersetzer und Dolmetscher* (2. Auflage). Wien: WUV Universitätsverlag.

Kußmaul, Paul. 2000. *Kreatives Übersetzen*. Tübingen: Stauffenburg.

Newmark, Peter. 2000. Taking a stand on Mary Snell-Hornby. In: Schäffner, C. (ed.) *Translation in the Global Village*. Clevedon: Multilingual Matters. (= *Current Issues in Language and Society*, vol. 6, no. 2, 1999), 60–62.

Nord, Christiane. 1997. *Translating as a purposeful activity. Functionalist approaches explained*. Manchester: St. Jerome.

Nord, Christiane. 2005. *Text analysis in translation, theory, methodology, and didactic application of a model for translation-oriented text analysis* (2nd ed). Amsterdam: Rodopi.

OPTIMALE. Erasmus Network for Professional Translator Training. Abrufbar unter: http://www.translator-training.eu (Stand 01/02/2015).

PACTE. 2003. Building a translation competence model. In Alves, F. (ed.) *Triangulating translation: perspectives in process oriented research*. Amsterdam/Philadelphia: John Benjamins, 43–66.

Pym, Anthony/Grin, François/Sfreddo, Claudio/Chan, Andy L. J. 2012. *The status of the translation profession in the European Union*. (Studies on translation and multilingualism 7/2012). European Commission, Luxembourg: Publications Office of the European Union. Abrufbar unter: http://ec.europa.eu/dgs/translation/publications/studies/index_en.htm (Stand: 20/01/2016).

Reiß, Katharina/Vermeer, Hans J. 1991. *Grundlegung einer allgemeinen Translationstheorie*. Tübingen: Niemeyer.

Risku, Hanna. 1998. *Translatorische Kompetenz. Kognitive Grundlagen des Übersetzens als Expertentätigkeit*. Tübingen: Stauffenburg.

Schäffner, Christina. 2012 a. Rethinking Transediting. *Meta* 57:4. Special issue ‚Journalisme et traduction/Journalism and Translation'. Guest editor: Roberto A. Valdeón, 866–883.

Schäffner, Christina. 2012 b. Translation Competence: Training for the Real World. In: Hubscher-Davidson, S./Borodo, M. (eds.) *Global Trends in Translator and Interpreter Training. Mediation and Culture*. London: Continuum, 30–44.

Schäffner, Christina. 2013. Trans-language, Trans-culture, Trans-Translation? In: Zehnalová, J./Molnár, O./Kubánek, M. (eds.) *Tradition and Trends in Trans-Language Communication*. Olomouc: Palacký University (Olomouc Modern Languages Series Vol. 2), 15–28.

Schäffner, Christina/Kredens, Krzysztof/Fowler, Yvonne (eds.). 2013. *Interpreting in a Changing Landscape. Selected papers from Critical Link 6*. Amsterdam/Philadelphia: John Benjamins.

Schmitt, Peter A. 1998. Berufsbild. In: Snell-Hornby, M./Hönig, H. G./Kuß-
maul, P./Schmitt, P. A. (Hg). *Handbuch Translation.* Tübingen: Stauffenburg, 1–5.

Snell-Hornby, Mary. 2000. Communicating in the global village. On language, translation and cultural identity. In: Schäffner, C. (ed.). *Translation in
the Global Village.* Clevedon: Multilingual Matters. (= *Current Issues in
Language and Society,* 6:2, 1999), 11–28.

Transcreation Services. Abrufbar unter: http://www.lionbridge.com/soluti-
ons/transcreation (Stand: 20/01/2016).

Translators at Work: Ergonomic Approaches to Translation Practice and
Training. Abrufbar unter: http://cttsdcu.wordpress.com/2014/06/24/cfp-
ergonomic-approaches-to-translation-practice-and-training/ (Stand: 20/
01/2016).

Venuti, Lawrence. 1995. *The translator's invisibility.* London/New York:
Routledge.

Vermeer, Hans J. 1987. What does it mean to translate? *Indian Journal of
Applied Linguistics* 13:25–33.

Vermeer, Hans J. 1996. *A skopos theory of translation (Some arguments for
and against).* Heidelberg: TEXTconTEXT.

2 Translatorisches Handeln: Anforderungen und Kompetenzen

Hanna Risku

Zur Einleitung: Ein Arbeitstag einer Übersetzerin

Sehen wir uns den Arbeitsalltag einer erfahrenen Translatorin an. Schon seit vielen Jahren arbeitet sie als Freelance-Übersetzerin mit der Muttersprache Englisch und der Arbeitssprache Deutsch. Wir besuchen sie in ihrem Wiener Heimbüro, in dem sie umgeben von ihren täglichen Arbeitsmaterialien und -werkzeugen arbeitet: So befinden sich ein iPad, ein Keyboard, eine ergonomische Maus, zwei Bildschirme, ein Mobiltelefon, Stifte, Papier, ein Drucker, ein Paralleltext und ein Buch über das stilistisch korrekte Schreiben auf Englisch auf ihrem Schreibtisch. Ein Schredder und ein Bücherregal mit vielen Grammatik- und Wörterbüchern sind auch vorhanden.

Die Übersetzerin öffnet eine Datei mit einem von ihr redigierten und bereits publizierten Newsletter eines österreichischen Großunternehmens, welche sie als Vorlage für den neuen Newsletter verwendet, und ersetzt das Datum mit dem Erscheinungsdatum der nächsten Ausgabe. Sie versucht ihre Auftraggeberin telefonisch zu erreichen. Anhand einer E-Mail überprüft sie den Abgabetermin. Daraufhin beginnt sie, aus unterschiedlichen Quellen einen Überblick über den Inhalt des nächsten Newsletters zusammenzustellen. Sie liest die aktuellen Nachrichten auf der Webseite des Unternehmens, durchforstet E-Mails, öffnet Dateien und E-Mail-Attachments. Die Auftraggeberin ruft zurück und informiert sie über weitere Inhalte, die im Newsletter publiziert werden sollen – auch ein Vorschlag der Übersetzerin wird aufgenommen. Ein Treffen wird verabredet.

Nun stellt die Übersetzerin den Überblick fertig und kopiert ihn in ein eigenes Dokument. Die nächsten Stunden verbringt sie damit, unterschiedliche Nachrichten und Bilder in den neuen Newsletter

einzufügen. Texte werden gewählt, redigiert und mit neuen Über-
schriften versehen, Bilder bearbeitet, Layouts verändert, Dateiordner
gebildet und Terminerinnerungen gespeichert, Dokumente verschoben und umbenannt. Zwischendurch werden Unklarheiten mit den
Abteilungen des Unternehmens geklärt und E-Mails im Minutentakt
hin- und hergeschickt; es wird geschrieben, geskypt, gefacebookt,
telefoniert – oft mehreres gleichzeitig. Es fällt auf, dass die Wörterbücher unberührt im Regal stehen.

Nun beginnt sie, einen Teil des Textes aus dem Deutschen ins
Englische zu übersetzen. Sie liest, findet ein passendes Wort in einem
Online-Wörterbuch, fügt eine Passage aus einer ihrer früheren
Übersetzungen ein, murmelt ihre Übersetzung halblaut vor sich
hin. Zufällig fällt ihr ein inhaltlicher Fehler in einem online publi-
zierten Text des Unternehmens auf – sofort informiert sie die
Presseabteilung. Ob ein bestimmtes Foto verwendet werden soll,
wird auch gleich geklärt. Schließlich liest sie den fertig erstellten
Zieltext durch und informiert die Auftraggeberin, dass sie mit der
Arbeit fertig ist. Eine letzte Änderung wird noch gemeinsam eingefügt, dann ist ihr Tagwerk für heute erledigt.

Anforderungen heute

Das obige, authentische Beispiel aus dem Alltag einer Übersetzerin
zeigt einige Anforderungen, mit denen TranslatorInnen heute oft
konfrontiert sind: Viele bewältigen den Berufsalltag in der Selbst-
ständigkeit und arbeiten projektbezogen für verschiedene KundInnen bzw. ArbeitgeberInnen, vielleicht auch mobil von unterschiedlichen Orten aus. Allgemeine und sprachspezifische Informations-
und Kommunikationstechnologien sind ein selbstverständlicher Teil
ihrer Tätigkeit. Das Online- und Offline-Netzwerken ist für Recherche und Kommunikation unerlässlich. Die Aufgaben und Verant-
wortungsbereiche gehen weit über die Übertragung von vorgefassten
Texten aus einer in eine andere Sprache hinaus: Statt nur Texte zu
„reproduzieren" wird revidiert, neu getextet und gestaltet, wobei auch
der Umgang mit den visuellen Aspekten der Texte zu ihren Aufgaben
zählt. Der gekonnte Umgang mit Print-Wörterbüchern gehört
dagegen eher der translatorischen Praxis von gestern an: Während
einer Beobachtungsperiode von fünf Arbeitstagen nutzte etwa die

Übersetzerin in diesem Fallbeispiel kein einziges Mal ein Printprodukt als Recherchemittel.

Je nach Art des jeweiligen Auftrags waren die Arbeitstage der oben genannten Übersetzerin in unterschiedlichem Ausmaß mit den folgenden Tätigkeiten gefüllt:

- Dokumentenmanagement,
- Entscheidungsfindung über den Inhalt des (Ziel-)Textes,
- Layouten,
- Organisation und Kommunikation,
- Recherchieren,
- Schreiben,
- Selbstreflexion und
- Übersetzen.

Herausforderungen des vielfältigen Tätigkeitsfelds

Die Anforderungen, die mit diesen Tätigkeiten verbunden sind, sind für viele translatorische Berufsfelder typisch. Die Herausforderungen des translatorischen Arbeitsalltags variieren jedoch in großem Ausmaß je nach Tätigkeitsfeld: Wer Werbung oder Literatur übersetzen, Software lokalisieren oder Filme untertiteln kann, ist nicht automatisch auch für das Simultandolmetschen oder etwa für das Management von multimedialen, mehrsprachigen, technischen Dokumentationsprojekten geeignet. Dennoch sind all diesen Tätigkeiten einige grundlegende Anforderungen gemeinsam, die mit dem „Verständlichmachen von Inhalten für unterschiedliche Zielgruppen und unterschiedliche Kommunikationszwecke" verbunden (Kaiser-Cooke 2007:80) bzw. in der „Interlingualität und Transkulturalität"[1] der Tätigkeiten begründet sind (Prunč 1997:108), und die in der allgemeinen Translationswissenschaft etwa aus der sozio-kulturellen, funktionalen und kognitiven Perspektive betrachtet werden können (Grbić/Wolf 2012).

Im vorliegenden Beitrag werden zunächst translatorische Anforderungen und Kompetenzen als Gegenstände translationswissenschaftlicher Forschung besprochen, um danach einige Kompetenz-

---

[1] Prunč sieht den konventionalisierten Kern des Translationsbegriffs in der im Auftrag Dritter durchgeführten Vermittlung zwischen zwei Systemen, die den Status einer natürlichen Sprache haben: „Unter Translation als Sondersorte der inter- und transkulturellen Kommunikation ist überkulturell jede konventionalisierte, interlinguale und vermittelte Interaktion zu verstehen" (Prunč 2012:30).

modelle, die für Forschung und/oder Lehre entwickelt worden sind, zu besprechen. Schließlich wird auf aktuelle Entwicklungen im Bereich der beruflichen Anforderungen eingegangen.

Anforderungen und Kompetenzen als Gegenstand der Translationswissenschaft

Innerhalb der Translationswissenschaft werden die Themen der kognitiven Anforderungen und Kompetenzen in den Teilbereichen der sogenannten Translationsprozessforschung und der kognitiven Translationswissenschaft untersucht. In der Translationsprozessforschung werden translatorische Prozesse beobachtet und beschrieben, um Regelmäßigkeiten im Verhalten unter unterschiedlichen Rahmenbedingungen zu erkennen und daraus Rückschlüsse auf kognitive Prozesse zu ziehen.

Untersuchungen zu kognitiven Translationsprozessen   Die Klassiker und Pionierarbeiten dieser translationswissenschaftlichen Strömung entstanden bereits in den 1980er Jahren (Krings 1986; Lörscher 1987; Gerloff 1986). Seitdem boomt der Blick auf die Prozesse: So wird etwa beobachtet, ob und wie sich Kreativität im Translationsprozess zeigt (Kußmaul 2000; Bayer-Hohenwarter 2009), welchen Einfluss Kontextinformationen beim Übersetzen haben (Rydning/Lachaud 2010), wie Lese- und Schreibprozesse beim Übersetzen verteilt sind (Dragsted 2010), ob bilinguale LaiInnen anders übersetzen als fortgeschrittene Übersetzungsstudierende (Hansen 2003), welche besonderen Anforderungen Vom-Blatt-Dolmetschen mit sich bringt (Shreve, Lacruz/Angelone 2010) und wodurch sich der Prozess des literarischen Übersetzens auszeichnet (Kolb 2011), um nur einige Beispiele zu nennen. Da wesentliche Teile dieser Prozesse im Kopf und am Bildschirm ablaufen und nicht so leicht mit dem bloßen Auge zu beobachten sind, werden unterschiedliche Datenerhebungsmethoden eingesetzt, wie etwa Introspektion (Seleskovitch/Lederer 1984), EEG-Messungen (Kurz 1996; Grabner et al. 2007), „Lautes Denken" während des Übersetzens (*think-aloud protocols*; Krings 1986; Lörscher 1991; Kiraly 1995; Jääskeläinen/Tirkkonen-Condit 1999; Kußmaul 2000; Tirkkonen-Condit/Jääskeläinen 2000), retrospektive Selbstreflexion (nach dem Dolmetschen/Übersetzen; Hansen 2005; Englund Dimitrova/Tiselius 2010), teilnehmende Beobachtung über einen längeren Zeitraum direkt am Arbeitsplatz (*workplace studies* und ethnographische Untersuchungen; Risku 2009, 2014; aus soziologischer Perspektive siehe z. B. auch Buzelin 2006, 2007; Koskinen 2008), Aufnahme der Datenverarbeitung am Bildschirm (*screen recording*) bzw. mit dem Keyboard (*keystroke logging*; Jakobsen 1999; Schou et al. 2010; Leijten/ Van Waes 2013), Messung des Pupillendurchmessers (Pupillometrie; Hyönä/Tommola/Alaja 1995) und Augenbewegungsmessung (*eyetracking*; Göpferich/Jakobsen/Mees 2008; Dragsted 2010; O'Brien 2010; Tangsgaard Hvelplund 2011). Oft werden mehrere dieser Methoden in Kombination angewendet, um die Verlässlichkeit der auf Basis der Daten getroffenen Aussagen zu erhöhen (*triangulation*; Alves 2003; Lachaud 2011).

Die kognitive Translationswissenschaft bemüht sich um eine explizite, kognitionswissenschaftliche Grundlegung dessen, wie Translationsprozesse dargestellt werden. Es wird untersucht, worauf die unterschiedlichen Verhaltensweisen basieren und warum es Unterschiede im translatorischen Verhalten verschiedener Personengruppen in verschiedenen Situationen gibt. Ausgehend von aktuellen Theorien und Modellen aus der Kognitionswissenschaft, der kognitiven Psychologie und kognitiven Linguistik werden die hinter dem Verhalten liegenden inneren Mechanismen beschrieben, um ein besseres Verständnis der Translationsprozesse zu erhalten (s. z. B. Risku 2000, 2002, 2010; Muñoz Martín 2010a, 2010b, 2013, 2014; Martín de León 2013).

In den letzten Jahren haben sich dabei manche der bisher oft verwendeten Begriffe als problematisch erwiesen – so etwa der grundlegende Begriff der „Kompetenz" oder auch die Kategorisierung der TeilnehmerInnen an manchen der oben genannten Studien in „professionelle" und „nicht-professionelle" ÜbersetzerInnen und DolmetscherInnen. Im Begriff der Kompetenz schwingt seine linguistische Prägung durch Chomsky (1980) mit, der die sprachliche Kompetenz als eine spezifische, angeborene, kognitive Struktur und Fähigkeit definierte (s. auch Fodor 1975). Um die Implikationen dieser Theorie der mentalen „Software", „Sprache" oder „Grammatik" des Denkens nicht mit zu übernehmen und die tatsächlich gezeigten Verhaltensweisen (die Performanz) zu betonen, vermeiden etwa Shreve (2006) und Muñoz Martín (2010a, 2010b, 2014) den Begriff der Kompetenz und ersetzen ihn im translatorischen Zusammenhang durch den Begriff der Expertise.

Kompetenz und Expertise

Angesichts der zum Teil niedrigen Qualität der Übersetzungen von erfahrenen ÜbersetzerInnen in empirischen Untersuchungen fragt sich Jääskeläinen (2010), ob tatsächlich alle berufstätigen ÜbersetzerInnen als ExpertInnen bezeichnet werden können und ob dieser Begriff nicht weitaus differenzierter betrachtet werden sollte: Wer jahrelang beispielsweise Patentschriften oder technische Dokumentation übersetzt, wird ihre/seine Expertise bei der Übersetzung von Texten aus anderen Bereichen wie z. B. Pressetexten möglicherweise gar nicht zeigen können. In der psychologischen Expertiseforschung werden nämlich nur jene Personen als ExpertInnen bezeichnet, die kontinuierlich eine hohe Leistungsqualität erbringen können (Ericsson 2000). Expertise ist zudem erfahrungsbedingt, nicht allein aus Büchern erlernbar und meistens schwer von einem Fachbereich auf einen anderen zu übertragen (Chi/Feltovich/Glaser 1981; Dreyfus/ Dreyfus 1986; Bereiter/Scardamalia 1993; Berry/Broadbent 1995; Dörner/Wearing 1995). Eine binäre Einteilung in „Profi" vs. „Nicht-Profi" erscheint auch im Hinblick auf den langsamen, stufenweisen Entwicklungsprozess von Expertise fraglich (Dreyfus/ Dreyfus 1980). Eine weitere Differenzierung über die üblichen Kategorien von LaiIn, StudentIn, Semiprofi und Profi hinaus ist also notwendig. Damit ist auch eine „allgemeine" Translationsexpertise kaum vorstellbar.

Im Folgenden wird der Terminus „Anforderung" als Bezeichnung für eine Voraussetzung verwendet, die für das kontinuierliche, situativ adäquate Erfüllen einer Aufgabe notwendig ist. Bei der Diskussion spezifischer Modelle werden jedoch die in den jeweiligen Ansätzen verwendeten Termini übernommen. Bei der terminologischen Frage nach den adäquaten Begriffen und Bezeichnungen ist noch zu berücksichtigen, dass in der Übersetzungswissenschaft eher von „Kompetenzen" und „Expertise" die Rede ist, während in der Dolmetschwissenschaft oft von „skills" gesprochen wird.

Mit dem Übersetzen verbundene Anforderungen

Was sind nun die wichtigsten Anforderungen an ÜbersetzerInnen? Hier sollen drei übersetzungswissenschaftliche Kompetenzmodelle besprochen werden, die bereits miteinander verglichen (Lesznyák 2007; Göpferich 2008; Muñoz Martín 2014) und auf unterschiedliche

Bereiche angewendet bzw. für diese weiterentwickelt worden sind
(s. z. B. Kammer/Roessler 2013 für die Anwendung auf den Bereich
des Dolmetschens). Es sind dies die Modelle der PACTE-Gruppe
(2003:60) sowie jene von Göpferich (2008:155) und Risku
(1998:260 f.).

Dies sind jedoch nicht die einzigen gängigen Modelle. Auch viele
andere Kategorisierungen könnten hier besprochen werden, wie etwa
diejenigen in den Sammelbänden von Schäffner/Adab (2000) und
Fleischmann, Schmitt/Wotjak (2004), bei Kelly (2005; aus didaktischer Perspektive), Alves/Gonçalves (2007), Herold (2010), Rothe-
Neves (2007) bzw. im Übersichtsartikel von Lesznyák (2007).

Translatorische
Kompetenz-
modelle

Gemeinsam ist den drei hier gewählten Modellen, dass sie versuchen,
Kompetenzen zu beschreiben, die für jegliche translatorische Tätigkeit relevant sind – wenn auch in unterschiedlichem Ausmaß.
Gemeinsam ist ihnen außerdem, dass sie Translationskompetenz
als aus mehreren Teilkompetenzen bestehend beschreiben. Damit
gehören sie alle zur Gruppe der Multikomponentenmodelle (s. Pym
2003).

Das Kompetenzmodell von PACTE

Die Forschungsgruppe PACTE (*Process in the Acquisition of Translation Competence and Evaluation* unter der Leitung von Amparo
Hurtado Albir an der Universitat Autònoma de Barcelona) model-
lierte die Übersetzungskompetenz bereits Ende der 1990er Jahre,
publizierte jedoch im Jahr 2003 – nach empirischer Untersuchung des
Übersetzungsprozesses – eine überarbeitete Version des Modells
(PACTE 2003:60; ▶ **Abb. 1**).

Während im ersten Modell die Transferkompetenz eine eigene
Teilkomponente darstellte, wird sie nunmehr als eine implizit im
Hintergrund wirkende Fähigkeit beschrieben. Sie wird mit Hinweis
auf die *natural translation* von Harris und Sherwood (1978) als
natürliche Fähigkeit definiert, zwischen Sprachen zu übersetzen, die
sich beim ExpertInnenhandeln jedoch grundlegend anders manifestiert: Sie wird zur Translationskompetenz, die sich aus der Interaktion zwischen den Teilkompetenzen, insbesondere aber mit der hier
zentralen „strategischen" Teilkompetenz, ergibt (PACTE 2003:57).
Auch das „Wissen über Translation" ist nun eine eigene Teilkom-

PACTE-Kom-
petenzmodell

petenz, während die psycho-physiologischen Komponenten keine spezifische Teilkompetenz des Übersetzens darstellen, sondern als ein integraler Teil jeglichen Expertenwissens verstanden werden.

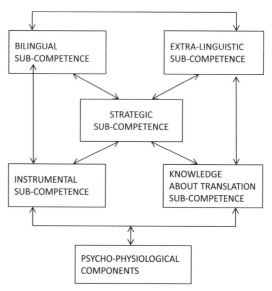

Abb. 1: Modell der Translationskompetenz nach PACTE (2003:60)

Das PACTE-Modell besteht aus sechs miteinander verbundenen Teilen:

a) *Bilingual sub-competence* ist vornehmlich prozedural („Wissen, wie" im Gegensatz zu deklarativ, „Wissen, was/dass") und besteht aus pragmatischer, soziolinguistischer, textueller, grammatikalischer und lexikalischer Kenntnis von zwei Sprachen.

b) *Extra-linguistic sub-competence* ist vornehmlich deklarativ und besteht aus kulturellem, enzyklopädischem und bereichsspezifischem Wissen.

c) *Knowledge about translation sub-competence* ist vornehmlich deklarativ und besteht aus dem Wissen, wie Translation funktioniert (Prozesse, Methoden, Probleme etc.), und dem Wissen über die professionelle Translationspraxis (Translationsmarkt, KundInnen, Aufträge, Zielgruppen etc.).

d) *Instrumental sub-competence* ist vornehmlich prozedural und besteht aus dem Wissen über den Einsatz von Dokumentationsquellen sowie Informations- und Kommunikationstechnologien.

e) *Strategic sub-competence* ist prozedural. Sie verbindet und kontrolliert die anderen Teilkompetenzen. Sie sorgt etwa für das Planen, die Problemerkennung und -lösung, das methodische Durchführen sowie das Evaluieren von Prozessen und Teilprodukten im Lichte des Gesamtziels des Projekts.

f) *Psycho-physiological components* bestehen aus mentalen und physischen Aspekten, wie Gedächtnis, Emotion, Aufmerksamkeit, Motivation, intellektuelle Neugier, Durchhaltevermögen, Kreativität, Selbstbewusstsein und -kenntnis sowie Analyse- und Synthesefähigkeit. Diese „Komponenten" scheinen sich grundlegend von den oben genannten „Kompetenzen" zu unterscheiden: Während die Kompetenzen als Summe bestimmter Wissensformen beschrieben werden, verweisen die psycho-physiologischen Komponenten auf allgemeine psychologische Fähigkeiten.

Die oben genannten Teilkompetenzen können laut der PACTE-Gruppe (2003:49) je nach Übersetzungsrichtung (in die oder aus der Muttersprache), Sprachkombination, Spezialisierung, Erfahrung und Übersetzungskontext unterschiedlich stark ausgebildet sein. Die Entwicklung der Übersetzungskompetenz beschreibt PACTE (2003:49) als einen dynamischen, nicht-linearen Prozess, der aus der Entwicklung der einzelnen Teilkompetenzen besteht.

Das Kompetenzmodell von Susanne Göpferich

Göpferichs Kompetenzmodell (2008:55; ▶ **Abb. 2**) wurde auf der Basis des oben beschriebenen PACTE-Modells entwickelt. Es besteht aus den folgenden fünf Teilkompetenzen:

Kompetenzmodell von Göpferich

a) Kommunikative Kompetenz in mindestens zwei Sprachen
b) Sach- und Fachkompetenz
c) Hilfsmittelbenutzungs- und Recherchierkompetenz
d) Translationsroutineaktivierungskompetenz: Hier verweist Göpferich (2008:156) auf den Begriff der „Mikrostragie" nach Hönig (1995); es geht um das Wissen darüber, welche Maßnahmen beim Übersetzen üblicherweise zu akzeptablen Lösungen führen.
e) Psychomotorische Kompetenz: Fähigkeiten, die für das Lesen und Schreiben etwa mit EDV-Werkzeugen notwendig sind.

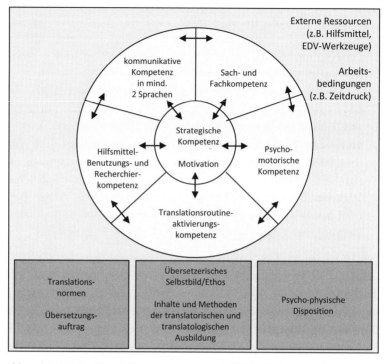

Abb. 2: Modell der Translationskompetenz nach Göpferich (2008:155)

Wie im PACTE-Modell ist es die strategische Kompetenz (im Zentrum des Modells), die den Einsatz der Teilkompetenzen überwacht und steuert. Göpferich schreibt motivationalen Aspekten jedoch eine größere Bedeutung zu: Die zentrale strategische Kompetenz selbst ist von der Motivation abhängig, die als spezifischer Faktor im Modell aufscheint. Zudem wird der Einsatz der Kompetenzen von Übersetzungsauftrag und -normen, übersetzerischem Selbstbild und Berufsethos sowie der psycho-physischen Disposition des/der Übersetzers/in (ähnlich den psycho-physiologischen Komponenten lt. PACTE) beeinflusst. Mit Hinweis auf Risku (1998:90 und 2004:6) betont Göpferich (2008:157) den Aspekt der sozialen Zuständigkeit und Rolle.

Das Kompetenzmodell von Hanna Risku

Risku entwickelt ein Kognitionsmodell der translatorischen Kompetenz auf Basis des kognitionswissenschaftlichen Ansatzes des Konnektionismus (neuronale Netzwerke; verteilte Parallelverarbeitung) sowie der Handlungstheorie und Expertiseforschung (s. oben; Risku 1998:260f.). Der Fokus des Modells liegt auf der sozialen Realität der TranslatorInnen und auf ihrer Fähigkeit, die Übersetzungssituation zu bewältigen (s. dazu auch Lesznyák 2007:181). Soziale und kognitive Kompetenzen werden hier also als miteinander verschränkt beschrieben. Risku entwickelt zwei Modelle: das LaiInnenübersetzen als „Signaltransport" und das fortgeschrittene ExpertInnenübersetzen als „Sinnkonstruktion". Beide Modelle des Übersetzens bestehen aus vier Anforderungsgruppen, die jedoch unterschiedlich bewältigt werden:

Kompetenzmodell von Risku

a) *Selbstorganisation* (das Verständnis der eigenen Rollen, Aufgaben und Fähigkeiten als TranslatorIn sowie der Rollen, Aufgaben und Fähigkeiten anderer Projektmitglieder),
b) *Makrostrategiebildung* (Verständnis der Ziele der translatorischen Aktivität),
c) *Maßnahmenplanung und Entscheidung* (Bewältigung der Teilaufgaben, Treffen konkreter Teilentscheidungen) sowie
d) *Informationsintegration* (Recherche und Umgang bzw. Entwicklung von Hilfsmitteln und Werkzeugen).

Cnyrim, Hagemann und Neu (2013) sowie Kiraly (2013) wenden das Modell von Risku (1998) für die Translationsdidaktik an. In späteren Publikationen auf der Basis von ethnographischen Studien an Arbeitsplätzen ergänzt Risku die kognitionswissenschaftliche Diskussion mit den Ansätzen der erweiterten und situativen Kognition (*extended cognition*, Clark/Chalmers 1998; *situated cognition*, s. z. B. Suchman 2007; Clark 1997): Kognitive Prozesse finden nicht nur „im Kopf" statt, sondern Übersetzende interagieren aktiv während des Translationsprozesses mit ihrer physischen und sozialen Umgebung und verlagern kognitive Teilprozesse in die soziale Interaktion und in die Interaktion mit Hilfsmitteln. Die Nutzung und Gestaltung der Umwelt scheint in diesem Sinne ein integraler Bestandteil der Translationsexpertise zu sein, ohne die die Bewältigung der translatorischen Anforderungen nicht erklärbar wäre (Olohan 2011; Massey/ Ehrensberger-Dow 2011; Risku 2014).

Europäische und internationale Initiativen

Die Anforderungen an ÜbersetzerInnen und DolmetscherInnen werden nicht nur in der Translationswissenschaft, -didaktik und -praxis thematisiert, es bestehen auch normative Initiativen auf internationaler und europäischer Ebene.

Anforderungen und Herausforderungen für Lehre und Praxis

Übersetzen wird einerseits als Dienstleistung im europäischen Normenwesen standardisiert; andererseits definieren die EMT-Initiative (European Master's in Translation; EMT expert group 2009) der Generaldirektion Übersetzen der Europäischen Kommission und einiger europäischer Ausbildungsstätten sowie die internationale Vereinigung universitärer Institute für ÜbersetzerInnen- und DolmetscherInnenausbildung (CIUTI) eigene Anforderungsprofile für ÜbersetzerInnen. Das EMT-Kompetenzprofil, die EN 15038:2006 (auf deren Basis die neue internationale Norm ISO 17100 erstellt wurde) und die CIUTI-Qualitätskriterien definieren ähnliche Anforderungen für die Lehre bzw. Praxis: einerseits die Dienstleistungskompetenz bzw. die sozial-kommunikative Kompetenz, andererseits die Sprachen-, Fach-, Technik-, Recherchen- und die interkulturelle Kompetenz. CIUTI betont explizit die Fähigkeit zur „wissenschaftlich fundierten Reflexion der eigenen Tätigkeit" (CIUTI o. J.). Die europäische Norm EN 15038:2006 schließt unter dem Begriff der Übersetzungsdienstleistung sowohl Übersetzen, Kontrolle als auch Korrekturlesen durch eine Person, bei der es sich nicht um die/den ÜbersetzerIn des betreffenden Textes handelt, ein – die Kompetenz des Korrekturlesens gehört damit auch zu den Anforderungen an ÜbersetzerInnen. Während die europäische Norm vor allem die translatorische Praxis beeinflusst, werden die CIUTI- und EMT-Richtlinien in der Gestaltung translationswissenschaftlicher Studiengänge berücksichtigt (s. z. B. Schäffner 2012).

Mit dem Dolmetschen verbundene Anforderungen

Die kognitiven Anforderungen im Bereich des Dolmetschens wurden bereits lange vor der Etablierung der kognitiven Übersetzungsprozessforschung thematisiert und modelliert (Gerver 1976; Moser 1978), wobei zunächst fast ausschließlich das Simultan- bzw. Konferenzdolmetschen im Blickfeld der wissenschaftlichen Auseinandersetzung stand. Die im vorliegenden Beitrag besprochenen grundlegenden Anforderungen wurden in vielen Einzelstudien noch stärker im Detail untersucht (entsprechende Quellen finden sich z. B. bei Pöchhacker 2004:135 f.).

Die wohl bekannteste Darstellung der Anforderungen an DolmetscherInnen ist das erstmals im Jahr 1995 publizierte Effort-Modell von Daniel Gile (2009:167 ff.), das sich auf die besonderen Anforderungen und Kapazitätsengpässe konzentriert, die das parallele Hören, Verstehen und Sprechen beim Simultandolmetschen mit sich bringt (später überträgt Gile sein Modell auch auf andere Formen des Dolmetschens). Gile listet vier Efforts des Simultandolmetschens auf:

Kapazitätenmodell von Gile

- *Listening and Analysis* (L)
- *Short-term memory* (M)
- *Speech production* (P)
- *Coordination* (C)

Dabei geht er davon aus, dass beim Simultandolmetschen aufeinanderfolgende Redesegmente zunächst gehört und analysiert (L), dann kurz im Gedächtnis gespeichert (M) und schließlich in der Zielsprache neu formuliert werden (P). Diese drei Efforts werden zudem während des Dolmetschprozesses koordiniert (C).

Auch Robin Setton (1999:65) geht in seinem detaillierten kognitiv-pragmatischen Kompetenzmodell von diesen vier grundsätzlichen Efforts aus. Später ergänzt er sein Modell auf relevanztheoretischer Basis mit didaktischen Überlegungen, die den Herausforderungen der veränderten Rahmenbedingungen der Praxis entsprechen:

Sprachverstehens- und -produktionsmodell von Setton

[T]oday's conference interpreter is often called upon to provide listeners with a comfortable rendition, sometimes in his/her acquired language, of fast, specialised and/or linguistically deviant discourse, delivered in an unnatural mixture of oral and text-based forms. (Setton 2006:38)

Pöchhacker (2001:23) entwickelt ein Kompetenzmodell für das Dolmetschen in all seinen Erscheinungsformen. Als Grundkomponenten des Modells nennt er zwar die Sprach- und Kulturkompetenz, als die eigentliche Kompetenz bezeichnet er jedoch die translatorische Kompetenz, die „in situationsadäquatem, von berufsethischen Normen getragenem Verhalten und Agieren während, vor und nach der zu vermittelnden kommunikativen Interaktion besteht" (Pöchhacker 2001:22). So sind in seinem Modell auch Rollenbewusstsein und Berufsethik die Säulen, die die Sprach-, Kultur- und translatorische Kompetenz tragen. Die Fähigkeit, das für den jeweiligen Auftrag notwendige Sachwissen zu recherchieren, ist aus seiner Sicht ein integraler Teil der translatorischen Kompetenz.

Aktuelle Entwicklungen

Die aktuellen Veränderungen der Arbeitswelt von der Digitalisierung bis zur Netzwerkökonomie (s. z. B. Abdallah 2012; Gouadec 2007; Cronin 2013, Risku/Rossmanith, Reichelt/Zenk 2013) bringen ständig neue Anforderungen an TranslatorInnen mit sich. Hier sollen einige dieser auf unterschiedliche Weise miteinander verzahnten Aspekte zumindest kurz genannt werden – etwa Technologieeinsatz, Multimedialität, Vernetzung, Translationsmanagement und Translationsethik.

Neue Informations- und Kommunikationstechnologien ermöglichen und verstärken gewisse Entwicklungen im Bereich translatorischer Tätigkeiten und stehen in engem Zusammenhang mit gesellschaftlichen Entwicklungen. Für TranslatorInnen reicht es dabei nicht, die aktuellen Trends zu kennen; diese sollen auch kritisch reflektiert werden, um ihre gesellschaftlichen Einflüsse einschätzen und eine eigene (ethisch vertretbare) Position bewusst einnehmen zu können. Translationsspezifische Software wie etwa Translation-Memory-Systeme (Übersetzungsspeicher), Terminologie- und Projektmanagementsysteme sowie Systeme für das maschinelle Übersetzen wollen gekonnt eingesetzt werden, damit die Vorteile, die sie versprechen, nämlich mehr Konsistenz und höhere Produktivität, möglichst ohne Qualitätsverluste genutzt werden können.

Das Internet zeichnet sich schon lange nicht mehr nur durch schnellen Zugriff auf große Datenmengen aus, durch die Entwicklungen im Bereich der sozialen Medien hat sich seine Funktion gewandelt: von einer Recherchequelle bisher zu einer Voraussetzung für den Zugang zum translatorischen Berufsfeld heute (Risku 2009; Risku/Dickinson 2009). Das globale digitale Netzwerk mit seiner immer höheren Datenübertragungsrate bringt auch Neuerungen im Bereich des Dolmetschens mit sich, etwa medienvermitteltes Online-Simultan- und -Konsekutivdolmetschen auch über große Distanzen hinweg. Zu den traditionellen Formen der Synchronisierung und Untertitelung gesellen sich zunehmend etwa auch Audiodeskription und Schriftdolmetschen, die vielen in dieser Form den Zugang zu Information und Kommunikation überhaupt erst ermöglichen.

Texte, die heute als Ausgangstexte dienen und als Zieltexte erstellt werden, sind in vielen Teilbereichen der Translation zunehmend multimedial. Die Übersetzung interaktiver Benutzeroberflächen sowie Software-, Website- und Spielelokalisierung sind stetig wachsende Bereiche der translatorischen Praxis. Da hier im Rahmen der Übersetzung sowohl technische, funktionale, inhaltliche, gestalterische als auch textuelle Änderungen notwendig werden können, schließt ihre Bewältigung einige neue Herausforderungen ein, etwa den zielgruppenorientierten Einsatz von Visualisierungen, Farben, Formaten, Navigationsstrukturen, Schriften und Inhalten (zur Softwarelokalisierung s. z. B. Esselink 2000; Freigang/Schmitz 2002; Reineke/Schmitz 2005; Décombe/Maier 2007). Dabei sollen Bedienungsoberflächen, Online-Hilfen, gedruckte Programmdokumentation, Produktwerbung und Verpackungstexte (Freigang 1997) für einen bestimmten Markt erstellt werden, was eine besondere Herausforderung für das Projektmanagement darstellt. Große Teams von SpezialistInnen müssen koordiniert werden, damit das gesamte Produkt wie aus einem Guss gestaltet wird – von der synchronisierten Animation bis zu der allerletzten im Programmcode gut versteckten Fehlermeldung.

Um die Qualität nicht dem Zufall zu überlassen, werden verschiedene allgemeine und translationsspezifische Managementansätze angewandt und zum Teil mit spezialisierter Software unterstützt. Es wird erwartet, dass sich die TranslatorInnen in das jeweilige (implizite oder explizite, tradierte oder zertifizierte) Projekt-, Prozess-, Qualitäts- und/oder Wissensmanagementsystem eingliedern können (s. z. B. Risku/Dickinson/Pircher 2010). Hier sind sicherlich gerade BerufseinsteigerInnen gefordert, da diese Aspekte heute noch relativ wenig Berücksichtigung in den Studiengängen finden. Die Fähigkeit zur kritischen Reflexion ist aber auch hier notwendig, um Sinn und Unsinn einzelner systematischer, dokumentierter Vorgehensweisen zu erkennen.

Bedarf an Diskussion um Rollenverständnis

Eine weitere Anforderung, die insbesondere im Bereich der ÜbersetzerInnenausbildung bisher nicht im Zentrum der Aufmerksamkeit stand, sind die ethischen Aspekte translatorischer Tätigkeiten. Im Bereich des Dolmetschens ist Berufsethik hingegen ein Thema, das aus beruflicher und translationswissenschaftlicher Sicht breit diskutiert und als wichtiger Bestandteil der Dolmetschkompetenz anerkannt ist (s. etwa das oben genannte Modell von Pöchhacker 2001). In den heute oft konfliktbehafteten Arbeitssituationen in Produktionsnetzwerken wird deutlich, dass auch übersetzerische Ethik einer fundierten Reflexion bedarf (s. z. B. Chesterman 2001; Prunč 2005; Abdallah 2011; Baker/Maier 2011).

Die gute Nachricht zum Schluss: Es ist erlernbar

Die oben besprochenen Anforderungen zeichnen das Bild einer hochkomplexen Tätigkeit. Die Frage ist nun, ob es eine spezielle Methode gibt, mittels derer möglichst effizient erlernt werden kann, all die genannten Herausforderungen zu bewältigen. Die Expertiseforschung hält hier eine gute Nachricht für uns bereit: Es kann davon ausgegangen werden, dass das Erlernen von Fähigkeiten wie Übersetzen und Dolmetschen keine besonderen angeborenen Talente benötigt (Ericsson 2010). Eine „consistently superior performance" (Ericsson 2007:253) auf ExpertInnenniveau zu erbringen, ist laut Ericsson erlernbar – nicht einfach durch die Anhäufung von Erfahrung oder Wissen, sondern durch eine ganz bestimmte Art und Weise des strukturierten Lernens: durch „deliberate practice" (Ericsson 2010), d. h. regelmäßige Übung einer wohldefinierten Gesamtaufgabe auf einem für die jeweilige Entwicklungsphase der Lernenden angemessenen Schwierigkeitsgrad, inklusive informativem Feedback, Möglichkeiten der Wiederholung und der Fehlerkorrektur. Lehrende bzw. MentorInnen können dabei mit einer guten Kenntnis der Entwicklungsstufen, Teilkompetenzen, Schwierigkeiten und Handlungsmöglichkeiten im Bereich der Translation die Lernsituationen gestalten und strukturieren, möglichst realitätsnahe translatorische Gesamtaufgaben gemeinsam mit den Lernenden bearbeiten und sich bei der jeweiligen Aufgabe auf ganz bestimmte Teilkompetenzen konzentrieren – ohne dabei Lob und konstruktive Kritik zu vergessen. Aufgrund von Erkenntnissen aus der Leseforschung geht Ericsson (2010) davon aus, dass die Entwicklung der Metakognition – die Kenntnis der eigenen Fähigkeiten – beim Erlernen translatorischer Tätigkeiten eine besonders wichtige Rolle spielt. Psychologische Studien lassen vermuten, dass das Erreichen der Expertise mit dieser Methode mindestens zehn Jahre dauert (Ericsson 2010). Für die Zielerreichung dienlich sind positive Erfahrungen und Erfolgserlebnisse sowie eine angenehme Lernatmosphäre. Die Übung macht also doch den/die Meister/in, aber nur eine ganz bestimmte Art von Übung unter ganz bestimmten Rahmenbedingungen.

Literatur

Abdallah, Kristiina. 2012. *Translators in Production Networks. Reflections on Agency, Quality and Ethics*. Joensuu: University of Eastern Finland.

Alves, Fabio (ed.) 2003. *Triangulating Translation: Perspectives in Process Oriented Research*. Amsterdam/Philadelphia: John Benjamins.

Alves, Fabio/Gonçalves, José Luiz. 2007. Modelling translator's competence: relevance and expertise under scrutiny. In: Gambier, Y./Shlesinger, M./Stolze, R. (eds.) *Translation Studies: doubts and directions. Selected papers from the IV Congress of the European Society for Translation Studies.* Amsterdam/Philadelphia: John Benjamins, 41–55.

Baker, Mona/Maier, Carol (eds.) 2011. *Ethics and the Curriculum: Critical Perspectives.* Special Issue of the *Interpreter and Translator Trainer*, 5:1.

Bayer-Hohenwarter, Gerrit. 2009. Translational creativity: measuring the unmeasurable. In: Göpferich, S./Jakobsen, A. L./Mees, I. M. (eds.) *Behind the Mind: Methods, Models and Results in Translation Process Research.* Copenhagen: Samfundslitteratur, 39–59.

Bereiter, Carl/Scardamalia, Marlene. 1993. *Surpassing ourselves. An inquiry into the nature and implications of expertise.* Chicago, Illinois: Open Court.

Berry, Dianne C./Broadbent, Donald E. 1995. Implicit learning in the control of complex systems: A reconsideration of some of the earlier claims. In:

Frensch P. A./Funke, J. (eds.) *Complex problem solving: The European Perspective.* Hillsdale, NJ: Lawrence Erlbaum Associates, 131–150.

Buzelin, Hélène. 2006. Independent Publisher in the Networks of Translation. *TTR: traduction, terminologie, redaction* 19:1, 135–173.

Buzelin, Hélène. 2007. Translations 'in the making'. In: Wolf, M./Fukari, A. (eds.) *Constructing a Sociology of Translation.* Amsterdam/Philadelphia: John Benjamins, 135–169.

Chesterman, Andrew. 2001. Proposal for a Hieronymic Oath. *The Translator* 7:2, 139–154.

Chi, Michelene T. H./Feltovich, Paul J./Glaser, Robert. 1981. Categorization and representation of physics problems by experts and novices. *Cognitive Science* 5:2, 121–152.

Clark, Andy. 1997. *Being there. Putting brain, body, and world together again.* Cambridge, Massachusetts: The MIT Press.

Clark, Andy/Chalmers, David J. 1998. The extended mind. *Analysis* 58:1, 7–19.

Chomsky, Noam. 1980. *Rules and Representations.* Columbia University Press.

CIUTI (o. J.): Profil. Abrufbar unter: http://www.ciuti.org/de/uber-uns/profil/ (Stand: 07/01/2016).

Cronin, Michael. 2013. *Translation in the Digital Age.* London/New York: Routledge.

Cnyrim, Andrea/Hagemann, Susanne/Neu, Julia. 2013. Towards a Framework of Reference for Translation Competence. In: Kiraly, D./Hansen-Schirra, S./Maksymski, K. (eds.) *New Prospects and Perspectives for Educating Language Mediators.* Tübingen: Narr, 9–34.

Décombe, Michel/Mayer, Felix. 2007. Ausbildung von Lokalisierungsfachleuten. In: Freudenfeld, R./Nord, B. (eds.) *Professionell kommunizieren. Neue Berufsfelder – Neue Vermittlungskonzepte.* Hildesheim: Georg Olms, 59–78.

Dörner, Dieter/Wearing, Alex. 1995. Complex problem solving: Toward a (computer-simulated) theory. In: Frensch, P. A./Funke, J. (eds.) *Complex problem solving: The European Perspective).* Hillsdale, NJ: Lawrence Erlbaum Associates, 65–99.

Dragsted, Barbara. 2010. Coordination of reading and writing processes in translation: An eye on uncharted territory. In: Shreve, G. M./Angelone, E. (eds.) *Translation and cognition.* Amsterdam/Philadelphia: John Benjamins, 41–62.

Dreyfus, Hubert L./Dreyfus, Stuart E. 1986. *Mind over machine: The power of human intuition and expertise in the era of the computer.* Oxford, England: Blackwell.

Dreyfus, Stuart E./Dreyfus, Hubert L. 1980. *A Five-Stage Model of the Mental Activities Involved in Directed Skill Acquisition.* Washington, DC: Storming Media. Abrufbar unter: file:///C:/Users/Office/Downloads/ ADA084551.pdf (Stand: 07/01/2016).

EMT expert group. 2009. Competences for professional translators, experts in multilingual and multimedia communication. Abrufbar unter: http:// ec.europa.eu/dgs/translation/programmes/emt/key_documents/ emt_competences_translators_en.pdf (Stand: 07/01/2016).

EN 15038:2006. Die Europäische Norm für Übersetzungsdienstleistungen. Brüssel: CEN.

Englund Dimitrova, Birgitta/Tiselius, Elisabet. 2010. Exploring retrospection as a research method for studying the translation process and the interpreting process. In: Mees, I. M./Alves, F./Göpferich, S. (eds.) *Methodology, technology and Innovation in translation process research.* Frederiksberg: Samfundslitteratur, 109–134.

Ericsson, K. Anders. 2010. Expertise in interpreting: An expert-performance perspective. In: Shreve, G. M./Angelone, E. (eds.) *Translation and cognition.* Amsterdam/Philadelphia: John Benjamins, 231–262.

Esselink, Bert. 2000. *A Practical Guide to Localization.* Amsterdam/Philadelphia: John Benjamins.

Fleischmann, Eberhard/Schmitt, Peter A./Wotjak, Gerd (Hg.) 2004. *Translationskompetenz.* Tübingen: Stauffenburg.

Fodor, Jerry A. 1975. *The Language of Thought.* Cambridge, Massachusetts: Harvard University Press.

Freigang, Karl-Heinz. 1997. Vom Stellenwert von Softwarelokalisierungsprojekten in der Übersetzerausbildung. In: Fleischmann, E./Kutz, W./ Schmitt, P. A. (eds.) *Translationsdidaktik. Grundfragen der Übersetzungswissenschaft.* Tübingen: Narr, 122–132.

Freigang, Karl-Heinz/Schmitz, Klaus-Dirk. 2002. Softwarelokalisierung als Aufgabe für Übersetzer. In: Best, J./Kalina, S. (eds.) *Übersetzen und Dolmetschen.* Tübingen: Francke, 242–248.

Gerloff, Pamela. 1986. Second language learners' reports on the interpretive process: Talk-aloud protocols of translation. In: House, J./Blum-Kulka, S. (eds.) *Interlingual and Intercultural Communication. Discourse and Cognition in Translation and Second Language Acquisition Studies.* Tübingen: Narr, 243–262.

Gerver, David. 1976. Empirical Studies of Simultaneous Interpretation: A Review and a Model. In: Brislin, R. W. (ed.) *Translation, Applications and Research.* New York: Gardner Press, 165–207.

Gile, Daniel. 2009. *Basic Concepts and Models for Interpreter and Translator Training* (2nd revised edition) Amsterdam/Philadelphia: John Benjamins.

Gouadec, Daniel. 2007. *Translation as a Profession.* Amsterdam/Philadelphia: John Benjamins.

Göpferich, Susanne. 2008. *Translationsprozessforschung: Stand – Methoden – Perspektiven.* Tübingen: Narr.

Göpferich, Susanne/Jakobsen, Arnt L./Mees, Inger M. (eds.) 2008. *Looking at eyes. Eye-tracking studies of reading and translation processing.* Copenhagen: Samfundslitteratur.

Grabner, Roland H./Brunner, Clemens/Leeb, Robert/Neuper, Christa/Pfurtscheller, Gert 2007. Event-related EEG theta and alpha band oscillatory responses during language translation. *Brain Research Bulletin* 72:1, 57–65.

Grbić, Nadja/Wolf, Michaela. 2012. Common grounds in Translation and Interpreting (Studies). In: Gambier, Y./van Doorslaer, L. (eds.) *Handbook of Translation Studies 3.* Amsterdam/Philadelphia: John Benjamins, 7–16.

Hansen, Gyde. 2003. Der Übersetzungsprozess bei bilingualen Übersetzern. Nord, B./Schmitt, P. A. (eds.) *Traducta Navis: Festschrift zum 60. Geburtstag von Christiane Nord.* Tübingen: Stauffenburg, 53–68.

Hansen, Gyde. 2005. Experience and emotion in empirical translation research with think-aloud and retrospection. *Meta* 50:2, 511–521.

Harris, Brian/Sherwood, Bianca. 1978. Translation as an innate skill. In: Gerver, D./Sinaiko, H. W. (eds.) *Language Interpretation and Communication.* New York: Plenum Press, 155–170.

Herold, Susann. 2010. Ausbildung von ‚Universalgenies‘? Zum Kompetenzbegriff und zu Modellen translatorischer Kompetenz. *Lebende Sprachen* 55:2, 211–242.

Hyönä, Jukka/Tommola, Jorma/Alaja, Anna-Mari. 1995. Pupil Dilation as a Measure of Processing Load in Simultaneous Interpretation and Other Language Tasks. *The Quarterly Journal of Experimental Psychology Section A: Human Experimental Psychology* 48:3, 598–612.

Jääskeläinen, Riitta. 2010. Are all professionals experts? Definitions of expertise and reinterpretation of research evidence in process studies. In: Shreve, G. M./Angelone, E. (eds.) *Translation and cognition.* Amsterdam/Philadelphia: John Benjamins, 213–227.

Jääskeläinen, Riitta/Tirkkonen-Condit, Sonja. 1991. Automatised processes in professional versus nonprofessional translation: A think-aloud protocol study. In: Tirkkonen-Condit, S. (ed.) *Empirical research in translation and intercultural studies.* Tübingen: Narr, 89–109.

Jakobsen, Arnt L. 1999. Logging target text production with Translog. In: Hansen, G. (ed.) *Probing the process in translation: Methods and results.* Frederiksberg, Denmark: Samfundslitteratur, 9–20.

Kaiser-Cooke, Michèle. 2007. *Wissenschaft, Translation, Kommunikation.* (Basiswissen Translation 1). Wien: Facultas.

Kammer, Thomas/Roessler, Sophia. 2013. Kompetenz- und Kompetenzentwicklungsmodelle und ihre Anwendung auf das Dolmetschen. In: Andres, D./Behr, M./Dingfelder Stone, M. (Hg.) *Dolmetschmodelle – erfasst, erläutert, erweitert.* Frankfurt a. M.: Lang, 35–68.

Kelly, Dorothy. 2005. *A Handbook for Translator Trainers*. Manchester: St Jerome.

Kiraly, Donald C. 1995. *Pathways to translation. Pedagogy and process*. Kent/ London: The Kent State University Press (= Translation Studies 3).

Kiraly, Don. 2013. Towards A View of Translator Competence as an Emergent Phenomenon: Thinking Outside the Box(es) in Translator Education. In: Kiraly, D./Hansen-Schirra, S./Maksymski, K. (eds.) *New Prospects and Perspectives for Educating Language Mediators*. Tübingen: Narr, 9–34.

Kolb, Waltraud. 2011. The making of literary translations: Repetition and ambiguity in a short story by Ernest Hemingway. *Across Languages and Cultures* 12:2, 259–274.

Koskinen, Kaisa. 2008. *Translating Institutions. An Ethnographic Study of EU Translation*. Manchester: St Jerome.

Krings, Hans P. 1986. *Was in den Köpfen von Übersetzern vorgeht: Eine empirische Untersuchung zur Struktur des Übersetzungsprozesses an fortgeschrittenen Französischlernern*. Tübingen: Narr.

Kurz, Ingrid. 1996. *Simultandolmetschen als Gegenstand der interdisziplinären Forschung*. Wien: WUV Universitätsverlag.

Kußmaul, Paul. 2000. *Kreatives Übersetzen*. Tübingen: Stauffenburg.

Lachaud, Christian M. 2011. EEG, EYE and Key: Three simultaneous streams of data for investigating the cognitive mechanisms of translation. In: O'Brien, S. (ed.) *Cognitive explorations of translation*. London/New York: Continuum, 131–153.

Leijten, Marielle/Van Waes, Luuk. 2013. Keystroke Logging in Writing Research: Using Inputlog to Analyze and Visualize Writing Processes. *Written Communication* 30:3, 358–392.

Lesznyák, Márta. 2007. Conceptualizing Translation Competence. *Across Languages and Cultures* 8:2, 167–194.

Lörscher, Wolfgang. 1987. *Übersetzungsperformanz, Übersetzungsprozeß und Übersetzungsstrategien. Eine psycholinguistische Untersuchung*. Mimeo: Universität Essen. Habilitationsschrift zur Erlangung der venia legendi für Anglistik/Sprachwissenschaft.

Lörscher, Wolfgang. 1991. *Translation performance, translation process, and translation strategies: A psycholinguistic investigation*. Tübingen: Narr.

Martín de León, Celia. 2013. Who cares if the cat is on the mat? In: Rojo, A./ Ibarretxe-Antuñano, I. (eds.) *Contributions of cognitive models of meaning to translation Cognitive Linguistics and Translation. Advances in Some Theoretical Models and Applications*. Berlin: De Gruyter Mouton, 99–122.

Massey, Gary/Ehrensberger-Dow, Maureen. 2011. Technical and instrumental competence in the translator's workplace: using process research to identify educational and ergonomic needs. *ILCEA* 14. Abrufbar unter: http://ilcea.revues.org/index1060.html (Stand: 01/07/2016).

Moser, Barbara. 1978. Simultaneous Interpretation: A Hypothetical Model and its Practical Application. In: Gerver, D./Sinaiko, H. W (eds.) *Language Interpretation and Communication*. New York: Planum Press, 353–368.

Muñoz Martín, Ricardo. 2010 a. Leave no stone unturned. On the development of cognitive translatology. *TIS Translation and Interpreting Studies* 5:2, 145–162.

Muñoz Martín, Ricardo. 2010 b. On paradigms and cognitive translatology. In: Shreve, G. M./Angelone, E. (eds.), *Translation and cognition*. Amsterdam/Philadelphia: John Benjamins, 169–189.

Muñoz Martín, Ricardo. 2013. More than a way with words: The interface between Cognitive Linguistics and Cognitive Translatology. Rojo, A./ Ibarretxe-Antuñano, I. (eds.) *Cognitive Linguistics and Translation. Advances in Some Theoretical Models and Applications*. Berlin: De Gruyter Mouton, 75–98.

Muñoz Martín, Ricardo. 2014. Situating translation expertise. A review with a sketch of a construct. In: Schwieter, J. W./Ferreira, A. (eds.) *The Development of Translation Competence: Theories and Methodologies from Psycholinguistics and Cognitive Science*. Newcastle upon Tyne: Cambridge Scholars Publishing, 2–57.

O'Brien, Sharon. 2010. Eye tracking in translation-process research: methodological challenges and solutions. In: Mees, I. M./Alves, F./Göpferich, S. (eds.) *Methodology, technology and innovation in translation process research*. Frederiksberg, Denmark: Samfundslitteratur, 251–266.

Olohan, Maeve. 2011. Translators and translation technology: The dance of agency. *Translation Studies* 4:3, 342–357.

PACTE. 2003. Building a Translation Competence Model. In: Alves, F. (ed.) *Triangulating Translation: Perspectives in Process Oriented Research*. Amsterdam/Philadelphia: John Benjamins, 43–66.

Pöchhacker, Franz. 2004. *Introducing Interpreting Studies*. London/New York: Routledge.

Pöchhacker, Franz. 2001. Dolmetschen und translatorische Kompetenz. In: Kelletat, A. F. (Hg.) *Dolmetschen: Beiträge aus Forschung, Lehre und Praxis*. Frankfurt a. M.: Lang, 19–37.

Prunč, Erich. 1997. Translationskultur (Versuch einer konstruktiven Kritik des translatorischen Handelns). *TEXTconTEXT* 11 = NF 1, 99–127.

Prunč, Erich. 2005. Translationsethik. In: Sandrini, P. (ed.) *Fluctuat nec mergitur. Translation und Gesellschaft. Festschrift für Annemarie Schmid zum 75. Geburtstag*. Frankfurt a. M.: Lang (Forum Translationswissenschaft 4), 165–194.

Prunč, Erich. 2012. *Entwicklungslinien der Translationswissenschaft* (3., erweiterte und verbesserte Auflage). Berlin: Frank & Timme.

Pym, Anthony. 2003. Redefining translation competence in an electronic age: in defence of a minimalist approach. *Meta* 48:4, 481–497.

Reineke, Detlef/Schmitz, Klaus-Dirk. 2005. *Einführung in die Softwarelokalisierung.* Tübingen: Narr.

Risku, Hanna. 1998. *Translatorische Kompetenz: kognitive Grundlagen des Übersetzens als Expertentätigkeit.* Tübingen: Stauffenburg.

Risku, Hanna. 2000. Situated Translation und Situated Cognition: ungleiche Schwestern. In: Kadric, M./Kaindl, K./Pöchhacker, F. (Hg.): *Translationswissenschaft. Festschrift für Mary Snell-Hornby zum 60. Geburtstag.* Tübingen: Stauffenburg, 81–91.

Risku, Hanna. 2009. *Translationsmanagement. Interkulturelle Fachkommunikation im Informationszeitalter* (2., überarbeitete Auflage). Tübingen: Narr.

Risku, Hanna/Rossmanith, Nicole/Reichelt, Andreas/Zenk, Lukas. 2013. Translation in the Network Economy: A Follow-up Study. In: Way, C./Vandepitte, S./Meylaerts, R./Bartłomiejczyk, M. (eds.) *Tracks and Treks in Translation Studies: Selected papers from the EST Congress, Leuven 2010.* Amsterdam/Philadelphia: John Benjamins, 29–48.

Risku, Hanna. 2014. Translation Process Research as Interaction Research: From Mental to Socio-Cognitive Processes. *MonTI* 7:2, 331–353.

Risku, Hanna/Dickinson, Angela. 2009. Translators as networkers. The role of virtual communities. *Hermes* 42, 49–70.

Risku, Hanna/Dickinson, Angela/Pircher, Richard. 2010. Knowledge in Translation Studies and translation practice. Intellectual capital in modern society. In: Gile, D./Hansen, G./Pokorn, N. (eds.) *Why Translation Studies Matters.* Amsterdam/Philadelphia: John Benjamins, 83–94.

Rothe-Neves, Rui. 2007. Notes on the concept of „translator's competence". *Quaderns. Revista de traducció* 14, 125–138.

Rydning, Antin F./Lachaud, Christian M. 2010. The reformulation challenge in translation: Context reduces polysemy during comprehension, but multiplies creativity during production. In: Shreve, G. M./Angelone, E. (eds.) *Translation and cognition.* Amsterdam/Philadelphia: John Benjamins, 85–108.

Schäffner, Christina/Adab, Beverly (eds.) 2000. *Developing Translation Competence.* Amsterdam/Philadelphia: John Benjamins.

Schäffner, Christina. 2012. Translation Competence: Training for the Real World. In: Hubscher-Davidson, S./Borodo, M. (eds.) *Global Trends in Translator and Interpreter Training. Mediation and Culture.* London/New York: Continuum, 30–44.

Seleskovitch, Danica/Lederer, Marianne. 1984. *Interpréter pour traduire.* Paris, France: Didier Érudition.

Setton, Robin. 1999. *Simultaneous interpretation: a cognitive-pragmatic analysis.* Amsterdam/Philadelphia: John Benjamins.

Setton, Robin. 2006. New demands on interpreting and the learning curve in interpreter training. In: Chai, M./Zhang, J. (eds.) *Professionalization in Interpreting: International Experience and Developments in China. Proceedings of the fifth National Chinese Conference on Interpreting, held at Shanghai Foreign Studies University in November 2004.* Shanghai: Shanghai Foreign Language Education Press, 36–71.

Shreve, Gregory M. 2006. The deliberate practice: Translation and expertise. *Journal of Translation Studies* 9:1, 27–42.

Shreve, Gregory M./Angelone, Erik (eds.) 2010. *Translation and cognition.* Amsterdam/Philadelphia: John Benjamins.

Shreve, Gregory M./Lacruz, Isabel/Angelone, Erik. 2010. Cognitive effort, syntactic disruption, and visual interference in a sight translation task. In: Shreve, G. M./Angelone, E. (eds.) *Translation and cognition.* Amsterdam/Philadelphia: John Benjamins, 63–84.

Suchman, Lucy A. 2007. *Human-machine reconfigurations.* Cambridge: Cambridge University Press.

Tangsgaard Hvelplund, Kristian 2011. Allocation of cognitive resources in translation. An eye-tracking and key-logging study. Frederiksberg, Denmark: Samfundslitteratur (PhD Series 10.2011). Abrufbar unter: http://openarchive.cbs.dk/bitstream/handle/10398/8314/Kristian_T_Hvelplund_SL.pdf?sequence=1 (Stand: 01/07/2016).

Tirkkonen-Condit, Sonja/Jääskeläinen, Riitta (eds.) 2000. *Tapping and mapping the processes of translating and interpreting.* Amsterdam/Philadelphia: John Benjamins.

Teil II **Translatorische Tätigkeiten: Kompetenzen, Arbeitsstrategien, Vermittlung**

1 Simultandolmetschen

Franz Pöchhacker

Simultandolmetscher kann man nicht werden; Simultandolmetscher kann man nur sein. – Diese Feststellung enthält mehrere wichtige Anknüpfungspunkte für die gegenständlichen Ausführungen zum Thema „Berufsziel Dolmetschen", und könnte doch irreführender nicht sein. Bedarf es etwa einer speziellen natürlichen Begabung, um diese Form der Translation auf professionellem Niveau auszuüben, die somit nicht jedermann erlernen kann? Und wäre es nur jeder Mann, der sich für den Beruf Simultandolmetscher eignet, oder auch jede Frau? Und kann es überhaupt ein Berufsziel sein, SimultandolmetscherIn zu werden? Wie sieht dieser Beruf gegebenenfalls aus, und wie hat er sich entwickelt? Wo wird er ausgeübt, und wie, von wem? Welche Fähigkeiten erfordert er, und wie können diese erworben werden?

Diese und viele andere Fragen sollen im Folgenden mit Bezug auf die ‚klassische' und insbesondere auch die neuere Literatur zum Dolmetschen (s. Pöchhacker 2015) beantwortet werden. Dass dies zum Teil näherungsweise erfolgt, liegt in der Natur der Sache. Wo Aussagen auf Forschungserkenntnissen beruhen, geht es immer auch darum, Begriffe, Theorien und Lehrmeinungen kritisch zu hinterfragen und systematisch weiter zu entwickeln. Das gilt letztlich auch für die Ausführungen in den folgenden Abschnitten zum Berufsprofil des (Simultan-)Dolmetschens und seiner Entwicklung, zu den Anforderungen und Kompetenzen für das Simultandolmetschen und zum Erwerb bzw. zur Vermittlung von professioneller Kompetenz im Simultandolmetschen.

Berufsprofil und Begriff

SimultandolmetscherIn kann man nicht *werden*, weil Simultandolmetschen kein als solcher anerkannter Beruf ist, sondern ein *Modus*, in dem die Tätigkeit des Dolmetschens realisiert werden kann. Wie sich dieser Dolmetschmodus entwickelte und wie er das Berufsprofil prägte, soll im Folgenden kurz skizziert werden.

Historischer Abriss Am Beginn der Entwicklung, die Dolmetschen ab dem frühen 20. Jahrhundert zu einem mittlerweile weithin etablierten Beruf werden ließ, standen internationale Konferenzen im multilateralen Rahmen des Völkerbundes und der Internationalen Arbeitsorganisation (ILO) in Genf. Dort wurde das (später als solches spezifizierte) Konsekutivdolmetschen – also die nachfolgende Wiedergabe von längeren Reden ‚am Stück‘, unter Zuhilfenahme von Notizen – praktiziert und zur Hochblüte gebracht. Als sich gegen Mitte des vorigen Jahrhunderts die ersten Berufsdolmetscher zu organisieren begannen und sich 1953 im Internationalen Verband der Konferenzdolmetscher (bekannt unter seinem französischen Akronym AIIC) zusammenschlossen, um die Eckpunkte der Berufsausübung festzulegen, war es noch die Befähigung zum Konsekutivdolmetschen, die einen Konferenzdolmetscher in dem noch überwiegend männlich dominierten Berufsstand ausmachte. Die Technik des Simultandolmetschens war (im Rahmen der ILO) schon Ende der 1920er-Jahre entwickelt worden (s. Baigorri-Jalón 2014), gelangte aber erst durch die erfolgreiche Anwendung beim Nürnberger Prozess 1945–46 zum Durchbruch und trat dann ihren Siegeszug in den internationalen Organisationen an. Etwa Ende der Sechziger Jahre, nachdem zahlreiche Ausbildungsprogramme auf universitärem Niveau eingerichtet worden waren, waren die Mitglieder der AIIC bereits mehrheitlich weiblich (Feldweg 1996:82) und übten ihren Beruf – nämlich das ‚Konferenzdolmetschen‘ – überwiegend in der Kabine aus. Laut neueren Statistiken des Verbandes (z.B. Neff 2014) entfallen nur rund 7 % der (meist in Konferenz-‚Tagen‘ angegebenen) Einsätze auf das Konsekutivdolmetschen, so dass – insbesondere für DolmetscherInnen in fester Anstellung – Konferenzdolmetschen mittlerweile praktisch gleichbedeutend mit Simultandolmetschen ist (▶ **Kap. III.1**). Dass eine solche Gleichsetzung im Sprachgebrauch aber, wie schon eingangs betont, wenig

sinnvoll ist, zeigt eine nähere Auseinandersetzung mit dem Titel-
begriff dieses Beitrags.

Schon Herbert 1952) unterschied in seinem frühen Lehrwerk drei
Formen des Simultandolmetschens, also der „gleichzeitig mit der
Originalrede" erfolgenden Übertragung: das Flüsterdolmetschen
(ohne technische Hilfsmittel), das Dolmetschen mittels Kopfhörer
und Mikrophon, und das „Übersetzen vom Blatt" (1952:7). Wie auch
Kade (1968:35) in seiner Definition anmerkt, wird der Ausgangstext
beim Dolmetschen nur „in der Regel mündlich" dargeboten. Wenn-
gleich Kade hier das Vom-Blatt- oder Stegreifübersetzen im Blick
gehabt haben mag, lässt sich mit seinen Definitionskriterien auch eine
Form des Dolmetschens erfassen, die erst in späteren Jahrzehnten ins
Bewusstsein rücken sollte, nämlich das Gebärdensprachdolmetschen.
Da es zwischen Laut- und Gebärdensprache keine akustische Über-
lappung gibt, arbeiten auch GebärdensprachdolmetscherInnen meist
im Simultanmodus, wofür sie keine schalldichte Kabine brauchen,
aber (im häufigen Fall des Dolmetschens aus einer Laut- in eine
Gebärdensprache) für die gehörlosen RezipientInnen gut sichtbar
positioniert sein müssen. Wenngleich auch GebärdensprachdolmetscherInnen bei Konferenzen tätig sind und somit KonferenzdolmetscherInnen sein können, sind sie auch und vor allem in vielen
anderen Arbeitsfeldern tätig, die neben dem wichtigen Bereich
Bildung und Unterricht von Arztbesuchen und gerichtlichen Einvernahmen über TV-Sendungen bis zu Kirchen- und Theaterbesu-
chen reichen.

Aber auch KonferenzdolmetscherInnen arbeiten nicht nur bei
Konferenzen. Vielmehr ist die erwähnte terminologische Gleichsetzung auch dadurch mitbedingt, dass die überaus effiziente Translationsform des Simultandolmetschens auch bei Vorträgen, Produkt-
präsentationen sowie in Fernsehsendungen diverser Formate
verwendet wird, wofür in der Regel als solche ausgebildete ‚KonferenzdolmetscherInnen' zum Einsatz kommen.

Eine neuere Entwicklung, die im Begriff ist, die Arbeitsweise von
Konferenz- bzw. SimultandolmetscherInnen nachhaltig zu verändern, ist das Teledolmetschen mittels Videokonferenzschaltung
(s. Mouzourakis 2006). Die ‚Konferenz' in dieser Bezeichnung bezieht
sich primär auf die informations- und kommunikationstechnische
Infrastruktur (‚Videokonferenz') und nicht unbedingt auf eine Vor-
trags- und Diskussionsveranstaltung oder Verhandlung in einem mit

*Formen des
Simultandolmet-
schens*

Teledolmetschen

Kabinen ausgestatteten Sitzungssaal. Videokonferenztechnik kann vielfältig eingesetzt werden, um Kommunikationswillige an verschiedenen Orten miteinander zu verbinden, wobei auch DolmetscherInnen zugeschaltet werden können, die sich ebenfalls an einem anderen Ort als die Kommunikationspartner befinden. Diese im Englischen als *Remote Interpreting* bekannte Arbeitsweise erweitert die Einsatzmöglichkeiten des Simultandolmetschens enorm, verringert aber weiter die Sichtbarkeit jener, die diese Leistung erbringen. DolmetscherInnen fungieren dann nur mehr als Bestandteile in einem komplexen technisch vermittelten Prozess. Dabei ist der Prozess des Simultandolmetschens als solcher an Komplexität kaum zu überbieten und wird zu Recht als spektakulärste Form der Translation betrachtet.

Prozess und Kompetenzen

Interaktions- und Kognitionsmodelle

Wie jede Form von Translation ist auch Simultandolmetschen seinem Wesen nach eine Kommunikationstätigkeit (oder genauer: eine Kommunikation zwischen Anderssprachigen ermöglichende Tätigkeit), die in einem bestimmten soziokulturellen und situativen Handlungskontext stattfindet. Eine Beschreibung oder Modellierung des Prozesses könnte demnach beim Interaktionszusammenhang ansetzen und fragen, wer wo zu welchem Zweck unter welchen Bedingungen kommuniziert. Dieser Ansatz wurde jedoch – mit wenigen Ausnahmen – bei der Betrachtung des Simultandolmetschens nicht in den Vordergrund gestellt (s. Pöchhacker 1994, 2005). So etwa skizziert das Interaktionsmodell von Kirchhoff (1976 a), angelehnt an eines für das Übersetzen von Katharina Reiß, die situativen und linguistischen Bedingungsfaktoren und Kanäle in einem „dreigliedrigen zweisprachigen Kommunikationssystem", wie das zwei Jahrzehnte später auch Feldweg (1996) auf kommunikationswissenschaftlicher Basis tut. Im Übrigen aber steht beim Simultandolmetschen von jeher nicht Interaktion im Mittelpunkt des Interesses, sondern Kognition, also der mentale Prozess mit seinen Strukturen und Abläufen, die der Translationsleistung zugrunde liegen.

Beide Dimensionen – die soziologische wie die psychologische – haben einen gemeinsamen Nenner in der definitorischen Kernaussage, dass Dolmetschen darin besteht, *hic et nunc* jemandem zu sagen, was jemand anderer in einer anderen Sprache gesagt hat. Wie bei jeder Translation ist somit auch beim (Simultan-)Dolmetschen die Zieltextproduktion dem Original nachgelagert; sie erfolgt im Nachhinein, aber im Unterschied zum Konsekutivdolmetschen mit nur sehr geringem Zeitabstand. Der sogenannte *Time lag* (früher meist französisch *décalage* genannt) beträgt beim Simultandolmetschen im Durchschnitt nur wenige Sekunden. In dieser knappen Zeitspanne müssen die Verstehens- und Produktionsprozesse erfolgen, aus denen sich der Translationsvorgang im Wesentlichen zusammensetzt. Dass diese (Teil-)Prozesse beim Simultandolmetschen nicht anhand von abgeschlossenen Äußerungen erfolgen können, sondern ‚segmentweise' ablaufen müssen (s. Salevsky 1987), steht im Mittelpunkt der meisten Beschreibungs- und Erklärungsansätze, die seit den Sechzigerjahren für den Prozess des Simultandolmetschens entwickelt worden sind.

Das Wesen und die Größe der Verarbeitungseinheit (*unit of translation*) stellt seit jeher eine Kernfrage in der Erforschung des Simultandolmetschprozesses dar und ist aufs Engste mit dem Zeitabstand zwischen Original und Verdolmetschung verknüpft. Das Wort als Übertragungseinheit musste naheliegend erscheinen, aber offenbar waren auch syntaktische Gegebenheiten mit im Spiel. Die Psycholinguistin Frieda Goldman-Eisler (1972) maß daher nicht nur die Zeitspanne zwischen ausgangs- und zielsprachlicher Äußerung (*ear-voice span*), die meist im Bereich von zwei bis drei Sekunden lag, sondern erfasste auch die währenddessen geäußerten sprachlichen Einheiten. Diese bestanden in nahezu allen Fällen aus einer Verbindung von Nominalphrase und Verbalphrase, wobei Letzterer entscheidende Bedeutung zukam. Goldman-Eisler zog daraus den Schluss, dass die Segmentierung beim Simultandolmetschen nicht auf lexikalischer (d. h. auf Wortebene), sondern auf propositionaler Basis erfolgt, und wies auch auf zum Teil längere Umsetzungseinheiten beim Dolmetschen aus dem Deutschen hin. Mit dem Nachweis, dass die Segmentierung in der Zielsprache nicht notwendigerweise an die Ausgangsrede angelehnt ist, sondern ein durchaus eigenständiges Verlaufsmuster zeigt, und Verstehen und Produzieren beim Simultandolmetschen somit kontinuierlich gleichzeitig, wenn auch zeitversetzt, erfolgen, entkräftete Goldman-Eisler auch die frühe psychologische These, wonach DolmetscherInnen bevorzugt während der

Segmentierung beim Simultandolmetschen

Pausen des Redners sprechen, um ein (von manchen für unmöglich gehaltenes) gleichzeitiges Zuhören und Sprechen zu vermeiden.

Gleichzeitigkeit von Sprechen und Hören

Im gleichzeitigen Sprechen und Hören wurde und wird denn auch weithin die größte Herausforderung des Simultandolmetschens gesehen. Wie aber Ingrid Kurz bereits in ihrer Dissertation (Pinter 1969) zeigen konnte (s. auch Kurz 1996), ist gleichzeitiges Sprechen und Hören durch Übung erlernbar. In diesem Lernprozess geht es darum, die verfügbare Aufmerksamkeit auf verschiedene Prozesse aufzuteilen. Die fraglichen Prozesse als ‚Sprechen und Hören‘ zu betrachten, greift jedoch zu kurz. Wie bereits festgestellt, sind es Verstehens- und Produktionsprozesse, die zu leisten sind. Diese sind, wie die kognitionswissenschaftliche Forschung seit den 1970er-Jahren gezeigt hat, schon jeweils für sich von erheblicher Komplexität, in ihrer Verzahnung beim Simultandolmetschen aber eine kognitive Gewaltanstrengung. Einen Eindruck davon vermittelt das frühe Prozessmodell des Simultandolmetschens von Barbara Moser (1978), das aufbauend auf einem kognitionspsychologischen Modell des Sprachverstehens den kombinierten Prozessablauf vom ausgangssprachlichen ‚Input‘ bis zum zielsprachlichen ‚Output‘ in Form von zahlreichen, aufeinander aufbauenden Entscheidungsphasen und möglichen Rückkopplungsschleifen veranschaulicht.

Pariser Schule

Noch bevor die Erkenntnis, dass Sprachverstehen nicht nur aus dem Dekodieren von Wörtern besteht, auch in der Psycholinguistik und Kognitionspsychologie allgemeine Verbreitung fand, bildete sie den Kern eines Erklärungsmodells für den Dolmetschprozess, das seit den 1960er-Jahren in Konferenzdolmetscherkreisen entwickelt wurde. Allen voran war es Danica Seleskovitch (1968/1988, 1975), die zunächst auf der Grundlage von Alltagsbeobachtung und Introspektion und später auch anhand empirischer Daten feststellte, dass Dolmetschen nicht durch sprachgebundenes ‚Transkodieren‘ zu bewerkstelligen sei, sondern nur auf Basis eines Sinnerfassungsprozesses, in dem sprachlicher Input mit im Gedächtnis gespeicherten Sprach- und Weltwissensbeständen in Bezug gesetzt werden muss. Diese ihre auch als *théorie du sens* bekannte ‚Interpretative Theorie der Translation‘ wurde von ihrer Weggefährtin Marianne Lederer (1981) auf das Simultandolmetschen angewandt und liegt im Kern bis heute der Didaktik des Dolmetschens zugrunde. Ihr wesensverwandt, aber weitaus stärker auf psycholinguistische Forschung abgestützt, ist das Prozessmodell von Ghelly Chernov (2004), das wissensbasierte

Inferenz- und Antizipationsleistungen beim Simultandolmetschen in den Mittelpunkt rückt.

Das rudimentäre Prozesskonzept der sogenannten Pariser Schule, das oft als Dreiecksmodell – von der Ausgangssprache über den ‚Sinn‘ zur Zielsprache – visualisiert wird, wurde insbesondere von Robin Setton (1999) mit dem neueren psycholinguistischen Forschungsstand in Beziehung gesetzt. In seiner Modellierung des Prozesses (1999:65), die eklektisch auf Erkenntnisse der neueren Sprachverstehens- und -produktionsforschung zurückgreift, findet sich als Angelpunkt eine durch mentale Modellbildung charakterisierte kognitive Repräsentation, die nebst den Ergebnissen der Sprachsignalverarbeitung auch aus Situations- und Weltwissen gespeist wird. Ebenfalls an zentraler Stelle im Modell findet sich eine Steuerungs- und Koordinationseinheit (*Executive*). Besonders die letztgenannte Komponente ist mit Kernaspekten der neueren Theoriebildung zum Simultandolmetschprozess in Verbindung zu bringen.

In der Lehrmeinung der Pariser Schule wurde betont, dass die Verstehens- und Produktionsvorgänge beim Dolmetschen – beim Konsekutivdolmetschen sowieso, aber auch beim Simultandolmetschen – im Prinzip dieselben seien wie in der herkömmlichen Sprachverwendung. Man müsse nur ‚weg vom Wort‘ (Stichwort: Deverbalisierung) und den Sinn erfassen, und das Verstandene in natürlicher Sprache wiedergeben. Da es nicht primär um Sprache(n) gehe, seien auch sprachenpaarspezifische Besonderheiten (wie die häufige Verbendstellung im Deutschen) kaum von Belang. Dem widersprachen unter anderen DolmetschwissenschaftlerInnen im deutschsprachigen Raum, die syntaktische Unterschiede zwischen Ausgangs- und Zielsprache als besondere kognitive Erschwernis betrachteten. Exemplarisch für diesen Standpunkt ist Kirchhoff (1976 b), die das Simultandolmetschen als Mehrphasen-Prozess konzipiert und von einer beschränkten Verarbeitungskapazität spricht, die auf die einzelnen Teilprozesse aufgeteilt werden muss. Im Falle von syntaktisch komplexen Strukturen ist eine Zwischenspeicherung nötig, die die kognitive Belastung erhöht und bei Vorliegen weiterer Schwierigkeitsfaktoren zu einer Überlastung und somit zu Informationsverlust führen kann (Kirchhoff 1976 b:61). Dieser Ansatz liegt auch dem Kapazitätsmodell von Daniel Gile zugrunde, in dem für das Simultandolmetschen drei kapazitätsbeanspruchende kognitive Leistungen (*Efforts*) – Zuhören und Analysieren, Gedächtnisspeicherung,

Kognitive Belastung und Verarbeitungskapazität

Produktion – sowie ein Koordinationsaufwand angenommen werden (Gile 2009). Wie auch schon Kirchhoff (1976b) leitet Gile aus der hohen kognitiven Beanspruchung ab, dass es bestimmter Verarbeitungsstrategien bedarf, um Schwierigkeiten zu bewältigen und Ausfälle zu vermeiden. Beispiele dafür sind etwa Inferenzen zum Füllen von Verstehenslücken, gezielte Auslassungen, Paraphrasieren und Generalisieren sowie auch die Nutzung von Dokumenten oder Hilfestellungen der KabinenpartnerIn.

Direktionalität als umstrittener Qualitätsfaktor

Mit verstehens- und produktionsstützenden Strategien einschließlich sogenannter Notstrategien hat sich insbesondere Sylvia Kalina (1998) befasst und die aus empirischen Untersuchungen gewonnenen Erkenntnisse, in Weiterentwicklung der Ansätze von Kirchhoff, als Grundlegung für eine Didaktik des Simultandolmetschens genutzt. Eine Schlüsselfrage, die in diesem Zusammenhang zu erwähnen ist, betrifft die Arbeitsrichtung oder ‚Direktionalität'. In Kreisen der AIIC und der in Praxis und Ausbildung lange tonangebenden Pariser Schule wurde davon ausgegangen, dass Simultandolmetschen ausschließlich in die ‚A-Sprache' (d. h. in die Mutter- bzw. Erstsprache und somit die am besten beherrschte Sprache) erfolgen soll (wobei in selteneren Fällen auch mehr als eine A-Sprache beansprucht werden kann); im konsekutiven Modus wird dagegen auch in eine weitere aktiv beherrschte Sprache (laut AIIC-Klassifikation als ‚B-Sprache' bezeichnet) gedolmetscht. (Dass in den ehemaligen ‚Ostblock'-Staaten die gegenteilige Praxis bevorzugt wurde, sei hier nur am Rande erwähnt.) Ausnahmen vom A-Sprachen-Prinzip gab es jedoch immer schon, wenn keine DolmetscherInnen mit der betreffenden Zielsprache als A-Sprache in ihrer Sprachkombination verfügbar waren. In diesem Fall, der etwa für Chinesisch und Arabisch bei den Vereinten Nationen Standard ist, wird auch ‚*retour*', d h. in die B-Sprache, simultan gedolmetscht. Und während diese Praxis auf dem ‚Privatmarkt' (d. h. außerhalb der internationalen Organisationen) ohnehin gang und gäbe ist, hat sie im Gefolge der Erweiterungsrunden auch bei den Dolmetschdiensten der Europäischen Institutionen Einzug gehalten, wo nicht genügend A-Sprachenkräfte für Simultandolmetschen aus Sprachen wie Finnisch, Polnisch oder Maltesisch verfügbar waren oder sind. Die Skepsis gegenüber dem Simultandolmetschen in die B-Sprache wurde im ‚Westen' stets mit Qualitätsargumenten begründet, doch steht ein Nachweis für die ausnahmslose Überlegenheit des Arbeitens in die A-

Sprache, sofern ein solches Urteil überhaupt in nachvollziehbarer Weise gefällt werden kann, bislang aus. Gile (2005) kommt im Rahmen einer an seinem Kapazitätsmodell orientierten Analyse zu einer differenzierten Einschätzung und sieht je nach Ausgangstextbeschaffenheit, Dolmetscherfahrung und insbesondere fallspezifischen Qualitätsanforderungen, etwa betreffend die im gegebenen Fall erwünschte Vollständigkeit, terminologische Präzision oder stilistische Eleganz (s. Kurz 1993), auch Vorteile für das Simultandolmetschen in die B-Sprache.

Gleichsam als krönender Schlussstein in diesem Theoriegebäude zum Simultandolmetschprozess soll hier noch eine neuere, stark interdisziplinär angelegte Forschungslinie betrachtet werden, die sich direkt mit dem kognitiven Konstrukt der Verarbeitungskapazität bzw. Aufmerksamkeit und deren Verteilung befasst. Im Zentrum steht das Konzept des Arbeitsgedächtnisses, dem nicht nur eine (Kurzzeit-) Speicherungsfunktion zugeschrieben wird, sondern vor allem auch eine Steuerungsfunktion – im Sinne der ‚Exekutive' im Modell von Setton (1999) und der Koordination im Modell von Gile (2009). Eine besonders spannende Frage, die mit der Fokussierung auf das Arbeitsgedächtnis im Dolmetschprozess verbunden ist, führt an dieser Stelle zurück zur irreführenden Aussage zu Beginn dieses Kapitels: Wenn das Simultandolmetschen offenbar so entscheidend von der Funktion des Arbeitsgedächtnisses abhängt, sind dann Menschen mit besonders ‚gutem' Arbeitsgedächtnis besonders gute SimultandolmetscherInnen? Oder können vielleicht sogar nur jene das Simultandolmetschen beherrschen, die durch ein besonders leistungsstarkes Arbeitsgedächtnis dafür prädestiniert sind? In diesem Sinn also könnte man nicht SimultandolmetscherIn *werden*, sondern es dank vorzüglicher kognitiver Ausstattung nur *sein*.

In experimentellen Studien, die seit Mitte der Neunzigerjahre zu dieser Frage durchgeführt worden sind, finden sich tatsächlich Hinweise darauf, dass (Konferenz-)DolmetscherInnen eine signifikant bessere Arbeitsgedächtnisleistung erzielen als Vergleichsgruppen, was die kurzzeitige Speicherungskapazität angeht (Padilla et al. 1995). Welcher Zusammenhang zwischen Arbeitsgedächtnis und Simultandolmetschen besteht, ist jedoch noch weitgehend unklar. Interessante Befunde liefert allerdings eine Studie von Minhua Liu, die die gemessene Arbeitsgedächtniskapazität mit der tatsächlichen Kompetenz im Simultandolmetschen in Beziehung setzte (Liu et al.

Die Rolle des
Arbeitsgedächtnis-
ses

2004). Dabei fanden sich auf Basis des sogenannten Hörspannentests keine signifikanten Unterschiede in der Arbeitsgedächtniskapazität der drei Versuchsgruppen, wohl aber absolvierten die BerufsdolmetscherInnen die gestellte Simultandolmetschaufgabe signifikant besser als die Gruppe der fortgeschrittenen Studierenden und schnitten diese wiederum besser ab als die Anfängergruppe. Daraus ist zu folgern, dass nicht die Fähigkeit der Speicherung im Arbeitsgedächtnis ausschlaggebend für professionelle Dolmetschkompetenz ist, sondern die aufgabenspezifische Nutzung der kognitiven Ressourcen, wie sie offenbar durch eine gezielte Ausbildung und jahrelanges Training erlernt werden kann.

Anforderungs-
und Kompetenz-
profil für Simul-
tandolmetschen Aus dieser Skizze zum Stand der Modellierung des kognitiven Prozesses beim Simultandolmetschen und neueren Untersuchungen zur Rolle des Arbeitsgedächtnisses lassen sich unschwer die wesentlichen Komponenten eines Anforderungs- und Kompetenzprofils für Simultandolmetschen ableiten. Mehrere der essenziellen Komponenten weisen dabei kaum eine besondere Spezifik für das Simultandolmetschen auf. So zählen etwa die hervorragende Beherrschung der A-Sprache und zumindest einer weiteren Arbeitssprache (in ihrer kulturellen Einbettung) und eine umfassende Allgemeinbildung sowie eine differenzierte Auffassungsgabe dank analytischem Denken und kommunikativem Einfühlungsvermögen für jede Form des Dolmetschens – und im Prinzip wohl auch für jede Form der Translation – zu den unabdingbaren Voraussetzungen. Ähnliches lässt sich sicher auch für persönlichkeitsbezogene Erfordernisse wie (Dienst-)Leistungsbereitschaft, Ehrlichkeit und verantwortungsbewusstes Verhalten sagen. Die Zuspitzung der Kompetenzpyramide erfolgt somit durch eben jene Anforderungen, die sich aus den Prozessbedingungen für das Simultandolmetschen ergeben, nämlich das Verarbeiten von Information unter größtem Zeitdruck und das gleichzeitige Ausführen mehrerer anspruchsvoller kognitiver Aufgaben (Sprachverstehen in der Ausgangssprache, Sprachproduktion in der Zielsprache und Kontrolle – und gegebenenfalls Korrektur – der eigenen zielsprachlichen Äußerung) bei gleichzeitiger, aber differenzierter Aktivierung zweier Sprachsysteme im Gehirn. Es sind diese Fähigkeiten, in denen am Beginn einer Ausbildung im (Simultan-)Dolmetschen ein möglichst hohes Ausgangsniveau vorhanden sein sollte und die dann im Kern Gegenstand eines gezielten und systematischen Kompetenzerwerbs sind.

Simultandolmetschen lernen und lehren

In den ersten Jahrzehnten der Entwicklung des Konferenzdolmetscherberufs, als noch der Konsekutivmodus dominierte, nahmen die Dolmetscher ihre Tätigkeit ohne spezielle Ausbildung auf. Aber schon bei den ersten Versuchen zur Realisierung des Simultandolmetschens um das Jahr 1926 wurde eine spezielle Ausbildung konzipiert, in der der neue Dolmetschmodus im Verlauf von knapp sechs Monaten (mit einer ein- bis zweistündigen Übungseinheit pro Woche) erlernt werden sollte. Somit wurde für das Simultandolmetschen von Beginn an davon ausgegangen, dass es einer Ausbildung bedurfte, aber zugleich auch, dass es erlernbar war, sofern die KandidatInnen über die nötigen Voraussetzungen verfügten. Eine Trainingsphase gab es auch im Zuge der Vorbereitungen für den Nürnberger Prozess, wenngleich sich neu Rekrutierte später auch unvorbereitet am Simultanmodus versuchen mussten (Behr/Corpataux 2006). Wieder wurde Wert auf eine Vorauswahl gelegt; wieder ließ sich schwer absehen, wer im Simultandolmetschen reüssieren würde. Einig war und ist man sich jedenfalls darin, dass die rezeptiven und produktiven Teilprozesse beim Simultandolmetschen unter größtem Zeitdruck und bei geteilter Aufmerksamkeit bewältigt werden müssen. Zur Erreichung dieses Kompetenzziels wurden allerdings unterschiedliche Wege vorgeschlagen.

(Randnotiz: Frühe Ausbildungsmodelle)

Wenn hier Ausbildungskonzepte für den Kompetenzerwerb im Simultandolmetschen zusammenfassend präsentiert werden, kann nur am Rande auf die eng verbundenen grundlegenden Fragen des Curriculums und der Eignungsfeststellung eingegangen werden (s. Sawyer 2004; Pöchhacker/Liu 2014). Es versteht sich von selbst, dass das zu Beginn der Ausbildung vorauszusetzende Niveau an aktiver und passiver Sprachbeherrschung, Allgemeinbildung und translatorischer Kompetenz von der Art und Dauer des Curriculums abhängt und dass die Inhalte eines Studiengangs wiederum auf die Qualifikationen der Lernenden abgestimmt sein müssen. Die Qualifikationen der *Lehrenden* sind freilich auch nicht zu unterschätzen: Laut dem von der AIIC vertretenen Ausbildungskonzept (Mackintosh 1999) sollte der Unterricht von praktizierenden KonferenzdolmetscherInnen getragen werden; der Stellenwert der didaktischen und dolmetschwissenschaftlichen Qualifikation bleibt dabei zunächst offen, doch hat der Verband (nebst einigen Ausbildungsstätten wie

(Randnotiz: Qualifikation von Lernenden und Lehrenden)

Genf und Germersheim) im vergangenen Jahrzehnt große Anstrengungen im Bereich „*Training the Trainers*" unternommen.

Für die folgenden Ausführungen zur Didaktik wird von einem ein- bis zweijährigen postgradualen Studium in ,Konferenzdolmetschen' ausgegangen, wie es im Gefolge des Bologna-Prozesses in den meisten europäischen Ländern und mittlerweile weltweit zum Standard geworden ist. (Wiederum zeigt sich: man kann nicht *SimultandolmetscherIn werden*, also ,Simultandolmetschen studieren'.) Die Rolle der wissenschaftlichen Komponente im Studium, mit oder ohne Masterarbeit zum Nachweis der wissenschaftlichen Qualifikation, ist in einzelnen Studiengängen unterschiedlich. Dass ohne eine solche aber eine Ausbildung auf Hochschulniveau kaum zu rechtfertigen wäre, sollte außer Zweifel stehen (Pöchhacker 2010).

Grund-
kompetenzen

Relativ wenig Spielraum bleibt – anders als in den im deutschsprachigen Raum früher üblichen mindestens vierjährigen grundständigen Studien – für den Erwerb von *Grundkompetenzen*, wie sie im Verlauf dieses Aufsatzes wiederholt erwähnt wurden. Aktives Zuhören und vorgreifendes Verstehen (auch unter erschwerten Bedingungen), Analysefähigkeit, Ausdrucksflüssigkeit und Sprechtechnik und dergleichen mehr lassen sich durchaus in diversen Übungen trainieren, sind aber nicht Gegenstand der eigentlichen Didaktik des Simultandolmetschens. Dennoch ist strittig, wo diese ansetzen soll.

Die aus historischen Gründen verständliche enge Verflechtung der beiden Dolmetschmodi beim Konferenzdolmetschen prägt auch den Ausbildungsverlauf bzw. den Zeitpunkt, zu dem mit dem Simultandolmetschen begonnen wird. Nach der Lehrmeinung der Pariser Schule, wie sie im einflussreichen Kompendium zur Didaktik von Seleskovitch und Lederer (2002) niedergelegt ist, führt der Weg zum Simultandolmetschen über das Konsekutivdolmetschen. Nur wenn Letzteres und somit der Grundprozess des Dolmetschens in zufriedenstellender Weise beherrscht werde, dürften die Studierenden den Weg in die Kabine antreten. Eine so strenge Sequenzierung wird andernorts nicht aufrechterhalten. Die Entscheidung darüber hängt davon ab, was man unter dem ,Grundprozess' versteht und in welchem Ausmaß er beherrscht werden muss. Wenn etwa die korrekte und vollständige Wiedergabe einer fünf- bis sechsminütigen Rede mittels einer entsprechend entwickelten Notizentechnik das Kompetenzziel für die Ausbildung im Konsekutivdolmetschen ist, wäre das schwerlich als Grund- und Eingangskompetenz für das Simultandolmetschen zu fordern, das ja vom kognitiven Prozess her unterschiedlich abläuft. Sofern man aber auch die konsekutive Wiedergabe einer ein- bis zweiminütigen Rede, gegebenenfalls auch ohne Notizen, als Nachweis für die Beherrschung des Grund-prozesses akzeptiert, ist an der Forderung nach einer Progression vom konsekutiven zum simultanen Dolmetschen nichts auszusetzen.

In ähnlichem Sinn plädieren manche AutorInnen dafür, das Vom-Blatt-Übersetzen (das in diesem Zusammenhang besser ,Vom-Blatt-Dolmetschen' heißen sollte), als Vorstufe zum Simultandolmetschen einüben zu lassen, zumal es, wie eingangs mit Herbert (1952) fest-gestellt, ebenfalls eine Form des simultanen Dolmetschens ist. Wenn-gleich sich das Vom-Blatt-Dolmetschen tatsächlich als flexible Übungsform für das Arbeiten unter Zeitdruck bewährt und ,im Endausbau' im Rahmen des sogenannten Simultandolmetschens mit Text ohnehin beherrscht werden muss, sind Zweifel angebracht, ob es sich um eine Vorübung im eigentlichen Sinn handelt. Ergebnisse aus experimentellen Untersuchungen (z. B. Viezzi 1990) deuten darauf hin, dass es sich beim Vom-Blatt-Dolmetschen aufgrund der visuellen Textrezeption um einen Prozess *sui generis* handelt, der deshalb im Ausbildungsverlauf auch als eigener Modus zu behandeln ist. Zudem erzeugt die visuelle Aufnahme des (vor Augen bleibenden) Textes einen deutlich stärkeren Interferenzdruck, der eine flüssige und idiomatische simultane Wiedergabe beim Vom-Blatt-Dolmetschen sogar gegenüber dem hörenden Verstehen erschwert (Agrifoglio 2004).

Zur *Initiation* in die Kernkompetenz der geteilten Aufmerksam-keit wurden im Wesentlichen drei spezifische Übungen vorgeschla-gen: *Dual-task*-Aufgaben, *Shadowing* und Paraphrasieren. Mit Bezug auf kognitionspsychologische Abläufe, wie sie im Mittelteil dieses Aufsatzes beschrieben wurden, schlägt Moser (1978) einführende Übungen vor, um das gleichzeitige Ausführen zweier verschiedener kognitiver Aufgaben zu trainieren. *Dual-task*-Aufgaben, die sich im Übrigen auch in Seleskovitch/Lederer (2002) finden, bestehen etwa im Anhören einer Rede bei gleichzeitigem lauten Rückwärtszählen von einer dreistelligen Zahl. Beim *Shadowing* hingegen wird die Ausgangsrede in derselben Sprache, mit minimalem oder auch einige Sekunden langem Zeitabstand, nachgesprochen (Lambert 1992). Hierbei handelt es sich zwar tatsächlich um die Kompetenz des

Initiation

gleichzeitigen Sprechens und Hörens, doch ist kritisch einzuwenden, dass gleichzeitiges Sprechen und Hören nicht die Hauptschwierigkeit darstellt und das intralinguale Nachsprechen in die genau gegenteilige Richtung führt, die Seleskovitch und Lederer (2002) mit ihrem Fokus auf Deverbalisierung (,weg vom Wort!') anstreben (s. Kurz 1992). Eine Alternative bietet das einsprachige simultane Paraphrasieren, das dem Prozess des sinnbasierten Simultandolmetschens sehr nahe kommt bzw. ihm vom Wesen her weitgehend entspricht. Auch hier aber liegt der Schwerpunkt zwangsläufig auf der Ebene des sprachlichen Ausdrucks, weil nicht unbedingt ein alternativer Ausdruck für ein Sinnelement, sondern für einen anderen Ausdruck derselben Sprache gefunden werden muss. Gerade deshalb kann das simultane Paraphrasieren vielleicht auch gut zur Eignungsfeststellung vor oder zu Ausbildungsbeginn herangezogen werden (s. Russo 2014), prüft es doch nicht schon jene mündlich-translatorische Grundkompetenz, die es im Studium zu erwerben bzw. zu vermitteln gilt.

Holistischer Ansatz in der Didaktik

Neben diesem Ansatz, der vor allem aus kognitionspsychologischer Sicht einen komplexen Prozess in Teilaufgaben zerlegen und dadurch leichter erlernbar machen will (z. B. Moser 1978; Lambert 1988), gibt es in der Didaktik des Simultandolmetschens auch eine ,holistische' Initiation, bei der den Lernenden gleich der gesamte Prozess zugemutet wird, allerdings bei entsprechend herabgesetztem Schwierigkeitsgrad. Wie aus Praxis und Forschung hinlänglich bekannt ist, zählen etwa schnelles Redetempo, monotone Intonation, hohe Informationsdichte und syntaktische Komplexität nebst dem Vorkommen von unbekannten Eigennamen, Zahlen und Fachtermini zu den besonderen Schwierigkeitsfaktoren (z. B. Gile 2009). Diese kommen typischerweise vor, wenn schriftkonstituierte Texte vor- bzw. abgelesen werden. Für den Einstieg ins Simultandolmetschen bieten sich somit Reden mit der jeweils gegensätzlichen Merkmalsausprägung an, also frei gesprochene, spontan formulierte Äußerungen zu nachvollziehbaren Themen aus dem Erfahrungshorizont der DolmetschanfängerInnen. Seleskovitch und Lederer (2002) schlagen zur Geringhaltung der Ausgangstextschwierigkeit auch das Simultandolmetschen bekannter Märchen vor; es scheint aber diskutabel, ob diese im Grunde literarischen Texte mit ihren besonderen stilistischen Merkmalen den intendierten Zweck erfüllen. Ein anderer didaktischer Vorschlag, ebenfalls aus dem Kreis der Pariser Schule, besteht darin, die Unbekanntheit des Ausgangstextes zu verringern, indem er zunächst konsekutiv und erst dann, in einem zweiten Durchgang, simultan gedolmetscht wird. Dieses ‚Simultandolmetschen mit Stützrädern' (Déjean Le Féal 1997) ist zweifelsohne von Nutzen, um die kognitive Belastung zu reduzieren, verändert den Dolmetschprozess jedoch insofern, als vom definierenden Kriterium der Einmaligkeit der Ausgangstextdarbietung (Kade 1968:35) abgegangen wird.

Wie auch immer am Beginn der Ausbildung im Simultandolmetschen die Machbarkeit der Aufgabenstellung gewährleistet wird, schließt an diese Initiation dann die Hauptphase der Didaktik an, die mit dem Schlüsselbegriff der *Progression* charakterisiert werden kann (s. Setton 2010). Wesentlich ist dabei, dass von Anfang an – und auch schon in der Einstiegsphase – stets auf die Funktionalität (d. h. ‚Anhörbarkeit', Kohärenz und Verständlichkeit) der produzierten Verdolmetschungen geachtet wird. Diese dient als Maßstab dafür, dass die Aufgabe machbar ist und dass dabei die erforderliche Prozessdynamik zum Tragen kommt, d. h. das gleichzeitige Verstehen und Produzieren bei geteilter Aufmerksamkeit. Durch eine schrittweise Steigerung des Schwierigkeitsgrades, die im Wesentlichen durch die Wahl von Ausgangsmaterial mit bestimmten Parametern erfolgt, wird im Ausbildungsverlauf das gezielte Üben (*deliberate practice*) stets nahe an der jeweiligen Leistungsgrenze gehalten, die so immer weiter an das letztlich geforderte professionelle Niveau angenähert wird.

Progression

In einer Abschlussphase empfiehlt sich sodann die verstärkte Betonung der *Simulation*, um anstelle der geschützten Unterrichtssituation mit kontrollierten Schwierigkeitsfaktoren möglichst die Realität der professionellen Praxis erlebbar zu machen, die sich nicht zuletzt durch Unvorhersehbarkeit und komplexe situative Umstände auszeichnet.

Simulation

An diesem Ausbildungsgerüst, das ich anhand seiner Phasen *Grund-kompetenzen – Initiation – Progression – Simulation* auch mnemonisch als ‚GrIPS' bezeichne, muss für eine ausgereifte Didaktik freilich eine Vielzahl weiterer Lehr- und Lernmodalitäten angeschlossen werden. Zu diesen zählen, um nur einige anzuführen, das korrekte Verhalten in der Kabine (Mikrofondisziplin etc.), die Vorbereitung (einschließlich thematischer Recherche und Terminologiedokumen-

tation), die Teamarbeit, die Leistungsbeurteilung (durch Selbstein-
schätzung wie auch Fremdbeurteilung) und das selbstständige gezielte Üben außerhalb des Präsenzunterrichts, möglichst mit entsprechender Dokumentation und kritischer Analyse der erzielten
Leistung.

Schlusswort

Wie in diesem Kapitel vermittelt werden sollte, liegt dem Simultandolmetschen – als zugleich spektakulärster und effizientester Translationsform – ein komplexer kognitiver Prozess zugrunde, der im
Lauf der Jahrzehnte in seinen wesentlichen Aspekten erforscht
werden konnte (s. Pöchhacker 2016) und somit auch auf Basis
wissenschaftlicher Erkenntnisse gelehrt und gelernt werden kann.
Die betreffenden Erkenntnisse sind, im Unterschied zur ,Meister-
klassen'-Praxis früherer Jahrzehnte, zunehmend bei den in der
Dolmetscherausbildung tätigen Lehrenden, die möglichst auch prak-
tizierende professionelle DolmetscherInnen sein sollten, vorauszuset-
zen. Unbeschadet einer solchen (dolmetsch)wissenschaftlichen Fundierung der Ausbildung muss diese doch in einem erheblichen
Ausmaß aus Übungen im Dolmetschen bestehen. Wie aus dem
Abriss zu den kognitiven Grundlagen des Simultandolmetschens
hervorgeht, bedarf es selbst bei Vorliegen ausgezeichneter Voraussetzungen in den Bereichen Sprachbeherrschung, Weltwissen, Ana-
lyse- und Verstehens- sowie Sprachproduktionskompetenz einer
nachhaltigen Einübung der kognitiven Kernkompetenz, die in der
gleichzeitigen rezeptiven und produktiven Sprach- und Inhaltsver-
arbeitung in einem bestimmten Sprachenpaar bei geteilter Aufmerksamkeit besteht. Die Ausbildung im Dolmetschen ist zwar nicht nur
,Training', lässt sich aber ohne ein solches nicht erfolgreich durchführen bzw. absolvieren. Jüngste neurowissenschaftliche Studien
liefern sogar Hinweise darauf, dass das Trainieren des Simultandolmetschens nicht nur funktionale Änderungen im Gehirn bewirkt
(also etwa veränderte neuronale Aktivierungsmuster), sondern auch
einen Umbau der neuronalen Architektur auf der Ebene der grauen
Substanz (Hervais-Adelman et al. 2014). SimultandolmetscherIn
kann man also – im Regelfall – nicht einfach *sein*, etwa indem
man das Glück hatte, mit einem besonders leistungsfähigen Arbeits-

gedächtnis geboren zu werden und zwei- oder mehrsprachig auf-
zuwachsen; man muss es durch gezielte Ausbildung erst werden.
Interpreters are made not born (Mackintosh 1999).

In einer zunehmend schnelllebigen Zeit ist davon auszugehen,
dass das Simultandolmetschen als Translationsform immer größere
Bedeutung erlangen wird, während das Konsekutivdolmetschen als
zeitlich wenig(er) effizienter Modus möglicherweise nach und nach
unerwünscht werden könnte. War somit vor 100 Jahren jegliches
Dolmetschen konsekutiv, wäre es durchaus vorstellbar, dass in einer
nicht allzu fernen Zukunft Dolmetschen zumeist simultan erfolgen
wird. Spätestens dann wird wohl auch der Dolmetscherberuf, der
heute nach wie vor in seinen Anfängen im frühen 20. Jahrhundert
verwurzelt ist, eine Neuausrichtung erfahren. Wenn das Simultandolmetschen dann weit über Konferenzen hinausgehend in die
unterschiedlichsten Felder der interkulturellen Kommunikation einbezogen worden ist und sich das Berufsprofil des Dolmetschens
darauf zugespitzt hat, wird man, wenn es um das Berufsziel Dolmetschen geht, doch *SimultandolmetscherIn werden* können.

Interpreters are made, not born.

Literatur

Agrifoglio, Marjorie. 2004. Sight translation and interpreting: A comparative
  analysis of constraints and failures. *Interpreting* 6:1, 43–67.
Behr, Martina/Corpataux, Maike. 2006. *Die Nürnberger Prozesse. Zur
  Bedeutung der Dolmetscher für die Prozesse und der Prozesse für die
  Dolmetscher.* München: Meidenbauer.
Baigorri-Jalón, Jesús. 2014. *From Paris to Nuremberg: The Birth of Conference
  Interpreting.* Amsterdam/Philadelphia: John Benjamins.
Chernov, Ghelly V. 1979/2002. Semantic aspects of psycholinguistic research
  in simultaneous interpretation. In: Pöchhacker, F./Shlesinger, M. (eds.)
  The Interpreting Studies Reader. London/New York: Routledge, 99–109.
Déjean Le Féal, Karla. 1997. Simultaneous interpretation with ‚training
  wheels‘. *Meta* 42:2, 616–621.
Feldweg, Erich. 1996. *Der Konferenzdolmetscher im internationalen Kom-
  munikationsprozeß.* Heidelberg: Groos.
Gile, Daniel. 2009. *Basic Concepts and Models for Interpreter and Translator
  Training.* (Revised edition) Amsterdam/Philadelphia: John Benjamins.
Goldman-Eisler, Frieda. 1972/2002. Segmentation of input in simultaneous
  translation. In: Pöchhacker, F./Shlesinger, M. (eds.) *The Interpreting
  Studies Reader.* London/New York: Routledge, 69–76.

Herbert, Jean. 1952. *Handbuch für den Dolmetscher: Leitfaden für den Konferenzdolmetscher.* Genf: Georg.

Hervais-Adelman, Alexis/Moser-Mercer, Barbara/Michel, Christoph M./ Golestani, Narly. 2014. fMRI of simultaneous interpretation reveals the neural basis of extreme language control. *Cerebral Cortex.* doi: 10.1093/cercor/bhu158

Kade, Otto. 1968. *Zufall und Gesetzmäßigkeit in der Übersetzung.* Leipzig: Enzyklopädie.

Kalina, Sylvia. 1998. *Strategische Prozesse beim Dolmetschen: Theoretische Grundlagen, empirische Fallstudien, didaktische Konsequenzen.* Tübingen: Narr.

Kirchhoff, Hella. 1976 a. Das dreigliedrige, zweisprachige Kommunikationssystem Dolmetschen. *Le Langage et l'Homme* 31, 21–27.

Kirchhoff, Helene. 1976 b. Das Simultandolmetschen: Interdependenz der Variablen im Dolmetschprozeß, Dolmetschmodelle und Dolmetschstrategien. In: Drescher, H. W./Scheffzek, S. (Hg.) *Theorie und Praxis des Übersetzens und Dolmetschens.* Frankfurt/Bern: Lang, 59–71.

Kurz, Ingrid. 1992. ‚Shadowing' exercises in interpreter training. In: Dollerup, C./Loddegaard, A. (eds.) *Teaching Translation and Interpreting: Training, Talent and Experience.* Amsterdam/Philadelphia: John Benjamins, 245–250.

Kurz, Ingrid. 1993/2002. Conference interpretation: Expectations of different user groups. In: Pöchhacker, F./Shlesinger, M. (eds.) *The Interpreting Studies Reader.* London/New York: Routledge, 313–324.

Kurz, Ingrid. 1996. *Simultandolmetschen als Gegenstand der interdisziplinären Forschung.* Wien: WUV-Universitätsverlag.

Lambert, Sylvie. 1992. Shadowing. *The Interpreters' Newsletter* 4, 15–24.

Lederer, Marianne. 1981. *La traduction simultanée – Expérience et théorie.* Paris: Minard lettres modernes.

Liu, Minhua/Schallert, Diane L./Carroll, Patrick J. 2004. Working memory and expertise in simultaneous interpreting. *Interpreting* 6:1, 19–42.

Mackintosh, Jennifer. 1999. Interpreters are made not born. *Interpreting* 4:1, 67–80.

Moser, Barbara. 1978. Simultaneous interpretation: A hypothetical model and its practical application. In: Gerver, D./Sinaiko, H. W. (eds.) *Language Interpretation and Communication.* London/New York: Plenum Press, 353–368.

Mouzourakis, Panagiotis. 2006. Remote interpreting: A technical perspective on recent experiments. *Interpreting* 8:1, 45–66.

Neff, Jacquy. 2014. AIIC statistics: Summary of the 2012 report. Abrufbar unter: http://aiic.net/page/6878/ (Stand: 13/01/2016).

Oléron, Pierre/Nanpon, Hubert. 1965/2002. Research into simultaneous translation. In: Pöchhacker, F./Shlesinger, M. (eds.) *The Interpreting Studies Reader.* London/New York: Routledge, 43–50.

Padilla, Presentación/Bajo, M. Teresa/Cañas, José J./Padilla, Francisca. 1995. Cognitive processes of memory in simultaneous interpretation. In: Tommola, J. (ed.) *Topics in Interpreting Research.* University of Turku, Centre for Translation and Interpreting, 61–71.

Pinter, Ingrid. 1969. *Der Einfluß der Übung und Konzentration auf simultanes Sprechen und Hören.* Dissertation, Universität Wien.

Pöchhacker, Franz. 1994. *Simultandolmetschen als komplexes Handeln.* Tübingen: Narr.

Pöchhacker, Franz. 2005. From operation to action: Process-orientation in interpreting studies. *Meta* 50:2, 682–695.

Pöchhacker, Franz. 2010. The role of research in interpreter education. *Translation & Interpreting* 2:1, 1–10.

Pöchhacker, Franz (ed.) 2015. *Routledge Encyclopedia of Interpreting Studies.* London/New York: Routledge.

Pöchhacker, Franz. 2016. *Introducing Interpreting Studies.* Second edition. London/New York: Routledge.

Pöchhacker, Franz/Liu, Minhua (eds.) 2014. *Aptitude for Interpreting.* Amsterdam/Philadelphia: Benjamins.

Russo, Mariachiara. 2014. Testing aptitude for interpreting: The predictive value of oral paraphrasing, with synonyms and coherence as assessment parameters. *Interpreting* 16:1, 1–18.

Salevsky, Heidemarie. 1987. *Probleme des Simultandolmetschens: Eine Studie zur Handlungsspezifik.* Berlin: Akademie der Wissenschaften der DDR.

Sawyer, David B. 2004. *Fundamental Aspects of Interpreter Education: Curriculum and Assessment.* Amsterdam/Philadelphia: Benjamins.

Seleskovitch, Danica. 1968/1988. *Der Konferenzdolmetscher: Sprache und Kommunikation.* Heidelberg: Groos.

Seleskovitch, Danica. 1975. *Langage, langues et mémoire. Étude de la prise de notes en interprétation consécutive.* Paris: Minard-Lettres modernes.

Seleskovitch, Danica/Lederer, Marianne. 2002. *Pédagogie raisonnée de l'interprétation.* Paris/Bruxelles: Didier Érudition/OPOCE.

Setton, Robin. 1999. *Simultaneous Interpretation: A Cognitive-Pragmatic Analysis.* Amsterdam/Philadelphia: John Benjamins.

Setton, Robin. 2010. From practice to theory and back in interpreting: The pivotal role of training. *The Interpreters' Newsletter* 15, 1–18.

Viezzi, Maurizio. 1990. Sight translation, simultaneous interpretation and information retention. In: Gran, L./Taylor, C. (eds.) *Aspects of Applied and Experimental Research on Conference Interpretation.* Udine: Campanotto, 54–60.

2 Konsekutivdolmetschen

Barbara Ahrens

Unter Konsekutivdolmetschen versteht man den Dolmetschmodus, in dem eine Rede oder ein Redeabschnitt im Anschluss an die ausgangssprachliche Präsentation in der Zielsprache wiedergegeben wird. Die Länge der konsekutiv zu dolmetschenden Text(abschnitt)e kann zwischen ein bis zwei Sätzen und bis hin zu zehn bis zwölf Minuten variieren (vgl. u. a. Kalina 1998:23).

Konsekutivdolmetschen gehört neben dem Simultandolmetschen zu den klassischen Konferenzdolmetschmodi (vgl. AIIC 2014) und ist aufgrund seines natürlichen Ablaufs – Wiedergabe des Zieltextes im Anschluss an den Ausgangstext – und aufgrund der Tatsache, dass es auch ohne (technische) Hilfsmittel praktiziert werden kann, die älteste Form der heute üblichen Arten der Translation.

Geschichtliche Entwicklung

Als sich das Berufsbild des Konferenzdolmetschers in der ersten Hälfte des 20. Jahrhunderts nach dem 1. Weltkrieg durch den aufkommenden Multilateralismus in Politik, Wirtschaft und auch in internationalen Organisationen herausbildete, etablierte sich das Konsekutivdolmetschen als der übliche Dolmetschmodus. So wurden in den 1920er Jahren im Völkerbund hochoffizielle und lange Reden führender Politiker konsekutiv in die beiden Amtssprachen Englisch und Französisch gedolmetscht, beispielsweise Gustav Stresemanns Rede zum Beitritt Deutschlands zum Völkerbund vom 10. September 1929 (vgl. Schmidt 1949:184 f.). Die damals tätigen Konsekutivdolmetscher hatten keine Ausbildung durchlaufen, sondern waren Autodidakten, die ihre Konsekutivtechnik aufgrund ihrer sprachlichen, kognitiven, analytischen und rhetorischen Fähigkeiten entwickelten (vgl. Herbert 1952). Auch die von den Konsekutivdolmetschern verwendete Notizentechnik musste zur damaligen Zeit von den Dolmetschern jeweils individuell entwickelt werden. Eine Ausnahme hierbei bildeten lediglich die Kurse des deutschen Außenministeriums zur Ausbildung von KonferenzdolmetscherInnen ab dem Jahr 1921 (vgl. Schmidt 1949:13). Nach dem 2. Weltkrieg und den Nürnberger Prozessen wurde das Simultandolmetschen nicht zuletzt durch seinen Einsatz bei mehrsprachigen internationalen Organisationen wie den Vereinten Nationen oder der Europäischen Union und ihren Vorgängerorganisationen EWG bzw. EG zum bis heute dominierenden Dolmetschmodus. Diese Dominanz zeigt sich oft auch darin, dass DolmetscherInnen insbesondere in stark nachgefragten Sprachkombinationen sogar Konsekutivaufträge aufgrund mangelnder Übung ablehnen.

Das klassische Konsekutivdolmetschen wird daher heutzutage immer noch mit hochoffiziellen Anlässen, Tisch- und Anlassreden sowie dem diplomatischen Parkett in Verbindung gebracht, so wie es in der einschlägigen berufspraktischen und dolmetschwissenschaftlichen Fachliteratur im Laufe des 20. Jahrhunderts immer wieder beschrieben wurde (vgl. u. a. Herbert 1952; van Hoof 1962; Kalina 1998; Seleskovitch 1968).

Renaissance des Konsekutivdolmetschens

Konsekutivdolmetschen gilt als „acid test of the truly competent interpreter" (Henderson 1976:108). Daran hat sich bis heute nichts geändert, was sich auch an der heutigen Ausbildungspraxis der Hochschulen sowie den Akkreditierungstests internationaler Organisationen und nationaler Ministerien ablesen lässt. Gerade in Ministerien und deren nachgeordneten Behörden ist das Konsekutivdolmetschen bis heute der dominierende Dolmetschmodus (persönliche Mitteilung mehrerer bei den deutschen Bundesministerien fest angestellter KonferenzdolmetscherInnen).

Trotz aller Dominanz des Simultandolmetschens im aktuellen multilingualen Konferenzgeschehen kann in den letzten Jahren gerade in bilateralen Settings eine „Renaissance" des Konsekutivdolmetschens beobachtet werden, die unterschiedlich motiviert ist.

Der Dolmetschprozess beim Konsekutivdolmetschen

Der Dolmetschprozess beim Konsekutivdolmetschen gliedert sich in zwei aufeinander folgende Prozessphasen, während derer unterschiedliche Anforderungen zu erfüllen sind: In der ersten Prozessphase muss der ausgangsprachliche Text verstanden und gespeichert werden, in der zweiten muss der zielsprachliche Text auf der Grundlage der verstandenen und gespeicherten Inhalte formuliert werden

Zwei Prozessphasen

(vgl. Ahrens 1998:215 ff.; Gile 1995:178 ff.). Konsekutivdolmetschen stellt also besondere Anforderungen an die Konzentration und das Gedächtnis von DolmetscherInnen, und dies nicht nur in der ersten Prozessphase, in der die Inhalte und Aussagen des ausgangssprachlichen Textes gespeichert werden müssen, sondern auch in der zweiten Phase, bei der die gespeicherten Inhalte abgerufen und in der Zielsprache sprachlich-sprecherisch einwandfrei wiedergegeben werden müssen. Gerade auf die sprecherische Leistung wird beim Konsekutivdolmetschen großer Wert gelegt, da aufgrund der aufeinander folgenden Prozessphasen der ausgangssprachlichen Rezeption und der zielsprachlichen Produktion während letzterer häufig eine äußerst idiomatische und korrekte Wiedergabe in der Zielsprache ohne ausgangssprachliche „Kontaminierungen" z. B. in Form von Interferenzen oder Nachahmung grammatikalischer Strukturen und Syntax der Ausgangssprache erwartet wird.

Deswegen ist die durch eine entsprechende Textanalyse zu leistende kognitiv-notatorische Organisation des Textinhalts und seiner Argumentationsstruktur also eine in der ersten Prozessphase an den/ die KonsekutivdolmetscherIn zu stellende Anforderung sowie grundlegende Voraussetzung für eine erfolgreiche zweite Phase im Konsekutivdolmetschprozess.

Gedächtnis und Notation beim Konsekutivdolmetschen

Konsekutivdolmetschen stellt hohe Anforderungen an die Gedächtnisleistung von DolmetscherInnen. Sie bedienen sich für die Speicherung und Wiedergabe ihres Gedächtnisses und ihrer Notizen, um den Inhalt und die Textaussage über die erforderliche Zeitspanne zu speichern. Für eine erfolgreiche Konsekutivleistung ist daher ein Zusammenspiel der beiden Speicherformen unerlässlich.

Zusammenspiel von Kurz- und Langzeitgedächtnis

Das Gedächtnis wird – z. B. auf der Grundlage des Modells des Arbeitsgedächtnisses von Baddeley (2000) oder auch des Langzeitarbeitsgedächtnisses nach Ericsson/Kintsch (1995) – in der Dolmetschwissenschaft als mehrgliedriges System angesehen, in dem verschiedene kognitive Komponenten durch eine aufmerksamkeitsgesteuerte Zentrale interagieren. Die Komponenten werden dabei zum einen durch die Art des Inputs – sprachlich und visuell-spatial (vgl. Baddeley 2000) –, zum anderen aber auch, wie in traditionellen

Gedächtnistheorien üblich, zeitlich als Kurz- und Langzeitgedächtnis definiert. Entscheidend ist die Vernetzung zwischen dem während des Verstehens kurzfristig verfügbaren Input mit den Inhalten des Langzeitgedächtnisses, die durch Verarbeitungsstrategien und Aufmerksamkeit gesteuert wird.

Beim Konsekutivdolmetschen kommt insbesondere dem Langzeitarbeitsgedächtnis, das als Abrufstruktur für gespeicherte Inhalte definiert wird (vgl. Ericsson/Kintsch 1995), eine wesentliche Rolle zu. Effektiver Zugriff auf diese Inhalte wird durch eine gezielte Segmentierung des Inputs bedingt. Diese beim Verstehen für die Inhaltsspeicherung vorzunehmende Segmentierung spiegelt sich beim Konsekutivdolmetschen im Notat wider. Somit liegt einer erfolgreichen Konsekutivdolmetschleistung eine effiziente Verteilung der Aufmerksamkeitskapazitäten auf eine effektiv strukturierte, kognitive Langzeitspeicherung der ausgangssprachlichen Inhalte sowie auf das Notieren zur Fixierung von Abrufsignalen auf dem Block der DolmetscherInnen zugrunde.

Während der ersten Prozessphase – der Analyse und dem Verstehen – dienen die Notizen den KonsekutivdolmetscherInnen also dazu, ihr kognitives Gedächtnis nicht zu überlasten und den Abruf der im Gedächtnis gespeicherten Inhalte in der zweiten Prozessphase – der Wiedergabe – zu gewährleisten. Die Notizen sind daher kein Gedächtnisersatz, sondern ein reines Hilfsmittel von DolmetscherInnen, mit dem Inhalt und Ideen, nicht aber der ausgangssprachliche Wortlaut der Rede notiert werden. KonsekutivdolmetscherInnen haben also neben ihrem kognitiven Gedächtnis, das es aufgrund seiner begrenzten Kapazität zu entlasten gilt, ein so genanntes materielles Gedächtnis (vgl. Kirchhoff 1979:121): ihren Dolmetschblock und ihre Notizentechnik. Im kognitiven Gedächtnis wird der Großteil des Inhalts und der Zusammenhänge des Ausgangstexts gespeichert. Das materielle Gedächtnis dient jedoch nicht nur der bloßen Fixierung von Details, wie z. B. Namen oder Zahlen, die sehr speicherintensiv sind und das kognitive Gedächtnis zu sehr beanspruchen würden, sondern vielmehr auch der Erfassung der Makrostruktur eines Textes (vgl. van Dijk/Kintsch 1983:189 ff.; Mackintosh 1985:40 ff.). Diese Makrostruktur ermöglicht in Kombination mit den notierten Details das Abrufen der kognitiv gespeicherten Informationen. Das Gedächtnis spielt also beim Konsekutivdolmetschen eine entscheidende Rolle. Kirchhoff (1979:121) spricht in

Notizen als materielles Gedächtnis

diesem Zusammenhang von einer „Parallelspeicherungsstrategie", wobei die zu speichernden Informationen nicht auf zwei Speichermedien verteilt werden, sondern die Speicherung auf zwei unterschiedliche Arten erfolgt, die parallel aktiviert werden und interdependent sind. Während des Zuhörens und der gleichzeitigen Notizennahme läuft also eine kontinuierliche Gesamtanalyse ab, die es den DolmetscherInnen ermöglicht, den Gesamtinhalt des Textes und seinen „roten Faden" zu verstehen und im Gedächtnis zu behalten (vgl. Matyssek 1989:47). Grundsätzlich sollten daher nur solche Einheiten des Ausgangstextes notiert werden, die die DolmetscherInnen erfolgreich analysiert, d. h. vollständig verstanden haben. Die Notizentechnik ist somit ein individuell ausgestaltetes Hilfsmittel von DolmetscherInnen, das ihr Gedächtnis entlasten, aber keineswegs ersetzen kann (vgl. Ahrens 2005:12). Ihre Rolle als Gedächtnisstütze zeigt sich auch in der Menge der Notizen auf dem Block: Nur 20 bis 40 % der Ausgangstextaussage werden mitgeschrieben, den Rest leistet das Gedächtnis (vgl. Matyssek 1989:41).

Notizentechnik: Prinzipien und Systematik

Um dies leisten zu können, muss die Notizentechnik trotz aller Individualität gewissen Prinzipien und einer gewissen Systematik folgen, die auch Gegenstand der einschlägigen Fachliteratur und Lehrbücher zur Notizentechnik sind und während der Ausbildung zum Dolmetscher vermittelt werden (sollten) (vgl. z. B. Bowen/Bowen 1984; Gillies 2005; Herbert 1952; Ilg/Lambert 1996; Matyssek 1989; Rozan 1956; Seleskovitch 1975). Dazu gehören:

- die Abgrenzung der einzelnen Sinnschritte voneinander,
- die Notation von logischen Verbindungen,
- die Markierung der Tempora,
- die Kenntlichmachung von Verneinungen,
- das Einrücken der Elemente auf dem Dolmetschblock (Vertikalismus),
- Abkürzungsverfahren sowie
- der Sinn und Zweck von Symbolen.

Notationsansätze   Insbesondere über den Stellenwert von Zeichen und Symbolen herrscht in den verschiedenen Notationsschulen Uneinigkeit. Rozan

(1956) als Vertreter einer eher wortbasierten Notizentechnik erachtet maximal 20 Symbole des Ausdrucks, der Beziehung und für einige wenige, häufig vorkommende Begriffe als ausreichend (vgl. Rozan 1956:27 ff.). Die Weiterentwicklung von Rozan durch Ilg/Lambert (1996) geht bereits von erheblich mehr Symbolen aus. Das Notationssystem von Matyssek (1989) ist hingegen symbolorientiert und definiert Symbole mit entsprechenden Kombinations- und Variationsmöglichkeiten für häufig wiederkehrende Begriffs- bzw. Themenfelder (vgl. Matyssek 1989:229 ff.). Er postuliert folgende Anforderungen an Symbole: Sie müssen einfach, klar, bildhaft, ökonomisch und unverwechselbar sein (vgl. Matyssek 1989:155 ff.). Auch die Frequenz von Symbolen ist relevant: Häufig vorkommende Begriffs- und Themenfelder sind für den Einsatz von Symbolen prädestiniert, weil sie Zeit und Energie sparen. Damit gewinnt der/die DolmetscherIn freie Kapazitäten für komplexe kognitive Anforderungen, die der Ausgangstext an sie oder ihn stellen kann.

Grundsätzlich bieten Symbole die Möglichkeit, Aussagen des Ausgangstextes schnell und bildhaft und damit losgelöst von der ausgangssprachlichen Formulierung zu notieren, da Symbole auf Konzepten, die der/die DolmetscherIn im Gedächtnis gespeichert hat, beruhen, nicht auf Wörtern. Sie repräsentieren folglich nicht den Wortlaut, sondern den Inhalt einer Äußerung, um den es beim Dolmetschen geht.

Bedeutung der Symbole

Allerdings dürfen Symbole nie zum Selbstzweck werden und sind auch nicht als „Vokabeln" zu verstehen. Das Auswendiglernen möglichst vieler Symbole befähigt den/die DolmetscherIn noch lange nicht, den Ausgangstext zu verstehen und adäquat zu dolmetschen. Voraussetzung für eine erfolgreiche Konsekutivleistung ist – wie bereits ausgeführt – letztendlich das effektive Zusammenspiel zwischen Gedächtnis und Notation sowie der ihr zugrunde liegenden Systematik.

Die Individualität des Notizensystems zeigt sich in der Regel im unterschiedlichen Mischungsverhältnis von Wörtern, Abkürzungen und Zeichen bzw. Symbolen (vgl. u. a. Alexieva 1994:204; Ilg/Lambert 1996:80), das durch die individuellen Vorlieben, Bedürfnisse und Fähigkeiten der einzelnen DolmetscherInnen bedingt wird.

Stellenwert des Konsekutivdolmetschens in der heutigen Berufspraxis

Konsekutivdolmetschen wird aus unterschiedlichen Gründen in der heutigen Berufspraxis wieder vermehrt nachgefragt.

Vorzüge des konsekutiven Dolmetschens

Zunächst einmal findet Konsekutivdolmetschen gerade bei weniger verbreiteten Sprachen Anwendung. Ein weiteres wichtiges Argument für die Nutzung des Konsekutivdolmetschens sind die Kosten und Mittelknappheit. Auch wenn marktübliche Konsekutivhonorare über denen für Simultandolmetschen liegen, beträgt diese Differenz dennoch weniger als die Kosten für Simultantechnik mit Betreuung durch eine/n KonferenztechnikerIn. Konsekutivdolmetschen unterliegt außerdem keinen technischen Störungen und bietet in entsprechenden Räumlichkeiten Abhörsicherheit, die im Falle von Simultananlagen nicht immer garantiert werden kann. KonsekutivdolmetscherInnen sind darüber hinaus während des Einsatzes mobil, da sie ihren Block einfach mitnehmen können, sodass auch Ortstermine oder Raumänderungen kein Problem darstellen. Beispiele hierfür sind z. B. Reisen von Abordnungen der EU-Institutionen in Mitglieds- oder auch Drittstaaten, die in der Regel zweisprachig ablaufen und ein hohes Maß an Mobilität aufweisen.

Des Weiteren präferieren KonferenzdolmetscherInnen das Konsekutivdolmetschen gegenüber dem Flüsterdolmetschen (*chuchotage*) (vgl. AIIC 2014), da es die Stimme und Körperhaltung der DolmetscherInnen weniger belastet und es ermöglicht, ein größeres Publikum zu erreichen.

Die klassische Konsekutive für lange, offizielle Reden, wie sie in der ersten Hälfte des 20. Jahrhunderts üblich war und für die eine zuverlässige Notizentechnik erforderlich ist, wird in der heutigen Konsekutivpraxis eher selten nachgefragt. Die Reduzierung der Länge von konsekutiv zu dolmetschenden Reden hat auch mit der Veränderung des Zieltextpublikums zu tun: In der heutigen Zeit, die durch Schnelllebigkeit und häppchenweise verabreichte Informationen geprägt ist, die man schnell oberflächlich verarbeiten kann, sind ZuhörerInnen häufig nicht mehr willens, längeren komplexen Äußerungen zu folgen, geschweige denn deren Verdolmetschung in eine oder gar mehrere Sprachen abzuwarten.

Einsatzgebiete

Konsekutivdolmetschen kommt heute häufig in Gesprächs- und Verhandlungssituationen zum Einsatz, in denen die konsekutiv zu dolmetschenden Redeabschnitte bzw. Einlassungen kürzer sind und die gesamte Kommunikation interaktiver ist (vgl. Grünberg 1999). In diesem Fall wird häufig aufgrund der schnellen Rednerwechsel aus dem Gedächtnis gearbeitet, weshalb diese Variante auch als „short consecutive without notes" (Pöchhacker 2004:19) bezeichnet wird. Des Weiteren kommt diese interaktive Art der Kommunikation auch in Remote-Settings zum Einsatz, in denen dann konsekutiv gedolmetscht wird. Insbesondere Remote-Dolmetschen via Telefon erfordert aufgrund der ausschließlichen Tonübertragung per Telefon sowie der fehlenden visuellen Kommunikationselemente eine sehr gefestigte Konsekutivtechnik und einiges an Übung.

Da heutzutage eine zunehmende Nachfrage nach diesen neuartigen Konsekutivvarianten besteht, wird sich dies in der Vermittlung von Konsekutivtechniken während der DolmetscherInnenausbildung niederschlagen müssen.

Varianten des Konsekutivdolmetschens

Konsekutivdolmetschen wird sowohl in unilateralen als auch bilateralen Settings eingesetzt. Hinzu kommt, dass diese beiden konsekutiven Grundformen mittels Nutzung moderner Technik hybridisiert bzw. weiter spezifiziert werden, wie z. B. durch den Einsatz von digitalen Schreib- und Aufnahmegeräten zur Notizennahme oder Remote- bzw. Videokonferenztechnik.

Unilaterales Konsekutivdolmetschen

Unilateral bedeutet, dass der/die DolmetscherIn nur in eine Sprachrichtung arbeitet, d. h., Ausgangs- und Zielsprache bleiben für ihn/sie immer gleich (vgl. Kautz 2002:296). Dies ist z. B. in eher monologisch strukturierten Kommunikationssituationen der Fall, in denen RednerInnen einen längeren, in mehrere Abschnitte eingeteilten ausgangssprachlichen Text produzieren, der konsekutiv mit Notizen oder anhand einer Powerpoint-Präsentation gedolmetscht wird. Aufgrund der durchaus möglichen Länge der Redeabschnitte von um die zehn Minuten besteht die Schwierigkeit dieser Konsekutivvariante in den hohen Anforderungen an die Gedächtnis- und Notationsleistung des/

Arbeiten in eine Sprachrichtung

r DolmetscherIn sowie die Präsentation der gespeicherten Inhalte. Wichtig ist es hierbei, als DolmetscherIn nicht den Überblick über die Intention und den „roten Faden" der ausgangssprachlichen Argumentation zu verlieren, um auch im Fall von Schwierigkeiten die Kommunikation auf einer höheren inhaltlichen Makroebene sicherzustellen. Hinzu kommt, dass gerade bei längeren Redeabschnitten aus Gründen der Zeitersparnis häufig eine zusammenfassende Verdolmetschung gefordert wird, für die ebenfalls der Überblick über die inhaltlichen Makroebenen des ausgangssprachlichen Textes erforderlich ist.

Bilaterales Konsekutivdolmetschen

Dolmetschen in beide Sprachrichtungen

Diese Konsekutivvariante kommt in Gesprächs- und Verhandlungssituationen zum Einsatz, in denen der/die DolmetscherIn aufgrund des dialogischen Charakters der Kommunikation bidirektional arbeitet, d. h., Ausgangs- und Zielsprache alternieren ständig. Neben den Anforderungen, die der ständige Sprachwechsel an die Aufmerksamkeit stellt, sind es vor allem situative und sprachliche Parameter, die diese Konsekutivvariante von der unilateralen unterscheiden. Situativ ist der/die DolmetscherIn direkt mit eingebunden, da er/sie nicht nur physisch präsent ist, sondern auch mit den GesprächspartnerInnen am Tisch sitzt, z. T. sogar als Teil einer der beiden beteiligten Delegationen. Er/sie muss also auf eine entsprechende Sitzposition achten, um alle GesprächspartnerInnen gleichermaßen gut zu hören und um auch von allen gut gehört zu werden (vgl. Grünberg 1999:317). Bilaterale Konsekutivsituationen erfordern ein hohes Maß an Flexibilität sowie unmittelbarer Reaktion und Rückkopplung seitens der DolmetscherInnen, damit die Kommunikation zwischen den primären GesprächspartnerInnen gemäß ihren Absichten sichergestellt wird. Hierzu zählen auch die Berücksichtigung und gegebenenfalls erforderliche Verbalisierung entsprechender nonverbaler Signale, z. B. Nicken als Zeichen der Zustimmung (vgl. Kautz 2002:334). Beispiele für bilaterale Konsekutivsettings sind im politischen und diplomatischen Bereich bilaterale Konsultationen oder Gespräche, die auf sämtlichen politischen Ebenen von Staats- und Regierungschefs bis hin zu den unteren Ebenen des Regierungsapparates stattfinden. Dabei kann es je nach Ressort durchaus auch um technische Themen, wie z. B. technische Spezifikationen von Zugspurbreiten etc., gehen. Darüber hinaus kommt Konsekutivdolmetschen auch in anderen, weniger formellen (Gesprächs- und) Verhandlungssituationen gerade bei zweisprachigen Sitzungen zum Einsatz, wobei je nach Turnlänge mit oder ohne Notizen gearbeitet wird. Aufgrund des dialogischen Charakters, in dem unmittelbar auf eine Äußerung des/der GesprächspartnerIn reagiert wird, sind die Formulierungen oft spontan und weniger „perfekt“: Redundanzen, Ellipsen, Satzabbrüche und syntaktische Umplanungen sowie weniger formale Lexik kommen häufig vor (vgl. Kautz 2002:335).

Hybridvariante: Sim(ul)Cons

Eine weitere Variante des Konsekutivdolmetschens ist *Sim(ul)Cons* (auch als *Sim-Consec* bei Navarro-Hall [2014] bzw. *Consec-Simul* in Orlando [2014] bezeichnet), bei dem technische Hilfsmittel genutzt werden (vgl. Ferrari 2001, 2007). Während der Präsentation des ausgangssprachlichen Textes wird dieser auf einem PDA oder mit einem digitalen Stift aufgezeichnet. Bei der Wiedergabe kann der/die DolmetscherIn den Text dann per „Knopf im Ohr“ ein zweites Mal hören und dabei quasi simultan dolmetschen.

Versuche (Hamidi/Pöchhacker 2007; Kalina 2007) mit dieser Technologie haben ergeben, dass die Wiedergabe in der Zielsprache eher der einer Simultanleistung entspricht, wodurch die Vorteile einer Konsekutivverdolmetschung, wie z. B. Zusammenfassen oder auch idiomatischer zielsprachlicher Ausdruck, verloren gehen, der Zeitfaktor, der häufig als Argument gegen das Konsekutivdolmetschen ins Feld geführt wird, aber dennoch bestehen bleibt, sodass sich diese Technologie in der Dolmetschpraxis in Europa bis heute nicht durchgesetzt hat, obwohl DolmetscherInnen, die sonst ausschließlich simultan arbeiten, sie durchaus als Möglichkeit ansehen mögen, Konsekutivaufträge, die sie sonst eventuell abgelehnt hätten, doch anzunehmen (vgl. Kalina/Ahrens 2010:148).

In jüngster Zeit finden sich neuere, aus den USA oder auch Australien kommende und auf zahlreichen Studien basierende Tendenzen (vgl. Orlando 2014:40), die *Sim(ul)Cons*-Variante mittels *Smart-* oder *Digital Pens* doch auf dem Markt oder auch in

Einsatz technischer Hilfsmittel

bestimmten Settings einzusetzen, was auch der technologischen Entwicklung geschuldet ist: Die technischen Hilfsmittel sind bedienungsfreundlicher geworden und ermöglichen gleichzeitiges Notieren und digitales Aufzeichnen der Notizen sowie des ausgangssprachlichen Textes (vgl. Navarro-Hall 2014; Orlando 2010, 2014). Eine settingspezifische Anwendung dieses hybriden Konsekutivmodus z. B. bei Gericht oder im Gemeinwesen erscheint als eine sinnvolle Anwendung von *Sim(ul)Cons*, da aufgrund der Tonaufzeichnung auch längere ausgangssprachliche Turns problemlos mit allen Details reproduziert werden können. Nichtsdestotrotz können die Technikabhängigkeit und die eventuellen zusätzlichen Anforderungen durch die Bedienung des Geräts durchaus kritisch gesehen werden. Eine längere Einübungsphase erscheint darüber hinaus unerlässlich.

Konsekutivdolmetschen in Remote-Settings

Konsekutives Teledolmetschen

Dolmetschszenarien, in denen sich die DolmetscherInnen nicht am selben Ort wie die übrigen KommunikationsteilnehmerInnen befinden, kommen in der heutigen Dolmetschpraxis immer häufiger vor, und zwar nicht nur in Form von simultan gedolmetschten Videokonferenzen. Insbesondere bilaterales Konsekutivdolmetschen wird heutzutage zunehmend als Remote-Variante praktiziert, nicht zuletzt, weil es auch ohne weiteren technischen Aufwand über normale Telefonleitungen oder auch per Internet-(Video-)Telefonie (VoIP, z. B. Skype, AdobeConnect) eingesetzt werden kann (vgl. Korak 2010). So werden z. B. per Telefon- oder Videoschaltung geführte Gespräche auf Ebene des deutschen Bundestages und der Bundesministerien ausschließlich konsekutiv gedolmetscht (persönliche Mitteilung einer Konferenzdolmetscherin aus einem deutschen Bundesministerium).

Konsequenzen für die Lehre des Konsekutivdolmetschens

Konsekutivkompetenz im Allgemeinen

Am Konsekutivdolmetschen lassen sich dolmetscherische Basiskompetenzen wie textanalytische Fähigkeiten, Zusammenfassen, Abstraktionsfähigkeit, Gedächtnisleistung, Dolmetschstrategien, rhetorische und sprecherische Fähigkeiten sowie sprachliche Ausdrucksfähigkeiten (z. B. Register, Stil) erkennen (vgl. u. a. Kalina/Ahrens 2010:150; Seleskovitch 1988:37), weshalb institutionelle Arbeitgeber wie die EU oder die UNO sowie Ministerien bei ihren Einstellungstests am Konsekutivdolmetschen festhalten (vgl. u.a Europäische Kommission 2009). Daher finden sich auch nach der durch den Bologna-Prozess bedingten Umstellung des Studiums des Konferenzdolmetschens auf einen MA-Studiengang – also postgradual – in den Studienverlaufsplänen der einschlägigen Ausbildungsstätten gleichermaßen Lehrveranstaltungen zum Konsekutiv- und Simultandolmetschen (vgl. u. a. TH Köln 2016; Universität Wien 2007).

Bereits in den Eignungsfeststellungsprüfungen, die vor Beginn des MA-Studiums im Konferenzdolmetschen an den meisten Ausbildungsstätten zu absolvieren sind, wird insbesondere das Zusammenfassen von einmal mündlich vorgetragenen Texten getestet. *Basiskompetenzen*

Die für das Konsekutivdolmetschen erforderlichen Analyse-, Abstraktions-, Speicherungs- und Wiedergabekompetenzen von DolmetscherInnen müssen im Mittelpunkt der Ausbildung im Konsekutivdolmetschen stehen, da diese dolmetscherischen Basiskompetenzen in allen konsekutiven Dolmetschmodi zum Tragen kommen. In der Regel beginnt man in der Lehre des Konsekutivdolmetschens mit der Vermittlung dolmetschrelevanter Textanalysefähigkeiten sowie mit Gedächtnistraining, z. B. in Form von Übungen zum Textzusammenfassen oder auch zum Erkennen von Textmakro- und Textmikrostrukturen (vgl. vanDijk/Kintsch 1985). Diese gilt es anhand ganz unterschiedlicher Ausgangsreden – von formell bis informell – zu trainieren. Wichtig ist dabei, den Verarbeitungsprozess und die speziellen Anforderungen bewusst zu machen (vgl. Kalina 1998:237). Zur besseren Verinnerlichung ist es sinnvoll, in der Anfangsphase ohne Notizen zu arbeiten, nicht zuletzt auch, um das aktive Zuhören, das Sich-Lösen von ausgangssprachlichen Formulierungen und die Flexibilität im sprachlichen Ausdruck zu fördern. Neben spielerischen Gedächtnisübungen nach dem Muster „Ich packe meinen Koffer" sind aber auch Aufgabenstellungen mit dolmetschspezifischem Fokus wichtig, so z. B. Paraphrasieren unter Zeitdruck oder Cloze-Übungen (vgl. u. a. Ahrens 2001:228 ff.; Kalina 1998:250 ff.).

Im Hinblick auf die in den Lehrveranstaltungen zum Konsekutivdolmetschen verwendeten Reden kann festgestellt werden, dass deren Länge abnimmt, was durch die heutige Konsekutivpraxis bedingt wird. So zeigt sich bei den Examina am Ende der Ausbildung eine Tendenz, kürzere Konsekutiven mit einer Länge von sieben bis acht Minuten zu verlangen, die praxisnäher sind und auch eher dem Anforderungsprofil des Dolmetschmarktes und der institutionellen Arbeitgeber entsprechen. Nichtsdestotrotz sind zehnminütige, hochoffizielle Reden aus dem diplomatischen Bereich weiterhin Bestandteil der Lehrveranstaltungen und der Examensvorbereitung, um Ausdauer und Ausdrucksfähigkeit zu trainieren.

Durch den vermehrten Einsatz des Konsekutivdolmetschens in Remote-Settings muss auch diesen in der Dolmetschlehre Rechnung getragen werden. Simulationen von Remote-Einsätzen in Form von Videokonferenzen, per Internet oder Telefon, z. B. via AdobeConnect oder Skype, sollten heutzutage in der Konsekutivausbildung nicht fehlen, da sich hier spezielle Anforderungen und Schwierigkeiten aufgrund der Situationsentbundenheit einzelner KommunikationspartnerInnen ergeben können, z. B. gleichzeitiges Sprechen mehrerer KommunikationspartnerInnen, Nicht-Hören etc., auf die die angehenden DolmetscherInnen vorbereitet sein müssen.

Notizentechnik

Notieren als eine für das Konsekutivdolmetschen erforderliche Kompetenz ist selbstverständlich Teil der DolmetscherInnen-Ausbildung. Aus der für die Notizen geforderten Individualität wurde in der Vergangenheit durchaus die Auffassung abgeleitet, dass Notizentechnik nicht allgemein gelehrt werden könne, da sie jeder/jede DolmetscherIn für sich selbst entwickeln müsse.

Anleitung zur individuellen Technik   In der heutigen Dolmetscherausbildung ist es jedoch üblich, den angehenden DolmetscherInnen unterschiedliche Notationssysteme vorzustellen sowie die allgemeinen Prinzipien und Systematika der Notizentechnik zu vermitteln (vgl. u. a. Bowen/Bowen 1984; Gillies 2005; Ilg/Lambert 1996; Matyssek 1989; Rozan 1956; Seleskovitch 1975), um eventuellen Fehlentwicklungen vorzubeugen und um ihnen bei der Entwicklung ihres eigenen Systems Hilfestellung und Anregungen zu geben. Für die Vermittlung der Notizentechnik ist daher eine einsprachige Lehrform in der Grundsprache sinnvoll, um den Schwerpunkt auf die Textanalyse ohne Sprachwechsel zu legen, damit sich die Notizentechnik nicht verselbstständigt, sondern das Gedächtnis der angehenden DolmetscherInnen effektiv genutzt wird (vgl. Ahrens 2001).

Mit zunehmender Sicherheit und Verlässlichkeit der Verstehens- und Gedächtnisleistung sowie der Verinnerlichung einiger grundlegender Notationsprinzipien können in einem zweiten Ausbildungsschritt dann Notieren und Sprachwechsel im Konsekutivunterricht zusammengeführt werden. Die größte Schwierigkeit hierbei ist zu vermeiden, dass sich die Studierenden ausschließlich auf das endlich erlaubte Notieren konzentrieren und Textoberflächenstrukturen mitschreiben. Diesem Phänomen kann

- durch Tempovariationen des Ausgangstexts,
- durch eine Vorgabe, wie viele Elemente maximal notiert werden dürfen,
- durch eine immer wieder auch in fortgeschrittenen Ausbildungsphasen regelmäßig vorgenommene Verbalisierung dessen, was textanalytisch beim Notieren eines konkreten Ausgangstextes abläuft (im Sinne eines „Lauten Denkens" beim Notieren) sowie
- durch eine „Schocktherapie", bei der bei der Wiedergabe die zuvor gemachten Notizen nicht verwendet werden dürfen,

entgegengewirkt werden (vgl. Ahrens 2001:234 ff.).

Auch das Notieren für Gesprächssituationen muss Gegenstand der Vermittlung der Notizentechnik sein, da Notate von Gesprächen andere Charakteristika aufweisen (vgl. Ahrens 2009; Gross-Dinter 2009). So müssen z. B. die einzelnen Redebeiträge klar gekennzeichnet werden, damit nicht Aussagen irrtümlich einem/einer anderen RednerIn zugeordnet oder auch Wiederholungen vermieden werden. Letztendlich gilt es, die Dynamik des Gesprächs nicht durch langes Notieren zu behindern.

Digitale Smart-Pens, die in der Konsekutivpraxis in den letzten Jahren in bestimmten Settings vermehrt genutzt werden (vgl. Orlando 2010, 2014), sollten in der Lehre ausschließlich zur Aufzeichnung des Notizennahmeprozesses eingesetzt werden, um Fehler in der Wiedergabe gegebenenfalls auf das Notieren zurückführen zu können. Diesen Zusammenhang hat z. B. Andres (2002) in ihrer Studie zur Notation nachgewiesen: Bei den studentischen ProbandInnen generierte eine zu große Zeitverzögerung beim Notieren Informationsverluste sowohl im Notat als auch in der anschließenden Wiedergabe, ohne dass diese durch eine entsprechende Gedächtnisleistung auf-

Notieren von Gesprächen

gefangen werden konnten, da die studentischen ProbandInnen im Gegensatz zu den an der Studie teilnehmenden professionellen KonferenzdolmetscherInnen eher auf Mikro- denn auf Makroebene verarbeiteten (vgl. Andres 2002:242 ff.). Hier könnte die Lehre mittels Smart-Pen ansetzen, indem sie den Notationsprozess fokussiert (vgl. Orlando 2010:76 ff.).

Auch wenn mit diesen digitalen Stiften geschrieben werden kann wie mit klassischen Schreibgeräten, bieten sie aufgrund ihrer Audioaufzeichnungsfunktionen die Möglichkeit einer konsekutiven Simultanleistung, was Studierende, die das Simultandolmetschen präferieren, zur Umgehung einer echten Konsekutivleistung verleiten könnte. Vor einer Anwendung in der Lehre sollten daher zunächst die für das Konsekutivdolmetschen erforderlichen textanalytischen Fertigkeiten konsolidiert werden. Eine zu frühe Anwendung dieser Technologie in der Ausbildung birgt die Gefahr, dass eine solide Konsekutivtechnik nicht erlernt wird. Neben dem Risiko, dass die Textanalyse leidet, könnte auch der Kostenfaktor der Anschaffung des Smart-Pens sowie des dafür notwendigen Spezialpapiers für manche Studierende durchaus relevant sein.

Hingegen ist eine Anwendung durch bereits in der Praxis erfahrene KonsekutivdolmetscherInnen durchaus vorstellbar, sodass sich hier für die Zukunft Fortbildungsbedarf ergeben könnte.

Präsentation und Interaktion

Zeitliche Vorgaben Wichtig ist zu vermitteln, dass die Konsekutivleistung unverzüglich nach Ende der Ausgangsrede erbracht werden muss, ohne dass der/die DolmetscherIn dabei noch viel Zeit zum Überlegen oder auch Fertignotieren hat. In der Konsekutivpraxis wird dies von Sitzungs- oder DelegationsleiterInnen immer wieder gefordert, sodass häufig kaum oder gar keine Zeit bleibt, den letzten Gedanken zu notieren. Dolmetschen unter derartigem Zeitdruck muss mit Blick auf die jeweils aktuelle Praxis in der Ausbildung geübt werden.

Darüber hinaus sind bei der Vermittlung des Konsekutivdolmetschens Aspekte der Präsentation zu berücksichtigen: Haltung, Stimme und Vortragsweise, insbesondere auch für Settings, in denen während des Dolmetschens kein Rednerpult zur Verfügung steht oder in denen der/die DolmetscherIn inmitten der Delegation mit am

Verhandlungstisch sitzt und durch seine/ihre physische sowie dolmetscherische Präsenz die Wiedergabe mitgestaltet.

In Bezug auf die in der heutigen Konsekutivpraxis nachgefragten
Varianten der „short consecutive without text" (Pöchhacker 2004:19)
oder auch der Remote-Varianten muss auch die Organisation des
Gesprächs mittels DolmetscherIn vermittelt werden. Hierzu zählen
schnelle Reaktionen des/der DolmetscherIn, damit die Dynamik des
Gesprächsverlaufs nicht gestört wird, aber auch grundsätzliche
Fragen wie z. B., wo der/die DolmetscherIn am günstigsten sitzt
etc. (vgl. z. B. Gross-Dinter 2009:359). Derartige Szenarien können
gut anhand von Rollenspielen geübt und entsprechend bewertet
werden.

Fazit

Konsekutivdolmetschen ist auch weiterhin ein in der Praxis nach-
gefragter Dolmetschmodus, den alle DolmetscherInnen beherrschen
müssen, selbst wenn sich die heutigen Bedingungen und Einsatzbereiche gegenüber dem klassischen Konsekutivdolmetschen der
ersten Hälfte des 20. Jahrhunderts verändert haben und aufgrund
des technologischen Fortschritts auch weiterhin verändern werden.
Aufgabe der Dolmetschlehre und -didaktik wird es bleiben, diese
Veränderungen im Austausch mit der Berufspraxis und der Dolmetschforschung aufzugreifen und sie in Lehrinhalten und Curricula
umzusetzen, um angehende DolmetscherInnen gut auf die jeweils
aktuelle Berufspraxis vorzubereiten.

Literaturverzeichnis

Ahrens, Barbara, 1998. Nonverbale Phänomene und Belastung beim Konse-
    kutivdolmetschen. *TEXTconTEXT* 12 = NF 2:3/4, 213–234.
Ahrens, Barbara. 2001. Einige Überlegungen zur Didaktik der Notizen-
    technik. In: Kelletat, A. F. (Hg.) *Dolmetschen. Beiträge aus Forschung,
    Praxis, Lehre.* Frankfurt a. M.: Lang, 227–241.
Ahrens, Barbara, 2005. Rozan and Matyssek: Are the really that different? A
    comparative synopsis of two classic note-taking schools. *Forum* 3:2, 1–15.
Ahrens, Barbara. 2009. Was Dolmetschnotizen über die Form des Kon-
    sekutivdolmetschens verraten. In: Baur, W./Kalina, S./Mayer, F./Wit-

zel, J. (Hg.) *Übersetzen in die Zukunft. Herausforderungen der Globalisierung für Dolmetscher und Übersetzer. Tagungsband der Internationalen Fachkonferenz des Bundesverbandes der Dolmetscher und Übersetzer e. V. (BDÜ). Berlin, 11.-13. September 2009.* Berlin: Bundesverband der Dolmetscher und Übersetzer e. V. (BDÜ), 363–375.

AIIC – Association Internationale des Interprètes de Conférence. 2016. Types of interpretation. Abrufbar unter: http://aiic.net/page/1943/types-of-interpretation/lang/1 (Stand: 20/01/2016).

Alexieva, Bistra. 1994. On teaching note-taking in consecutive interpreting. In: Dollerup, C./Lindegaard, A. (eds.) *Teaching Translation and Interpreting 2: Insights, Aims, Visions. Selected Papers from the Second Language International Conference, Elsinore, Denmark, 4–6 June 1993.* Amsterdam/Philadelphia: Benjamins, 199–206.

Baddeley, Alan. 2000. Working memory and language processing. In: Englund Dimitrova, B./Hyltenstam, K. (eds.) *Language Processing and Simultaneous Interpreting: Interdisciplinary Perspectives.* Amsterdam/Philadelphia: Benjamins, 1–16.

Bowen, David/Bowen, Margareta. 1984. *Steps to Consecutive Interpreting.* Washington, DC: Pen and Booth.

Dijk, Teun A. van/Kintsch, Walter. 1983. *Strategies of Discourse Comprehension.* New York/Orlando: Academic Press.

Ericsson, K. Anders/Kintsch, Walter, 1995. Long-term working memory. *Psychological Review* 102:2, 211–242.

Europäische Kommission, Generaldirektion Dolmetschen. 2009. *Testing Times: EU Institutions' Interpreter Test.* DVD. Brüssel: VideoSCIC production.

Ferrari, Michele, 2001. Consecutive simultaneous? *SCIC News* 11. Abrufbar unter: http://scic.ec.europa.eu/scicnews/2001/011121/news05.htm (Stand: 10/07/2009).

Ferrari, Michele, 2007. Simultaneous consecutive revisited. *SCIC News* 124. Abrufbar unter: http://scic.ec.europa.eu/scicnet/upload/docs/application/pdf/scicnews_124.pdf (Stand: 09/02/2009).

Gile, Daniel. 1995. *Basic Concepts and Models for Interpreter and Translator Training.* Amsterdam/Philadelphia: Benjamins.

Gillies, Andrew. 2005. *Note-Taking for Consecutive Interpreting. A Short Course.* Manchester: St. Jerome.

Gross-Dinter, Ursula. 2009. Konferenzdolmetschen und Community Interpreting: Schritte zu einer Partnerschaft. In: Baur, W./Kalina, S./Mayer, F./Witzel, J. (Hg.) *Übersetzen in die Zukunft. Herausforderungen der Globalisierung für Dolmetscher und Übersetzer. Tagungsband der Internationalen Fachkonferenz des Bundesverbandes der Dolmetscher und Übersetzer e. V. (BDÜ). Berlin, 11.-13. September 2009.* Berlin: Bundesverband der Dolmetscher und Übersetzer e. V. (BDÜ), 354–362.

Grünberg, Martin. 1999. Verhandlungsdolmetschen. In: Snell-Hornby, M./ Hönig, H. G./Kußmaul, P./Schmitt, P. A. (Hg.) *Handbuch Translation* (2., verbesserte Auflage). Tübingen: Stauffenburg, 316–319.

Hamidi, Miriam/Pöchhacker, Franz, 2007. Simultaneous consecutive interpreting: A new technique put to the test. *Meta* 52:2, 276–289.

Henderson, John A., 1976. Note-taking for consecutive interpreting. *Babel* 22:3, 107–116.

Herbert, Jean. 1952. *Manuel de l'interprète. Comment on devient interprète de conference.* Genf: Georg.

Hoof, Henri van. 1962. *Théorie et pratique de l'interprétation.* München: Hueber.

Ilg, Gérard/Lambert, Sylvie, 1996. Teaching consecutive interpreting. *Interpreting* 1:1, 69–99.

Kalina, Sylvia. 1998. *Strategische Prozesse beim Dolmetschen. Theoretische Grundlagen, empirische Fallstudien, didaktische Konsequenzen.* Tübingen: Narr.

Kalina, Sylvia. 2007. The impact of media and IT on norms in interpreting. Vortrag bei der MuTra EU High Level Scientific Conference Series, Wien 2007. Abrufbar unter: http://www.euroconferences.info/2007_abstracts. php (Stand: 01/08/2014).

Kalina, Sylvia/Ahrens, Barbara. 2010. Consecutive – an outdated skill or a mode with a new profile? – Implications for teaching. In: Cratil (eds.) *Les pratiques de l'interprétation et l'oralité dans la communication interculturelle.* Lausanne: L'age d'homme, 143–158.

Kautz, Ulrich. 2002. *Handbuch Didaktik des Übersetzens und Dolmetschens* (2. Auflage). München: Iudicium.

Kirchhoff, Helene. 1979. Die Notationssprache als Hilfsmittel des Konferenzdolmetschers im Konsekutivvorgang. In: Mair, W./Sallager, E. (Hg.) *Sprachtheorie und Sprachenpraxis. Festschrift für Henri Vernay zu seinem 60. Geburtstag.* Tübingen: Narr, 121–133.

Korak, Christina. 2010. *Remote Interpreting via Skype: Anwendungsmöglichkeiten von VoIP-Software im Bereich Community Interpreting – Communicate everywhere?.* Berlin: Frank & Timme.

Mackintosh, Jennifer, 1985. The Kintsch and van Dijk model of discourse comprehension and production applied to the interpretation process. *Meta* 30:1, 37–43.

Matyssek, Heinz. 1989. *Handbuch der Notizentechnik für Dolmetscher. Ein Weg zur sprachunabhängigen Notation.* 2 Bände. Heidelberg: Groos.

Navarro-Hall, Esther M. 2014. An introduction to Sim-Consec™: Technology assisted interpreting in the 21st century. In: Baur, W./Eichner, B./Kalina, S./Keßler, N./Mayer, F./Ørsted, J. (eds.) *Man vs. Machine. The Future of Translators, Interpreters and Terminologists. Proceedings of the XXth FIT World Congress, Berlin 2014. Volume I.* Berlin: BDÜ Fachverlag, 431.

Orlando, Marc, 2010. Digital pen technology and consecutive interpreting: Another dimension in note-taking training and assessment. *The Interpreters' Newsletter* 15, 71–86.

Orlando, Marc, 2014. A study on the amenability of digital pen technology in a hybrid mode of interpreting: Consec-simul with notes. *Translation & Interpreting* 6:2, 39–54. Abrufbar unter: http://www.trans-int.org/index. php/transint/article/view/301/165 (Stand: 07/08/2014).

Pöchhacker, Franz. 2004. *Introducing Interpreting Studies.* London/New York: Routledge.

Rozan, Jean-François. 1956. *La prise de notes en interprétation consécutive.* Genf: Georg.

Schmidt, Paul. 1949. *Statist auf diplomatischer Bühne 1923–1945.* Bonn: Athenäum.

Seleskovitch, Danica.1968. *L'interprète dans les conférences internationales.* Paris: Minard.

Seleskovitch, Danica. 1975. *Langage, langues et mémoire: étude de la prise de notes en intérpretation consécutive.* Paris: Minard.

Seleskovitch, Danica. 1988. *Der Konferenzdolmetscher. Sprache und Kommunikation.* Heidelberg: Groos. (Deutsche Übersetzung des Werks aus dem Jahr 1968).

Technische Hochschule Köln. 2016. Konferenzdolmetschen (Master): Studienverlaufsplan. Abrufbar unter: http://www.th-koeln.de/mam/downloads/deutsch/studium/studiengaenge/f03/ordnungen_plaene/ f03_stvpl_konferenzdolmetschen_09062011.pdf (Stand: 20/01/2016).

Universität Wien. 2007. Curriculum für das Masterstudium Dolmetschen. Abrufbar unter: http://www.univie.ac.at/mtbl02/2006_2007/2006_2007 _184.pdf (Stand: 08/08/2014).

3 Dolmetschen als Dienst am Menschen

Mira Kadrić

Die beiden vorangegangen Beiträge sind den Dolmetschmodi, nämlich dem Simultan- und dem Konsekutivdolmetschen, gewidmet. Diese beiden Modi sind in der Dolmetschausbildung zentral. Die universitäre Ausbildung ist traditionell auf das Konferenzdolmetschen fokussiert. Man denke an internationale Konferenzen oder an den großen Dolmetschbedarf der Europäischen Union oder der Vereinten Nationen. Auch das Dolmetschen für die Wirtschaft spielt für die Ausbildung eine große Rolle; es ist dies traditionell ein breites Einsatzgebiet für Dolmetschende. Die Vormachtstellung des Konferenzdolmetschens beruht auf den Bedürfnissen von Politik und Wirtschaft, die das Sprachenangebot der Dolmetschstudien in Europa bis heute bestimmen.

Dolmetschbedarf besteht heute in Europa aber auch und vor allem in allen Bereichen des öffentlichen Lebens. Im Gesundheitswesen, bei Gerichten, Ämtern, Behörden oder im Bildungswesen benötigen täglich wohl abertausende Menschen Dolmetschleistungen. Gesellschaftspolitisch gesehen dient das Dolmetschen im öffentlichen Raum der Bevölkerung. Wir finden hier grundsätzlich andere Voraussetzungen vor als in Politik und Wirtschaft, wo das Dolmetschen von den strukturell Mächtigen bestimmt wird und damit stark hierarisch organisiert ist. Die Dolmetschung wird dabei als ein Kostenfaktor gesehen, der aufgewendet wird, da sich die Dolmetschung ökonomisch bzw. politisch rechnet. Das Dolmetschen für die Bevölkerung, für die Menschen im öffentlichen Raum rechnet sich nur in einem weiteren gesellschaftlichen Sinn, nicht kurzfristig ökonomisch. Es bedarf daher rechtlicher Garantien, um die Dolmetschung im öffentlichen Raum zu garantieren. Denn die einzelnen Menschen, die auf die Dolmetschung im öffentlichen Raum angewiesen sind, bilden keine homogene Gruppe. Vielfach verfügen sie weder über wirtschaftliche Macht noch über gesellschaftspolitischen

Rückhalt. Im Folgenden wird insbesondere dem Dolmetschen im sozialen Gefüge Beachtung geschenkt. Dabei geht es vor allem um das (Dialog)Dolmetschen in öffentlichen Einrichtungen, wo die Kommunikation zwischen Fach- und Nichtfachleuten stattfindet; grundsätzlich betrifft es aber auch andere Settings, politische, diplomatische oder wirtschaftliche Gespräche, in denen sich (verbündete oder auch gegnerische) ExpertInnen austauschen.

Dolmetschen als Interaktion

Das Dolmetschen in dialogischen Settings erfolgt vorwiegend bidirektional, es wird zwischen zwei Sprachen in beide Richtungen gedolmetscht. Die dolmetschende Person befindet sich in der Regel in der Nähe der anderen Interaktionsteilnehmenden (eine Sonderform stellen freilich alle Arten des Teledolmetschens dar) und hat die Funktion, die Verbindung zwischen den Primärkommunizierenden herzustellen, zu fördern und zu koordinieren. Somit ist sie an der Interaktion aktiv beteiligt. Im Geflecht sozialer Praktiken besitzt die DolmetscherIn ein gewisses Machtpotenzial – das manifestiert sich im Auslegungspouvoir innerhalb des sprachlichen, kulturellen, fachlichen und gesellschaftspolitischen Spielraums.

Dolmetschen als Wiedergabe und Koordination   Dass ein mechanisches Dolmetschen ein Mythos ist, zeigt die empirische Forschung – spätestens mit Wadensjös (1992/1998) Untersuchungen gedolmetschter Dialoge. Wadensjö lieferte Belege dafür, dass typische Dolmetschaufgaben nicht nur die Textwiedergaben umfassen (können), sondern zur Koordinierung bzw. Steuerung des Gesprächs ein ständiges Eingreifen in die Interaktion darstellen (müssen). Die zwei Hauptaufgaben von DialogdolmetscherInnen, die *Wiedergabe* und die *Koordination* sind dabei untrennbar und komplex miteinander verbunden, sie bedingen einander. Spätere Forschungsergebnisse um das dialogische Dolmetschen in verschiedenen Settings bestätigen, dass die Dolmetschleistung die Kommunikation auf allen Ebenen beeinflusst und sich auch auf den gesamten Ablauf (und Ausgang!) der Interaktion auswirken kann (vgl. u. a. Bolden 2000; Pöchhacker 2000; Kadrić 2001/2009; Hale 2004; Bot 2005; Pöllabauer 2005; Ng 2013). Gemeinsam ist allen Arbeiten die Erkenntnis, dass Tätigkeiten, die über den engeren translatorischen Aufgabenbereich hinausgehen und in der Praxis regelmäßig vorkommen, integraler

Bestandteil der Interaktion und zum Gelingen der Kommunikation notwendig sind. Die metakommunikativen Tätigkeiten reichen von der Steuerung des Sprecher- oder Themenwechsels, dem Eingreifen zwecks Vermeidung von Missverständnissen, Erläuterungen von Hintergründen, Reformulierungen und Wiederholungen über Weglassen überflüssiger Informationen bis zum Helfen beim Verstehen oder Ausfüllen von Formularen – um nur einige dieser Tätigkeiten zu nennen.

Dieses höchst partizipative translatorische Handeln bedeutet, dass die DolmetscherIn nolens volens ständig einen eigenen Beitrag zum jeweiligen Diskurs leistet. Je nach Kontext entscheiden DolmetscherInnen, in welchem Ausmaß sie steuern, vermitteln, verhandeln und koordinieren müssen, um die eigenen kommunikativen Ziele und Identitäten und jene der Primärkommunizierenden in Einklang zu bringen. Daraus ergibt sich, dass in einer typischen dialogischen Dolmetschkonstellation die DolmetscherIn *als, für* oder *über* Primärkommunizierende spricht. Damit werden aktiv Ablauf und Inhalt einer jeden Interaktion beeinflusst. Das bedeutet im Weiteren, dass, abhängig von der jeweiligen Situation, der DolmetscherIn verschiedene Rollen, die potenziell vorkommen und legitim sein können, zugeschrieben werden.

Rollenbilder

Die Beschreibungen der Rolle der DolmetscherInnen in verschiedenen Settings des dialogischen Dolmetschens – allen voran in medizinischen, psychosozialen und rechtlichen Settings – erfolgen mit Vorliebe durch verschiedene Metaphern; diese reichen von neutralen bis positiven Bezeichnungen wie Brücke, Fenster, Anker, FürsprecherIn, DetektivIn, HelferIn, DiamantenkennerIn, u. v. a. (vgl. u. a. Pöchhacker 2000; Niska 2002; Angelelli 2004; Pöllabauer 2005; Leanza 2007; Hsieh 2008) bis zu (Fremd)Zuschreibungen, die weniger schmeichelhafte Metaphern verwenden, wie etwa Hilfspolizist, Anwalt, Ankläger, Komplize, Handlanger (Reichertz 1998). Das partizipative translatorische Handeln macht die dolmetschende Person jedenfalls wahrnehmbar und sichtbar, obwohl die unterschiedlichen Perspektiven im Ergebnis unterschiedliche Rollenzuweisungen enthalten können.

Fremd- und
Selbstbild der
DolmetscherIn

Tatsächlich lässt sich schwer eine einzige gültige Rolle der DolmetscherInnen festlegen. In der Literatur knüpfen die Beschreibungen des Fremd- und Selbstbilds der Dolmetschenden vor allem an äußerlich sichtbares Verhalten an und versuchen dieses soziologisch einzuordnen: nach den Einstellungen und Erwartungen, die die dolmetschende Person selbst zu bzw. von ihrer Rolle hat sowie nach den Erwartungen, die vom jeweiligen sozialen System an die Rolle der DolmetscherInnen gestellt werden. Die unterschiedlichen Perspektiven prägen und bestimmen das Selbst- und Fremdbild der DolmetscherIn mit.

In Anlehnung an sozialwissenschaftliche Ansätze (v. a. Bourdieu 1976) wird die Rolle zunehmend über Strukturen, die die Position und Handlungsweise der Beteiligten bestimmen, definiert – durch Sozialisation werden also Verhaltensweisen, die sich an Handlungen anderer Menschen orientieren, verinnerlicht. Durch Wiederholung prägen sich Muster ein, die habitualisiert werden und es den Menschen ermöglichen, aufeinander abgestimmt zu handeln, ohne dass es der ausdrücklichen Vereinbarung bedarf. Diese Muster sind auch für die Beziehungen der InteraktionspartnerInnen maßgeblich. Angelelli (2004) hat etwa in einer breit angelegten Studie das Verhalten und die Rolle von DolmetscherInnen aus dieser Perspektive untersucht. Sie kommt zum Ergebnis, dass die DolmetscherInnen nicht nur aufgrund ihrer sprachlichen, sondern auch nach sozialen, kulturellen und institutionellen Faktoren in bestimmter Weise handeln – insbesondere innerhalb der Strukturen, die durch die Institution vorgegeben sind. Die DolmetscherInnen unterliegen dabei einer doppelten Einschränkung: einerseits durch ihren eigenen Habitus, andererseits durch die Institution. Beide Aspekte sind Teil des gesamtgesellschaftlichen Zusammenhangs, der letztlich den allgemeinen Rahmen bildet, in dem Diskurse stattfinden.

Der soziologische Blick auf Kommunikationsabläufe hilft Strukturen, kommunikative Asymmetrien und Spannungsfelder zu identifizieren und zu beschreiben. Schwieriger ist es allerdings, die hinter bestimmten Verhaltensweisen stehenden emotionalen Handlungsgrundlagen wie Mitgefühl, Zorn oder Sorge festzumachen; dasselbe gilt für Haltungen und Werte, die unser Verhalten mitbestimmen, wie etwa Würde. Für das Dolmetschen gilt wie für jeden Beruf, der dem Menschen dient, dass er bestimmte Haltungen voraussetzt; diese

Haltung zu beschreiben, zu argumentieren und zu transportieren (insbesondere zu lehren) ist eine besondere Herausforderung.

Würde als Menschenrecht

Zahlreiche soziale Praktiken sind durch gesetzliche Vorgaben geregelt. Dies gilt besonders auch für jene Bereiche des Dolmetschens, in denen es um Freiheit und Sicherheit des Menschen geht. Hier erfolgen Festlegungen auf höchster Ebene durch das wichtigste supranationale Rechtsdokument in Europa, die Europäische Menschenrechtskonvention. Zu nennen sind hier auch jüngere Rechtsakte der Europäischen Union wie z. B. die Richtlinie 2010/64/EU über das Recht auf Dolmetschleistungen und Übersetzungen im Strafverfahren.

Eng verbunden mit dem Begriff der Freiheit ist das Konzept der Würde. Die Wahrung der Würde des Menschen ist ein zentrales Gebot unserer Rechtsordnung. Am Beginn des deutschen Grundgesetzes steht eine Grundsatzbestimmung: „Die Würde des Menschen ist unantastbar. Sie zu achten und zu schützen ist Verpflichtung aller staatlichen Gewalt." Dieser zentrale Verfassungsauftrag war die unmittelbare Konsequenz aus den Erfahrungen des Faschismus, aus den Leiden des Zweiten Weltkriegs und den Verbrechen des Nationalsozialismus: Das Grundgesetz wurde 1949 beschlossen. Gesetzgebung, Rechtsprechung und Verwaltung sind verpflichtet, diesem Auftrag zu entsprechen. *Konzept der Würde aus rechtlicher Sicht*

Die Europäische Union hat die Kraft des Rechtssatzes des deutschen Grundgesetzes erkannt und aufgegriffen. Die Charta der Grundrechte der Europäischen Union wurde 2000 proklamiert und 2009 zu einem Verfassungsgesetz der Union erhoben. Artikel 1 der Charta ist mit „Würde des Menschen" überschrieben und lautet: „Die Würde des Menschen ist unantastbar. Sie ist zu achten und zu schützen." Die Würde des Menschen ist also rechtliches Gebot. Somit steht der Mensch mit seiner Würde im Mittelpunkt allen staatlichen Handelns.

Was aber ist unter Würde genau zu verstehen? Im Gesetz finden wir keine direkte Antwort.

Der Philosoph Peter Bieri (2013) hat den Versuch unternommen, den Begriff der Würde aus einer dialogisch strukturierten Sicht zu *Konzept der Würde aus philosophischer Sicht* beschreiben und hat dabei verschiedene Teilaspekte der Würde definiert. Er unterscheidet acht solcher Teilaspekte, es ist lohnend diese näher zu betrachten. Bieris Ausgangsthese lautet, dass jeder erwachsene Mensch nach Eigenständigkeit und Selbstbestimmung strebt und die Umsetzung dieses Bedürfnisses untrennbar mit der Würde des Menschen verbunden ist. Im Zusammenhang mit dem Dolmetschen im öffentlichen Raum haben einige der von Bieri formulierten Teilaspekte der Würde besondere Bedeutung.

Die Würde als *Selbständigkeit* bezeichnet bei Bieri unter anderem das Recht eines jeden Menschen, als Subjekt respektiert und nicht einem Zustand der Ohnmacht oder Demütigung ausgesetzt zu werden (vgl. Bieri 2013:33 f.). Die Selbständigkeit eines Menschen ist in einem fremdsprachigen Umfeld immer in Gefahr. Von der Kommunikation der Umgebung abgeschnitten zu sein führt leicht zum Verlust der eigenen Handlungsfähigkeit. Dieser drohende Verlust der Selbständigkeit ist umso dramatischer, wenn es um wichtige Entscheidungen geht: also etwa bei der Untersuchung im Krankenhaus oder in einem Behördenverfahren. Die Dolmetschung stellt in solchen Konstellationen nicht bloß die Verständigungsmöglichkeit her, sie ist auch das Mittel zur Wahrung der Rechte und der Würde der beteiligten Personen.

Die Würde als *Begegnung* sieht Bieri nicht mit Blick auf die Wahrung der Selbständigkeit, sondern in der Art, wie Menschen einander begegnen. Jeder Mensch hat das Recht und den Wunsch, als Subjekt wahrgenommen zu werden und in der Begegnung gleichberechtigt zu sein. Die Würde der Begegnung wird etwa dann verletzt, wenn ein Mensch zur Schau gestellt, wie eine Nummer behandelt oder manipuliert wird.

Den richtigen Ton in der Kommunikation zu treffen, ist nicht immer einfach – die Demonstration von Mitleid etwa kann all zu leicht herablassend und demütigend wirken (vgl. Bieri 2013:150). Besonders demütigend ist es für die Betroffenen, wenn sich andere – ÄrztInnen, BeamtInnen – über ihren Kopf hinweg über sie unterhalten; im Konzept Bieris beeinträchtigt das nicht nur die Würde der Selbständigkeit, sondern auch die Würde der Begegnung, denn: „Man kann jemanden auch missachten, wenn man *über* ihn redet statt *zu* ihm. Und wiederum wird die Begegnung verweigert" (Bieri 2013:117). Abgeschnitten vom Fluss der Kommunikation gerät man – nicht nur fremdsprachig – schnell in eine Situation der Hilflosigkeit. Würde als *Achtung vor Intimität* bedeutet den Schutz der Intimsphäre als ein wesentliches Recht jedes Menschen. Jeder Mensch hat das Grundbedürfnis nach einem sehr persönlichen Raum, den er nicht mit anderen teilt und der nur ihn selbst angeht. Diese Intimität kann die Gesundheit betreffen, aber auch die Gefühls- und Denkwelt oder die Erinnerung an Erlebtes, das nicht geteilt werden möchte. Zum Schutz dieser persönlichen Sphäre ist die Trennung von Privatem und Öffentlichem nötig. Für Bieri bedeutet Würde immer auch die Achtung vor Intimität und das Recht, nicht beschämt zu werden (Bieri 2013:172).

Würde als Wahrhaftigkeit ist komplex. Wahrhaftigkeit umfasst vor allem aber die Forderung, Dinge beim Namen zu nennen – was wiederum in einer Art und Weise umzusetzen ist, die die Würde des Betroffenen wahrt. Es gibt Situationen, in denen die Würde eines Menschen verletzt wird, weil die Dinge nicht beim Namen genannt, sondern verschleiert werden. Es gibt aber auch Konstellationen, in denen das Aussprechen der Wahrheit einen Menschen bloßstellt – etwa wenn ein Selbstmordversuch, der bisher als Unfall bekannt war, von einem Dritten offengelegt wird (Bieri 2013:232). In einem solchen Fall wird einem Menschen die soziale Maske, die jeder von uns trägt und für sich gestaltet, vom Kopf gerissen und der andere wird in seiner Würde verletzt – weil in einem solchen Fall die Achtung der Intimsphäre Vorrang hat.

Bieri definiert die *Würde als Selbstachtung* über die Grenzen, die der einzelne sich für sein Tun bei der Erreichung seiner Ziele zieht (Bieri 2013:241). Eine Beschädigung oder Zerstörung der Selbstachtung, sei es von außen oder selbst verursacht, bedeutet einen Verlust an Würde. Ein Extrembeispiel für den Versuch, jemandem die Selbstachtung zu nehmen, ist Folter: Durch die Misshandlung soll jemand dazu gebracht werden, Dinge zu tun, die für ihn an sich nicht in Frage kommen – etwa Gleichgesinnte zu verraten. Im Alltag finden wir viele subtile Formen, wie Menschen die Selbstachtung genommen wird.

Bieri beschreibt die *moralische Integrität* als Teil der Würde und führt hier Selbstbestimmung und echtes Einfühlungsvermögen zusammen. „Ich habe mir seine Bedürfnisse zu eigen gemacht und sie über die meinen gestellt. Das ist das Kennzeichen moralischen

Handelns und der Kern moralischer Achtung und Rücksichtnahme: dass die Interessen anderer für mich ein Grund sein können, etwas zu tun oder zu lassen" (Bieri 2013:265).

Würde als *Sinn für das Wichtige* ist bei Bieri die Setzung von Prioritäten und die Herausarbeitung von Proportionen als Voraussetzung dafür, dass der Mensch in seinem Leben Sinn erkennt – und damit wird die Bestimmung des Wichtigen zu einem konstituierenden Aspekt von Würde (vgl. Bieri 2013:309). Das Bewusstsein von Verhältnismäßigkeit, die Herausarbeitung von Wichtigem und Trennung von Unwichtigem kann in der (vermittelten) Kommunikation in verschiedenster Form Bedeutung haben – sei es bei der Entscheidung für eine medizinische Behandlung oder bei Vergleichsgesprächen vor Gericht.

Der letzte Teilaspekt, die Würde als *Anerkennung der Endlichkeit*, besteht für Bieri im Nachdenken über den Umgang mit Krankheit und Tod. Diese Themen gewinnen an Bedeutung, einerseits durch eine gestiegene Sensibilität im Umgang mit diesen Themen, andererseits durch die gestiegene Lebenserwartung und die zunehmende Zahl an pflegebedürftigen und demenzkranken Menschen. Klarheit im Umgang mit den Fragen des Lebensendes bildet bei Bieri den letzten Teilaspekt der Würde (Bieri 2013:331).

Die angesprochenen Aspekte können grundsätzlich in allen gedolmetschten Situationen Relevanz haben. Die Dolmetschung im öffentlichen Raum, insbesondere im medizinischen, psychosozialen und rechtlichen Bereich, umfasst regelmäßig Situationen, in denen die Selbständigkeit und die Intimsphäre der Menschen berührt sind: „community interpreting takes the interpreter into the most private spheres of human life. It takes place in settings where the most intimate and significant issues of everyday individuals are discussed" (Hale 2007:25 f.). Man denke nur an Scheidungsverhandlungen, an einen Asylantrag, der sich auf erlittene Folter stützt, oder an ein Diagnosegespräch. Dabei begegnen die ethischen Dilemmata den DolmetscherInnen in schier jeder Situation, weil sich Texte außerhalb der Situation, des sozialen und kulturellen Kontextes, ohne Berücksichtigung des Menschen, mit und für den man spricht, nicht wiedergeben lassen.

Ist Würde lehrbar? Didaktische Herausforderungen

Die Berücksichtigung des breiteren Zusammenhangs der Dolmetschtätigkeit bringt sohin die Forderung mit sich, den an der Kommunikation beteiligten Personen mehr Aufmerksamkeit zu widmen:
den Menschen selbst und der Interaktivität in der Kommunikation.
Dieser Zugang bedeutet selbstständiges, reflexives und dialogisches
Handeln. Diesen Ansatz kann man im Geist der wohl bekanntesten
bildungstheoretischen Didaktik im deutschsprachigen Raum in der
zweiten Hälfte des 20. Jahrhunderts verstehen: der kritisch-konstruktiven Didaktik, die als Bildungsziel die *Emanzipation* definiert.
Die *Emanzipation* setzt sich aus drei Grundfähigkeiten zusammen,
nämlich der Fähigkeit zu Selbstbestimmung, zu Mitbestimmung und
zu Solidarität. Der prominenteste Vertreter dieser Richtung, Wolfgang Klafki (1985/1996:19), versteht die Bildung als „Befähigung zu
vernünftiger Selbstbestimmung".

Das Wichtigste in der emanzipatorischen Didaktik ist, dass die
Lehr- und Lernprozesse dazu dienen, vorhandene Wirklichkeiten
kritisch zu reflektieren und sie in alternative Varianten zu trans-
formieren. (Dialog)Dolmetschen ist ein Tätigkeitsfeld, in dem eman-
zipatorisches Handeln besonders effektiv ausprobiert werden kann –
neben der Textarbeit und Entdeckung sprachlicher und kultureller
Differenzen können soziale Konventionssysteme, Machtdifferenzen
und beeinflussende Konzepte analysiert werden, der Umgang mit
ihnen reflektiert und Alternativen ausprobiert werden. Und überall
dort, wo es um tief menschliche Themen geht, ist die Wahrung der
Würde zentral. Es geht beim Lernen weniger um Wissen, nicht einmal
um exakt definierbare Verhaltensregeln, sondern um eine Haltung,
die hinter der Berufsausübung stehen soll. Die Haltung selbst ist
freilich ein Gebot, das sich aus moralischen und rechtlichen Prinzipien ableiten lässt.

Bieris Definition der Würde und das Formulieren von Teilaspek-
ten der Würde helfen uns, das Verständnis eines respektvollen,
würdewahrenden Umgangs greifbarer zu machen. Auch bei Bieri
geht es aber um Haltung. Didaktisch bietet ein Probehandeln eine
Möglichkeit, verschiedene Verhaltensweisen einzuüben und daraus
einen grundlegenden Zugang zur Berufsausübung, eine Haltung, zu
entwickeln. Das Ausprobieren einer Strategie in der konkreten
Situation zeigt, inwieweit die Umsetzung der angepeilten Ziele –

*Emanzipatorische
Didaktik*

Wahrung der Würde der anderen, Äquidistanz, Empathie – gelungen ist; nicht zuletzt durch das gemeinsame Reflektieren aller Beteiligten nach dem Probehandeln.

Im Folgenden werden Grundlagen des Rollenspiels als eine Methode aus der Unterrichtspraxis, die auf psychologischen Grundlagen (Moreno 1959) aufbaut und die aus der modernen Dolmetschdidaktik nicht mehr wegzudenken ist, vorgestellt. Das Rollenspiel ermöglicht ein Probehandeln; es hilft, die kategorisierbaren Praktiken, die unser Verhalten mitbestimmen, aufzugreifen und einer kreativen Wahrnehmung zu unterziehen.

Didaktisches Rollenspiel

Rollenspiel als didaktisches Tool ist fixer Bestandteil der modernen Dolmetschdidaktik, spätestens seit der Intensivierung des Dolmetschens im öffentlichen Raum und hier vor allem des Dolmetschens im institutionellen Kontext (vgl. Metzger 2000; Bahadir 2010; Kadrić 2011, 2014; Rudvin/Tomassini 2011; Niemants 2013; Wadensjö 2014). Obwohl in der Weiterentwicklung der Rollenspiele die Theaterpädagogik als Quelle der Inspiration dient, finden sich die grundlegenden psychologischen Aspekte in allen später weiterentwickelten Ansätzen des Rollenspiels in der Interaktionspädagogik wieder.

Emotion, Identifikation und Reflexion

Allen pädagogischen Anwendungen gemeinsam und das Tragende im Rollenspiel ist die Einbindung des ganzen Menschen mit seinem Körper, seinen Emotionen und sozialen und kommunikativen Bedürfnissen; die Mischung von Intellekt und Gefühl, die Einbindung des Rationalen in ein emotionales Netz. Im Rollenspiel wird die Wechselwirkung zwischen *Emotion, Identifikation* und *Reflexion* geübt, wobei besonderes Augenmerk auf die Reflexion gelegt wird (vgl. Schmidt 1998). Die handelnde kognitive und die emotionale Seite des Lernprozesses ergänzen sich gegenseitig und bilden eine ganzheitliche Lernsituation, wobei insbesondere die soziale Kompetenz gestärkt wird. In der Rollenarbeit wird insbesondere die situative und kontextuelle Kommunikationshaltung und die Interaktion in Situation geübt. Als Ergebnis werden dolmetschtechnische und dolmetschstrategische Kompetenzen ausgebaut, umhüllt von einer individual-ethischen Kompetenz.

Die wichtigste Voraussetzung für den erfolgreichen Einsatz des Rollenspiels sind fixe Spielregeln. Für Übungen in dialogischen Settings eignen sich Szenarien (und keine vorgefertigten Texte wie etwa in Konferenzsettings), die nach Möglichkeit aus der Erfahrung der Teilnehmenden stammen. Das verleiht den Inhalten Authentizität und Glaubwürdigkeit. Authentizität und Glaubwürdigkeit sind im Rollenspiel zum einen wichtig, weil die Einheitlichkeit des Ausdrucks maßgeblich beeinträchtigt wird, wenn ein angelernter Text oder Sachverhalt als ‚Wahrheit' gespielt wird. Zum anderen können sich nur so die drei Dimensionen Emotion, Identifikation und Reflexion optimal entfalten. Es sollte immer im Auge behalten werden, dass sich die Übungszwecke durchaus mit kurzen Szenen gut erreichen lassen. Der Schwerpunkt sollte jedenfalls nicht beim Einlernen der Rollen liegen, sondern bei der Analyse und beim Ausprobieren der unterschiedlichen möglichen *Ausdrucks- und Verhaltensweisen.*

Strukturierung des Rollenspiels

In vermittelten Dialogen fließt viel zusammen, was Wort und was nicht Wort ist, aber zur Interaktion gehört – also soziokulturelle, kontextuelle und situative Parameter, aber auch die Dimensionen der sozialen Abhängigkeiten (vgl. Wadensjö 1998; Roy 2000; Mason 2001; Merlini/Favaron 2003; Kadrić 2011; Mason/Wen 2012). Rollenspiele ermöglichen es, diese Strukturen zu erkennen und verschiedene Haltungen – im Ausdruck und im Verhalten – auszuprobieren.

Das Rollenspiel kann in beliebigen Dolmetschmodi oder Sprachenpaaren angewandt werden; es eignet sich sowohl für das lautsprachliche wie auch das Gebärdensprachdolmetschen. Grundsätzlich kann diese Übungsform alle Dolmetschsettings, alle Textsorten und insbesondere die Dolmetschendenrolle im sozialen Handlungsgefüge umfassen. In einer Kommunikationssituation können verschiedene Phänomene eine entscheidende Rolle spielen, z. B. komplexe Fachtexte, Dialekte, Kommentare, Unterbrechungen während der Dolmetschung; aber auch Aussagen einer Gesprächspartei, die Menschen in einem direkten, nicht gedolmetschten Gespräch nicht tätigen würden und die Dolmetscherinnen zu managen haben usw.

Gesamtverhalten als Ziel der Übung

Im Rollenspiel wird dem *Text* und der *Interaktivität* gleichermaßen Beachtung geschenkt.

Zum *Text* können alle bewusst und unbewusst, verbal und nonverbal eingesetzten Kommunikationsmittel, die einen kommunikativen Wert haben, erklärt werden. Die verbalen Inhalte betreffen die Sprache in ihrer Gesamtheit, d. h. semantische, lexikalische wie auch syntaktische oder pragmatische Aspekte: Das können sowohl Ausdrucksweisen als auch die Terminologie und das Fachwissen sein, aber auch die Argumentationstechniken und verbale Kommunikationsstrategien, sowie grammatikalische Auffälligkeiten. Zu den nonverbalen Inhalten werden insbesondere Gestik und Mimik gezählt, Pausen oder Schweigen, Lautstärke der Stimme, Deutlichkeit, Geschwindigkeit, Betonung, Satzmelodie, Sprechrhythmus oder Sitzposition, Blickverhalten und Körperhaltung, Proxemik, Kontakt/ Anfassen beim Sprechen. Unter *Interaktivität* kann man in der Strukturierung der zu evaluierenden Inhalte alle außersprachlichen, situativen Faktoren subsumieren; vor allem die Gesprächskoordination und die Vorgehensweisen, die zur erfolgreichen Kommunikation führen (oder sie verhindern/behindern), sowie das Verhalten der an der Kommunikation Beteiligten, einschließlich der Dolmetscherin.

Reflexionen und Evaluierung

Zentral im Rollenspiel ist ein verlässliches Evaluierungssystem. Da es um ein ‚Spiel' bzw. mündliche und daher flüchtige Kommunikation geht, besteht die Gefahr, dass die Übung nur aus dem Spiel besteht. Wichtig sind daher klare Evaluierungskriterien, sowohl für einzelne Sequenzen als auch für das Spiel in seiner Ganzheit. Nur wenn die Dolmetschleistung genau evaluiert wird, ist sie diskutierbar und veränderbar. Methodisch ist wichtig, dass die Evaluierung systematisch vorgenommen wird: Es soll zum einen klar sein, wer welche Teile evaluiert, und zum anderen, dass das gewählte Evaluierungskriterium auf alle Teile des Rollenspiels angewendet werden kann. Ein bloßes Spielen ohne klar definiertes Evaluierungssystem hat keinen didaktischen Wert.

Gegenstand der Evaluierung ist dabei nicht nur das gesprochene Wort, sondern auch die nonverbalen kommunikativen Elemente – im Rollenspiel ist der nonverbale Ausdruck genauso wichtig, wie das gesprochene Wort, denn durch die Körpersprache werden Gefühle wesentlich leichter ausgedrückt als durch Worte und in den Gesamtausdruck aller ausgesandten Kommunikationssignale eingebaut (vgl. Poyatos 2002; Felgner 2009; Iglesias Fernández 2010; Mason 2012). Die Evaluierung wird etwa dadurch unterstützt, dass Teilnehmende im Vorfeld vereinbarte Aspekte der Dolmetschung speziell beobachten und darüber Protokoll führen, denn auch im Unterricht ist Dolmetschen mündlich, flüchtig, einmalig (Aufnahmen sind zeitaufwendig und daher eher die Ausnahme).

Erfolgreiche Rollenspiele führen zum nächsten didaktischen Schritt, zur *Simulation* (einen ähnlichen Stellenwert hat beim Konferenzdolmetschen die *mock conference*). In der Simulation wird dann die jeweilige Kommunikationssituation als Ganzes dargeboten, etwa eine vollständige Vernehmungssituation. In dieser Gesamtschau können verschiedene Modi und Techniken zur Anwendung kommen: Simultan(flüster)dolmetschen, Konsekutivdolmetschen, Vom-Blatt-Dolmetschen. Darüber hinaus tritt bei der Simulation eine reale AkteurIn der Übung bei (während im Rollenspiel die Gruppe unter sich bleibt). Es wird dann z. B. die Vernehmung unter Mitwirkung einer Berufsrichterin geprobt. In dieser Weiterentwicklung zur Simulation, also in der ‚Generalprobe‘, entfaltet das Rollenspiel seine Wirkung als didaktisches Tool.

Simulation

Schlusswort

Die Eigenständigkeit und soziale Komponente des Dolmetschberufs erfordern, dass Dolmetschende laufend an sich selbst und ihrer Beziehung zu anderen arbeiten. Die Hauptaufgabe der Dolmetschung, die Kommunikation in einer bestimmten Situation zu ermöglichen und sicherzustellen, hat eine Reihe von Nebenaspekten, die in Lehre und Praxis zunehmend Bedeutung gewinnen. Die Kompetenzen des Dolmetschenden umfassen nicht nur den Verstehens- und Wiedergabeprozesse, sondern auch soziale Praktiken und eine Haltung im Gesamtgefüge. Die Wahrung von Äquidistanz und Würde sind solche Teilaspekte der Dolmetschtätigkeit. Sie bezeichnen keine bloßen Verhaltensweisen, sondern sind Ausdruck einer Haltung im Umgang mit Menschen. Die Vermittlung dieser Haltung ist für die Lehre eine besondere Herausforderung und verlangt den Einsatz innovativer didaktischer Mittel – Varianten des Rollenspiels etwa können den Unterricht sehr aufwerten, denn Haltung lässt sich nicht einfach aus Lehrbüchern aneignen.

Die sozialen Praktiken, die unser Leben und damit auch Dolmetschsituationen bestimmen, regeln sich nur zum Teil von selbst: Unsere Gesellschaft ist von der Dominanz des Rechts gekennzeichnet. Das Recht hat alle Lebensbereiche und damit unseren Alltag durchdrungen. Von Lebensmittelkennzeichnungen, Verkehrsschildern oder Allgemeinen Geschäftsbedingungen, die bei der Bestellung eines Buchs im Internet akzeptiert werden, bis hin zu den Regelungen, wer in welches Land einreisen, dort bleiben oder nicht bleiben darf – wir können uns im öffentlichen Raum kaum bewegen, ohne auf Schritt und Tritt mit dem Recht konfrontiert zu sein. Diese Verrechtlichung gibt uns Sicherheit (und schränkt auf der anderen Seite unsere Freiheit ein).

Die Kommunikation, insbesondere die vermittelte Kommunikation, geschieht im öffentlichen Raum im Spannungsfeld zwischen unterschiedlichen Zielsetzungen und Bedürfnissen der beteiligten Personen. Prototypisches Beispiel dafür ist die Asymmetrie der Anliegen bei Ämtern und Behörden, wo am Ende der Kommunikation eine (behördliche) Entscheidung steht und wo einer der Interaktionspartner, nämlich die Behörde, kraft Rechts und staatlicher Autorität mit mehr Macht ausgestattet ist als die übrigen AkteurInnen.

Dieses Spannungsfeld der unterschiedlichen Ziele und Machtverhältnisse in den Dolmetschsettings des öffentlichen Raums wirft vielfältige gesellschaftliche Fragestellungen auf, zumal es für Beteiligte oft um viel geht: um die richtige medizinische Behandlung, um eine Aufenthaltsbewilligung usw. Solche gesellschaftliche Fragestellungen in den Unterreicht einzubeziehen ist heute eine Selbstverständlichkeit. Die Ansätze der kritisch-konstruktiven Didaktik erlauben es, Konzepte zur Unterrichtsvorbereitung auf der Basis eines emanzipatorischen Zugangs zu entwickeln und zu verfolgen. Je kritischer und transparenter die translatorische Arbeit ausgeübt wird, desto eher werden die vorgeschlagenen Lösungen breit konsensfähig sein. Darüber, wie bei der Dolmetschung in bestimmten Situationen im Detail zu entscheiden ist, können keine allgemeingültigen Regeln aufgestellt werden; auch nicht im professionellen Berufsalltag, da jede Situation anders ist und jeweils unterschiedliche Konstellationen,

Intentionen und sonstige Rahmenbedingungen bestehen. Die Ausbildung kann aber Konzepte bereitstellen, die es den lernenden DolmetscherInnen ermöglichen, soziale Praktiken zu durchschauen und über den Einzelfall hinaus Strategien zu entwickeln, die gesellschaftliche Prozesse und Veränderungen berücksichtigen. So verschaffen sich DolmetscherInnen mehr Freiraum und gleichzeitig auch mehr Macht. DolmetscherInnen gestalten gesellschaftliche Prozesse aktiv mit und tragen gleichzeitig auch die Verantwortung für ihre Handlungen. Eben dies bedingt auch die Aneignung einer Haltung, die die Umsetzung der Grundintentionen unserer Rechtsordnung gewährleistet. Unsere Verfassung stellt etwa die Würde des Menschen in den Mittelpunkt – ihre Wahrung ist damit auch Ziel jedes einzelnen Behördenhandelns und jedes einzelnen Dolmetschvorgangs im öffentlichen Raum. Ziel der DolmetscherInnen wird es daher sein, eine diesem Grundsatz verpflichtete Haltung auch dann weiterzuverfolgen, wenn einzelne Interaktionsbeteiligte anders agieren.

So wie die Anwendung des Rechts und der einzelnen Gesetzesvorschrift nie zum Selbstzweck werden darf und immer dem Menschen dienen muss, ist auch das Dolmetschen Dienst am Menschen. Dieser humanistische Zugang ist nicht bloß moralische Forderung oder philosophisches Anliegen, sondern durch die Grundsatzbestimmung der Charta der Grundrechte der Europäischen Union das oberste rechtliche Gebot in unserer Gesellschaft überhaupt.

Literatur

Angelelli, Claudia V. 2004. *Revisiting the interpreter's role: a study of conference, court and medical interpreters in Canada, Mexico and the United States.* Amsterdam/Philadelphia: John Benjamins.

Bahadır, Şebnem. 2010. *Dolmetschinszenierungen. Kulturen, Identitäten, Akteure.* Berlin: Saxa.

Bieri, Peter. 2013. *Eine Art zu leben. Über die Vielfalt menschlicher Würde.* Frankfurt a. M.: Fischer.

Bolden, Galina B. 2000. Toward understanding practices of medical interpreting: interpreters' involvement in history taking. *Discourse Studies 2:4*, 387–419.

Bot, Hanneke. 2005. Dialogue interpreting as a specific case of reported speech. *Interpreting 7:2*, 237–261.

Bourdieu, Pierre. 1976. *Entwurf einer Theorie der Praxis: auf der ethnologischen Grundlage der kabylischen Gesellschaft.* Frankfurt a. M.: Suhrkamp.

Felgner, Lars. 2009. Zur Bedeutung der nonverbalen Kommunikation im gedolmetschten medizinischen Gespräch. In: Andres, D./Pöllabauer, S. *Spürst du wie der Bauch rauf-runter? Fachdolmetschen im medizinischen Bereich /Is everything all Topsy Turvy in Your Tummy? Healthcare Interpreting.* München: Meidenbauer, 45–70.

Hale, Sandra B. 2004. The discourse of court interpreting: discourse practices of the law, the witness and the interpreter. Amsterdam/Philadelphia: John Benjamins.

Hale, Sandra B. 2007. *Community interpreting.* New York: Palgrave Macmillan.

Hsieh, Elaine. 2008. ‚I'm not a robot!' Interpreters' Views of Their Roles in Health Care Settings. *Qualitative Health Research* 18:10, 1367–1383.

Iglesias Fernández, Emilia. 2010. Verbal and nonverbal concomitants of rapport in health care encounters: implications for interpreters. *Interpreting in the Public Services* 14, 216–228.

Kadrić, Mira. 2001/2009. *Dolmetschen bei Gericht.* Wien: WUV.

Kadrić, Mira. 2011. *Dialog als Prinzip. Für eine emanzipatorische Praxis und Didaktik des Dolmetschens.* Tübingen: Narr.

Kadrić, Mira. 2014. Giving interpreters a voice: interpreting studies meets theatre studies. *The Interpreter and Translator Trainer* 8:3, 452–468.

Klafki, Wolfgang. 1985/1996. *Neue Studien zur Bildungstheorie und Didaktik. Zeitgemäße Allgemeinbildung und kritisch-konstruktive Didaktik.* Weinheim: Beltz.

Leanza, Yvan. 2007. Roles of community interpreters in pediatrics as seen by interpreters, physicians and researchers. In: Pöchhacker F./Shlesinger M. (eds.). *Healthcare Interpreting. Discourse and Interaction.* Amsterdam/Philadelphia: John Benjamins, 11–34.

Mason, Ian (ed.). 2001. *Triadic Exchanges. Studies in Dialogue Interpreting.* Manchester: St. Jerome.

Mason, Ian/ Wen, Ren. 2012. Power in face-to-face interpreting events. In: Angelelli C. V. (ed.) *The sociological turn in translation and interpreting studies.* Amsterdam/Philadelphia: John Benjamins, 234–253.

Mason, Ian. 2012. Gaze, positioning and identity in interpreter-mediated dialogues. In: Gavioli, L./Baraldi, C. *Coordinating participation in dialogue interpreting.* Amsterdam/Philadelphia: John Benjamins, 177–200.

Merlini, Raffaela/Favaron, Roberta. 2003. Community interpreting: re-conciliation through power management. *The Interpreters' Newsletter* 12, 205–230.

Metzger, Melanie. 2000. Interactive Role-Plays As a Teaching Strategy. In: Roy, C. B. (ed.) *Innovative Practices for Teaching Sign Language Interpreters*. Washington, D. C.: Gallaudet University Press, 83–108.

Moreno, Jacob L. 1959. *Gruppenpsychotherapie und Psychodrama: Einleitung in die Theorie und Praxis*. Stuttgart: Thieme.

Ng, Eva. 2013 Who is speaking? Interpreting the voice of the speaker in court. In: Schäffner, C. /Fowler Y./Kredens K. (eds.) *Interpreting in a changing landscape: selected papers from Critical Link*. Amsterdam/Philadelphia: John Benjamins, 249–266.

Niemants, Natacha. 2013. From role-playing to role-taking: interpreter's role (s) in healthcare In: Schäffner, C. /Fowler Y./Kredens K. (eds.) *Interpreting in a changing landscape: selected papers from Critical Link*. Amsterdam/Philadelphia: John Benjamins, 305–319.

Niska, Helge. 2002. Community interpreter training. Past, present, future. In: Garzone, G./Viezzi, M. (eds.) *Interpreting in the 21st Century: Challenges and opportunities*. Amsterdam/Philadelphia: John Benjamins, 133–144.

Pöchhacker, Franz. 2000. *Dolmetschen. Konzeptuelle Grundlagen und deskriptive Untersuchungen*. Tübingen: Stauffenburg.

Pöllabauer, Sonja. 2005. *‚I don't understand your English, Miss'. Dolmetschen bei Asylanhörungen*. Tübingen: Narr.

Poyatos, Fernando. 2002. Nonverbal communication in simultaneous and consecutive interpretation: a theoretical model and new perspectives. In: Pöchhacker F./Shlesinger M. (eds.) *The Interpreting Studies reader*. London: Routledge, 235–246.

Rudvin, Mette/Tomassini, Elena. 2011. *Interpreting in the Community and Workplace: A Practical Teaching Guide*. Basingstoke: Palgrave Macmillan.

Schmidt, Georg F. 1998. *Ausdruck, Spiel, Theater. Beiträge zur Didaktik des Darstellenden Spiels*. Neuried: Ars Una.

Roy, Cynthia. 2000. *Interpreting as a discourse process*. New York: Oxford University Press.

Wadensjö, Cecilia. 1992/1998. *Interpreting as Interaction*. London: Longman.

Wadensjö, Cecilia. 2014. Perspectives on role play: analysis, training and assessements. *The Interpreter and Translator Trainer 8:3*, 437–451.

4 Multimodales und mediales Übersetzen

Klaus Kaindl

Wenn man sagt, dass man Übersetzen bzw. Übersetzungswissenschaft studiert, so lautet die erste Frage, die dazu gestellt wird, meist: „In welchen Sprachen?" Übersetzen wird auch heute noch vor allem als eine Tätigkeit erachtet, die in der Regel zwischen zwei verschiedenen Sprachen stattfindet. Unter Umständen wird auch die Übertragung innerhalb einer Sprache – also zum Beispiel das Übertragen eines dialektalen Textes in einen Text der Standardsprache – als Übersetzen bezeichnet, wie dies etwa Roman Jakobson (1959) getan hat, der in diesen Fällen von „intralingualem Übersetzen" spricht. Dieser Fokus auf die sprachliche Dimension hat auch lange Zeit die theoretische und didaktische Auseinandersetzung geprägt: Es galt die dem Sprachtransfer zugrunde liegenden Bedingungen, Prinzipien und Methoden zu erforschen. Hierfür wurden vor allem Werkzeuge aus der Linguistik und Literaturwissenschaft herangezogen. Unabhängig davon, um welche Textsorte es sich handelte, stand ausschließlich die sprachliche Dimension zur Debatte. Jene Texte, die in Kombination mit anderen Zeichensystemen existierten, wie etwa Filme, Kinderbücher, Opern, Comics, Theatertexte, Bedienungsanleitungen, Produktbeschreibungen, Videospiele, Websites, Werbung, Touristenprospekte usw. wurden entweder sowohl in der Forschung als auch der Ausbildung weitgehend vernachlässigt bzw. anderen Disziplinen überlassen oder unter Ausklammerung der nicht-sprachlichen Textkonstituenten behandelt. So stellte Rabadán noch 1991 fest, dass Bilder universell verständlich seien und daher auch nicht übersetzt werden müssten (cf. 1991:154).

Pictorial Turn in der Übersetzung Spätestens seit dem von W. J. T. Mitchell ausgerufenen „pictorial turn" (1992) ist jedoch klar, dass die nonverbalen Dimensionen in unserer Wahrnehmung eine wichtige Rolle spielen. Die Tatsache, dass „wir einen großen Teil unserer Welt aus dem Dialog zwischen sprachlichen und bildlichen Darstellungen erschaffen" (Mitchell

2008:77) gilt im Multimedia-Zeitalter besonders auch für die Gestaltung von Texten. Man könnte daher sogar sagen, dass – sofern es nicht bereits der Fall ist – Texte, die in Kombination mit anderen Zeichensystemen auftreten, den Übersetzungsalltag in Zukunft bestimmen werden. Yves Gambier bringt dies auf den Punkt: „No *text* is, strictly speaking, monomodal." (2006:6, Hervorhebung im Original) Nimmt man also den *pictorial turn* bzw. das Multimedia-Zeitalter ernst, so fordert er ÜbersetzerInnen heraus, sowohl übersetzungsrelevante Analyseinstrumentarien für Bilder (und andere nonverbalen Zeichensysteme) zu erarbeiten als auch die Repräsentationsformen der Übersetzung an sich zu überdenken. Dabei geht es nicht darum, dass nonverbale Zeichensysteme die Verbalsprache als übersetzungsrelevante Kategorie ablösen sollen, vielmehr soll die in Übersetzungsbelangen herrschende Sprachlastigkeit überwunden und der Blick auf die semiotische Komplexität der Textrealität der heutigen Zeit gelenkt werden.

In diesem Beitrag geht es um Texte, die sich aus verbalen und nonverbalen Zeichen konstituieren und die in der Übersetzungspraxis eine immer wichtigere Rolle spielen. Daraus ergibt sich eine Reihe von Fragen: Wie sollen ÜbersetzerInnen mit den nonverbalen Komponenten umgehen? Wie sieht ein adäquater Textbegriff aus? Können sprachliche Einheiten weiterhin die zentrale Übersetzungskategorie sein? Welche Instrumentarien und Methoden gibt es für eine übersetzungsrelevante Analyse nicht-sprachlicher Zeichen, kurz gesagt: welche Auswirkungen hat ein über die Sprache hinausgehendes Verständnis von Übersetzung auf die praktische Tätigkeit? Dabei soll zunächst einmal ein entsprechendes begriffliches Inventar zur Erfassung dieser Texte vorgestellt werden, wobei der Fokus auf den Konzepten *Modus* und *Medium* liegt und danach ihre Bedeutung in der Übersetzung beleuchtet werden. Exemplarisch wird danach ein wichtiger Bereich – nämlich die audiovisuelle Übersetzung als Arbeitsfeld – vorgestellt und abschließend sollen Fragen der Didaktik in diesem Bereich diskutiert werden.

Die modale und mediale Bedingtheit von Texten, wie sie im Folgenden diskutiert wird, ist im Spektrum der translatorischen Tätigkeitsfelder ein transversales Phänomen. Sowohl im Fachübersetzen (z. B. Bilder und Grafiken in technischen Anleitungen, Computerhandbücher) als auch in vielen Bereichen der Literaturübersetzung (z. B. illustrierte Kinderbücher, Theatertexte, Comics), beim

Modalität und Medialität als transversales Phänomen

Dolmetschen (durch Gestik, Mimik, Bildmaterial etc.) kann sie eine wichtige Rolle spielen. Im Folgenden wird vor allem die Relevanz in übersetzerischen Tätigkeitsfeldern diskutiert, zur Rolle von nonverbalen Elementen in Dolmetschsituationen vgl. u. a. Rennert (2008) und Zagar Galvão/Galhano Rodrigues (2010).

Modalität und Medialität von Texten in der Übersetzung

Texte, die sich aus verschiedenen Zeichensystemen zusammensetzen, sind heutzutage allgegenwärtig. Jedes dieser Zeichensysteme – seien es Sprachen, Bilder, Musik, Typographien, Farben – ist bedeutungstragend und kann bereits für sich genommen als Text gelten, wie auch Gottlieb feststellt: „As semiotics implies semantics – signs, by definition, make sense – any channel of expression in any act of communication carries meaning. For this reason, even exclusively non-verbal communication deserves the label ‚text‘“. (2005:2). Das Besondere – und aus übersetzerischer Sicht – Herausfordernde dabei ist, dass die verschiedenen Zeichenressourcen in einem Text nicht einfach additiv nebeneinander stehen, sondern sowohl formal als auch inhaltlich und funktional miteinander interagieren. Das dabei entstehende Textgebilde stellt mehr als die Summe seiner Teile dar, verändert man eines der Zeichensysteme, z. B. die Sprache, so hat dies auch Auswirkungen auf die anderen semiotischen Ressourcen. ÜbersetzerInnen müssen daher auch für diese nonverbalen Dimensionen Kompetenzen entwickeln.

Modi als kulturelle Prozesse   In den letzten Jahren hat sich für diese Art von Texten der Begriff der Multimodalität eingebürgert. Dies ist zweifelsohne auf das einflussreiche Werk *Multimodal Discourse* von Kress/van Leeuwen (2001) zurückzuführen. Sie definieren Modi als „semiotic resources which allow the simultaneous realisation of discourses and types of (inter)action.“ (2001:21) Modi sind unter dieser Perspektive nicht primär Produkte, sondern kulturelle Prozesse, die sich in Form von Diskursen manifestieren und deren Funktionen in Verschränkung mit anderen Modi Texte konstituieren. Im Gegensatz zu einzelsemiotischen Analysen, die visuelle oder musikalische Zeichen isoliert in den Blick nehmen, setzt eine multimodale Betrachtungsweise das Bewusstsein voraus, dass Modi im Verbund existieren, miteinander interagieren und funktional verschränkt sind. Welche Funktionen ein Modus im Textganzen wahrnimmt, welche Modi bei der Textgestaltung zum Einsatz kommen, ist dabei sowohl von pragmatischen als auch kulturspezifischen Faktoren abhängig.

Kress und van Leeuven situieren Multimodalität in der Folge im Rahmen der sozialen Semiotik, deren Eckpfeiler aus den beiden Dimensionen Diskurs und Design und den beiden Phasen Produktion und Distribution bestehen. Diskurse und Design beziehen sich vor allem auf die verschiedenen Modi und ihre Gestaltung, während Produktion und Distribution auf die einzelnen Medien verweisen. Unter Diskurs verstehen die Autoren „socially situated forms of knowledge" (Kress/van Leeuven 2001:20), die jeweils vom Genre, dem Modus und auch vom Design abhängig sind. Letzteres definieren Kress/van Leeuven als „means to realise discourses in the context of a given communication situation" (2001:21). Im Design wird also die Gestalt eines Textes konkretisiert, die dann im Prozess der Produktion, d.h. „the actual material articulation of the semiotic event", realisiert wird (2001:22). Im Prozess der Distribution werden Texte schließlich technisch reproduziert und verbreitet.

Die Elemente einer multimodalen Theorie der Kommunikation, wie sie von Kress und van Leeuven formuliert werden, stellen eine wichtige Basis für die übersetzerische Auseinandersetzung mit Multimodalität dar und können mit kommunikations- und kultursensitiven Übersetzungstheorien verknüpft werden. Ein theoretischer Ansatz in der Übersetzungswissenschaft, der zahlreiche Querverbindungen zu Kress/van Leeuven aufweist, ist die handlungstheoretisch fundierte Translationstheorie von Holz-Mänttäri (1984). Ähnlich wie in der multimodalen Theorie Menschen und ihr Wirken in der Textproduktion eine entscheidende Rolle einnehmen, betrachtet Holz-Mänttäri Translation als eine Handlung, in der verschiedene Aktanten am Zustandekommen von Texten beteiligt sind. Holz-Mänttäri betont – ähnlich wie Kress/van Leeuven – den Designcharakter der Translation. Translation kann nicht auf Sprachtransfer reduziert werden, sondern ist das Gestalten von Texten über Kulturgrenzen hinweg. ÜbersetzerInnen als Textdesigner verfolgen bei ihrer Arbeit allerdings kein eigenes Verständigungsziel, sondern produzieren Texte für fremden Bedarf (vgl. 1993:303). Das Design von Texten über Sprach- und Kulturgrenzen hinweg bedarf für die Produktion der Spezifizierung – diese wird in Interaktion der verschiedenen AktantInnen ausgehandelt, die als Teil eines sozialen

Multimodalität in der Übersetzungstheorie

Handlungsgefüges agieren. ÜbersetzerInnen sind in der Regel auf den Transfer von verbalen Texten spezialisiert, angesichts der multimodalen Gestaltung von Texten müssen sie daher mit anderen ExpertInnen, wie FotografInnen, KomponistInnen, GrafikerInnen etc. zusammenarbeiten. Bei der Herstellung von Designtexten verweist Holz-Mänttäri explizit auf deren multimodalen Charakter und bezeichnet sie als „Botschaftsträger-im-Verbund" (1984:76): Der Verbundcharakter der verschiedenen Modi entspricht dabei genau der funktionalen Verschränkung, wie sie von Kress/van Leeuven thematisiert wird. So kann z. B. in einer technischen Gebrauchsanweisung sowohl der visuelle als auch der sprachliche Modus die Erläuterung der Bedienungsschritte übernehmen. Ob diese kommunikative Funktion von Abbildungen oder sprachlichen Erklärungen erfüllt wird, ist dabei einerseits kulturspezifisch andererseits vom Produktionskontext abhängig.

Sowohl bei Kress/van Leeuven als auch bei Holz-Mänttäri wird deutlich, dass die einzelnen Schritte der Textproduktion – von Diskurs und Design über Produktion und Rezeption – darüber entscheiden, welche Modi in welcher Kombination eingesetzt werden, um ein kommunikatives Ziel zu erreichen. Während Kress/van Leeuven vor allem die Eigenschaften von Multimodalität in ihrer Theorie thematisieren und dabei der transkulturelle Aspekt kaum eine Rolle spielt, untersucht Holz-Mänttäri vor allem die für die Produktion von multimodalen Texten relevanten Handlungsschritte über Sprach- und Kulturgrenzen hinweg. Beide theoretischen Ansätze können somit ergänzend für eine übersetzungsrelevante Betrachtung von Multimodalität aufeinander bezogen werden.

Modale Begriffsbildung In der Übersetzungswissenschaft werden multimodale Texte mit unterschiedlichen Begrifflichkeiten belegt. Dieser Prozess der Begriffsbildung ist auch das Resultat eines bestimmten Diskurses und reflektiert somit auch Einstellungen und theoretische Positionen – im Falle von multimodalen Texten vor allem die Schwierigkeit, die sprachzentrierte Grundausrichtung der Disziplin zu überwinden. Eine der ersten, die multimodale Texte in den Gegenstandskanon aufnahm, war Katharina Reiß. In ihrer berühmten Texttypologie hat sie Texte, die aus verschiedenen Zeichensystemen bestehen, explizit genannt. Zunächst wurde die Bezeichnung „subsidiäre Texte" gewählt (vgl. 1969/1981:78), das Adjektiv weist dabei auf eine hierarchische Ordnung der verschiedenen Textmodi hin. Später wurde diese

Bezeichnung in „audio-medial" (1971:34) und schließlich in „multi-medial" (Reiß/Vermeer 1984:211) geändert. Multimedialität bezieht sich dabei allerdings nicht auf die Vermittlungs- und Verbreitungs-medien, sondern ausschließlich auf die Textmodi. Dies wird bei der Aufzählung der Texte, die als multimedial erachtet werden, deutlich: neben literarischen Texten wie Kinderliteratur, Comics oder Filme werden auch erstmals Fachtexte erwähnt, die z. B. durch Graphiken und typographische Besonderheiten auch visuelle Modi aufweisen (vgl. 1984:211). Abgesehen von der Tatsache, dass die Bezeichnung modaler Texteigenschaften mit dem Medienbegriff problematisch ist, da dadurch zwei unterschiedliche Aspekte – Modus und Medium – praktisch gleichgesetzt werden, führte der Begriff durch die elektro-nischen Entwicklungen in den 1980er Jahren sehr bald zu Miss-verständnissen.

Auch wenn Modus und Medium eng miteinander verbunden sind, so müssen sie doch klar differenziert werden. Kress/van Leeuven definieren Medien als „the material resources used in the production of semiotic products and events, including both the tools and the materials used" (2001:22). Der Medienbegriff umfasst sowohl die jeweilige Darbietungsform eines Textes (z. B. Oper, Theater, Comic, Film) als auch seine materiellen Vermittlungskanäle (Schrift, Rund-funk, Fernsehen, elektronische Medien etc.). Medien bedingen immer auch die formale und inhaltliche Gestaltung der jeweiligen Modi. Oder anders ausgedrückt: Es macht einen Unterschied, ob ich eine Geschichte in Form eines Comics, eines Theaterstücks oder eines Romans erzähle. Die jeweilige Präsentationsform beeinflusst somit maßgeblich das Design der einzelnen Modi. Aus übersetzungswissen-schaftlicher Sicht haben daher sowohl Modus als auch Medium eigene und spezifische Auswirkungen auf den Übersetzungsprozess und das -produkt. Neben den modalen Textfaktoren sind daher auch die medialen Vermittlungszusammenhänge, Wechsel und Transfers von zentraler Bedeutung für die Übersetzung.

Differenzierung von Modus und Medium

Auf der Grundlage des bisher Gesagten können wir die proto-typische Gegenstandsbestimmung in Anlehnung an Prunč (2004) dahingehend erweitern, dass wir unter Translation eine konventio-nalisierte kulturelle Interaktion verstehen, in der Texte durch eine Vermittlungsinstanz für eine andere als die ursprünglich vorgesehene Zielgruppe modal und medial transferiert werden. Damit wird die Übersetzung nicht lediglich zu einem sprachlichen Transfer. Auch die

Übersetzen als modaler und medialer Transfer

Übersetzung von visuellen Elementen (Bilder, Grafiken, Farben oder typographische Elemente) und akustischen Komponenten (Geräusche und Musik) sowie der Transfer von einem Medium in ein anderes, wie etwa die Übersetzung eines Romans in ein Theaterstück, eines Theaterstücks in ein Filmdrehbuch usw., würden zum Tätigkeitsprofil für ÜbersetzerInnen gehören. Insofern ist es sinnvoll, nicht zwischen intra- und interlingualem Transfer zu unterscheiden, sondern Übersetzung zwischen intra- und intermodalem sowie intra- und intermedialem Transfer zu unterscheiden. Eine ausführliche Darstellung mit Beispielen für diese Übersetzungstaxonomie findet sich in Kaindl (2010).

Modale und mediale Kompetenzen und ihre Vermittlung

Die Integration von nonverbalen Zeichensystemen und Medien, wie sie die Entwicklungen der letzten Jahre notwendig machen, führt uns somit zu einem weiteren Übersetzungsbegriff und damit verbunden auch zu Tätigkeitsbereichen und Kompetenzprofilen, die über die mit der Übersetzung verbundenen prototypischen Vorstellungen hinausgehen. Oder wie Pym es formuliert: „translators these days are called upon to do far more than translate, they move between tasks; they mix professions in the course of their careers." (2002:21) Wenn wir also Modus und Medium als integrale Bestandteile des zu übersetzenden Textes begreifen, so fällt es auch in die Kompetenz von ÜbersetzerInnen, diese zu analysieren und/oder (mit)zugestalten.

Modales und mediales Bewusstsein in der Übersetzung Eine modale und mediale Kompetenz von ÜbersetzerInnen bedeutet nun nicht, dass diese z. B. Musik komponieren, Grafiken anfertigen, Comicbilder zeichnen, Filme drehen oder Theaterstücke inszenieren können müssen. Wenn wir jedoch nicht nur Sprache, sondern auch andere Modi als Texte und damit als übersetzungsrelevant anerkennen und die mediale Bedingtheit aller Texte ernst nehmen, so muss angehenden ÜbersetzerInnen während des Studiums modale und mediale *awareness* vermittelt werden. Übersetzerische modale Kompetenz bedeutet unter diesem Aspekt zunächst einmal, dass ich die verschiedenen Modi, die einen Text konstituieren, analysieren können muss, um unter Umständen für die Zieltextgestaltung entsprechende Vorschläge formulieren zu können. Dazu muss ich in der Ausbildung jedoch Grundlagenwissen über die

Funktionsweise, den Aufbau und die Ähnlichkeiten/Unterschiede zwischen den verschiedenen Modi erworben haben.

Obwohl in jüngerer Zeit verstärkt Bemühungen festzustellen sind, über die Sprache hinaus, auch andere Modi im Hinblick auf ihre Übersetzung zu untersuchen, gibt es für nonverbale Modi kaum übersetzungsrelevante Analysemodelle bzw. Klassifikationen von Übersetzungseinheiten. Sowohl in Form, Funktion als auch Wahrnehmung folgen Modi jeweils unterschiedlichen Gesetzlichkeiten. So werden Bilder zum Beispiel holistisch wahrgenommen, Sprache sukzessiv in Form von Wörtern und Sätzen. Auch die Bedeutungskonstruktion erfolgt mit unterschiedlichen Mitteln und auf unterschiedliche Weise. So fehlt zum Beispiel Bildern ein präzises Sprechaktrepertoire, wodurch ihre Illokution ungenau bleibt im Vergleich zur Sprache (vgl. Stöckl 2004:18). Ähnliches gilt auch für Musik: Während Sprache eine präzise Semantik hat, ist Musik weitaus vager, dennoch kann sie – mit ihren Mitteln – auch Bedeutung vermitteln. Dies geschieht vor allem auf konnotativer und assoziativer Ebene. Gerade diese Unbestimmtheit in der Semantik eröffnet ein weites Deutungsfeld für bildliche und musikalische Modi, das wiederum kulturspezifisch stark variieren kann, wodurch transferorientierte Untersuchungsmethoden notwendig sind. Hierbei kann in Anlehnung an die kritische Diskursanalyse eine multimodale Diskursanalyse wertvolle Beiträge liefern. Wie die verschiedenen Modi für die Übersetzungsanalyse und -didaktik transkribiert werden können, wurde z. B. im Bereich der Filmübersetzung u. a. von Taylor (2004) vorgeführt. Er zeigt auf, wie die Transkription der verschiedenen Modalitäten dazu dienen kann, für die Untertitelung jene verbalen Elemente auszuwählen, die ein ganzheitliches filmisches Verstehen in der Zielkultur ermöglichen.

Die zweite wesentliche Frage, die sich in Bezug auf modale Kompetenzvermittlung stellt, ist die Untersuchung der Interaktionsmodalitäten zwischen verschiedenen Modi. Auch hier liegen Ansätze vor, wie zum Beispiel für die Oper der Zusammenhang zwischen sprachlichem und musikalischem Modus (Herman et al. 2004); zwischen Bild und Sprache im Comic (Kaindl 2004) und zwischen den nonverbalen und verbalen filmischen Zeichen (Zabalbeascoa 2008). Relationen zwischen verschiedenen Modalitäten können auf unterschiedliche Weise untersucht werden. Für die Übersetzung sind vor allem die funktionalen, kommunikativen Zusammenhänge zwi-

Beziehungen zwischen Modi

schen den Modi relevant. Grundsätzlich können dabei folgende Beziehungen unterschieden werden:

- Die *illustrierende Funktion*, bei der die Modi im Wesentlichen die gleiche Information transportieren und sich somit in ihrer Aussage stützen.
- Die *kommentierende oder erweiternde Funktion*, in der sich die Modi gegenseitig in ihrer Aussage ergänzen, dieser etwas hinzufügen oder sie konkretisieren.
- Die *kontradiktorische Funktion*, in der sich die Aussagen zwischen den Modi widersprechen.

Auch ein Bewusstsein um die medialen Zusammenhänge ist für eine professionelle Textproduktion wesentlich. Medien prägen die narrative Struktur und die räumliche und zeitliche Organisation der Textelemente. So macht der Transfer von einem Medium, das gehört und gesehen wird, in ein Medium, das gelesen wird, eine Reihe von Veränderungen nötig. Ein Beispiel hierfür wären die Übertitelungen von Theater- und Opernaufführungen, wo das auf dem Medium der Bühne Gehörte über das Vermittlungsmedium eines Digitalbandes in einen visuell präsentierten Text übersetzt wird (▶ **Kap. III.6**).

Besonders die Übersetzung im audiovisuellen Bereich stellt ein weites – und hinsichtlich der Multimodalität und Medienbedingtheit prototypisches – Tätigkeitsfeld für ÜbersetzerInnen dar, das – nicht zuletzt im Hinblick auf die didaktische Vermittlung – näher vorgestellt werden soll.

Audiovisuelle Übersetzung

Die Übersetzung von Filmen war aufgrund der zahlreichen nonverbalen Elemente sowie der medialen Einflussfaktoren lange Zeit kein Thema für die Übersetzungswissenschaft und die translatorische Ausbildung. Erst in den letzten 20 Jahren entwickelte sich nicht zuletzt im Zuge der Globalisierung des Film- und Fernsehmarktes die audiovisuelle Übersetzung zu einem der produktivsten Bereiche der Disziplin und auch in den Ausbildungsprogrammen sind verstärkt Module oder Schwerpunkte zu finden, die sich einer oder mehreren Übersetzungsformen in diesem Bereich widmen. Einen guten Überblick über die Entwicklungen bietet der Sammelband *The Didactics of*

Audiovisual Translation, der von Díaz-Cintas herausgegeben wurde (2008 a).

Der Filmtext als Grundlage für die Übersetzung besteht aus unterschiedlichen Modalitäten die auf akustische oder visuelle Weise realisiert werden. Delabastita (1989) und Zabalbeascoa (2008) unterscheiden hierbei einerseits die visuelle Ebene, über die sowohl Bilder als auch Sprache in verschriftlichter Form vermittelt werden, z. B. Einblendungen von Zeitungsberichten, Straßenschilder, Geschäftsaufschriften, aber auch Untertitel, Filmnachspann etc.; und andererseits die akustische Ebene, die Musik und Geräusche sowie Sprache transportiert. Dementsprechend umfasst die Filmübersetzung „the *whole* set of operations – that is to say, including certain operations on the level of non-verbal signs – that accompany and make possible the transfer of a film from a source culture A into a target culture B." (Delabastita 1989:195) Die Übersetzung wird dabei sowohl von den verschiedenen Modalitäten als auch den Vermittlungsdispositiven geprägt, wodurch unterschiedliche Anforderungen und Probleme entstehen.

Filme als multimodale Texte

Formen der audiovisuellen Übersetzung und ihre spezifischen Anforderungen

Es existieren eine Reihe von Übersetzungsarten im Bereich von Film und Fernsehen, die jeweils unterschiedliche Anforderungen mit sich bringen. Insgesamt kann zwischen *interlingualen* und *intralingualen* Übersetzungsarten unterschieden werden. Zu den interlingualen zählen Synchronisation, interlinguale Untertitelung und Voice over, zu den intralingualen Audiodeskriptionen und Untertitelung für gehörlose und hörbehinderte ZuseherInnen. An dieser Stelle sollen vor allem jene Aspekte angesprochen werden, die mit der Medialität und Multimodalität audiovisueller Texte zusammenhängen.

Die Synchronisation bezeichnet die Übersetzung des sprachlichen Ausgangstextes eines Films in einen lippensynchronen zielsprachigen Text, oder wie es Herbst formuliert, ist das Ziel „eine vorgegebene Bildfolge mit Lauten einer anderen Sprache zu versehen" (1994:1). Der Synchronisationsprozess ist ein arbeitsteiliges Verfahren, an dem mehrere Personen beteiligt sind. ÜbersetzerInnen werden vielfach nur als RohübersetzerInnen eingesetzt, das heißt, sie bekommen lediglich das Drehbuch oder die Dialoglisten ohne den eigentlichen

Multimodale Aspekte der Synchronität

Film und fertigen eine möglichst wörtliche Übersetzung für den Synchronregisseur bzw. die -regisseurin an, der die Zielfassung für die SynchronsprecherInnen herstellt. Diese Praxis, die im deutschen Sprachraum lange Zeit vorherrschte, beginnt sich allerdings, wohl auch angesichts der Ausbildungsprogramme für Filmübersetzung an immer zahlreicheren universitären Einrichtungen, zu ändern. Ziel des Synchronisationsprozesses ist es, eine lippensynchrone Vorlage zu erstellen. Die Beziehung des sprachlichen und visuellen Modus ist dabei von zentraler Bedeutung. Grundsätzlich unterscheidet man zwischen qualitativer, quantitativer, paralinguistischer und kinetischer Synchronität. Ausführlich werden die verschiedenen Formen der Synchronität u. a. von Herbst (1994:30–75) und Chaume (2008:131–137) dargestellt. Erstere umfasst die Artikulationsmodalitäten von Vokalen und Konsonanten, die quantitative Dimension bezieht sich auf den Sprechbeginn bzw. das -ende sowie die Sprechgeschwindigkeit. Die paralinguistische Synchronität umfasst Aspekte wie Intonation und Klangfarbe und die kinetische Synchronität meint den Gleichklang von Sprache mit Mimik und Gestik. Hinzu kommt auch noch die verschiedentlich genannte Charaktersynchronität, d. h., dass die sprachlichen Äußerungen mit der dargestellten Figur in Einklang stehen müssen.

Medium und Modus in der interlingualen Untertitelung

Bei der interlingualen Untertitelung werden die ausgangssprachlichen Dialoge sowie sprachlichen Elemente im Bild (wie Briefe, Aufschriften etc.) in der Zielsprache in schriftlicher Form am unteren Bildrand eingeblendet. Der Film muss hierfür zunächst durch das sogenannte „Spotting" markiert werden. Dies dient im weiteren Verlauf zur Festlegung der Ein- und Ausblendzeiten der Untertitel. Im Zuge der Digitalisierung haben die ÜbersetzerInnen diese Aufgabe sowie auch die Schriftgestaltung selbst übernommen. Das Spotting liefert bereits einige Anhaltspunkte für die Aufteilung und Strukturierung der Untertitel. Die Probleme der Untertitelung stehen ebenfalls in engem Zusammenhang mit den medialen und modalen Dimensionen des Gesamtfilms. Wie Ivarsson/Carroll (1998:1) feststellen, benötigen sie „good visual sense, a thorough understanding of the film and reading rhythms and a wide range of other skills". Vor allem die Segmentierung der Untertitel, die grammatikalische, rhetorische und visuelle Aspekte berücksichtigen muss, stellt eine große Herausforderung für UntertitlerInnen dar. Da durch die zeitlichen und räumlichen Beschränkungen die Untertitel zumeist kürzer ausfallen als das tatsächlich Gesprochene, müssen in den Übersetzungen überdies ausgangstextuelle Elemente ausgelassen oder komprimiert werden, was filmanalytische Kompetenzen voraussetzt.

Bei Voice-over-Übersetzungen als dritter interlingualer Transferform wird der Zieltext über den noch akustisch wahrnehmbaren Originalton gesprochen (vgl. Díaz Cintas/Orero 2005:473). Im deutschsprachigen Raum wird dieses Verfahren vielfach bei Interviews, Commercials und Dokumentationen angewendet. In der Regel erhalten ÜbersetzerInnen das Skript sowie eine Filmkopie. Auch hier kann es vorkommen, dass der Film „gespottet" wird. Von den ÜbersetzerInnen wird darüber hinaus bisweilen auch erwartet, dass sie Informationen zu den Sprechstimmen liefern. Ähnlich wie bei Untertiteln ist es häufig nötig, Komprimierungen und Kürzungen vorzunehmen. Dies hängt mit der Konvention zusammen, dass am Anfang und am Ende immer die OriginalsprecherInnen ohne Übersetzung zu hören sind.

Audiodeskriptionen entstehen zumeist in Teamarbeit, wobei zumindest eine Person blind ist, um so besser die Bedürfnisse der Zielgruppe zu berücksichtigen. Ziel der Audiodeskription ist es, blinden und sehbehinderten Menschen die visuelle Dimension des Films zu vermitteln. Im Arbeitsprozess geht es nun darum, jene optischen Informationen verbal zu beschreiben, die die intendierte Personengruppe benötigt, um den Film als sinnhaftes Ganzes zu erleben. Es geht also um eine Übersetzung zwischen dem bildlichen und dem sprachlichen Modus, wobei vor allem visuell dargestellte Handlungen, Körpersprache, Gesichtsausdrücke, Kleidung sowie situative und räumliche Bildzeichen in die Verbalsprache übersetzt werden (vgl. Benecke 2004:78). Die als relevant identifizierten visuellen Elemente werden zunächst in schriftlicher Form festgehalten und aufgenommen, wobei die Kommentare mit Timecodes versehen werden. Diese geben an, wann die Audiodeskription durch einen Sprecher eingefügt werden kann, ohne die Rezeption der vorhandenen akustischen Ebene (Dialoge, Geräusche, Musik) zu beeinträchtigen. Der zentrale Aspekt stellt somit die Bild-Ton-Beziehung des Films dar. Die Informationen zur visuellen Ebene dürfen nicht die bereits akustisch wahrnehmbare sprachliche Ebene sowie Musik- und Toneffekte überlagern. Die Kompetenz der ÜbersetzerInnen besteht nun darin, aus der Fülle der visuell wahrnehmbaren bildlichen und

Vom bildlichen zum sprachlichen Modus

sprachlichen Modi jene auszuwählen, die für das Filmverstehen relevant sind. Eine ausführliche Darstellung der verschiedenen Aspekte der Audiodeskription findet sich in Benecke (2014).

Die Übersetzung akustischer Zeichen in visuelle Zeichen

Bei der Untertitelung für Gehörlose und gehörgeschädigte Personen werden akustisch wahrnehmbare Modalitäten (Dialoge, Musik, Geräusche) in visuell wahrnehmbare sprachliche Zeichen übertragen. Während bei Audiodeskriptionen die visuelle Ebene über den akustischen Kanal zugänglich gemacht wird, geht es hier nun darum, Personen über die visuelle Ebene die akustischen Elemente eines Films oder einer Fernsehserie zu erschließen. Auch hier benötigen ÜbersetzerInnen intermodale Transferkompetenzen, da die Transfers nicht lediglich intralingual stattfinden, sondern zwischen verschiedenen Modi erfolgen. So werden z. B. Farben zur Identifikation der SprecherInnen eingesetzt und Typographie wird als Distinktionsmittel verwendet, wie zum Beispiel Großbuchstaben für Musik und Geräusche und Hashtags vor Gesangstexten (vgl. Neves, 2005:253). Ähnlich wie bei der interlingualen Untertitelung kommen auch hier gehäuft die Übersetzungsstrategien Komprimierung und Tilgung vor, um so Redundanzen und komplexe Satzstrukturen zu vermeiden. Die meisten Fernsehanstalten haben jeweils eigene genaue Richtlinien für die Erstellung dieser Untertitel.

Kompetenzen in der audiovisuellen Übersetzung und ihre Vermittlung

Literatur zur Didaktik der audiovisuellen Übersetzung

Während es lange Zeit kaum didaktisches Material für die Filmübersetzung gab, ist in den letzten Jahren ein wahrer Boom zu bemerken. So entstand für die beiden Hauptbereiche – Synchronisation und Untertitelung – eine Reihe von Werken, die sich zum Teil auch mit DVD-Material an Lehrende in diesem Bereich wenden. Speziell für den Unterricht im Bereich Unteritelung sei hier das Werk von Díaz Cintas/Remael (2007) erwähnt, das einen umfassenden Überblick zu diesem Thema bietet. Ähnliches wurde von Chaume (2012) für die Synchronisation vorgelegt. Zahlreiche didaktische Erfahrungsberichte und Konzepte finden sich auch in *The Didactics of Audiovisual Translation* (Diaz Cintas 2008 a), wobei hier auch Audiodeskriptionen, Voice-Over und Untertitelung für Hörgeschädigte berücksichtigt werden. Einen systematischen und umfassenden Überblick liefert auch das Lehr- und Arbeitsbuch von Jüngst (2010), in dem auch ganz praktische Vorschläge zur Erstellung von Unterrichtsmaterialien und Übungseinheiten zu finden sind.

Die Kompetenzen, die im Zuge der Ausbildung vermittelt werden sollten, umfassen ein sehr breites Spektrum: Mediale, modale, transferbezogene technische und berufsspezifische Aspekte. Zu den medialen Aspekten gehören Kenntnisse über das Wesen der Filmsprache, Funktionen von Dialogen, filmspezifische Gestaltungsmittel etc. In engem Zusammenhang damit stehen die modalen Kompetenzen. Diese umfassen die verschiedenen sprachlichen Aspekte wie Umgang mit verschiedenen Sprecherstilen, Sprachregistern, Dialekten, Humor, Kulturspezifika etc., sowie die visuellen und akustischen Dimensionen, die in ihrer Rolle für die Bedeutungskonstitution und ihrer Beziehung zur sprachlichen Ebene analysiert werden müssen. Die Transferkompetenzen umfassen die verschiedenen modalen und medialen Übersetzungsstrategien, wie z. B. Synchronität hergestellt, visuelle Information sprachlich aufbereitet oder gesprochene ausgangssprachliche Information in geschriebene zielsprachliche Information umgewandelt werden kann. Die Vermittlung der verschiedenen Kompetenzen ist wiederum sehr stark geprägt durch die technischen Mittel, die für die Erstellung von Untertiteln und auch Synchronfassungen nötig sind. Der Umgang und der Einsatz von Untertitelungs- und Synchronisationssoftware ist daher integraler Bestandteil des Unterrichts. Durch die Digitalisierung entstanden gerade in diesem Bereich auch für die Ausbildung Möglichkeiten, kostengünstig entsprechende Programme zu erwerben (vgl. Díaz Cintas 2008 b:4 ff.). Und schließlich stellen die berufsspezifischen Bedingungen, unter denen ÜbersetzerInnen in der Filmbranche arbeiten, eine letzte wichtige Komponente in der Ausbildung dar. Gerade die Arbeitsteilung und damit das Teamwork, das viele Übersetzungsformen in diesem Bereich prägt, stellen eine spezifische Herausforderung dar, die in entsprechenden Konstellationen auch im Unterricht simuliert werden sollte.

Spektrum der Kompetenzen

Literatur

Benecke, Bernd. 2004. Audio-description. *Meta* 49:1, 78–80.

Benecke, Bernd. 2014. *Audiodeskription als partielle Translation. Modell und Methode.* Münster etc.: LIT Verlag.

Chaume, Frederic. 2008. Teaching synchronization in a dubbing course: some didactic proposals. In: Díaz-Cintas, J. (ed.), 129–140.

Chaume, Frederic. 2012. *Audiovisual Translation: Dubbing*. Manchester: St. Jerome.

Delabastita, Dirk. 1989. Translation and mass-communication: Film and T. V. translation as evidence of cultural dynamics. *Babel* 35, 193–218.

Díaz Cintas, Jorge/Remael, Aline. 2007. *Audiovisual Translation: Subtitling*. Manchester: St. Jerome.

Díaz Cintas, Jorge (ed.) 2008 a. *The Didactics of Audiovisual Translation*. Amsterdam: Philadelphia: John Benjamins.

Díaz Cintas, Jorge. 2008 b. Introduction: The didactics of audiovisual translation. In: Díaz Cintas, J. (ed.), 1–18.

Díaz Cintas, Jorge/Orero, Pilar. 2005. Voice-over. In: Brown, K. (ed.) *Encyclopedia of Language and Linguistics*. 2nd ed. Oxford: Elsevier, 477–480.

Gambier, Yves. 2006. Multimodality and Audiovisual Translation. In: Carroll, M./Gerzymisch-Arbogast, H./Nauert, S. (eds.) *Audiovisual Translation Scenarios. Proceedings of the second MuTraConference in Copenhagen 1–5 May, 2006*. Abrufbar unter: http://www.euroconferences.info/proceedings/2006_Proceedings/2006_Gambier_Yves.pdf (Stand: 27/01/2016).

Gottlieb, Henrik. 2005. Multidimensional Translation: Semantics turned Semiotics. In: Gerzymisch-Arbogast, H./ Nauert, S. (eds.) *Challenges of Multidimensional Translation. Proceedings of the first MuTraConference in Saarbrücken, 2–6 May*. Abrufbar unter: http://www.euroconferences.info/proceedings/2005_Proceedings/2005_Gottlieb_Henrik.pdf (Stand: 27/01/2016).

Herbst, Thomas. 1994. *Linguistische Aspekte der Synchronisation von Fernsehserien: Phonetik, Textlinguistik, Übersetzungstheorie*. Tübingen: Niemeyer.

Herman, Jan et al. 2004. Interférences musico-textuelles dans la rétraduction de Pierrot Lunaire d'Arnold Schoenberg. In: Marschall, G. (ed.) *La traduction des livrets: aspects théoriques, historiques et pragmatiques*. Paris: Presses de l'Université Paris-Sorbonne, 559–80.

Holz-Mänttäri, Justa. 1984. *Translatorisches Handeln. Theorie und Methode*. Helsinki: Suomalainen Tiedeakatemia.

Holz-Mänttäri, Justa. 1993. Textdesign – verantwortlich und gehirngerecht. In: Holz-Mänttäri J./Nord, C. (Hg.) *Traducere Navem: Festschrift für Katharina Reiß zum 70. Geburtstag*. Tampere: Tampereen Yliopisto, 301–20.

Ivarsson, Jan/Carroll, Mary. 1998. *Subtitling*. Simrishanm: TransEdit

Jakobson, Roman. 1959. On Linguistic Aspects of Translation. In: Brower, R. A. (ed.) *On Translation*. Cambridge, MA: Harvard University Press, 232–39.

Jüngst. Heike. 2010. *Audiovisuelles Übersetzen. Ein Lehr- und Arbeitsbuch.* Tübingen: Narr.

Kaindl, Klaus. 2004. *Übersetzungswissenschaft im interdisziplinären Dialog. Am Beispiel der Comicübersetzung.* Tübingen: Stauffenburg.

Kaindl, Klaus. 2010. Übersetzung ohne Sprache – Übersetzung ohne Text? Entwicklungen des Objektbereichs, in: Grbić, N./Hebenstreit, G./Vorderobermeier G./Wolf, M. (eds.) *Translationskultur revisited. Festschrift für Erich Prunč.* Tübingen: Stauffenburg, 98–112.

Kress Gunther/van Leeuwen, Theo. 2001. *Multimodal Discourse. The modes and media of contemporary communication.* London: Hodder Arnold.

Mitchell, William J. T. 1992. The Pictorial Turn. *Artforum* 30:3, 89–94.

Mitchell, William J. T. 2008. *Bildtheorie.* Hg. mit einem Nachwort von Gustav Frank, übersetzt von Heinz Jatho. Frankfurt a. M.: Suhrkamp.

Neves, Josélia. 2005. *Audiovisual Translation: Subtitling for the Deaf and Hard-of-Hearing.* University of Surrey: PhD Dissertation. Abrufbar unter: http://roehampton.openrepository.com/roehampton/bitstream/ 10142/12580/1/neves%20audiovisual.pdf (Stand: 27/01/2016).

Prunč, Erich. 2004. Zum Objektbereich der Translationswissenschaft. In: Müller, I. (Hg.) *Und sie bewegt sich doch …: Translationswissenschaft in Ost und West. Festschrift für Heidemarie Salevsky zum 60. Geburtstag.* Frankfurt a. M.: Lang, 263–85.

Pym, Anthony. 2002. Training language service providers: local knowledge in institutional contexts. In: Haller, J./Maia, B./Ulrych, M. (eds.) *Training the Language Serivces Provider for the New Millenium.* Porto: Universidade de Porto, 21–30.

Rabadán, Rosa. 1991. *Equivalencia y traducción.* León: Universidad de León.

Reiß, Katharina. 1969/1981. Textbestimmung und Übersetzungsmethode. Entwurf einer Texttypologie. In Wilss, W. (Hg.) *Übersetzungswissenschaft.* Darmstadt: Wissenschaftliche Buchgesellschaft, 76–91.

Reiß, Katharina. 1971. *möglichkeiten und grenzen der übersetzungskritik. Kategorien und kriterien für eine sachgerechte beurteilung von übersetzungen.* München: Hueber.

Reiß, Katharin/Vermeer, Hans.J. 1984. *Grundlegung einer allgemeinen Translationstheorie.* Tübingen: Niemeyer.

Stöckl, Hartmut. 2004. In between modes: Language and image in printed media. In: Ventola, E./Charles, C./Kaltenbacher, M. (eds.) *Perspectives on Multimodality.* Amsterdam/Philadelphia: John Benjamins, 9–30.

Taylor, Christopher. 2004. Multimodal Text Analysis and Subtitling. In: Ventola, E./Charles, C./Kaltenbacher, M. (eds.) *Perspectives on Multimodality,* Amsterdam/Philadelphia: John Benjamins, 152–72.

Toury, Gideon. 1994. A Cultural-Semiotic Perspective. In: Sebeok, T. A. (ed.) *Encyclopedic Dictionary of Semiotics. Vol. 2 N-Z.* Berlin/New York: Mouton de Gruyter, 1111–24.

Zabalbeascoa, Patrick. 2008. The nature of the audiovisual text and its parameters. In: Díaz Cintas, J. (ed.), 21–37.

Zagar Galvão, Elena/Galhano Rodrigues, Isabel. 2010. The importance of listening with one's eyes: a case study of multimodality in simultaneous interpreting. In: Díaz Cintas, J./Matamala, A./Neves, J. (eds.) *New Insights into Audiovisual Translation and Media Accessibility*. Amsterdam: Rodopi, 241–253.

5   Literaturübersetzen

Waltraud Kolb

Die über Jahrhunderte überlieferten Reflexionen und Gedanken von
ÜbersetzerInnen, auf die wir uns heute noch berufen, seien es Cicero,
Hieronymus, Luther, Schleiermacher oder Walter Benjamin, stammen aus dem Umfeld der Literatur- und Bibelübersetzung. Als sich
die Translationswissenschaft in den 1970er und 1980er Jahren zur
eigenständigen Disziplin entwickelte, stand die Literaturübersetzung
mit im Zentrum der wissenschaftlichen Auseinandersetzung und
viele Impulse, die für das gesamte Fach richtungsweisend wurden,
kamen von ForscherInnen mit literaturwissenschaftlichem Hintergrund, allen voran Itamar Even-Zohar (1978), Gideon Toury (1980),
James Holmes, José Lambert und Raymond van den Broeck (1978),
Theo Hermans (1985), André Lefevere (1992), Maria Tymoczko
(1985) und Susan Bassnett (1980). Mit Phänomenen der Literaturübersetzung beschäftigen sich aber auch eine Reihe anderer Disziplinen, von der Literaturwissenschaft über die Linguistik und die
Philosophie bis zur Kulturwissenschaft. Dekonstruktivistische Ansätze (vgl. Davis 2001) sind ebenso präsent wie Untersuchungen aus
feministischer (vgl. Flotow 1997), postkolonialistischer (vgl. Robinson 1997) oder soziologischer (vgl. Bachleitner/Wolf 2010) Perspektive und die interdisziplinäre Natur jeder Auseinandersetzung mit
Übersetzungsfragen wird im Bereich der Literatur besonders deutlich
(vgl. Snell-Hornby 1988). Außerhalb von Fachkreisen wird man auf
die Bedeutung literarischer Übersetzungen oft erst nach der Verleihung des Literaturnobelpreises aufmerksam oder anlässlich der
großen Buchmessen in Frankfurt und Leipzig. Immerhin sind die
Werke der bisherigen NobelpreisträgerInnen (die Auszeichnung wird
seit 1901 verliehen) in ursprünglich 23 Sprachen erschienen und erst
die Übersetzung ermöglichte es den AutorInnen, das internationale
Parkett zu betreten.

Vor welchen Herausforderungen stehen ÜbersetzerInnen von
Literatur? Wie können die geforderten Kompetenzen und Fertigkeiten entwickelt werden? Was zeichnet literarische Texte im Gegensatz zu nicht-literarischen Texten aus? Bevor wir uns diesen Fragen
zuwenden, geht es zunächst darum, die Berufsgruppe der LiteraturübersetzerInnen näher zu betrachten.

Die literarische Übersetzung: Handwerk, Nachschöpfung, Kunst

„Ich bin kein Sprachhandwerker, kein Interpret, kein Mittler, ich bin
ein Schöpfer. Ich erwecke Yang in Deutschland zum Leben. Ohne
mich wäre er hier tot", sagt Wolfgang Kubin, der deutsche Übersetzer
des chinesischen Lyrikers Yang Lian (zit. in Runkel 1997:18). Kubin
betrachtet das Übersetzen von Literatur, so kann man dem Zitat
entnehmen, als kreativen und wohl auch als künstlerischen Akt. Ganz
ähnlich spricht Christa Schuenke, Übersetzerin von Shakespeare,
Melville oder auch John Banville, von der „Übersetzungskunst"
(Schuenke 2007:55). Elisabeth Edl, Übersetzerin von u. a. Flaubert
und Jules Verne, versteht ihre Arbeit als „solides Handwerk", zu dem
sich etwas geselle, „das sich am ehesten als Sprachkunst definieren
ließe" (zit. in Paterno 2013:91).

Literatur-
übersetzen als
interpretierende
Kunst

Yang Lian vergleicht seinen Übersetzer mit einem Solisten eines
Orchesters, der einem Musikstück durch seine Interpretation eine
neue Bedeutung verleiht (vgl. Runkel 1997:18). Mit dieser Sicht ist er
nicht alleine. Die Literaturübersetzung wird gerne mit der Aufführung
von Theaterstücken oder der Interpretation von Musik verglichen. In
der Einführung zu dem Band *In Ketten tanzen. Übersetzen als
interpretierende Kunst*, in dem LiteraturübersetzerInnen, Muske-
rInnen und SchauspielerInnen Gemeinsamkeiten ihrer Tätigkeitsfelder diskutieren, heißt es: „Alle sind sie Virtuosen, die sich ihr
Handwerk unter Mühen angeeignet haben. [...] Das Wesentliche
dieser nachschöpferischen Prozesse ist ihre dialogische Disposition:
Im Hören, Verstehen und Antworten liegt die spezifische ästhetische
Erfahrung der interpretierenden Künstler." (Leupold/Raabe 2008:7,
15) Handwerk, (Nach-)Schöpfung, (Sprach-)Kunst – das sind die
Begriffe, mit denen LiteraturübersetzerInnen ihr Arbeitsfeld beschreiben. Welcher dieser Pole in ihrem Selbstverständnis dominiert, ob sie

sich stärker als KünstlerInnen oder als HandwerkerInnen verstehen, ist dabei ganz unterschiedlich.

Kubin ist selbst auch Lyriker, außerdem emeritierter Professor für Sinologie an der Universität Bonn. Elisabeth Edl ist ausgebildete Germanistin und Romanistin, Christa Schuenke hat in Leipzig ein Dolmetschstudium absolviert, beide können als hauptberufliche Übersetzerinnen auf ein umfangreiches Oeuvre verweisen. Die als Übersetzerin und Chefredakteurin der *Micky-Maus*-Hefte im deutschen Sprachraum berühmt gewordene Erika Fuchs hatte Kunstgeschichte studiert. Für Denys Johnson-Davis (2006), den renommierten britischen Übersetzer moderner arabischer Literatur, bedeuteten seine Kindheitsjahre im Sudan und in Ägypten den ersten Kontakt mit der arabischen Sprache und Kultur; in seinen Memoiren hat er seinen Weg als Übersetzer aufgezeichnet. Die Lebensgeschichten und Karriereverläufe von LiteraturübersetzerInnen, das sollten diese Beispiele verdeutlichen, sind höchst unterschiedlich. Für einige ist die Literaturübersetzung die primäre Einkommensquelle, für andere nur ein Nebenerwerb (die soziale und ökonomische Lage der Berufsgruppe hat auf europäischer Ebene z. B. der europäische Dachverband CEATL untersucht (Fock et al. 2008), für Deutschland der Verband VdÜ (Fock/Schickenberg 2012)), einige haben ein translatorisches Studium absolviert, andere sind QuereinsteigerInnen oder selbst AutorInnen.

Das komplexe Verhältnis zwischen Übersetzung und Original wird auf formaler Ebene im Urheberrecht abgebildet. Das Urheberrecht schreibt einerseits den schöpferischen Charakter der literarischen Übersetzung fest, andererseits aber auch deren Rückbindung an das Original: ÜbersetzerInnen literarischer Werke sind urheberrechtlich AutorInnen insofern gleichgestellt, als Übersetzungen genauso gegen unzulässige Verwertung geschützt sind wie Originalwerke, gleichzeitig sind Übersetzungen aber unauflöslich mit dem Original verbunden, indem sie nicht ohne Zustimmung der OriginalautorInnen publiziert werden dürfen. In den seltensten Fällen findet sich auf dem Buchcover der Name des Übersetzers oder der Übersetzerin, Übersetzungen erscheinen auch in der Zielsprache stets unter dem Namen der OriginalautorInnen und werden auch in der Zielkultur als Werk dieser AutorInnen rezipiert – wie Hermans (2007:86) es treffend formuliert: „A writer can point to a translation and say ‚*hoc est opus meum*‘.“

Übersetzung und Urheberrecht

Das deutsche Urheberrechtsgesetz legt in § 3 fest: „Übersetzungen und andere Bearbeitungen eines Werkes, die persönliche geistige Schöpfungen des Bearbeiters sind, werden unbeschadet des Urheberrechts am bearbeiteten Werk wie selbständige Werke geschützt." (Ähnlich lautende Passagen finden sich auch im österreichischen Urheberrecht ebenfalls unter dem Titel „Bearbeitungen" in § 5 und unter dem Titel „Werke zweiter Hand" im Art. 3 des Schweizer Urheberrechts.) Damit ein Werk als *persönliche geistige Schöpfung* eingestuft wird, muss in ihm eine eigenständige geistige Leistung erkennbar sein, eine individuelle Gestaltung, in der sich die Persönlichkeit des Werkschöpfers oder der Schöpferin niederschlägt (vgl. Sandberger 2013:79). Entsprechend ist auch jede Übersetzung ein Werk, das untrennbar mit der Persönlichkeit des Übersetzers oder der Übersetzerin verbunden ist. Keine Übersetzung gleicht der anderen, jede trägt in bestimmter Weise den Stempel ihres Urhebers bzw. ihrer Urheberin.

Worüber damit jedoch nichts ausgesagt wird, ist der künstlerische Charakter der Übersetzung. Urheberrechtsschutz genießen auch Sachbücher oder wissenschaftliche Texte wie etwa der vorliegende Beitrag, da das Urheberrecht keine Unterscheidung zwischen künstlerischen und nicht-künstlerischen Texten trifft. Eine solche Unterscheidung wird z. B. durch die österreichische Sozialversicherungsgesetzgebung getroffen, die literarische ÜbersetzerInnen als KünstlerInnen einstuft. Das entsprechende Gesetz legt in § 2 fest:

> Künstlerin/Künstler im Sinne dieses Bundesgesetzes ist, wer in den Bereichen der bildenden Kunst, der darstellenden Kunst, der Musik, der Literatur, der Filmkunst oder in einer der zeitgenössischen Ausformungen der Bereiche der Kunst auf Grund ihrer/seiner künstlerischen Befähigung *im Rahmen einer künstlerischen Tätigkeit Werke der Kunst* schafft (Künstler-Sozialversicherungsfondsgesetz, meine Hervorhebung).

Das deutsche Künstlersozialversicherungsgesetz unterscheidet in § 2 zwischen KünstlerInnen und PublizistInnen: „Künstler im Sinne dieses Gesetzes ist, wer Musik, darstellende oder bildende Kunst schafft, ausübt oder lehrt. Publizist im Sinne dieses Gesetzes ist, wer als Schriftsteller, Journalist oder in ähnlicher Weise publizistisch tätig ist oder Publizistik lehrt."

Literarische und nicht-literarische Texte

Was sind nun also diese *Werke der Kunst*, in unserem Kontext *Werke der Literatur*? Wann gilt ein Text als *literarischer* und damit künstlerischer Text? Das *Metzler Literaturlexikon* (1990[2]) bietet folgende Definition von Literatur an:

a) „im umfassendsten Sinne jede Form schriftlicher Aufzeichnungen“;
b) „häufig v.a. für geistesgeschichtlich bedeutsame oder stilistisch hochstehende fiktionale und nicht-fiktionale Schriftwerke, oft auch speziell nur für Sprachkunstwerke [...] gebraucht“.

Während die erste Definition für unseren Kontext zu breit gefasst ist (juristische Texte würden wir nicht der Literatur zurechnen, es sei denn, sie sind z.B. Teil eines Romans wie William Gaddis' *A Frolic of his own*), entspricht die zweite eher dem, was wir im allgemeinen Sprachgebrauch unter Literatur verstehen. Über einen einheitlichen Literaturbegriff in diesem engeren Sinne ist man sich in der Literaturwissenschaft allerdings uneins. So wird das Literarische oft gar nicht als textimmanente Kategorie gesehen, sondern es wird die jeweilige Funktion oder Rezeption als ausschlaggebend dafür betrachtet, ob ein Text als literarisch einzustufen ist (vgl. Eagleton 2008[2]:8). In diesem Sinne wird dann das Literarische nicht als Eigenschaft oder Bündel von Eigenschaften eines Textes aufgefasst, sondern als „Einstellung des Lesers gegenüber dem Text“ bzw. als „Resultat einer Lesestrategie“ (Arrojo 1997:38).

Ein Text ist dieser Auffassung nach ein literarischer, wenn wir ihn als solchen lesen – weil er als solcher vermarktet wird, weil wir auf Grund des Autorennamens einen solchen erwarten etc. Arrojo zeigt das anschaulich am Beispiel des Gedichts *This Is Just To Say* von William Carlos Williams aus dem Jahr 1934, das sich anstatt als Gedicht beispielsweise auch als alltägliche Nachricht auf dem Küchentisch lesen lässt: „This is just to say / I have eaten / the plums / that were in / the icebox // and which / you were probably / saving / for breakfast // Forgive me / they were delicious / so sweet / and so cold" (Williams 1986:372; vgl. Arrojo 1997:39 f.). Eine Übersetzung würde je nach Lesart unterschiedlich ausfallen, die folgende von Rainer Maria Gerhardt lässt eine literarische Lektüre vermuten: „Ich habe / die Pflaumen / gegessen die / im Eisschrank waren // und

Was ist ein literarischer Text?

die du vermutlich / zum Frühstück / aufgehoben hattest // Verzeih'
mir / sie mundeten köstlich / so süß / und so kalt" (Williams 2013).
Beide Lesarten offen lässt die Fassung von Hans Magnus Enzensberger: „Ich habe die Pflaumen / gegessen / die im Eisschrank / waren
// du wolltest / sie sicher / fürs Frühstück / aufheben // Verzeih mir /
sie waren herrlich / so süß / und so kalt" (Williams 19954:87).

Wenn es nicht um eine allgemeingültige Definition geht, sondern
darum, zu einer pragmatischen Abgrenzung zu kommen, lassen sich
dennoch einige Merkmale literarischer Texte nennen, nämlich in
erster Linie ihr fiktionaler und nicht-pragmatischer Charakter sowie
der Einsatz literarischer Verfahrensweisen (vgl. Rühling 1997[2]; Wiemann 1997[2]:13–23). Dabei sind diese Merkmale nicht als absolut
anzusehen und müssen auch nicht gemeinsam auftreten; Tagebuch-
aufzeichnungen, Memoiren, Essays betrachten wir als Literatur,
obwohl sie nicht fiktional sind, ebenso gibt es Beispiele für literarische
Texte mit durchaus pragmatischem Charakter (wie etwa einige
Gedichte von Bertolt Brecht, vgl. Wiemann 1997[2]:16).

Unter literarischen Verfahrensweisen ist eine Sprachverwendung
zu verstehen, die von jener in nicht-literarischen Texten abweicht und
oft auch unter dem Begriff der Poetizität oder Literarizität gefasst wird
(vgl. Hawthorn 1994:185 f.; Rühling 1997[2]; dass auch dieses Kriterium
nicht absolut zu setzen ist, hat das eben zitierte Gedicht von Williams
gezeigt).

Dabei gehen wir in der Regel davon aus, dass eine Übersetzung
eines literarischen Textes ein ähnliches Maß an Literarizität aufweist
wie das Original, sofern sie in der Zielkultur als Literatur fungiert bzw.
fungieren soll. In einer amerikanischen Übersetzung von Gottfried
Kellers Novelle *Romeo und Julia auf dem Dorfe* lesen wir beispielsweise an einer Schlüsselstelle über das Liebespaar: „Sali's love was no
less deep than Vrony's, yet hitherto he had not felt as intensely as she
that marriage was the only possible alternative to their parting. To the
girl, absorbed in her passion, there seemed no choice between that
and death" (Keller 1914:150; die Novelle stammt von 1856). Der New
Yorker Verlag Scribner, der die Übersetzung herausbrachte, hielt den
zunächst von der Übersetzerin Anna Bahlmann abgelieferten Text für
zu wenig literarisch, „for its effect is undeniably one of stiffness and
literalness in a good many places" (vgl. Kolb 1992:124). Er bat daher
die Autorin Edith Wharton, deren Romane er erfolgreich verlegte und
von der ein entsprechend höheres Maß an Literarizität zu erwarten

war, die Übersetzung zu überarbeiten. Zum Vergleich Kellers Original:

> Sali liebte gewiss ebenso stark als Vrenchen, aber die Heiratsfrage war in ihm doch nicht so leidenschaftlich lebendig als ein bestimmtes Entweder-Oder, als ein unmittelbares Sein oder Nichtsein, wie in Vrenchen, welches nur das eine zu fühlen fähig war und mit leidenschaftlicher Entschiedenheit unmittelbar Tod oder Leben darin sah. (Keller 1927:147)

Der tschechische Übersetzungswissenschaftler Jiří Levý (1969), dessen Klassiker zur Literaturübersetzung auch aus heutiger Sicht noch in vielen Punkten aktuell ist, unterscheidet zwischen einem „übersetzerischen" und einem „künstlerischen" (wir könnten auch sagen „literarischen" oder „poetischen") Stil und hätte die zitierte Übersetzung trotz Überarbeitung wohl der ersten Kategorie zugeordnet. Was seiner Auffassung nach zu einem solchen „übersetzerischen" Stil beiträgt bzw. der Literarizität entgegenwirkt, sind Phänomene wie lexikalische Verarmung („intensely" vs. „leidenschaftlich lebendig") oder die Intellektualisierung des Gesagten („marriage was the only possible alternative to their parting"; vgl. Levý 1969:109 f., 117; später ähnlich auch Berman 1999). Entsprechend könnte man diese Keller-Übersetzung zwar als *Literaturübersetzung* bezeichnen, im Sinne einer Übersetzung *von Literatur* (eines Textes, der in der Ausgangskultur der Literatur zugerechnet wird), nicht unbedingt aber als *literarische Übersetzung*, im Sinne einer Übersetzung, die als Zieltext selbst literarische Eigenschaften aufweist (vgl. Correia 1989; Toury 1995:166–180; Boase-Beier 2011:43). Im allgemeinen Sprachgebrauch und auch in diesem Beitrag werden die beiden Begriffe allerdings gleichbedeutend verwendet im Sinne einer *literarischen Übersetzung von Literatur*.

Übersetzung von Literatur vs. literarische Übersetzung

Herausforderungen für LiteraturübersetzerInnen

Eine große Herausforderung, die literarische Texte an ÜbersetzerInnen stellen, ist der Einsatz literarischer Verfahrensweisen. Zu literarischen Verfahrensweisen werden in erster Linie die Verwendung rhetorischer Mittel wie Klangfiguren, Wortfiguren oder Tropen gerechnet sowie Phänomene wie Verfremdung, Autofunktionalität,

Literarische Verfahrensweisen

Symbolik und die Offenheit bzw. Polysemie von Texten (vgl. Hawthorn 1994:10 f., 341 ff.; Weimann 1997:24–28; Klausnitzer 2004:26–34). Dabei bezeichnet Verfremdung, ein Begriff, den Jürgen Link in Anlehnung an den russischen Formalismus eingeführt hat, die von einer „automatisierten Folie" abweichende Sprachverwendung, die wir als „Novum" bzw. Differenz wahrnehmen, sei es in Bezug auf die alltägliche Sprachverwendung oder auch in Bezug auf eine literarische Norm (vgl. Link 1974:98; Weimann 1997:25). Das können z. B. ungewöhnliche Kollokationen sein, wie der Ausdruck „stundenlanger Eichenwald" in der genannten Novelle von Gottfried Keller (1927:160). Bahlmann griff in ihrer Übersetzung mit „a great oak-wood" (Keller 1914:115; vgl. Kolb 1992:212) zu einer vertrauten, nicht verfremdeten Struktur. Verfremdungen spiegeln auch die Autofunktionalität eines Textes wider, womit nach Roman Jakobson (1974) die Dominanz des formalen Aspekts eines Textes über den inhaltlichen gemeint ist. In der Hinsicht unterscheiden sich literarische Texte wesentlich von Fachtexten. Wir finden literarische Mittel wie Symbole oder Metaphern, Alliterationen, Reime oder Wortspiele zwar punktuell auch in nicht-literarischen Texten, jedoch nicht in derselben dominanten Funktion.

Offenheit, Vagheit, Polysemie   Ein weiteres wesentliches Merkmal literarischer Texte gerade in Hinblick auf die Übersetzung ist ihre grundsätzliche Offenheit und Polysemie. Sie enthalten Ungesagtes, Mehrdeutiges, sogenannte Leerstellen oder Unbestimmtheitsstellen, die LeserInnen bei der Lektüre selbst ausfüllen müssen, um zu einer sinnvollen Interpretation des Textes zu gelangen – auch dies wieder im Gegensatz zu Fachtexten, die in erster Linie nach Eindeutigkeit streben. Nach Wolfgang Iser, der den Begriff der Leerstellen hier eingeführt hat, „stimulieren" diese die LeserInnen „zu einer projektiven Besetzung des Ausgesparten" (1984[2]:265). Umberto Eco drückt aus Sicht des Autors denselben Gedanken so aus: „Wenn ich einen Roman geschrieben habe, war es meine Aufgabe, Unbestimmtheiten zu inszenieren." (Eco 1989:39) ÜbersetzerInnen sind zunächst LeserInnen des Originals und damit aktiv an seiner Bedeutungskonstitution beteiligt. In ihrer Eigenschaft als TextproduzentInnen liegt es dann in ihrer Hand, den Zieltext ähnlich offen zu gestalten, indem sie ebenfalls Mehrdeutigkeiten und Unbestimmtheiten inszenieren. So übernimmt etwa Michael Hulse in seiner englischen Übersetzung von Elfriede Jelineks Roman *Lust* (1993) die Strategie der Autorin, gezielt mit dem Klang und der

Polysemie von Wörtern zu spielen, und erzielt durch diese Neu-
inszenierung von Unbestimmtheiten und Mehrdeutigkeiten eine
ähnlich intensive und verstörende Wirkung wie das Original.

In vielen Fällen erlaubt eine Sprache nicht die Beibehaltung
solcher Leerstellen oder Mehrdeutigkeit. In englischen Texten
kann beispielsweise das Geschlecht von ProtagonistInnen unbe-
stimmt bleiben – im Deutschen erweist sich das in den allermeisten
Fällen als unmöglich. Ebenso muss das englische *you* in deutschen
Dialogen normalerweise als *du* oder *Sie* konkretisiert werden. Wenn
in der schon genannten Übersetzung von Kellers *Romeo und Julia auf
dem Dorfe* die Passage „Und du mir auch', sagte sie" (Keller 1927:133)
in der englischen Fassung mit „And you in mine', she whispered
back" (Keller 1914:71) wiedergegeben wird, ist das allerdings keine
durch die Zielsprache bedingte Konkretisierung. Der Zieltext büßt an
dieser Stelle seine „stilistisch wirksame Spannung zwischen dem
Gedanken und seiner Äußerung" (Levý 1969:117) ein. Für die Ziel-
textleserInnen besteht keine Notwendigkeit, ja keine Möglichkeit
mehr, eine alternative Szene zu entwickeln, in der nicht geflüstert
wird. Während diese Strategie der Explikation in der Fachübersetzung sehr wohl zielführend sein kann, indem sie Klarheit und
Eindeutigkeit erhöht, wirkt sie im Fall literarischer Texte der eigentlich angestrebten Literarizität oft entgegen. Dennoch ist sie auch im
Bereich der Literatur weit verbreitet, als manifeste Folge des produktiven Leseakts von ÜbersetzerInnen (vgl. Blum-Kulka 1986;
Klaudy 1998).

Der Einsatz literarischer Verfahren in der Literatur lässt sich auch
ganz allgemein als Stil eines Autors oder einer Autorin beschreiben.
Leech/Short heben besonders den Aspekt der Entscheidung hervor,
die Wahl zwischen mehreren Alternativen: „style consists in the
choices made from the repertoire of a language" (Leech/Short
2007[2]:31; Hervorhebung im Original; vgl. Wilpert 1979[6]:787). Wie
AutorInnen treffen auch ÜbersetzerInnen stets Entscheidungen, sei
es auf lexikalischer, syntaktischer, pragmatischer Ebene etc. Fast jedes
Wort kann auf mehr als eine Art und Weise übersetzt (oder auch gar
nicht übersetzt) werden. Für das allgemeine Lesepublikum wird dies
meist erst sichtbar, wenn es zu Neuübersetzungen kommt oder
gleichzeitig mehrere konkurrierende Übersetzungen auf dem Markt
sind. ÜbersetzerInnen Hemingways müssen sich z. B. entscheiden, ob
sie die dreimalige Wiederholung des Ausdrucks „good-bye" innerhalb

Leerstellen, Unbe-
stimmtheitsstellen

Stil

von zwei Sätzen in einer seiner Kurzgeschichten übernehmen wollen oder nicht. Möglicherweise widerspricht es ihrem eigenen Stilempfinden und sie entscheiden sich für die Variation (vgl. Kolb 2011 a). Dabei scheint die Vermeidung von Wiederholungen eine ähnlich verbreitete Tendenz zu sein wie die Explikation, wenn auch aus anderen Gründen (in diesem Fall v. a. geltenden Normen, was in unserer Kultur als „guter Stil" angesehen wird, vgl. Ben-Ari 1998). Milan Kundera (2005[5]) hat dies sehr anschaulich anhand mehrerer französischer Übersetzungen von Kafkas *Schloss* gezeigt.

Die zweite Stimme   Durch ihre Entscheidungen geben ÜbersetzerInnen dem Original die jeweilige Gestalt in der Zielsprache, die Worte in der Zielsprache sind die ihren, nicht mehr die des Autors oder der Autorin. In jeder literarischen Übersetzung nehmen wir daher auch nicht nur die Stimme des Autors oder der Autorin wahr, sondern zugleich auch stets die der Übersetzerin oder des Übersetzers. Wie Hermans es ausdrückt: „the translated narrative discourse always contains a ‚second' voice [...] as an index of the Translator's discursive presence" (2009:286). Hermans betrachtet sogar einen vollständigen Gleichklang der Stimmen als unerreichbares Ziel ob des hybriden Charakters jeder Übersetzung (vgl. Hermans 2007:26; 2009:288). Diese hybride Identität der Übersetzung als Repräsentation des Originals und zugleich neuer, an ein anderes Publikum gerichteter Text kann in vielerlei Weise im Text manifest werden, wie z. B. durch eine Erzählerin mit gewissermaßen doppelter Identität: In einer Kurzgeschichte der Amerikanerin Mary Morris beispielsweise spricht die Ich-Erzählerin vom „Revolutionary War" (Morris 1992:114). Die naheliegende Übersetzung als „Amerikanischer Unabhängigkeitskrieg" würde die Ich-Erzählerin mit einer doppelten, gleichsam schizophrenen Identität ausstatten: indem sie mit der Explikation „amerikanisch" ihre amerikanische Identität vorübergehend zugunsten einer Außenperspektive aufgibt.

Die Entwicklung von Kompetenzen

Die oben genannten Beispiele geben bereits Hinweise auf die vielfältigen Fertigkeiten und Kompetenzen, die von LiteraturübersetzerInnen gefordert sind und die es in Ausbildungsprogrammen zu entwickeln gilt.

Im Folgenden wird das von der Forschungsgruppe PACTE konzipierte Modell translatorischer Kompetenzen als Rahmen herangezogen, da es breit rezipiert ist und allgemein genug, um auch Spezifika der Literaturübersetzung herausarbeiten zu können. Wie in den meisten in den letzten Jahren entwickelten Kompetenzmodellen wird auch hier die Translationskompetenz im Sinne einer umfassenden Handlungskompetenz definiert als „ein für die Übersetzung notwendiges, primär operatives, aber auch deklaratives Expertenwissen" (PACTE 2007:331), in mehrere Teilbereiche oder sog. Subkompetenzen unterteilt:

a) zweisprachige Kompetenz,
b) außersprachliche Kompetenz,
c) Übersetzungskonzeption und berufsfeldbezogenes Wissen,
d) instrumentelle Kompetenz sowie
e) strategische Kompetenz.

Dazu kommen in diesem Modell außerdem noch

f) psychophysiologische Komponenten (vgl. PACTE 2003, 2007:331 f.).

Nach wie vor ist es eine gängige Annahme, dass schriftstellerisches Talent das Um und Auf für LiteraturübersetzerInnen sei, in dem Sinne, dass für das literarische Übersetzen nur dieses vonnöten sei, oder aber umgekehrt, dass ohne dieses Talent Übersetzen von Literatur unmöglich sei. Dass Begabungen und persönliche Neigungen die Entwicklung einzelner Kompetenzen erleichtern oder auch erschweren können, steht außer Frage. Daraus a priori die Unmöglichkeit abzuleiten, sich solche Kompetenzen und Fähigkeiten aneignen zu können, wäre hier jedoch ebenso verfehlt wie im Falle der Musik oder der Schauspielkunst.

Alle ÜbersetzerInnen müssen über hoch entwickelte sprachliche Kompetenzen verfügen, sei es auf pragmatischer, soziolinguistischer, textlinguistischer, grammatikalischer oder lexikalischer Ebene. Für LiteraturübersetzerInnen ist hier v. a. die Entwicklung der muttersprachlichen Kompetenz hervorzuheben.

Es gilt, Sicherheit und Wendigkeit im Umgang mit sprachlichen und stilistischen Mitteln zu entwickeln; von gebundener Sprache über Metaphern oder Wortspiele bis hin zu unterschiedlichen Registern, Jugendsprache oder Archaismen. Nicht zufällig sind im angloamerikanischen Sprachraum Ausbildungsprogramme zur Literaturübersetzung häufig an Creative-Writing-Programme gekoppelt. Im deutschen Sprachraum sind sie gegenwärtig an traditionellen Translationsinstituten angesiedelt, doch lassen sich auch in diesem Rahmen z. B. Übungen zum kreativen Schreiben integrieren, die gezielt auf den Ausbau des muttersprachlichen rhetorischen Repertoires hinarbeiten. Zugleich muss auch die ausgangssprachliche Kompetenz ausreichend ausgebildet werden, um Rhythmus, stilistische Feinheiten, Verfremdungseffekte etc. im Ausgangstext zu erkennen. Die regelmäßige, bewusste und kritische Lektüre unterschiedlicher literarischer Genres in beiden Sprachen spielt für die Entwicklung dieser zweisprachigen Kompetenz eine oft unterschätzte Rolle (vgl. Boase-Beier 2000; Washbourne 2013).

Außersprachliche Kompetenz

Unter diesem Punkt wird insbesondere deklaratives Wissen wie Weltwissen, Kulturwissen und domänenspezifisches Wissen subsumiert. Für den Literaturbereich lassen sich hier im Besonderen noch literaturwissenschaftliche und linguistische Kenntnisse nennen: das Wissen über literarische Genres und Strömungen; literaturtheoretische Konzepte z. B. aus der Rezeptions- und Leseforschung oder für die Prosaübersetzung insbesondere aus der Erzähltheorie; Wissen über literarische Verfahren und Stilistik, etwa die Funktion von Metaphern, Reimen, Alliterationen, Assonanzen, syntaktischer und semantischer Wiederholung, Mehrdeutigkeit oder Ikonizität (vgl. Boase-Beier 2000). Viele dieser Inhalte können unabhängig von bestimmten Sprachenpaaren und auch in Kooperation mit literatur- oder sprachwissenschaftlichen Ausbildungsgängen vermittelt werden.

Instrumentelle Kompetenz

Um sich für die jeweilige Übersetzung notwendiges Faktenwissen anzueignen, bedarf es instrumenteller Kompetenz, die aus „primär operativem Wissen über die Dokumentationsquellen sowie über Informations- und Kommunikationstechnologien" (PACTE 2007:332) besteht. In vielen literarischen Werken kommen Begriffe aus verschiedensten Fachgebieten vor, man denke an die Walfangterminologie in Melvilles *Moby Dick*, juristische Texte im schon genannten Roman von Gaddis, kriminaltechnische oder gerichtsmedizinische Begriffe in fast jedem Thriller. Darüber hinaus zählt aber auch der Einsatz von Kommunikationstechnologie zur Vernetzung im Berufsfeld zur instrumentellen Kompetenz, ebenso wie die Beschaffung von geeigneter Parallel- oder Hintergrundlektüre, etwa anderen Werken eines Autors oder einer Autorin oder von zielsprachlichen Werken, die in Genre, Stil oder in anderer Hinsicht vergleichbar sind und als Inspirationsquelle und Entscheidungshilfe dienen können.

Für LiteraturübersetzerInnen umfasst berufsfeldbezogenes Wissen z. B. die Kenntnis des Urheberrechts oder Vertragsrechts. Es gilt außerdem, sich mit der jeweiligen Verlagslandschaft auseinanderzusetzen, mit den Gepflogenheiten der Verlage, ob es nun praktische Dinge wie Abrechnungsmodalitäten betrifft oder Konventionen auf dem deutschen Buchmarkt, wie z. B. die Vermeidung von Austriazismen. ÜbersetzerInnen agieren in einer bestimmten, wie Prunč es nennt, Translationskultur, jenem Subsystem von Kultur,

Übersetzungskonzeption und berufsfeldbezogenes Wissen

> das sich auf das Handlungsfeld Translation bezieht und das aus einem Set von gesellschaftlich etablierten, gesteuerten und steuerbaren Normen, Konventionen, Erwartungshaltungen und Wertvorstellungen sowie den habitualisierten Verhaltensmustern aller in dieser Kultur aktuell oder potentiell an Translationsprozessen beteiligten Handlungspartner besteht. (Prun 2008:25)

Diese Translationskultur zu kennen ist unerlässlich, selbst wenn man sich einzelnen Normen und Konventionen dann schließlich aus bestimmten Gründen nicht unterordnet.

Unter dem Punkt Übersetzungskonzeption wird außerdem hauptsächlich deklaratives Wissen über Übersetzungsprinzipien, etwa Prozesse, Methoden und Verfahren, eingeordnet. Die Aneignung dieses Wissens kann beispielsweise in Auseinandersetzung mit deskriptiven oder auch prozessorientierten Untersuchungen und Forschungsergebnissen erfolgen bzw. durch eigene Übersetzungsanalysen und -vergleiche. So könnte die Analyse mehrerer Übersetzungen des nigerianischen Autors Chinua Achebe z. B. Aufschluss darüber geben, welche Möglichkeiten sich im Deutschen zur Übersetzung afrikanischer Sprichwörter anbieten. Die Bedeutung derartiger wissenschaftlicher Untersuchungen liegt in erster Linie darin, dass sie aufzeigen, welche Auswirkungen translatorische Entscheidungen in bestimmten Situationen hatten bzw. haben können, wie auch Chesterman schreibt:

> In my view, one of the best contributions translation scholars can make to the work of professional translators is to study and then demonstrate the links between different translation decisions or stra-

tegies and the effects that such decisions or strategies seem to have on clients and readers and cultures, both in the past and in the present, under given conditions. (Chesterman/Wagner 2002:5)

War es bis vor kurzem nur möglich, aus vorliegenden Übersetzungen („after the fact", wie Steiner es formulierte; vgl. 1975:273) auf Strategien und Entscheidungen zu schließen, so gibt es inzwischen die Möglichkeit, unter Einsatz moderner Technologien wie Keylogging-, Screen-Recording- oder Eyetracking-Software, oft in Kombination mit Verbalisierungsprotokollen, den tatsächlichen Übersetzungsprozess aus weniger Distanz zu beobachten. Auch im Bereich der Literaturübersetzung liegen einige Arbeiten vor, die eine erste Annäherung an Verläufe translatorischer Entscheidungsprozesse erlauben und beispielsweise die Wirkung stilistischer Normen wie die Vermeidung von Wiederholungen sichtbar machen (vgl. Audet/ Dancette 2005; Jones 2006; Kolb 2011a, 2013).

Strategische Kompetenz   Um ein Übersetzungsprojekt insgesamt erfolgreich durchführen zu können, bedarf es nicht nur der genannten Sub- oder Einzelkompetenzen, sondern vor allem auch einer zentralen, strategischen Kompetenz, die den gesamten Übersetzungsprozess steuert:

> [die strategische Subkompetenz] übernimmt die Planung des Übersetzungsprozesses, die Entwicklung des Übersetzungsprojekts (Wahl der geeignetsten Methode), die Bewertung von Übersetzungsprozess und Teilergebnissen unter Berücksichtigung des angestrebten Übersetzungsziels, die Aktivierung der unterschiedlichen Subkompetenzen und die Kompensierung möglicher Defizite sowie das Erkennen von Übersetzungsproblemen und die Anwendung der geeigneten Problemlösungsverfahren. (PACTE 2007:332)

Dem ließen sich noch die Lösung von Loyalitätskonflikten und ethische Entscheidungen hinzufügen, die im Extremfall auch auf die Ablehnung eines Auftrags hinauslaufen können (vgl. Pym 2001; Nord 2004; Prunč 2007). Angehende LiteraturübersetzerInnen bei der Entwicklung dieses Kompetenzbereiches zu unterstützen und v. a. auch dabei, sich der eigenen Rolle und Verantwortung bewusst zu werden – „the development of agency in a decision-making process" (Washbourne 2013:51) –, kann als zentrales didaktisches Ziel jeder Ausbildung gelten.

Eine strategische Entscheidung, die den gesamten weiteren Übersetzungsprozess bestimmt, betrifft etwa das Verhältnis, in dem die

Übersetzung zum Original stehen soll, bzw. die Funktion, die die Übersetzung in der Zielkultur erfüllen soll, denn auch literarische Übersetzungen werden in der Regel nicht ohne konkretes Ziel verfasst. Als z. B. der Suhrkamp Verlag 1983 *Things Fall Apart* von Chinua Achebe neu übersetzen ließ, verfolgten die beiden Übersetzerinnen, sicherlich in Absprache mit dem Verlag, ganz offensichtlich das Ziel, Achebe für ein breites deutsches Lesepublikum zugänglich machen. Entsprechend haben sie viele Stellen mit Erklärungen versehen, afrikanische Sprichwörter durch deutsche ersetzt, christliche Konzepte in den Text eingeführt. Die Verleihung des Friedenspreises des Deutschen Buchhandels an den Autor im Jahr 2002 mag für den Erfolg dieser Strategie sprechen. Die erste Übersetzung desselben Romans aus dem Jahr 1959 hatte offensichtlich noch ein anderes Ziel, nämlich die deutschen LeserInnen mit einer neuen und bis dahin fremden Literatur bekannt zu machen, die mit allen fremden Elementen präsentiert wurde. Dass die jüngste Neuübersetzung aus dem Jahr 2012 nun wieder verstärkt auf die Beibehaltung dieser fremden Elemente setzt, verweist auch auf die sich wandelnde Erwartungshaltung des Lesepublikums (vgl. Kolb 2011 b). Die drei Übersetzungen illustrieren aber auch den großen Entscheidungsspielraum für ÜbersetzerInnen – „all translating implies a degree of manipulation of the source text for a certain purpose", wie Hermans (1985:11) es formuliert.

Wenn man Lernen als primär aktiven und situierten Prozess auffasst, wie es auch die neueren, von konstruktivistischen Lerntheorien ausgehenden Ansätze in der Translationsdidaktik tun, so verläuft der Erwerb der strategischen Kompetenz, aber auch der anderen Teilkompetenzen ganz wesentlich über die aktive Teilnahme an realen oder realitätsnah konzipierten Übersetzungsaufgaben oder -projekten. Studierende profitieren von prozessorientierten und kooperativen Settings, wie es etwa workshopartige Formate sind, in denen mehrere Personen in unterschiedlichen Rollen zusammenarbeiten können und unterschiedliche Aufgaben wahrnehmen, von der Recherche über die Übersetzung bis zu Revision und Endlektorat. Damit werden Teamfähigkeit und Kritikfähigkeit gefördert und Entscheidungskriterien können bewusst entwickelt werden (vgl. Kautz 2000; Kiraly 2000; Orbán 2008; Hansen-Schirra 2013; Washbourne 2013). Dabei sind auch Formate denkbar, die nicht sprachenpaarspezifisch ausgerichtet sind, sondern in denen Studierende aus mehreren Ausgangssprachen ins Deutsche bzw. ihre Muttersprache arbeiten. Die gemeinsame Diskussion und Revision der deutschen Zieltexte kann in dieser Konstellation sogar besonders fruchtbar sein.

Psychophysiologi-
sche Komponenten

„Ich bin ein Mann voller Zweifel. Wer mit Sprache arbeitet, ist sich bewusst, dass Sprache an sich kein Ende kennt. Alles kann auf diese oder jene Weise gesagt werden, aber wie ist es richtig?" (Kubin 2009) Mit diesen Zweifeln ist Kubin, der eingangs genannte Übersetzer chinesischer Lyrik, nicht allein, viele ÜbersetzerInnen teilen sie, und die Fähigkeit und Bereitschaft zur Selbstkritik ist ein wichtiger Faktor. Gleichzeitig gilt es aber auch, angehende LiteraturübersetzerInnen dabei zu unterstützen, ihr Selbstverständnis als Angehörige der Berufsgruppe zu entwickeln. Frühzeitige Kontakte zu etablierten BerufskollegInnen, nicht zuletzt über soziale Netzwerke oder Mentoring-Programme, spielen hier eine große Rolle. Für jede Expertenhandlung wichtig sind auch Faktoren wie z. B. intellektuelle Neugier, logisches Denken oder Ausdauer. Für LiteraturübersetzerInnen ließe sich hier noch eine grundsätzliche Freude an Literatur verschiedenster Ausprägung ergänzen, an der Lektüre und am Leseakt generell. Wie Spivak im Vorwort zu ihrer Übersetzung bengalischer Lyrik schreibt: „[T]ranslation is the most intimate act of reading. I surrender to the text when I translate" (Spivak 2000:369).

Das Arbeitsfeld von LiteraturübersetzerInnen umfasst Prosawerke, Lyrik und Theaterstücke, aber auch Autobiographien, Memoiren, Essays oder philosophische Texte. Allen diesen Werken ist gemeinsam, dass literarische Verfahrensweisen, formale und stilistische Aspekte besondere Aufmerksamkeit verdienen. In vielen anderen Textarten, seien es Werbetexte, politische oder journalistische Texte, finden sich ebenfalls literarische Stilmittel. Kompetenzen und Fertigkeiten, die für die Literaturübersetzung entwickelt werden, lassen sich damit auch in vielen anderen translatorischen Bereichen einsetzen. Allen genannten Werken ist außerdem gemeinsam, dass sie auch in übersetzter Form in der Zielkultur als Werke der OriginalautorInnen rezipiert werden. In Übersetzungen hören wir jedoch nie nur die Stimme der OriginalautorInnen, sondern stets auch die der ÜbersetzerInnen. Dieses komplexe Verhältnis von Originalwerk und Übersetzung stellt ÜbersetzerInnen vor große Herausforderungen, nicht zuletzt auch ethischer Natur. Es gilt, im konkreten Fall einschätzen zu können, welche Folgen übersetzerische Entscheidungen haben, und Bewusstsein für die eigene Rolle und Verantwortung zu entwickeln.

Literatur

Achebe, Chinua. 1959. *Okwonkwo oder Das Alte stürzt*. Üb. von Richard Moering. Stuttgart: Goverts.

Achebe, Chinua.1983. *Okwonkwo oder Das Alte stürzt*. Üb.von Dagmar Heusler und Evelin Petzold. Frankfurt a. M.: Suhrkamp.

Achebe, Chinua. 2012. *Alles zerfällt*. Üb. von Uda Strätling. Frankfurt a. M.: Fischer.

Arrojo, Rosemary. 1997. Eine neue Definition des Literarischen. In: Wolf, M. (Hg.) *Übersetzungswissenschaft in Brasilien. Beiträge zum Status von „Original" und Übersetzung*. Tübingen: Stauffenburg, 35–42.

Audet, Louise/Dancette, Jeanne. 2005. Le mouvement de la création dans la traduction littéraire. *Bulletin suisse de linguistique appliquée* 81, 5–24.

Bachleitner, Norbert/Wolf, Michaela (Hg.) 2010. *Streifzüge im translatorischen Feld. Zur Soziologie der literarischen Übersetzung im deutschsprachigen Raum*. Wien/Berlin: LIT.

Bassnett, Susan. 1980. *Translation Studies*. London: Methuen.

Ben-Ari, Nitsa. 1998. The Ambivalent Case of Repetitions in Literary Translation. Avoiding Repetitions: a ‚Universal of Translation‘? *Meta* 43:1, 68–78.

Berman, Antoine. 1999. *La Traduction et la lettre ou l'Auberge du lointain*. Paris: Seuil.

Blum-Kulka, Shoshana. 1986. Shifts of Cohesion and Coherence in Translation. In: House, J./Blum-Kulka, S. (eds.) *Interlingual and Intercultural Communication: Discourse and Cognition in Translation and Second Language Acquisition Studies*. Tübingen: Narr, 17–35.

Boase-Beier, Jean. 2000. Teaching Literary Translation. In: Classe, O. (ed.) *Encyclopedia of Literary Translation into English*. Vol. 1. Chicago: Fitzroy Dearborn, 1381–1384.

Boase-Beier, Jean. 2011. *A Critical Introduction to Translation Studies*. London/New York: Continuum.

Chesterman, Andrew/Wagner, Emma. 2002. *Can Theory Help Translators? A Dialogue Between the Ivory Tower and the Wordface*. Manchester: St. Jerome.

Correia, Renato. 1989. Literary Translations and Translations of Literary Texts: Some Thoughts on Theory and Criticism. *Textcontext* 4, 232–242.

Davis, Kathleen. 2001. *Deconstruction and Translation*. Manchester: St. Jerome.

Eagleton, Terry. 2008[2]. *Literary Theory: An Introduction* (anniversary edition). Malden, MA: Blackwell.

Eco, Umberto. 1989. Vom offenen Kunstwerk zum Pendel Foucaults. Umberto Eco im Gespräch mit Jean-Jacques Brochier und Mario Fusco. *Lettre International* 5, 38–42.

Even-Zohar, Itamar. 1978. *Papers in Historical Poetics*. Tel Aviv: The Porter Institute for Poetics and Semiotics.

Flotow, Luise von. 1997. *Translation and Gender. Translating in the „Era of Feminism"*. Manchester: St. Jerome.

Fock, Holger/Haan, Martin de/Lhotová, Alena. 2008. *Comparative Income of Literary Translators in Europe*. Brüssel: CEATL, Conseil Européen des Associations de Traducteurs Littéraires.

Fock, Holger/Schickenberg, Michael. 2012. *Literaturübersetzende in Deutschland: ein Lagebericht. Ergebnisse der VdÜ-Umfrage 2011*. Berlin: VdÜ, Verband deutschsprachiger Übersetzer literarischer und wissenschaftlicher Werke e. V./Bundessparte Übersetzer im VS in ver.di. Abrufbar unter: http://www.literaturuebersetzer.de/ (Stand: 19/01/2016).

Hansen-Schirra, Silvia. 2013. Translationsdidaktik, die Wissen schaf(f)t. In: Hansen-Schirra, S./Kiraly, D. (Hg.) *Projekte und Projektionen in der translatorischen Kompetenzentwicklung*. Frankfurt a. M.: Lang, 257–284.

Hawthorn, Jeremy. 1994. *Grundbegriffe moderner Literaturtheorie*. Üb. von Waltraud Kolb. Tübingen/Basel: Francke.

Hermans, Theo. 2007. *The Conference of Tongues*. Manchester: St. Jerome.

Hermans, Theo. 2009. The translator's voice in translated narrative. In: Baker, M. (ed.) *Translation Studies. Critical Concepts in Linguistics*. Vol. III. London/New York: Routledge, 283–305.

Hermans, Theo (ed.) 1985. *The Manipulation of Literature*. London: Croom Helm.

Holmes, James S./Lambert, José/Van den Broeck, Raymond. 1978. *Literature and Translation. New Perspectives in Literary Studies*. Leuven: Acco.

Iser, Wolfgang. 1984[2]. *Der Akt des Lesens*. München: Fink.

Jakobson, Roman. 1974. *Aufsätze zur Linguistik und Poetik*. Hg. von Wolfgang Raible. München: Nymphenburger Verlagshandlung.

Jelinek, Elfriede. 1993. *Lust*. Tr. by Michael Hulse. London: Serpent's Tail.

Johnson-Davies, Denys. 2006. *Memories in Translation. A Life between the Lines of Arabic Literature*. Kairo/New York: The American University in Cairo Press.

Jones, Francis R. 2006. Unlocking the black box: researching poetry translation processes. In: Loffredo, E./Perteghella, M. (eds.) *Translation and Creativity*. London/New York: Continuum, 59–74.

Kautz, Ulrich. 2000. *Handbuch Didaktik des Übersetzens und Dolmetschens*. München: Iudicium.

Keller, Gottfried. 1927. Romeo und Julia auf dem Dorfe. In: Keller, G. *Sämtliche Werke*. Bd. 7. Hg. von Jonas Fränkel. Erlenbach-Zürich/München: Rentsch.

Keller, Gottfried. 1914. *A Village Romeo and Juliet. A Tale*. Tr. by Anna Bahlmann. New York: Scribner.

Kiraly, Don. 2000. *A Social Constructivist Approach to Translator Education. Empowerment from Theory to Practice*. Manchester: St. Jerome.

Klaudy, Kinga. 1998. Explicitation. In: Baker, M. (ed.) *Routledge Encyclopedia of Translation Studies*. London/New York: Routledge, 80–84.

Klausnitzer, Ralf. 2004. *Literaturwissenschaft. Begriffe, Verfahren, Arbeitstechniken*. Berlin: Walter de Gruyter.

Kolb, Waltraud. 1992. *Die Rezeption Gottfried Kellers im englischen Sprachraum bis 1920*. Frankfurt a. M. etc.: Lang.

Kolb, Waltraud. 2011 a. The making of literary translations: Repetition and ambiguity in a short story by Ernest Hemingway. *Across Languages and Cultures* 12:2, 259–274.

Kolb, Waltraud. 2011 b. Re-Writing *Things Fall Apart* in German. In: Whittaker, D. (ed.) *Chinua Achebe's* Things Fall Apart. *1958–2008*. Amsterdam/New York: Rodopi, 177–196.

Kolb, Waltraud. 2013. „Who are they?": Decision-making in literary translation. In: Way, C./Vandepitte, S./Meylaerts, R./ Bartlomiejczyk, M. (eds.) *Tracks and Treks in Translation Studies. Selected Papers from the EST Congress, Leuven 2010*. Amsterdam/Philadelphia: John Benjamins, 207–221.

Kubin, Wolfgang. 2009. Der Übersetzer „in Klammern". Abrufbar unter: http://www.goethe.de/ins/cn/lp/kul/mag/lit/de4847519.htm (Stand: 12/ 10/2014)

Kundera, Milan. 2005[5]. Ein Satz. In: Kundera, M. *Verratene Vermächtnisse*. Frankfurt a. M.: Fischer.

Künstler-Sozialversicherungsfondsgesetz. 2000. BGBl. I Nr. 131/2000.

Künstlersozialversicherungsgesetz. 1981. BGBl. I S. 705 vom 27. Juli 1981.

Leech, Geoffrey/Short, Mick. 2007[2]. *Style in Fiction. A Linguistic Introduction of English Fictional Prose*. Harlowe etc.: Pearson.

Lefevere, André. 1992. *Translating Literature. Practice and Theory in a Comparative Literature Context*. New York: The Modern Language Association of America.

Leupold, Gabriele/Raabe, Katharina (Hg.) 2008. *In Ketten tanzen. Übersetzen als interpretierende Kunst*. Göttingen: Wallstein.

Levý, Jiří. 1969. *Die literarische Übersetzung. Theorie einer Kunstgattung*. Frankfurt a. M./Bonn: Athenäum.

Link, Jürgen. 1974. *Literaturwissenschaftliche Grundbegriffe. Eine programmierte Einführung auf strukturalistischer Basis*. München: Fink.

Metzler Literaturlexikon. Begriffe und Definitionen. 1990[2]. Hg. von Günther und Irmgard Schweikle (2., überarbeitete Auflage). Stuttgart: Metzler.

Morris, Mary. 1992. The Haircut. In: Thomas, J./Thomas, D./Hazuka, T. (eds.) *Flash Fiction. Very Short Stories.* New York/London: Norton, 114–116.

Nord, Christiane. 2004. Loyalität als ethisches Verhalten im Translationsprozess. In: Müller, I. (Hg.) *Und sie bewegt sich doch. Translationswissenschaft in Ost und West. Festschrift für Heidemarie Salevsky zum 60. Geburtstag.* Frankfurt a. M. etc.: Lang. 235–245.

Orbán, Wencke. 2008. *Über die Entlehnung konstruktivistischer Lerntheorien in die Praxis der Übersetzungswissenschaft: Kooperatives Übersetzen als kommunikations- und prozessorientierte Handlungsform des Übersetzens.* Trier: WVT.

PACTE. 2003. Building a Translation Competence Model. In: Alves, F. (ed.) *Triangulating Translation: Perspectives in Process Oriented Research.* Amsterdam/Philadelphia: John Benjamins, 43–66.

PACTE. 2007. Zum Wesen der Übersetzungskompetenz – Grundlagen für die experimentelle Validierung eines Ük-Modells. In: Wotjak, G. (Hg.) *Quo vadis Translatologie? Ein halbes Jahrhundert universitäre Ausbildung von Dolmetschern und Übersetzern in Leipzig. Rückschau, Zwischenbilanz und Perspektiven aus der Außensicht.* Berlin: Frank & Timme, 327–342.

Paterno, Wolfgang. 2013. Fisch im Ohr. *Profil* 51, 84–92.

Prunč, Erich. 2007. *Entwicklungslinien der Translationswissenschaft. Von den Asymmetrien der Sprachen zu den Asymmetrien der Macht.* Berlin: Frank & Timme.

Prunč, Erich. 2008. Zur Konstruktion von Translationskulturen. In: Schippel, L. (Hg.) *Translationskultur – ein innovatives und produktives Konzept.* Berlin: Frank & Timme, 19–41.

Pym, Anthony (ed.) 2001. *The Return to Ethics.* Special issue of *The Translator* 7:2.

Robinson, Douglas. 1997. *Translation and Empire: Postcolonial Theories Explained.* Manchester: St. Jerome.

Rühling, Lutz. 1997[2]. Fiktionalität und Poetizität. In: Arnold, H. L./Detering, H. (Hg.) *Grundzüge der Literaturwissenschaft.* München: dtv, 26–51.

Runkel, Wolfram. 1997. Im Wort stehen. *Zeit-Magazin* 43, 17. Oktober 1997, 10–18.

Sandberger, Georg. 2013. Urheberrechtliche Fragen des Übersetzens. In: Dathe, C./Makarska, R./Schahadat, S. (Hg.) *Zwischentexte. Literarisches Übersetzen in Theorie und Praxis.* Berlin: Frank & Timme, 73–110.

Snell-Hornby, Mary. 1988. *Translation Studies. An Integrated Approach.* Amsterdam/Philadelphia: John Benjamins.

Schuenke, Christa. 2007. Wortgewalt und Zärtlichkeit. *Zirkular/Sondernummer* 67, 53–60.

Spivak, Gayatri Chakaravorti. 2000. The Politics of Translation. In: Venuti, L. (ed.) *The Translation Studies Reader.* London/New York: Routledge, 397–416.

Steiner, George. 1975. *After Babel: Aspects of Language and Translation.* London etc.: Oxford University Press.

Toury, Gideon. 1980. *In Search of a Theory of Translation.* Tel Aviv: The Porter Institute for Poetics and Semiotics.

Toury, Gideon. 1995. *Descriptive Translation Studies and Beyond.* Amsterdam/Philadelphia: John Benjamins.

Tymoczko, Maria. 1985. How Distinct are Formal and Dynamic Equivalence. In: Hermans, T. (ed.), 63–86.

Washbourne, Kelly. 2013. Teaching Literary Translation: Objectives, Epistemologies, and Methods for the Workshop. *Translation Review* 86:49–66.

Wiemann, Volker. 1997[2]. Einige Grundbegriffe der Textanalyse. In: Eicher, T./Wiemann, V. (Hg.) *Arbeitsbuch Literaturwissenschaft.* Paderborn: Schöningh, 13–52.

Williams, William Carlos. 1986. The Collected Poems: Volume I, 1909–1939. Ed. by A. Walton Litz and Christopher MacGowan. New York: New Directions.

Williams, William Carlos. 1995[4]. Nur damit du Bescheid weißt. In: Williams, W. C. Die Worte, die Worte, die Worte: Gedichte. Üb. von Hans Magnus Enzensberger. Frankfurt a. M.: Suhrkamp, 87.

Williams, William Carlos. 2013. Ich will dir nur sagen. Üb. von Rainer Maria Gerhardt. Abrufbar unter: http://www.bamberger-onlinezeitung.de/2013/03/02/pflaumen-zum-fruhstuck-mit-william-carlos-williams-zu-tisch-und-mit-einer-erinnerung-an-den-freiburger-ubersetzer-lyriker-und-verleger-rainer-maria-gerhardt/ (Stand 19/01/2016).

Wilpert, Gero von. 1979. *Sachwörterbuch der Literatur* (6., verbesserte und erweiterte Auflage). Stuttgart: Kröner.

6 Fachübersetzen

Peter Sandrini

Durch das Spezifizieren der allgemeinen Bezeichnung „Übersetzen"
mit dem Präfix „Fach" wird die Vorstellung einer allgemeinen
Tätigkeit des Übersetzens um die distinktiven Charakteristika der
Fachlichkeit erweitert, im Sinne des Übersetzens facheinschlägiger
Texte. Das Fachübersetzen wird somit zu einer Art Zusatzkompetenz
bzw. zu einer unter vielen anderen möglichen Formen des Übersetzens.

Einen anderen, alternativen Ausgangspunkt nimmt ein, wer versucht, das Fachübersetzen von seinem ersten Bestandteil aus zu
definieren und die Fachkommunikation als Grundlage für eine
Beschreibung zu nehmen. Fachübersetzen wäre dann eine besondere
Form der Fachkommunikation, die interlingual bzw. interkulturell
abläuft. Im Mittelpunkt des Interesses stünde damit das, was die
interlinguale und transkulturelle Fachkommunikation von einer einsprachigen Fachkommunikation ohne Vermittlung unterscheidet.
Eine solche Betrachtungsweise nähert sich dem Verständnis des Übersetzens als „Brückenbau" bzw. als Dienstleistung, wobei nicht die
akademische Selbstbetrachtung, sondern vielmehr die gesellschaftliche
Rolle und Bedeutung des Übersetzens betont wird. Fachübersetzen
wird zum integrativen Teil einer transkulturellen Fachkommunikation
und ihre große Verantwortung für einen funktionierenden transkulturellen Dialog im entsprechenden Fachbereich wird dadurch unter-
strichen.

Fachübersetzen – ein komplexer Begriff

Die Spezifik des Fachübersetzens als ein Teil der Fachkommunikation
umfasst das Vermitteln von Fachinhalten über Sprach- und Kulturgrenzen hinweg und verwendet als interlinguale transkulturelle Fach-

kommunikation „Sprache-in-Texten-in-Situationen-in-Kultur" (Kalverkämper 1999:71). Die Auffassung von Translation als einer handlungsgeleiteten, sozial bedingten sowie gesellschaftlich relevanten Aktivität bildet die unabdingbare Voraussetzung für die Anerkennung ihrer Bedeutung im Rahmen transkultureller interlingualer Fachkommunikation. Dies schlägt sich in diversen translationswissenschaftlichen Ansätzen nieder, die das Übersetzen entsprechend definieren: Übersetzen sei ein „Informationsangebot in einer Zielkultur und deren Sprache über ein Informationsangebot aus einer Ausgangskultur und deren Sprache" (Reiß/Vermeer 1984:105) oder „jede konventionalisierte, interlinguale und transkulturelle Interaktion [...], die in einer Kultur als zulässig erachtet wird" (Prunč 1997:108).

Zwei entscheidende Aspekte werden mit diesen beiden Definitionen hervorgehoben: Translation stellt sowohl einen informationsverarbeitenden Prozess als auch ein interlinguales transkulturelles Handeln zwischen Interaktionspartnern unterschiedlicher Herkunft dar.

Fachübersetzen als Teil der Fachkommunikation

Wenden wir uns zunächst dem ersten Aspekt zu und versuchen, Fachübersetzen als eine besondere Form der Informationsverarbeitung in der Fachkommunikation zu verstehen. Neuere Bestrebungen der Linguistik und der Fachkommunikationsforschung definieren Fachkommunikation als „die von außen oder von innen motivierte bzw. stimulierte, auf fachliche Ereignisse oder Ereignisabfolgen gerichtete Exteriorisierung und Interiorisierung von Kenntnissystemen und kognitiven Prozessen" (Hoffmann 1993:614). Eine solche Beschreibung transzendiert die sprachliche Ebene, wobei die zentrale Bedeutung von Fachwissen als kognitiv gespeicherte und verarbeitete Prozesse und Kenntnissysteme sowie der informations- und inhaltsverarbeitenden Aspekt betont wird.

Fachliches Wissen wird als die Gesamtheit der Begriffe, Relationen und Problemlösungsmethoden für einen spezifischen Bereich gesehen, wodurch die Verbindung zu den Trägern des Fachwissens hergestellt werden kann. Ebenfalls von Bedeutung ist der Aspekt der intersubjektiven Nachvollziehbarkeit von Fachwissen, das ausschließlich durch Fachkommunikation, d.h. in Dokumenten, Aussagen oder anderen kommunikativen Vorgängen konkretisiert werden kann. Fachkommunikation umfasst daher „auf der einen Seite alle fachkommunikativen Mittel, die sprachliche oder andere semiotische Zeichen sein können, und auf der anderen fachkommunikatives Handeln" (Picht 1996:44).

Fachkommunikation als Wissenstransfer

Fachkommunikation versteht sich dabei als Wissenstransfer, der einerseits das mediengerechte Aufbereiten fachspezifischer Inhalte für Laien, die Popularisierung von Fachinformation, d. h. einen vertikalen Wissenstransfer umfasst, und andererseits die unmittelbare Exteriorisierung von fachbezogenen Kenntnissystemen und kognitiven Prozessen für andere Fachexperten beinhaltet, die natürlich auch als interlinguale, transkulturelle Vermittlung von Fachinformation über Kultur- und Sprachgrenzen hinweg auftritt. Translation tritt als Dienstleistung sowohl im vertikalen Wissenstransfer als auch im horizontalen Wissenstransfer auf. Der horizontale Transfer von Fachwissen über Entfernungen jeder Art ist im Zeitalter der Globalisierung zur Norm geworden.

Damit rückt der interlinguale und vor allem transkulturelle Aspekt von Fachübersetzen in den Vordergrund, der sich mit der Kommunikation über Sprachgrenzen hinweg sowie der Überbrückung von Kommunikationsschwierigkeiten aufgrund unterschiedlicher nationaler Kulturen beschäftigt (vgl. dazu den bei Stolze 1999 und Arntz 2001 verwendeten Begriff der Interkulturellen Fachkommunikation IFK). Teilaspekte der interlingualen transkulturellen Fachkommunikation werden durch das Fachübersetzen, durch kontrastive, textuelle oder terminologische Untersuchungen, oder etwa durch die Fachsprachendidaktik abgedeckt. Die Leistungen und Fortschritte in diesen Nachbardisziplinen haben u. a. dazu geführt, dass das Fachübersetzen als eine der einfachsten Formen von Translation gesehen wurde (vgl. Jumpelt 1961 mit Gegenargumenten) und der Aspekt der Kulturspezifik angesichts einer angenommenen transversalen Fachhomogenität vernachlässigt wurde. Prunč nennt als Beispiel hierfür Fachkongresse und spricht dabei von einer vereinfachten Form des Übersetzens, der homologen Translation:

> Die kognitive Aufarbeitung des Zieltextes wird in diesem Fall nämlich durch die fachspezifisch identische kognitive Umwelt, die homogenisierte Diakultur der Kongressteilnehmer, die international stereotypisierte Fachsprache und die Kopräsenz der nicht sprachlichen semiotischen Systeme im Rahmen des Hypertexts Kongress erleichtert. (Prunč 2000:28)

Fest steht, dass Fachbereiche sich über gemeinsame Inhalte und gemeinsame Kommunikationsformen definieren:

> Disciplines [...] are primarily understood in terms of the specific knowledge, methodologies and shared practices of their community members, especially their ways of thinking, constructing and consuming knowledge, their specific norms and epistemologies and, above all, their typical goals and disciplinary practices to achieve those goals. (Bhatia 2007:32)

Allerdings warnt Kalverkämper (1996:8) davor, Fachlichkeit bestimmten Dingen zuzuschreiben, und unterstreicht die Rolle der Kommunikation über Dinge und Wirklichkeit für die Konstitution von Fachlichkeit. Fachbereiche werden dadurch zu historisch bedingten, sozialen Konstrukten und sind als solche nicht fest vorgegeben sondern relativ und kulturell bedingt zu verstehen, so Göpferich (2004:18) unter Verweis auf Schmitt (1999:157), der „[...] unter Kultur auch Mikrokulturen fasste, wie beispielsweise Unternehmenskulturen, Familienkulturen oder Kulturen in scientific communities etc."; ähnlich Risku (2004:103): „Es entstehen kulturspezifische Artefakte (Webseiten, Publikationen, Fachwörter, Werkzeuge, Räume), Erwartungen über gemeinsame Informationen und Vorwissen, Geschichte(n) und Verhaltenskonventionen".

Nicht immer lässt sich das Fachübersetzen auf homologe Translation reduzieren, nicht immer kann ein Fachbereich als ein kulturell homogenisiertes Setting gesehen werden. In diesem Zusammenhang muss der Begriff der Kultur näher betrachtet werden: Handelt es sich um die als Kulturbereich verstandene Fachdisziplin, wird Translation zu einer intrakulturellen Kommunikationshandlung, also innerhalb des Fachbereiches. Bezeichnet kulturell aber im allgemeinen Sinn Nationalkulturen, bleibt Translation auch für die einzelnen Fachbereiche eine transkulturelle Handlung. Die jeweils stattfindende Überschneidung der Branchenkulturen und der einzelnen Nationalkulturen führt dazu, dass jede Fachübersetzung beide Aspekte enthält und eine entsprechend differenzierte Sichtweise berücksichtigt werden muss. Fachübersetzen bewegt sich zwischen der prioritär anzusehenden Fachkultur und den beteiligten Nationalkulturen, wobei der Schwierigkeitsgrad der interlingualen transkulturellen Fachkommunikation vom Einfluss der Nationalkulturen auf die Fachdisziplin abhängig ist: Je größer der Einfluss einer Nationalkultur auf For-

Kulturen der Fachübersetzung

schung, Anwendung und Organisation des Fachbereiches, desto größere Schwierigkeiten bereitet Kommunikation und Austausch über die Grenzen dieser Nationalkultur hinaus. Je weniger internationale Anbindung besteht, desto schwieriger wird die Kommunikation mit anderen, außerhalb dieser Nationalkultur stehenden Kommunikationspartnern. Ein typisches Beispiel dafür ist das Recht, das sich aus unabhängigen nationalen Rechtsordnungen zusammensetzt: Die Schwierigkeit des Übersetzens in diesem Fachbereich ergibt sich gerade aus dieser Auffächerung, die national bedingte Inhalte und Kommunikationsformen hervorbringt.

Auf die Fachkommunikation bezogen hängt die Komplexität des intersystemischen Transfers – der Übertragung von kulturellen und Wissenseinheiten zwischen nationalen Kulturen – davon ab, wie weit in beiden Systemen eine vergleichbare funktionale Ausdifferenzierung des Fachbereiches stattgefunden hat, und ob sich eine intrasystemische Kommunikationsinfrastruktur mit entsprechenden Textsorten, spezifischer Terminologie, Kommunikationskanälen etc. entwickelt hat. Gleicher Grad an Ausdifferenzierung erleichtert den Transfer, unterschiedliche Tiefe der funktionalen fachlichen Ausdifferenzierung bedarf der Anpassung des Zieltextes. Unterschiede in der Kommunikationsinfrastruktur bedeuten für die TranslatorIn zusätzliche Anstrengung, z. B. durch Einführung neuer Termini für im Ausgangssystem tiefer ausdifferenzierte Terminologie, durch Erklärungszusätze, Textsortenanpassung usw.

Homogene vs. heterogene Fachbereiche als translatorische Herausforderung

Historische, politische und soziale Entwicklung sowie der Grad an internationaler Kooperation haben zu einer sehr unterschiedlichen Gestaltung der einzelnen Fachbereiche geführt. In Relation zu ihrer internen kulturellen Diversifikation können die drei folgenden Möglichkeiten (Sandrini 2006:113) abgesteckt werden:

a) homogener Fachbereich, der aufgrund konsensueller Inhalte und weltweiter Vernetzung durch Forschung und Anwendung als ein- und dieselbe Fachkultur aufgefasst werden kann. Medizin könnte einen solchen Fachbereich darstellen, wobei aber auch hier in geringerem Ausmaß lokale Spezifika in Bezug auf Methoden und Sichtweisen bestehen: Man denke an die chinesische Medizin oder an alternative Heilpraktiken. Die technischen Fachbereiche können wohl als ein weiteres Beispiel für eine weitgehende internationale Homogenisierung von Inhalten und Methoden gelten;

b) Fachbereiche, die eine Verknüpfung konsensueller globaler Inhalte mit partiell immer noch lokal differierenden Überzeugungen darstellen (z. B. Translationswissenschaft), vorwiegend weil sich regionale Forschungsanstrengungen deutlich unterscheiden („Schulen'). Im Unterschied zu a) sind diese unterschiedlichen Auffassungen zwar äußerst divergierend, aber dennoch gleichwertig;

c) heterogene, unterschiedlich kulturell geprägte Fachbereiche (z. B. Rechtswissenschaften): Die Nationalkultur prägt auch die fachlichen Inhalte.

Dabei gilt es, die Merkmale und Charakteristika der beteiligten Nationalkulturen bezogen auf die Fachkultur zu beherrschen und im Translationsprozess entsprechend zu berücksichtigen. Ausgehend von einer handlungsorientierten Auffassung von Translation steht der Übersetzungsauftrag bzw. der Skopos an erster Stelle (Holz-Mänttäri 1984; Nord 1993; Vermeer 1996): Wir sprechen von einer skoposabhängigen Handlung, die jede translatorische Aktivität auf ein von verschiedenen, vorgegebenen Parametern beherrschtes Ziel ausrichtet. Dies gilt insbesondere für die Fachkommunikation als „zielgerichtete, informative, mit optimierten Kommunikationsmitteln ausgeführte einsprachige und mehrsprachige mündliche und schriftliche Kommunikationshandlungen fachlichen Inhalts, die von Menschen in Ausübung ihrer beruflichen Aufgaben ausgeführt werden" (Schubert 2007:210). Auch in dieser Definition steht die Exteriorisierung und die Interiorisierung von Fachinhalten (Hoffmann 1993) im Vordergrund. Das Ausrichten auf einen Zieltextrezipienten, der aus einem unterschiedlichen Sprach- und/oder Kulturkreis stammt, führt zum Einbetten des Zieltextes in den Kommunikationszusammenhang des zielkulturellen Fachgebietes: Nord spricht dabei vom „Schwung über die Kultur-Hürde" (2010:85), ein Heranwagen an den Ausgangstext von der Richtung der Zielkultur aus und das Anpassen des Zieltextes je nach Verwendungszweck.

Aus einem in den Fachdiskurs eingebetteten Kommunikationsakt entsteht ein neuer Kommunikationsakt, dem – eingebettet in einen anderen Sprach- und Kulturraum – nun eine eigenständige Aufgabe zukommt: „Definiert man die Fachübersetzung als ‚intersprachliche Fachkommunikation' wird wie schon angedeutet, aus dem Kommunikat in einer Sprache ein Fachtranslat in der anderen" (Picht

Merkmale des Fachübersetzens

1995:41). Auf dieser Grundlage definieren wir Fachübersetzen (Sandrini 2006:109) als die

(1) skoposabhängige
(2) Exteriorisierung von
(3) fachspezifischen Kenntnissystemen und kognitiven Prozessen,
(4) die aus einem Informationsangebot selektiert (Interiorisierung) und gewichtet (zieltext- und rezipientenorientiert) wurden,
(5) mit dem Ziel, diese in einem anderen Sprach- (interlingual) und
(6) Kulturraum (transkulturell)
(7) vor dem Hintergrund des globalen Rahmens (Interkultur) zu verbreiten.

Translation zeichnet sich dadurch aus, dass das Handeln der TranslatorIn bzw. ihre Textproduktion (2) durch den Skopos und den Auftraggeber bestimmt wird. Merkmal (3) wurde aus der Definition von Fachkommunikation nach Hoffmann (1993:614) übernommen und verweist auf die inhaltliche Integration in den Fachbereich. In Merkmal (4) tritt eine weitere Determinante des translatorischen Handelns auf: Das Verstehen des Ausgangstextes sowie die einerseits vom Bildungsstand der TranslatorIn ermöglichte und andererseits vom Translationsskopos vorgegebene Auswahl aus dem Informationsangebot des Ausgangstextes bzw. aus einem aus mehreren unterschiedlichen Texten verschiedenster Textsorten bestehenden Informationsangebot, wie es häufig im Bereich der interkulturellen technischen Redaktion der Fall ist.

Das wesentliche einschränkende Merkmal gegenüber anderen fachkommunikativen Handlungen ist die Bezugnahme auf einen anderen Sprach- (5) und Kulturraum (6), wobei letzteres offensichtlich, wie oben ausgeführt wurde, ja nach Fachbereich differenziert zu betrachten ist. Obwohl einerseits natürlich die sprachlichen und kulturellen Besonderheiten des Zieltextadressaten berücksichtigt werden müssen, kann dies nur im Rahmen der Konventionen des Fachbereiches geschehen. Die Fachgemeinschaft als globaler Kulturrahmen und damit als eine Art von Interkultur und ihre Ausdifferenzierung und Grad an Homogenisierung beeinflussen die Fachkommunikationsprozesse, damit auch das Übersetzen (7).

Anhand dieser Merkmalsdefinition können die einzelnen Voraussetzungen zugeordnet werden, um von diesem abstrakten Globalbild in konkretere, sich für empirische Arbeit anbietende Teilbereiche vorzudringen. Eine solche Top-Down-Strategie hat den Vorteil, dass das Gesamtbild nicht verloren geht bzw. bei einem umgekehrten Bottom-Up-Ansatz aus einzelnen Feldstudien mühevoll zusammengesetzt oder ertastet werden muss. Hier steht der Überblick, der in ganz entscheidendem Maß den gesamten Arbeitsprozess des Fachübersetzens beeinflusst, zu Beginn aller Überlegungen, die sich in diesen Gesamtrahmen einordnen müssen.

Translatorische Herausforderungen

Der Arbeitsprozess des Fachübersetzens gliedert sich nach Schubert (2007:94) in die folgenden Bestandteile: Rezeption des Ausgangsdokumentes, Rezeption der Auftraggebervorgaben, Informationsrecherche, Werkstücksplanung, Übersetzung, Werkstücksgestaltung, Korrektur, Endfertigung. Jeder dieser Schritte stellt besondere Herausforderungen an das Fachübersetzen. So setzt das Verständnis des Ausgangstextes nicht nur eine allgemeine Sprachkompetenz voraus, sondern ebenso eine fachkommunikative Kompetenz, die es erlaubt, spezifische Textsorten und Ausdrucksweisen in ihrem fachlichen Kontext richtig zu deuten. Eine besondere Rolle spielt dabei das Fachwissen. Bei ungenügendem Fachwissen – was beim Fachübersetzen keinen Mangel darstellt, sondern in der Praxis durchaus die Regel ist, da keine noch so systematische Vorbereitung an das Fachwissen der Experten heranreichen kann und die zu übersetzenden Texte meist sehr aktuell sind – verfügt die ausgebildete FachübersetzerIn über das Wissen, wie sie Unklarheiten und inhaltliche Fragen recherchieren kann. Wer den Text produziert hat, lässt sich bei vielen Ausgangstexten nicht genau eruieren, vielfach werden Texte aus in Content-Management-Systemen gespeicherten Versatzstücken zusammengestellt bzw. Webtexte im Kollektiv erstellt und immer wieder aktualisiert.

Ein Fachtext spiegelt eine fachkommunikative Handlung wieder, er gehört einer bestimmten Textsorte an und verfolgt in der Regel einen bestimmten Zweck. Die Aufgabe der FachübersetzerIn ist es, diese zu erkennen und in der Folge mit dem Translationsskopos bzw. mit den Vorgaben des Auftraggebers in Einklang zu bringen. In Abhängigkeit vom Übersetzungsauftrag kann meist nicht einfach wörtlich übersetzt werden, sondern es gilt, den fachkommunikativen

Arbeitsprozesse

Inhalt in der Zielsprache mit den entsprechenden fachkommunikativen Mitteln wiederzugeben: Berücksichtigen der Erwartungen des Zieltextrezipienten, Wahl der zielsprachlichen Terminologie sowie der zielsprachlichen Textsorte.

Arbeitsteilung Die einzelnen Schritte im Arbeitsprozess werden in der Regel nicht von einer einzigen Person durchgeführt. Globalisierung und Spezialisierung des Arbeitsmarktes haben zu einer Differenzierung der Berufsbilder geführt, die auch das Fachübersetzen betrifft. Aufgrund des Umfangs der Übersetzungsprojekte und des Zeitdruckes haben sich unterschiedliche Rollen und Aufgaben herausgebildet: Auftraggeber, Projektmanager, Übersetzungsagentur, Übersetzungsdienstleister, Korrekturleser oder Revisor, wie diese Rolle in der EU-Norm 15038 genannt wird, und Zieltextrezipient (Wright 2011:252). Eine besondere Herausforderung für die FachübersetzerIn ist, ihren Platz in einem solchen kollektiven Arbeitsprozess zu finden; beispielsweise die Spezialisierung auf einen Arbeitsschritt, etwa das Projektmanagement oder das Korrekturlesen, das Arbeiten im Team mit der dafür nötigen Abstimmung und technischen Ausstattung, um größere Aufträge zeitgerecht durchführen zu können, oder die internationale Zusammenarbeit, um die im Auftrag gewünschten Sprachen abdecken zu können.

Insbesondere durch den Zeit- und Leistungsdruck bzw. durch den Kostendruck auf Industrie und Unternehmen erweist sich der Einsatz der maschinellen und maschinengestützten Übersetzung als unumgänglich. Fachübersetzen setzt das Wissen um die zur Verfügung stehenden Soft- und Hardwaretetools voraus, kann aber ebenso bedeuten, als BeraterIn zum Umsetzen von Übersetzungsstrategien in Unternehmen und mehrsprachigen Gesellschaften zu fungieren sowie gegebenenfalls sich auch kritisch an der Entwicklung neuer Produkte beteiligen zu können.

Kompetenzen des Fachübersetzens

Eine didaktische Strukturierung translatorischer Kompetenz als Grundlage für das Formulieren der zentralen Anforderungen an das Fachübersetzen stellt eine komplexe Aufgabe dar: „Übersetzen ist ein höchst subtiles Gewebe aus motivationalen, textuellen, soziokulturellen, historischen und mentalen Faktoren" (Wilss 1992:188).

Der Zusammenhang mit situationsbedingten Handlungserfordernissen und vor allem auch mit Kulturkompetenz (Forstner 2000:165) geht klar hervor: „Eigenes übersetzerisches Bewusstsein, übersetzerisches Selbstverständnis und übersetzerischer Sachverstand bilden sich nur in der ständigen Begegnung mit fremdem Bewusstsein und fremdem Denken" (Wilss 1992:188).

In einer von Globalisierung geprägten Welt mit allen ihren Auswirkungen auf die Kulturdiskussion wurde die Vorstellung des Vermittelns einer Kompetenz mehrfach der Kritik ausgesetzt: „Der Kompetenzbegriff selbst ist ausgesprochen schillernd" (Nielsen/Grove/Engberg/Kastberg 2011:418). Für einen dynamischen Begriff der Kompetenz, insbesondere für das professionelle Übersetzen und die Translationstechnologie, plädiert Diaz-Fouces (2011:13).

Darüber hinaus präsentiert sich das Übersetzen als Beruf und als Qualifikation heute sehr heterogen. Die oft vorgebrachte Forderung nach einer universell einsetzbaren ÜbersetzerIn, die sich später in alle Fachgebiete einarbeiten kann, muss im Lichte der neueren Entwicklungen entschieden zurückgewiesen werden: „Die Vielgestaltigkeit des Fachs Übersetzen spricht nämlich längst gegen eine undifferenzierte Einheitsausbildung" (Arntz 2001:335). Eine der möglichen Ausgestaltungen des Übersetzens ist das Fachübersetzen als integrativer Bestandteil einer interlingualen und transkulturellen Fachkommunikation.

Fachkommunikationskompetenz als didaktische Herausforderung

FachübersetzerInnen bedürfen in diesem Sinne einer Fachkommunikationskompetenz, die von Baumann (2000:160–170) kumulativ genannt wird:

> kumulative Fachkommunikationskompetenz (Baumann 2000), die – der Komplexität nach in aufsteigender Folge – u. a. die folgenden Kompetenzen integrativ miteinander verbindet: interkulturelle Teilkompetenz, soziale TK, TK des Fachdenkens, fachliche TK, funktionale, textuelle, stilistische, textsyntaktische, lexikalisch-semantische TK. (zitiert nach Nielsen/Grove/Engberg/Kastberg 2011:419).

All diese Anforderungen können didaktisch gesehen einerseits als abstrakte fächer- und sprachenübergreifende Inhalte gelehrt werden, andererseits aber müssen Teilkompetenzen in die Kommunikationsgewohnheiten eines spezifischen Faches und einer spezifischen Fachsprache bzw. einer Sprachenkombination eingebettet werden, um das Ziel der Entwicklung einer fachübersetzerischen Kompetenz zu erreichen, die „durch das Zusammenwirken von fachlichen, fachsprachlichen und fachübersetzungsstrategischen Aspekten bestimmt" (Arntz 2001:336) wird. Aufbauend auf einer grundlegenden Translationskompetenz sollen die folgenden drei Themenbereiche mit ihren spezifischen Inhalten eine integrative Fachübersetzerausbildung gewährleisten.

Die erste Gruppe der bereiteren allgemeinen Anforderungen bilden fach- und sprachübergreifende Themen. Dazu zählen folgende Inhalte, für die jeweils ein Modul in der Ausbildung vorgesehen werden kann.

Fachkommunikation
Die Merkmale von Fachkommunikation werden hier in Abgrenzung zu anderen, nicht fachspezifischen Kommunikationsbereichen, etwa Literatur, Werbung, Politik, dargestellt. Im Mittelpunkt steht nicht „Fachsprache an sich – als Fachwort, Fachstil, Fachtext, Fachtextsorte" (Kastberg 2011:94), sondern vielmehr die Fachkommunikation, die sich mit der Frage nach der Konstruktion, Repräsentation und Verwendung von Fachwissen beschäftigt. Sprache wird damit funktional als Werkzeug zur Repräsentation von Wissen verstanden und die dafür eingesetzten sprachlichen Mittel werden unter diesem Aspekt vermittelt: muttersprachliche Fachsprachenkompetenz, Artikulierungsfähigkeiten, Textproduktionskompetenz. Zu letzterer gehört ein grundlegendes Wissen zu Schreibstilen, Textkonventionen und Textsorten, vor allem fächerübergreifenden Textsorten „which often transcend disciplinary boundaries" (Bhatia 2007:29).

Hinweise zur weiterführenden Literatur und zur Vertiefung dieser Thematik geben z. B. Hoffmann (1985), Roelcke (1999), Bhatia (2007), Schubert (2007), Byrne (2012), Wright (2011).

Terminologie
Terminologie beschäftigt sich mit dem Erkennen, Vergleichen und Dokumentieren von fachlichen Begriffen und ihren Benennungen in einer bzw. mehreren Sprachen. Aufgrund der wissenskonstituierenden Funktion von Begriffen und ihrer Bedeutung in der Wissenskommunikation stellen Kenntnisse über den Umgang mit Termini sowie ihre Dokumentation in Terminologiedatenbanken eine unabdingbare Voraussetzung für das Fachübersetzen dar. Die systematische Terminologiearbeit, die Begriffe und Benennungen eines Fachausschnittes vollständig bearbeitet, und die übersetzungsorientierte Terminologiearbeit (Mayer 2008:321), die punktuell mehrfach – in Abhängigkeit von der benötigten Vorbereitung und der zur Verfügung stehenden Zeit und Mittel – einzelne Begriffe und Benen-

nungen auf der Grundlage eines Textes bearbeitet, unterscheiden sich lediglich graduell, keineswegs aber in der angewandten Methode.

Hinweise zur weiterführenden Literatur und zur Vertiefung dieser Thematik geben unter anderen Wüster (1993), Lauren/Myking/Picht (1998), Arntz/Mayer/Picht (2002).

Das Optimieren von Fachkommunikationshandlungen durch den Einsatz von Informations- und Kommunikationstechnologien (IKT) hat bedingt durch die funktionale Sichtweise einen hohen Stellenwert. Die Webseiten- und Softwarelokalisierung, hoch spezialisierte Bereiche des Fachübersetzens, sind ohne Translationstechnologie schlicht nicht möglich. Zu den notwendigen Voraussetzungen des Fachübersetzens zählen daher folgende Kenntnisse (Sandrini 2012:114): informationstechnische Grundlagen, translationsspezifische Texttechnologie, Management von Übersetzungsprojekten, Terminologiemanagement, Fachkorpusmanagement, Translation-Memory-Technologie, Lokalisierungstools und Maschinenübersetzung.

Hinweise zu weiterführender Literatur und zur Vertiefung dieser Thematik geben vor allem Austermühl (2001 und ► **Kap. II.8**), Bowker (2002), Somers (2003), Pym/Perekrestenko/Starink (2006), Quah (2006), Diaz-Fouces (2011).

Die zweite Gruppe allgemeiner Anforderungen bilden fachspezifische Themen, also alle Kompetenzen, die auf einen spezifischen Fachbereich ausgerichtet sind. Schubert (2007:246) gliedert sein integratives Modell der Fachkommunikation in vier Ebenen: Handlungsebene, Akteursebene, Mikro- und Makrogemeinschaftsebene, wobei bis auf die oberste alle Ebenen fachspezifisch sind: Allein die Makroebene beschäftigt sich mit dem Kollektiv der Sprachgemeinschaft und ist damit nicht fachspezifisch. Die Mikroebene stellt das Kollektiv einer spezifischen Fachgemeinschaft dar, während die Akteursebene sich mit den handelnden Personen bzw. Kommunikationsteilnehmern beschäftigt und die Handlungsebene die einzelnen Fachkommunikationshandlungen beschreibt. Alle drei Ebenen sind Gegenstand der fachspezifischen Ausbildung.

Die EMT Expertengruppe teilt die grundlegenden Voraussetzungen für die „Qualifikation von Fachleuten für die mehrsprachige und multimediale Kommunikation" (EMT 2009:4) in sechs Kompetenzbereiche ein, wobei neben Sprachen-, interkultureller, Recherchen-, Dienstleistungs- und Technikkompetenz auch die Fach-

Technologie

kompetenz genannt wird. Darunter ist vor allem das Vermitteln von Fachwissen gemeint.

Im Folgenden wird versucht, die fachspezifischen Voraussetzungen zur didaktischen Überschaubarkeit in drei verschiedene Teilkompetenzen aufzugliedern.

Fachwissen   Fachwissen oder die fachgegenstandsbezogenen Wissensbestände (Klammer 2013:588) umfassen die „Fähigkeit, Sachverhalte zu erschließen, sie in fachliche Zusammenhänge einzuordnen und kritisch zu beurteilen" (Arntz 2001:336). Fachwissen wird häufig mit dem breiteren Begriff der Fachkompetenz umschrieben, so auch in den Anforderungen zum *European Master of Translation*:

> In der Lage sein, – die geeigneten Informationen zu beschaffen, um die fachlichen Aspekte eines Dokuments zu erfassen (vgl. Retrievalkompetenz); – eigene Kenntnisse auf Fachgebieten und in Anwendungsbereichen zu vertiefen (Beherrschung von Begriffssystemen, Argumentationsweisen, Präsentationsformen, kontrollierter Sprache, Terminologie usw.) („lernen zu lernen"); – die eigene Wissbegierde wach zu halten und das analytische Denken, sein Denken in Zusammenhängen zu schulen. (EMT 2009:7)

Diese Recherchekompetenz allein ist allerdings zu wenig, da die zunehmende Wissensmenge in den Fachbereichen (Grade 2002) und der steigende Komplexitätsgrad der meisten Fachgebiete, wie auch der im professionellen Leben allgegenwärtige Zeitdruck, der eine Einarbeitung in komplexe fachliche Zusammenhänge meist nicht zulässt, gegen eine zu allgemein angelegte Ausbildung spricht. In diesem Sinne äußert sich Arntz (2001:337): „Das erforderliche Sachwissen lässt sich kaum im Laufe der beruflichen Tätigkeit, gewissermaßen von Fall zu Fall erlernen, es muss vielmehr bereits im Lauf der Ausbildung in systematischer Form erworben werden". Dies bedeutet für die Fachübersetzerausbildung, dass sich eine Spezialisierung nicht umgehen lässt. Wünschenswert wären Ausbildungsgänge, die ÜbersetzerInnen für einen spezifischen Fachbereich ausbilden, beispielsweise juristische FachübersetzerInnen oder FachübersetzerInnen für Technik, in denen die systematische Einführung in das Fachgebiet der ÜbersetzerIn erlaubt, Zusammenhänge und Verbindungen zu erfassen und später im Berufsleben darauf aufbauend textspezifische Fragen aufgrund der erwähnten Recherchekompetenz lösen zu können.

In einem solchen Rahmen könnte das Fachwissen eng gekoppelt mit der fachspezifischen Kommunikation sowie den fachübergreifenden Schwerpunkten angeboten werden. Zur Vermittlung von Fachwissen in der Übersetzungsdidaktik siehe Hoffmann (1993), Arntz/Eydam (1993), Klammer (2013). Eine zukunftsorientierte Fachübersetzerausbildung wird sich daher auf einzelne Fachgebiete konzentrieren müssen, wobei der Grad an Spezialisierung aber sorgfältig abgewogen werden muss, bzw. durch einen modularen Aufbau des Studiums angepasst werden kann. Hauptaufgabe der Ausbildung ist neben der Vermittlung der Basiskompetenzen aber vor allem das Heranführen der künftigen FachübersetzerIn an das spezifische Fachdenken eines Bereiches, damit sie erfolgreich an der Kommunikation in diesem Fachbereich partizipieren und eine „kommunikative Übersetzungskompetenz" erwerben kann, um „ausgangssprachliche Fachtexte als interkulturell, sozial, situativ, kognitiv und funktional bestimmte, sachlogisch strukturierte, semantisch-syntaktisch gegliederte sowie hierarchisch organisierte sprachliche Einheiten in die jeweilige Zielsprache zu übermitteln" (Baumann 1995:463).

Fachdenken

Angestrebt wird dadurch eine Akkulturation in das Fachgebiet. Durch das Kennenlernen und Verinnerlichen der Normen, Erwartungen und Konventionen des Schreibens im Fachbereich kann die FachübersetzerIn im Rahmen ihrer Tätigkeit als TextvermittlerIn an der „interpretive community" des Fachbereichs teilnehmen, die ihrerseits eng verbunden ist mit den Wissenssystemen des Fachbereichs: „intimately linked to a discipline's methodology, and they [the experts] package information in ways that conform to a discipline's norms, values, and ideology" (Berkenkotter/Huckin 1995:1).

Hinweise zur Vertiefung dieser Thematik geben beispielsweise Baumann (2004), Stolze (2009), Klammer (2013).

„Fachkommunikation ist gelenkte Kommunikation. Ein wesentlicher Gegenstand ihrer wissenschaftlichen Erfassung sind daher die Akteure, Instrumente und Parameter der Lenkung" (Schubert 2007:136). Als Konsequenz dieser zutreffenden Aussage gehört zu den wesentlichen Teilkompetenzen der FachübersetzerIn das Wissen um die pragmatische und situationelle Einbettung der in diesem Fachbereich geführten Kommunikation: Wer kommuniziert mit wem unter welchen Voraussetzungen mit welchen Mitteln? Was sind die wichtigsten Fachkommunikate bzw. Fachkommunikationshandlun-

Fachspezifische Kommunikation

gen im Sinne des bereits erwähnten integrativen Modells der Fachkommunikation (Schubert 2007:248 f).

Wenn wir den Fachbereich Recht als Beispiel nehmen, stehen die Merkmale der Kommunikation im Recht im Vordergrund, ihr präskriptiver und transdisziplinärer Charakter, die grundsätzliche Adressatenpluralität mit dem Widerspruch zwischen dem Anspruch auf Allgemeinverständlichkeit bei Gesetzen und Verordnungen, die sich an den Bürger richten, und den Voraussetzungen einer Fachsprache, die spezifische Terminologie, abstrakte Darstellung des Fachwissens sowie Abstimmung und Verknüpfung von Texten verlangt, und den Voraussetzungen der Kommunikation zwischen Fachleuten (Anwälte, Richter, Wissenschaftler) genügen muss. Daneben muss zwischen den verschiedenen Ebenen der Rechtssetzung mit der Gesetzessprache und anderen instruktionellen Texten, des Rechtswesens mit Rechtspflege und Rechtsanwendung und den für sie spezifischen Textsorten (Urteile, Aussagen, Gutachten, Klageschriften usw.), der Rechtswissenschaft mit Monographien, Kommentarbüchern und Aufsätzen sowie der Verwaltung mit ihrer Behördensprache und institutionellem Schriftverkehr unterschieden werden.

Fachspezifische Textsorten

Eine besondere Rolle spielen fachspezifische Textsorten und verknüpfte Textsortennetze, „systems of genres which are often confined to specific disciplinary cultures" (Bhatia 2007:29). Sie stellen Muster für wiederkehrende Kommunikationshandlungen dar und verbinden in ihrer Spezifik das Fachwissen mit dem Fachdenken zu einem bestimmten Kommunikationszweck: „genres have certain sociocognitive realities, in that they invariably display typical cognitive structuring realizing communicative purposes" (Bhatia 2007:32). Kommunikationshandlungen über Texte sind in einem Fachgebiet miteinander verknüpft; eine Kommunikationshandlung wird von einer anderen ausgelöst und hat ihrerseits weitere Kommunikationshandlungen zur Folge: In der Rechtsanwendung wird die Klageschrift für einen Prozess vorbereitet, im Prozess selbst werden Zeugenaussagen, Protokolle, Gutachten verfasst, der Richter fällt seinen Urteilsspruch, die Vollstreckung wird angeordnet usw. Jede dieser Textsorten ist mit einer oder mehreren anderen Textsorten in einem fachspezifischen Textsortennetz (Ostapenko 2007) verbunden. Diese Verbindungen gilt es, angehenden FachübersetzerInnen näher zu bringen und damit die Art der Kommunikation im Fachbereich zu veranschaulichen.

Fachtexte als spezifische Kommunikationshandlungen werden von den in diesem Fachbereich tätigen Menschen einzeln oder gemeinsam verfasst. Ihre Rolle und Einordnung sowie der Kontext und die Absicht ihrer Kommunikationshandlungen sind für die FachübersetzerIn zur Einschätzung der Fachtexte und des Übersetzungsauftrages von Bedeutung.

Darüber hinaus gehört zur fachspezifischen Kommunikation ebenso der mehrsprachige und transkulturelle Aspekt, der Aufschluss darüber gibt, welche Art von Texten in einem spezifischen Fachbereich überhaupt translationsrelevant sind: Wer bedient sich welcher Sprache, welche Akteursgruppen treffen auf Sprach- und Kulturgrenzen, und vor allem welche Textsorten werden in diesem Fachbereich übersetzt? Neben empirischen Untersuchungen und Markterhebungen ist hier vor allem die Erfahrung professioneller FachübersetzerInnen in der Ausbildung ausschlaggebend.

Weiterführende Literatur bezieht sich auf einzelne Fachbereiche und die für sie spezifische Kommunikation. Dabei gibt es zahlreiche Veröffentlichungen, beispielsweise erwähnt seien hier für das Fach Medizin Fischbach (1998), Monalt/González (2007), Puato (2008), für Fachtext-Netzwerke in der Medizin Hess-Lüttich (2011), für das Recht Arntz (2001), Kredens (2007), Pommer (2012), für die Unternehmenskommunikation Bolten (2007) und Rocco (2008), für die technische Dokumentation Göpferich (1998), Drewer/Ziegler (2010).

Den dritten und letzten großen Themenbereich bilden sprachenpaarspezifische Themen. War in den beiden bisher genannten Themenbereichen von einführenden allgemeinen Lehrinhalten, von Fachgebieten und einsprachiger Kommunikation die Rede, stehen im dritten Themenbereich Inhalte, die sich aus dem Vergleich der Kommunikationshandlungen eines spezifischen Fachbereiches in zwei verschiedenen Sprachen und Kulturen ergeben, und praktische Übungen im Vordergrund. Dazu gehören sowohl ein Überblick über die in diesem Sprachenpaar am häufigsten übersetzten Texte und Sprachrichtungen als auch vergleichende Untersuchungen von Terminologien und Textsorten. Kontrastive Untersuchungen bieten den ÜbersetzerInnen eine konkrete Arbeitsgrundlage für die am jeweiligen Übersetzungszweck ausgerichteten fallspezifischen Entscheidungen.

Terminologie-
vergleich

Aufbauend auf die im ersten Themenbereich erworbenen methodischen Kenntnisse werden hier konkrete sprachenpaarspezifische Vergleiche angestellt, in denen die Terminologie eines Fachbereichs und einer Sprache bzw. einer Kultur der Terminologie desselben Fachbereichs aber einer anderen Sprache und Kultur gegenüber gestellt wird. Solche kontrastiven Terminologievergleiche gehen der Frage nach, wie das Fachwissen durch Begriffe in einer Kultur konzeptualisiert und benannt wird, sowie welche Unterschiede sich aus einem Vergleich der Ergebnisse aus zwei oder mehreren Kulturen und Sprachen ergeben. Aus der systematischen Darstellung und den beschriebenen Besonderheiten der Terminologien können wichtige Rückschlüsse für das Übersetzen in diesem Bereich gewonnen werden.

Sprachenpaarbezogene Terminologieuntersuchungen liegen in den verschiedensten Fachgebieten vor; besonders hervorzuheben sind die als Abschlussarbeiten vorgelegten terminologischen Untersuchungen, die an universitären Ausbildungsinstitutionen zur Verfügung stehen (derzeit 2.250 erfasste Arbeiten in der Datenbank Diploterm http://itat2.uni-graz.at/pub/diploterm/), zu allgemeineren Überlegungen siehe für Technik und Recht Arntz (2001), für Recht Sandrini (2009).

Textsorten-
vergleich

Über die begrifflich-terminologische Ebene hinaus können auch Kommunikationshandlungen oder Texte als funktionale Einheiten aus zwei oder mehreren Sprach- und Kulturräumen, die nach denselben Kriterien auf der Grundlage einer einheitlichen kommunikativ-funktionalen Ausrichtung ausgewählt wurden, vergleichend untersucht und als Ergebnis für das Fachübersetzen gewinnbringend zur Verfügung gestellt werden. Eine solche kontrastive Textologie stellt den Text als ganzheitliche Kommunikationshandlung ins Zentrum ihrer Aufmerksamkeit und beschreibt die typischen handelnden Akteure, den Kommunikationszweck, die Situation der Kommunikationshandlung sowie alle Merkmale der Kommunikationshandlung auf den verschiedenen Analyseebenen, um Übereinstimmungen und Unterschiede zwischen den betroffenen Sprach- und Kulturräumen hervorzuheben.

Hinweise zur Vertiefung dieser Thematik finden sich z. B. in: zu Textsortenvergleichen in Naturwissenschaften und Technik Göpferich (1995), zum Potential interlingualer Textvergleiche Arntz (2011), zu deutschen, französischen, englischen, spanischen und italie-

nischen Todesanzeigen Eckkrammer (1996), zu Hypertextsorten
Sandrini (2008), zu deutschen und russischen Homepages Schütte
(2004), zu deutschen und italienischen Aktionärsbriefen Rocco
(2008), zu deutschen und spanischen Urteilen Müller (2010).

Das Vermitteln von Fachübersetzungskompetenz durch praktische Übungen hat immer noch einen hohen Stellenwert in der
Ausbildung. In konkreten Übersetzungsprojekten können die bisher
genannten Kompetenzen zur Anwendung kommen, wobei der Fokus
auf dem entweder aus der Praxis übernommenen oder didaktisch
aufbereiteten Übersetzungsauftrag, auf dem Erkennen des pragmatischen Kontextes sowie auf dem Vermitteln von Übersetzungs-
methoden liegt. Aus Kosten- und Effizienzgründen können sprach-
und fachgebietsspezifische Übersetzungsübungen an allgemeinen
Ausbildungsinstituten lediglich beispielhaft angeboten werden;
dies spricht wiederum für eine Spezialisierung der Fachübersetzerausbildung, wo praktische Übungen systematisch auf der Grundlage
der Erkenntnisse aus der fachspezifischen Kommunikation angeboten werden können. In einem modernen Ausbildungskonzept rückt
jedoch das „learning by doing" in den Hintergrund zugunsten einer
theoretisch reflektierten, in einzelne Teilkompetenzen aufgeschlüs-
selten integrativen Fachkommunikations- und Fachübersetzungskompetenz.

Praxis des Fachübersetzens

Im Anschluss an die allgemeinen Kenntnisse zur Translationstechnologie steht hier das Management von sprachenpaarspezi-
fischen Ressourcen eines bestimmten Fachbereichs im Mittelpunkt:
Recherche bereits existierender Terminologiebestände für das Fachgebiet, Auffinden von Textkorpora, Wissen um bestehende Trans-
lation-Memories sowie das Erstellen, Verwalten und Dokumentieren
eigener Sammlungen in den dafür vorgesehenen genormten Aus-
tauschformaten.

Management von Sprachressourcen

Resümee

Fachübersetzen stellt sich heute als ein heterogener Bereich dar, der
sowohl durch die willkürliche Einteilung in Fachbereiche als auch
durch die formale und inhaltliche Verschiedenheit der Ausgangstexte
einen weiten Bogen spannt: Vom Übersetzen von Gerichtsurteilen,
User-Interfaces von Software über technische Handbücher und

Werbebroschüren bis zum Übersetzen von Inventurlisten. Zudem sind hoch spezialisierte Dienstleistungen wie die mehrsprachige technische Dokumentation, die Softwarelokalisierung und das Übersetzen von Webseiten entstanden, so dass eine alles umfassende Ausbildung kaum mehr möglich ist, ohne Absolventen für längere Zeit zu schlecht bezahlten Praktika oder teuren postgradualen Ausbildungskursen zu zwingen.

Eine Fokussierung der Fachübersetzerausbildung erscheint sinnvoll. Diese kann entweder horizontal auf einzelne Fachbereiche erfolgen, etwa eine Ausbildung zur FachübersetzerIn Technik oder zur FachübersetzerIn Recht, oder vertikal fokussiert auf eine spezifische Form der Fachkommunikation, beispielsweise die mehrsprachige technische Dokumentation, oder auch ein spezifisches Medium, wie die Software- und Weblokalisierung. Dies lässt sich nicht nur inhaltlich begründen, sondern kann national und international auch zu einer Spezialisierung der Ausbildungsinstitutionen führen. Schwerpunktbildungen an den Ausbildungsinstituten sowohl in der Forschung als auch in der Lehre ermöglichen zudem die Realisierung des universitären Anspruchs auf Verbindung von Forschung und Lehre und führen zu einer Vermeidung von Doppelangeboten mit einem entsprechenden Rationalisierungseffekt. Zusätzlich können die im Zuge der Bologna-Reform eingeführten Bachelor- und Masterstudiengänge besser aufeinander abgestimmt werden, wenn jede Ausbildungsinstitution eine oder einige wenige Spezialisierungen im Masterstudium anbietet.

Eine besondere didaktische Herausforderung der Fachübersetzerausbildung besteht darin, dass einerseits die nötigen Kompetenzen aus didaktischen Überlegungen und curricularen Anforderungen analytisch in Teilkompetenzen zerlegt werden müssen, andererseits aber eine hohe Integration aller Teilkompetenzen erforderlich ist, um das Ziel einer integrativen und kumulativen Fachübersetzerkompetenz (Baumann 2004; Schubert 2007) zu erreichen. Beim Vermitteln jedes einzelnen der oben angeführten Inhaltsbereiche ist daher darauf zu achten, die nötigen Querverbindungen zu den anderen herzustellen, unabhängig davon, auf welche und wie viele Lehreinheiten die Inhaltsbereiche aufgeteilt werden.

Eine konkrete Einteilung in Module bzw. Lehrveranstaltungen kann nur funktional zum angestrebten Ausbildungsziel und zur gewählten Spezialisierung erfolgen. In diesem Sinne stellt dieser

Beitrag lediglich eine allgemeine Einführung und Übersicht über die Anforderungen des Fachübersetzens dar.

Literatur

Arntz, Reiner/Eydam, Erhard. 1993. Zum Verhältnis von Sprach- und Sachwissen beim Übersetzen von Fachtexten. In: Bungarten, T. (Hg.) *Fachsprachentheorie 1. Fachsprachliche Terminologie, Begriffs- und Sachsysteme, Methodologie.* Tostedt: Attikon, 189–227.

Arntz, Reiner. 2001. *Fachbezogene Mehrsprachigkeit in Recht und Technik.* Hildesheim: Olms.

Arntz, Reiner/Picht, Heribert/Mayer, Felix. 2002. *Einführung in die Terminologiearbeit.* Hildesheim/Zürich/New York: Olms.

Arntz, Reiner. 2011. Die Informationsflut nutzen – Das Potential interlingualer Textvergleiche in der Sprach- und Übersetzungsdidaktik. In: Baumann, K-D. (Hg.) *Fach – Translat – Kultur. Interdisziplinäre Aspekte der vernetzten Vielfalt.* Berlin: Frank & Timme, 566–589.

Austermühl, Frank. 2001. *Electronic Tools for Translators.* Manchester: St. Jerome.

Baumann, Klaus-Dieter. 1995. Die Fachlichkeit von Texten als Übersetzungsproblem. In: Fleischmann, E./Kutz, W./Schmidt, P. A. (Hg.) *Translationsdidaktik. Grundfragen der Übersetzungswissenschaft.* Tübingen: Narr, 457–463.

Baumann, Klaus-Dieter. 2004. Die Integrativität translatorischer Kompetenz. In: Fleischmann, E. (Hg.) *Translationskompetenz: Tagungsberichte der LICTRA Leipzig International Conference on Translation Studies.* Tübingen: Stauffenburg, 25–42.

Baumann, Klaus-Dieter (Hg.). 2013. *Theorie und Praxis des Dolmetschens und Übersetzens in fachlichen Kontexten.* Berlin: Frank & Timme.

Berkenkotter, Carol/Huckin, Thomas N. 1995. *Genre Knowledge in Disciplinary Communication: Cognition/Culture/Power.* Hillsdale, NJ: Lawrence Erlbaum Associates.

Bhatia, Vijay Kumar. 2007. *Worlds of Written Discourse: a genre-based view.* London: Continuum.

Bolten, Jürgen. 2007. *Einführung in die interkulturelle Wirtschaftskommunikation.* Stuttgart: Vandenhoeck & Ruprecht.

Bowker, Lynne. 2002. *Computer-Aided Translation Technology: a practical introduction.* Ottawa: Univ. of Ottawa Press.

Byrne, Jody. 2012. *Scientific and technical translation explained: a nuts and bolts guide for beginners.* Manchester: St. Jerome.

Diaz Fouces, Oscar. 2011. ¿Merece la pena introducir el software libre en la formación de traductores profesionales? In: *Anais das XI Jornadas de Traducción y Lenguas Aplicadas – Congreso Internacional „Didáctica de las lenguas y la traducción en la enseñanza presencial y a distancia"* CDROM *Language and Translation Teaching in FacetoFace and Distance Learning*. Vic: Facultat de Ciències Humanes, Traducció i Documentació de la Universitat de Vic.

Drewer, Petra/Ziegler, Wolfgang. 2010. *Technische Dokumentation*. Würzburg: Vogel Business Media.

Eckkrammer, Eva-Martha. 1996. *Die Todesanzeige als Spiegel kultureller Konventionen: eine kontrastive Analyse deutscher, englischer, französischer, spanischer, italienischer und portugiesischer Todesanzeigen*. Bonn: Romanistischer Verlag.

EMT-Expertengruppe. 2009. *Kompetenzprofil von Translatoren, Experten für die mehrsprachige und multimediale Kommunikation*. Brüssel: DGT.

Fischbach, Henry (ed.). 1998. *Translation and medicine*. Amsterdam/Philadelphia: Benjamins.

Forstner, Martin. 2000. Zwischen globalisierter Kommunikation und kultureller Fragmentierung – zur Rolle der Translatoren in der neuen Informations- und Kommunikations-Welt. In: Wilss, W. (Hg.) *Weltgesellschaft, Weltverkehrssprache, Weltkultur. Globalisierung versus Fragmentierung*. Tübingen: Stauffenburg, 139–183.

Fraser, Janet. 2000. The broader view: How freelance translators define translation competence. In: Schäffner, C./Adab, B. (eds.) *Developing translation competence*. Amsterdam/Philadelphia: John Benjamins, 51–62.

Göpferich, Susanne. 1995. *Textsorten in Naturwissenschaft und Technik. Pragmatische Typologie – Kontrastierung – Translation*. Tübingen: Narr.

Göpferich, Susanne. 1998. *Interkulturelles Technical Writing: Fachliches adressatengerecht vermitteln; ein Lehr- und Arbeitsbuch*. Tübingen: Narr.

Göpferich, Susanne. 2004. Wie man aus Eiern Marmelade macht: von der Translationswissenschaft zur Transferwissenschaft. In: Göpferich, S./ Engberg, J. (Hg.) *Qualität fachsprachlicher Kommunikation*. Tübingen: Narr, 3–30.

Gotti, Maurizio. 1991. *I linguaggi specialistici: caratteristiche linguistiche e criteri pragmatici*. Firenze: La Nuova Italia.

Grade, Michael. 2002. Auswirkungen des wachsenden naturwissenschaftlich-technischen Wissens auf Beruf und Ausbildung technischer Fachübersetzer. *Lebende Sprachen* 43:2, 49–56.

Hess-Lüttich, Ernest W.B. 2011. Fachliche Intertextualität – ein interdisziplinärer Untersuchungsansatz. In: Baumann, K-D. (Hg.) *Fach – Translat – Kultur. Interdisziplinäre Aspekte der vernetzten Vielfalt*. Berlin: Frank & Timme, 170–204.

Hoffmann, Lothar 1985. *Kommunikationsmittel Fachsprache: eine Einführung.* Tübingen: Narr.

Hoffmann, Lothar. 1993. Fachwissen und Fachkommunikation. Zur Dialektik von Systematik und Linearität in den Fachsprachen. In: Bungarten, T. (Hg.) *Fachsprachentheorie.* Tostedt: Attikon, 595–617.

Holz-Mänttäri, Justa. 1984. *Translatorisches Handeln.* Helsinki: Annales Academiae Scientiarum Fennicae.

Jumpelt, Rudolf Walter. 1961. *Die Übersetzung naturwissenschaftlicher und technischer Literatur: sprachliche Maßstäbe und Methoden zur Bestimmung ihrer Wesenszüge und Probleme.* Berlin: Langenscheidt.

Kalverkämper, Hartwig. 1996. Die Fachsprachen und ihre Erforschung: Eine Bilanz für die Zukunft. In: Budin, G.(Hg.) *Mehrsprachigkeit in der Fachkommunikation.* Wien: TermNet, 1–25.

Kalverkämper, Hartwig. 1999. Translationswissenschaft als integrative Disziplin. In: Gerzymisch-Arbogast, H./Gile, D./House J./Rothkegel A. (Hg.). *Wege der Übersetzungs- und Dolmetschforschung.* Tübingen: Narr, 55–76.

Kastberg, Peter. 2011. Argos und Polyphem: Zum Komplexitätsanspruch der Wissenskommunikation. In: Baumann, K-D. (Hg.) *Fach – Translat – Kultur. Interdisziplinäre Aspekte der vernetzten Vielfalt.* Berlin: Frank & Timme, 87–105.

Kearns, John. 2012. Curriculum ideologies in Translator and Interpreter Training. In: Hubscher-Davidson, S./Borodo, M. (eds.) *Global Trends in Translator and Interpreter Training. Mediation and Culture.* London, New York: continuum, 11–29.

Klammer, Katja. 2013. Der fachliche Denkstil – Ein wesentliches Element im Netz der translatorischen Kompetenz. In: Baumann, K-D. (Hg.) *Theorie und Praxis des Dolmetschens und Übersetzens in fachlichen Kontexten.* Berlin: Frank & Timme, 583–606.

Kredens, Krzysztof (ed.). 2007. *Language and the law: international outlooks.* Frankfurt a. M.: Lang.

Lauren, Christer/Myking, Johan/Picht Heribert (Hg.). 1998. *Terminologie unter der Lupe. Vom Grenzgebiet zum Wissenschaftszweig.* Wien: TermNet.

Mayer, Felix. 2008. Terminographie heute. Antworten der Lehre auf die Anforderungen der Praxis. In: Krings, H. P./Mayer, F. (Hg.). *Sprachenvielfalt im Konetxt von Fachkommunikation, Übersetzung und Fremdsprachenunterricht.* Berlin: Franck & Timme, 317–328.

Montalt, Vicent/González Davis, Maria. 2007. *Medical translation step by step: learning by drafting.* Manchester: St. Jerome.

Müller, Elke. 2010. Sprache – Recht – Übersetzen: *Betrachtungen zur juristischen Fachkommunikation; mit einer Darstellung am Beispiel von deutschen und spanischen Strafurteilen.* Hamburg: Kovač.

Nielsen, Martin/Grove Ditlevsen, Marianne/Engberg Jan/Kastberg Peter. 2011. Hochschullehre im Spannungsfeld zwischen Fachsprachenforschung und Kompetenzennachfrage der Wirtschaft. In: Baumann, K-D. (Hg.) *Fach – Translat – Kultur. Interdisziplinäre Aspekte der vernetzten Vielfalt.* Berlin: Frank & Timme, 415–445.

Nord, Christiane. 1993. *Einführung in das funktionale Übersetzen.* Tübingen: Francke.

Nord, Christiane. 2010. *Fertigkeit Übersetzen: ein Kurs zum Übersetzenlehren und -lernen.* Berlin: BDÜ Fachverlag.

Ostapenko, Valentyna. 2007. *Vernetzung von Fachtextsorten: Textsorten der Normung in der technischen Harmonisierung.* Berlin: Frank & Timme.

Picht, Heribert. 1996. Fachkommunikation – Fachsprache. In: Budin, G. (Hg.) *Mehrsprachigkeit in der Fachkommunikation.* Wien: TermNet, 27–46.

Pommer, Sieglinde. 2012. *Law as translation.* London: Kluwer Law International.

Prunč, Erich. 1997. Translationskultur Versuch einer konstruktiven Kritik des translatorischen Handelns. *TEXTconTEXT* 11:1 = NF 2:1, 99–127.

Prunč, Erich. 2000. Vom Translationsbiedermeier zur Cyber-translation. *TEXTconTEXT* 14:1 = NF 4:1, 3–74.

Puato, Daniela. 2008. *La lingua medica: tecnicismi specifici e collaterali nella traduzione dal tedesco in italiano.* Roma: La Sapienza.

Pym, Anthony. 2011. Training Translators. In: Malmkjaer, K./Windle, K. (eds.) *The Oxford Handbook of Translation Studies.* Oxford: Oxford University Press, 475–489.

Pym, Anthony/Perekrestenko, Alexander/Starink Bram (eds.). 2006. *Translation technology and its teaching: with much mention of localization.* Tarragona: Intercultural Studies Group, Univ. Rovira i Virgili.

Quah, Chiew Kin. 2006. *Translation and Technology.* New York: Palgrave Macmillan.

Reiß, Katharina/Vermeer, Hans J. 1984. *Grundlegung einer allgemeinen Translationstheorie.* Tübingen: Niemeyer.

Risku, Hanna. 2004. *Translationsmanagement: interkulturelle Fachkommunikation im Informationszeitalter.* Tübingen: Narr.

Rocco, Goranka. 2013. *Textsorten der Unternehmenskommunikation aus kontrastiv-textologischer Perspektive: eine Untersuchung der Aktionärsbriefe und Einstiegseiten der deutschen und italienischen Banken.* Frankfurt a. M. etc.: Lang.

Roelcke, Thorsten. 1999. *Fachsprachen.* Berlin: Schmidt.

Sandrini, Peter. 2006. LSP Translation and Globalization. In: Gotti, M./Šarčević, S. (eds.) *Insights into Specialized Translation.* Linguistic Insights 46. Frankfurt a. M. etc.: Lang, 107–120.

Sandrini, Peter. 2008. Translationsrelevanter Hypertextvergleich. In: Krings, H. P./Mayr, F. (Hg.) *Sprachenvielfalt im Kontext von Fachkommunikation, Übersetzung und Fremdsprachenunterricht. Festschrift für Reiner Arntz.* Berlin: Frank & Timme, 221–231.

Sandrini, Peter. 2009. Der transkulturelle Vergleich von Rechtsbegriffen. In: Šarčević, S. (ed.) *Legal Language in Action: Translation, Terminology, Drafting and Procedural Issues.* Zagreb: Globus, 151–165.

Sandrini, Peter. 2012 Translationstechnologie im Curriculum der Übersetzerausbildung. In: Zybatow, L./Małgorzewicz, A. (Hg.) *Sprachenvielfalt in der EU und Translation. Translationstheorie trifft Translationspraxis.* Studia Translatorica 3. Wrocław/Dresden: Neisse, 107–120.

Scarpa, Federica. 2001. *La Traduzione Specializzata: lingue speciali e mediazione linguistica.* Milano: Hoepli.

Schmitt, Peter A. 1999. *Translation und Technik.* Tübingen: Stauffenburg.

Schubert, Klaus. 2007. *Wissen, Sprache, Medium, Arbeit. Ein integratives Modell der ein- und mehrsprachigen Fachkommunikation.* Tübingen: Narr.

Schütte, Daniela. 2004. *Homepages im World Wide Web. Eine interlinguale Untersuchung zur Textualität in einem globalen Medium.* Frankfurt a. M. etc.: Lang.

Somers, Harold. 2003. *Computers and Translation. A Translator's Guide.* Amsterdam/Philadelphia: John Benjamins.

Stolze, Radegundis. 2013. *Fachübersetzen – Lehrbuch für Theorie und Praxis.* Berlin: Frank & Timme.

Vermeer, Hans. 1996. *Die Welt, in der wir übersetzen. Drei translatologische Überlegungen zu Realität, Vergleich und Prozeß.* Heidelberg: TexTconTexT.

Wilss, Wolfram. 1992. *Übersetzungsfertigkeit. Annäherung an einen komplexen übersetzungspraktischen Begriff.* Tübingen: Narr.

Wright, Sue Ellen. 2011. Scientific, Technical and Medical Translation. In: Malmkjaer, K./Windle, K. (eds.) *The Oxford Handbook of Translation Studies. Oxford: Oxford University Press,* 243–261.

Wüster, Eugen. 1993. Die Allgemeine Terminologielehre – ein Grenzgebiet zwischen Sprachwissenschaft, Logik, Ontologie, Informatik und den Sachwissenschaften. In: Laurén, C./ Picht, H. (Hg.) *Ausgewählte Texte zur Terminologie.* Wien: TermNet, 331–376.

7   Arbeiten in der Sprachindustrie

Gerhard Budin

Einleitung

Dieser Beitrag hat zum Ziel, einen Überblick zu geben über die Arbeitsprozesse, Berufsprofile und deren Anforderungen, die wir in der sich
dynamisch entwickelnden Sprachindustrie beobachten können. Da der
Begriff „Sprachindustrie" im deutschen Sprachgebrauch noch deutlich
weniger häufig verwendet wird (3.120 Treffer bei einer Suche mit der
Google-Suchmaschine) als im Englischen (im Vergleich dazu 191.000
Treffer für „language industry" in Google, ähnliche Trefferzahlen für die
entsprechenden französischen und spanischen Ausdrücke), ist es notwendig, sich zuerst mit der kurzen Begriffsgeschichte sowie mit dem
Bedeutungsspektrum das Ausdruckes „Sprachindustrie" zu beschäftigen. Dem folgt eine Reflexion der Forschungsperspektive der Sprachindustrie als Untersuchungsobjekt der Translationswissenschaft, sowie
eine Beschreibung der wichtigsten Arbeitsprozesse, der Berufsprofile
und der Qualifikationswege für die Zukunft.

Zum Begriff der „Sprachindustrie"

Auf der Webseite der AILIA (*Association de l'industrie de la langue/
Language industry association*), also eines Vereins für Sprachindustrie
in Kanada (AILIA 2015), wird die Sprachindustrie auf Englisch und
Französisch wie folgt definiert (Übersetzung durch den Autor):

Translation,
Sprachtechnologie,
Sprachenlernen

Die Sprachindustrie umfasst unterschiedliche Sektoren, für die
wir die folgenden drei Hauptbereiche unterscheiden können:

1. Translation
   a. Übersetzen
   b. Lokalisierung/Globalisierung (Software und Web)

c. Dolmetschen
d. Terminologie
e. Synchronisation
2. Sprachtechnologien
   a. Maschinelle Übersetzung und Werkzeuge zum computergestützten Übersetzen
   b. Content-Management
   c. Verarbeitung gesprochener Sprache (automatische Spracherkennung, Stimmbiometrie, automatische Sprachausgabe (text-to-speech) etc.)
   d. Sprachenlernen mit eLearning
3. Sprachenlernen
   a. Sprachausbildung
   b. Sprachausbildung mit eLearning-Methoden
   c. Testen von Sprachkompetenzen
   (vgl. AILIA 2015 „Our Industry")

Diese Einteilung der Sprachindustrie in drei Hauptbereiche mit ihren Unterbereichen hat sich international in den letzten Jahren durchgesetzt, vor allem im englischsprachigen Diskurs zum Thema „language industry". Die drei Hauptbereiche, Translation, Sprachtechnologien und Sprachenlernen wurden bisher eher getrennt voneinander wahrgenommen, werden aber zunehmend aufgrund der immer stärker werdenden Querverbindungen und Interaktionen zwischen ihnen und ihren Teilbereichen als gemeinsamer Industriesektor aufgefasst. Die unterschiedlichen Sprachtechnologien spielen bei diesem Integrationsprozess als treibende Kraft eine Schlüsselrolle, da sie sowohl in den translatorischen Arbeitsprozessen als auch im Bereich des Sprachenlernens zum Einsatz kommen.

Der Begriff der „Industrie" wird in diesem Zusammenhang auch deswegen zunehmend verwendet, da der Dienstleistungssektor in der Wirtschaft generell stark an Ausmaß und Bedeutung zugenommen hat und dieser Sektor durch sozioökonomische Prozesse schon über Jahrzehnte „industrialisiert" wurde. Ursprünglich (d. h. in den frühen 1990er Jahren) war der Begriff „language industry" nur für die Entwicklung und den Einsatz von Software für die Sprachverarbeitung (language processing) in Verwendung. Diese enge Bedeutung ist mittlerweile nicht mehr gebräuchlich. Der Begriffsumfang von „language industry" hatte sich ab den Jahren 2000–2005 deutlich

Begriffsklärung

erweitert und die industrielle Seite der Entwicklung und Verwendung von Sprachtechnologien aller Art ist heute nur mehr ein (wenn auch sehr wichtiger) Teil der Sprachindustrie. Bereits 2005 wurde in Kanada eine Studie durchgeführt, in der die wirtschaftliche Situation und Entwicklung der Sprachindustrie in Kanada untersucht wurde und deren Ergebnisse ein Jahr später publiziert wurden (s. Industry Canada 2006). Auch wenn in dieser Studie der Fokus nur auf Teilbereichen der Sprachindustrie lag (und zwar bei der Translation nur auf Firmen, die in den Unterbereichen Übersetzen und Dolmetschen und beim Sprachenlernen nur auf Firmen, die im Unterbereich des traditionellen Sprachunterrichts tätig sind), ist sie doch für die Situation vor rund zehn Jahren in Kanada aussagekräftig und auch aus heutiger Sicht noch relevant. In Bezug auf Begriffsinhalt und -umfang der Bezeichnung „language industry"/"industrie de la langue" war diese Studie aber bereits voll im Einklang mit der weiter oben zitierten Begriffsbildung der AILIA, die schon vor zehn Jahren vorlag.

Sprachindustrie-typologie in der EU

2009 wurde im Auftrag der Generaldirektion Übersetzung der EU Kommission eine Studie zur Situation (speziell der Größe) der Sprachindustrie in der Europäischen Union veröffentlicht (European Commission 2009). Die dort explizit aufgelisteten acht Sektoren der Sprachindustrie sind: Übersetzen, Dolmetschen, Softwarelokalisierung und Webseitenglobalisierung, Entwicklung sprachtechnologischer Werkzeuge, Sprachenunterricht, sprachbezogene Unternehmensberatung, Organisierung internationaler Konferenzen mit mehrsprachigen Anforderungen. Auch wenn in der Studie kein Hehl aus der Unvollständigkeit der Daten für die Mitgliedsstaaten der Europäischen Union gemacht wurde, konnte doch für das untersuchte Jahr 2008 ein Marktvolumen von 8.4 Milliarden Euro für die Sprachindustrie in der EU errechnet werden, mit einer stark steigenden Tendenz in den Jahren zuvor und der Vorhersage weiterer Steigerungsraten bis 2015. Der dieser Studie zugrunde gelegte Begriffsumfang der Sprachindustrie deckt sich weitgehend, aber nicht vollständig, mit jenem der zuvor zitierten kanadischen Begriffsbildung der AILIA (siehe auch die Studie 2006 des TC-Star Projekts zu den Sprachtechnologien für Europa (Lazzari 2006) zur Begriffsbildung der Sprachindustrie).

LIND-Web

Als ein konkretes Ergebnis dieser Studie über die Größe des Marktes der Sprachindustrie in der Europäischen Union ist LIND-

Web (DG Translation 2015) 2012 ins Leben gerufen worden. Die Typologie der Sprachindustrie ist dieselbe wie bei der gerade erwähnten Marktstudie von 2009. Das Akronym „LIND" steht für „Language Industry" und diese Web-Plattform soll die unterschiedlichen Organisationen der Industrie, der akademischen Ausbildung und der Berufsorganisationen einander näher bringen. Eine Reihe von Tagungen fand in den letzten Jahren statt, eine Arbeitsgruppe der DG Translation überlegt 2015, wie es mit LIND-Web konkret weiter gehen soll. Ziel von LIND-Web bleibt in jedem Fall, Zahlen und Fakten über die europäische Sprachindustrie zu sammeln, die von Sprachfachleuten, EU-Institutionen und Industrieunternehmen zur Verfügung gestellt werden. Ziel ist es überdies, das Bewusstsein für die Wichtigkeit und Rolle von sprachbezogenen Dienstleistungen, von Sprachtechnologien und vom Sprachenlernen in der modernen Gesellschaft zu schärfen. LIND-Web soll dabei als gemeinsame Wissensbasis und Plattform für Erfahrungsaustausch und gemeinsame Aktivitäten zwischen Industrie, Hochschulausbildung und Forschung und den Berufsorganisationen fungieren. LIND-Web soll auch wichtige Anregungen für das Netzwerk „European Master of Translation" (EMT, ein Qualitätssiegel für hochwertige Master-Ausbildungsprogramme im Bereich des [Fach-]Übersetzens) liefern, um sicherzustellen, dass AbsolventInnen dieser mit dem EMT-Siegel ausgezeichneten Studiengänge auch die Erwartungen der Sprachindustrie an ihre Fähigkeiten für hochqualifizierte Tätigkeiten und Berufsprofile erfüllen.

Die Sprachindustrie im Forschungskontext der „Computational Translation Studies"

Aus interdisziplinärer Sicht lässt sich eine Konvergenz verschiedener Tätigkeitsbereiche und entsprechenden Forschungsfeldern konstatieren, bei der die Informations- und Kommunikationstechnologien sozusagen das Ferment, die treibende Kraft sind: Historisch betrachtet war die Computerlinguistik schon vor mittlerweile mehr als 60 Jahren Ausgangspunkt für Forschung und Entwicklung zur Maschinellen Übersetzung, auch im Kontext der Digitalen Geisteswissenschaften können wir frühe Ansätze der Korpuslinguistik konstatieren (s. Budin 2015:423 ff. für eine ausführliche Betrachtung). Die

Sprachtechnologien sind mittlerweile zu einem essentiellen Teil der Forschungs- und Wirtschaftsentwicklungsstrategie der Europäischen Union und ihrer Mitgliedsstaaten geworden, um Sprachbarrieren auf dem gemeinsamen Markt und in einem Europa der Vielsprachigkeit zu überwinden.

EU-Strategie   Die offizielle Politik der Europäischen Union verbindet heute die Forschungsperspektive zu den Sprachtechnologien im Umgang mit Vielsprachigkeit mit ihrer direkten Anwendung im Wirtschaftsbereich:

> Language Technologies cover many research groups and disciplines including natural language processing, speech technology, information extraction, and of course machine translation. The challenge is to bring all these strands together in a meaningful in order to make sense and extract knowledge from the vast amounts of data in many languages. How can we cope with all the content on the Web and make it available to interested people, regardless of the language(s) they speak and understand? The obvious answer is to teach computers how to understand and process written and spoken human language.
>
> The online market (the Digital Single Market) remains fragmented by significant language barriers, despite the European Single Market should allow for free circulation of goods and services. These barriers hinder online commerce, social communication and exchange of cultural content, as well as the wider deployment of pan-European public services.
>
> Machine translation (MT) solutions available on the market usually don't reach the required levels of quality, or only for limited number of languages, text types or topics. However, customizing MT engines is difficult due to high cost, lack of the necessary language resources and not universally applicable tools and techniques.

Schlüssel-
programme

> Addressing the online language barriers requires action on various levels:
>
> - „Horizon 2020" and in particular „challenge ICT 17" address mostly research and innovation.
> - „Connecting Europe Facility" (CEF) addresses the additional challenge of creating a complete infrastructure for language resources and processing tools.
> - Interaction between the two programmes is close – H2020 will support and complement CEF by detecting and addressing gaps in machine translation coverage and quality, in real use situations. The results will be robust, well-integrated and topically adapted machine

translation, terminology processing, and other automated language processing facilities. (European Commission 2014)

In diesem Zitat sind auch die jeweiligen Schlüsselprogramme für die Forschung (Horizon 2020) und für die Wirtschaft (CEF) erwähnt, die eng miteinander verknüpft werden, um sicherzustellen, dass die Ergebnisse der Forschungsprojekte möglichst direkt in den verschiedenen Wirtschaftsbereichen zum Einsatz kommen.

Für die Translationswissenschaft sind nicht nur die Maschinelle Übersetzung, ihre Möglichkeiten, methodische und technische Ansätze, vor allem ihre Grenzen im praktischen Einsatz, längst ein Forschungsthema, sondern auch die Sprachindustrie insgesamt ist ein spannender, dynamischer, und vielschichtiger Untersuchungsgegenstand. Was wir als „Computational Translation Studies" bezeichnen, ergibt sich aus der Konvergenz unterschiedlicher Traditionen wie der Digitalen Geisteswissenschaften, der Sprachindustrie und der Mehrsprachigkeit (vgl. Budin 2015:423 ff. für eine ausführliche Beschreibung).

Die Mehrsprachigkeit als Politikfeld an sich ist institutionell (rechtlich wie historisch) eng mit der Struktur der Europäischen Union verknüpft (Portal der Europäischen Union 2015). In den letzten Jahren wurden im Auftrag der EU-Kommission zahlreiche Studien und Strategiepapiere zu den Themen „Sprachenvielfalt in der Wirtschaft" (z. B. Europäische Union 2011), „Förderung des Sprachenlernens" (etwa Europäische Union 2015 a) und „Sprachen für Wachstum und Beschäftigung" (Europäische Union 2015 b; Thematic Working Group „Languages for Jobs" 2011) erstellt. Am Beispiel der Europäischen Union zeigt sich deutlich, wie sehr die Politik der Mehrsprachigkeit mit den Sprachtechnologien zur Überwindung von Sprachbarrieren, den Sprachenlernstrategien für die Menschen im Beruf und der Wettbewerbsfähigkeit von Unternehmen am Weltmarkt verknüpft ist. Für die Translationswissenschaft ist die Mehrsprachigkeit generell auch deshalb verstärkt ein Untersuchungsgegenstand, weil der Begriff der Translation zunehmend auch das Phänomen der transkulturellen Kommunikation im Umgang mit Mehrsprachigkeit umfasst.

Unter der flapsigen Bezeichnung „Cracking the Language Barrier" im mehrjährigen Arbeitsplan des Forschungsprogramms Horizon 2020 der Europäischen Union wird die Sprachindustrie aufgerufen,

Strategien zur Förderung der Mehrsprachigkeit

mit Firmen, öffentlichen Einrichtungen und Bildungsinstitutionen in Forschung und Entwicklung zusammenzuarbeiten, um die Mehrsprachigkeit in der europäischen Gesellschaft zu fördern.

The challenge is to facilitate multilingual online communication in the European digital single market which is still fragmented by language barriers. Multidisciplinary research to be supported under this topic should lead to improved quality and coverage of automatic machine translation. The aim of the innovation actions should be to optimize the translation quality and language/topical coverage in realistic use situations. [...] [The expected impact of this line of research is:] By 2025, an online EU internal market free of language barriers, delivering automated translation quality, equal to currently best performing language pair/direction, in most relevant use situations and for at least 90 % of the EU official languages; Significant improvement in quality, coverage and technical maturity of MT for at least half of the 21 EU languages that currently have „weak or no support" or „fragmentary support" of MT solutions, according to the META-NET Language White Papers; Large contributions of language resources and language technology tools to a single platform for sharing, maintaining and making use of language resources and tools; establishing widely agreed benchmarks for machine translation quality and stimulating competition between methods and systems" (Horizon 2020:2015).

Das Feld „Computational Translation Studies" ist somit aufgerufen, aktiv zur Lösung von Problemen in der transkulturellen Verständigung und zur Entwicklung von innovativen Methoden der Überwindung von Sprachbarrieren beizutragen. Auch wenn diesbezüglich vielerorts übertriebene Hoffnungen in eine allseits leicht einsetzbare, hochqualitative und gleichzeitig kostenlose Maschinelle Übersetzung gesetzt wurden und werden, ist doch auch heute klar, dass die Sprachindustrie nicht auf rein technologische Lösungen reduziert werden darf, sondern im Gegenteil, dass alle oben skizzierten Facetten der Sprachindustrie und der Vielfalt an Maßnahmen und Strategien notwendig sind, um gelungene transkulturelle Kommunikation über Kultur- und Sprachgrenzen hinweg in allen gesellschaftlichen Handlungsbereichen zu ermöglichen.

Sprachindustrie und gesellschaftliche Zusammenhänge — Sämtliche technologischen Fortschritte greifen auch in der Sprachindustrie zu kurz, wenn sie nicht durch eine kritische Hinterfragung der gesellschaftlichen Zusammenhänge des Einsatzes von sprachtechnologischen Werkzeugen begleitet werden. Die Translati-

onssoziologie in Verbindung mit einer gezielten Technikfolgen-
abschätzung in Bezug auf Übersetzungstechnologien und ihr konkreter Einsatz können hier sehr nützlich sein. Schließlich sind in der
Sprachindustrie tausende Arbeitsplätze entstanden, mit Arbeitsprozessen um die Maschinelle Übersetzung herum, die Gegenstand von
wissenschaftlichen Untersuchungen geworden sind. „Computational
Translation Studies" findet auf zwei Ebenen statt: Einerseits werden
digitale Methoden in der Translationswissenschaft eingesetzt (deshalb
ist es Teil der Digitalen Geisteswissenschaften), andererseits sind die
Maschinelle Übersetzung und andere sprachtechnologische Werkzeuge und ihr Einsatz in konkreten Arbeitskontexten Gegenstand der
Untersuchung.

Methodologisch unterscheiden wir dabei die Modellierung von
Übersetzungsprozessen mit computergestützten Methoden und die
Prozesse des Entwurfs und der Entwicklung von Systemen für die
schrittweise Automatisierung von Arbeitsprozessen wie die Term-
extraktion und Termerkennung, grammatische Analyse, computergestützte Übersetzung, Lokalisierung etc. In der historischen Rekon-
struktion der Entwicklung der Maschinellen Übersetzung (Somers
2003) zeigt sich heute, dass der oben angesprochene Konvergenzprozess zur Einbeziehung der Maschinellen Übersetzung sowohl in
die Digitalen Geisteswissenschaften als auch in die Mehrsprachig-
keitspolitik stattfindet. Dies manifestiert sich u. a. in Form von
verstärkter Interaktivität mit den Nutzern sowie in der Hybridisierung unterschiedlicher Werkzeuge zur Durchführung komplexer
Arbeitsprozesse (computergestützte Übersetzung mit Maschineller
Übersetzung mit Terminologiemanagement mit Lokalisierung etc.).

Die erwähnte Konvergenz führt konsequenterweise zu einer
„Digitalen Mehrsprachigkeit" wie sie etwa im Strategieproject
META-NET entwickelt wurde, um der Vision einer Europäischen
Mehrsprachen Informationsgesellschaft zur Umsetzung zu ver-
helfen. Die Strategie besteht darin, alle Sprachbarrieren in allen
Lebensbereichen durch den flächendeckenden Einsatz von Sprach-
technologien in den Bereichen Telekommunikation, Wissenschaft,
Bildung, Wirtschaft, Handel, Industrie, Kunst und Kultur, Gesund-
heit und Sozialwesen, Verwaltung etc. zu überwinden (Burchardt/
Rehm/Sasaki 2011). Das mehrjährige Strategieprojekt META,

Vision einer
mehrsprachigen
Informations-
gesellschaft

die Multilinguale Europäische Technologie Allianz, vereint Forscher, kommerzielle Technologieanbieter, private und organisierte Sprachtechnologie-Nutzer, Sprachexperten sowie weitere Akteure der Informationsgesellschaft. META bereitet das gleichermaßen ambitionierte wie notwendige gemeinsame Ziel vor, die Sprachtechnologie zu stärken, um die europäische Vision eines gemeinsamen digitalen Marktes und Informationsraumes in die Realität umzusetzen.

In der Sprachtechnologie ist eine konzertierte, kraftvolle, kontinentweite Forschungs- und Entwicklungsinitiative notwendig, um für alle europäischen Sprachen Anwendungen zu realisieren, die die maschinelle Übersetzung, multilinguales Informations- und Wissensmanagement sowie die Erstellung von Inhalten unterstützen. Durch die parallele Entwicklung von intuitiven, sprachbasierten und sprachgesteuerten Nutzeroberflächen werden diverse Technologiesparten vorangetrieben werden, von der Haushaltselektronik über die Maschinen- und Fahrzeugindustrie bis hin zu neuartigen Computern und Robotern. (META 2015)

Ein anspruchsvoller Leitspruch bei dieser Strategie von META lautet: Sprachtechnologie schafft digitalen Mehrwert und fördert die soziale Inklusion.

A single European market that secures wealth and social well-being is possible, but linguistic barriers still severely limit the free flow of goods, information and services. Many Europeans find it difficult to interact with online services and participate in the digital economy. According to a recent report requested by the European Commission, 57 % of European Internet users purchase goods and services in other languages. Reading content in a foreign language is accepted by 55 % of users while only 35 % may use another language when writing emails or posting comments on the web (Eurobarometer 2011).

Just a few years ago, English was the lingua franca of the web. The vast majority of content on the web was in English. Today, the situation has drastically changed. The amount of online content in other languages, especially Asian and Arabic languages, has exploded. Europe must take action to prepare its 23 [sic – author's note in 2014:today 24] official languages and 60 spoken languages for the digital age. European languages are a cultural asset that requires future-proofing! In fact, a recent UNESCO report on multilingualism states that languages are an essential medium for the enjoyment of fundamental rights, such as political expression, education and participation in society (UNESCO 2007). If Europe does not support and promote its diversity of languages, European languages could become irrelevant or underrepresented on the web.

According to some estimates, the European market for translation, interpretation, software localisation and website globalisation was € 8.4 billion in 2008 and was expected to grow by 10 % per annum (DGT 2009). Yet, this existing capacity is not enough to satisfy current and future needs. Although computers can better handle, process and understand language, machine translation is not a panacea. If we rely on existing technologies, automated translation and the ability to process a variety of content in a variety of languages, a key requirement for the future Internet, will be impossible (OII/SCF 2010). The same argument applies to information services, document services, media industries, digital archives and language teaching. There is an urgent need for innovative technologies that help save costs while offering faster and better language services to European citizens. [...]. Language technology (LT) is a key, enabling technology for the knowledge society. LT supports humans in everyday tasks, such as writing e-mails, searching for information online or booking a flight [...] (Burchardt/Rehm/Sasaki 2011:3)

META und ähnliche Initiativen tragen zur „digitalen Mehrsprachigkeit" bei, indem Sprachtechnologien es bereits heute den BürgerInnen ermöglichen, in der mobilen Telekommunikation, im World Wide Web und in anderen Bereichen „ihre" bevorzugte Sprache zu sprechen bzw. zu verwenden und dabei (zunehmend unbemerkt) aus übersetzungstechnologischen Dienstleistungen Nutzen zu ziehen.

Entstehung digitaler Mehrsprachigkeit

Translationswissenschaftliche Forschung und Entwicklung im Dienste einer solchen digitalen Mehrsprachigkeit finden im „großen Stil" statt, d.h. in öffentlich geförderten oder privat finanzierten Forschungs- und Entwicklungsprojekten, in denen Forschungsinfrastrukturen der Digitalen Geisteswissenschaften genutzt werden. Damit kann sichergestellt werden, dass große Textmengen (Sprachkorpora) für die Forschungs- und Entwicklungsteams zur Verfügung stehen, um neu entwickelte Werkzeuge zu testen, zu optimieren, für zusätzliche Sprachen anzupassen etc. Diese Sprachressourcen sind ein- oder mehrsprachige Volltextsammlungen, Wörterbücher, Terminologiedatenbanken, aber auch Korpora für gesprochene Sprache, Multimedia-Ressourcen wie Videos, Filme etc.

Arbeitsprozesse, Berufsprofile und Qualifikationswege der Sprachindustrie

Viele der in der Sprachindustrie relevanten Arbeitsprozesse sind in den beiden vorangegangenen Kapiteln indirekt angesprochen worden. Ein Grund, warum die Sprachindustrie eine der seit Jahren am stärksten wachsenden Branchen der Wirtschaft ist, besteht darin, dass die Forschung und Entwicklung in dieser Branche eine besonders große Rolle spielt, und dadurch Intensität und Geschwindigkeit der Innovation in der Praxis der Sprachindustrie besonders hoch sind.

Standardisierung und Qualitätsverbesserung
Die Mega-Trends wie Globalisierung, Kommerzialisierung und die bereits angesprochene Industrialisierung, wie sie besonders stark im Bereich der Übersetzung zu bemerken ist (Budin 1994; Cronin 2004), haben diese Dynamik weiter verstärkt. Eng verknüpft mit diesen Mega-Trends ist auch der Trend zur Standardisierung, also der weltweiten Vereinheitlichung von Arbeitsabläufen, um diese kostengünstiger zu gestalten, aber auch um ihre Qualität durch verbesserte Überwachung zu verbessern. Die Verbesserung der Qualität von Übersetzungsprozessen war seit langem ein Anliegen der Übersetzungswissenschaft wie auch der Sprachindustrie. Diese hat bei der Standardisierung schon vor Jahrzehnten die Initiative ergriffen, und zwar aus der Sicht der Prozessoptimierung translatorischer Dienstleistungen. In den 1990er Jahren wurden in Deutschland und in Österreich entsprechende Normen im Rahmen der nationalen Normungsinstitute entwickelt, diese standen Pate für eine europäische Norm, die 2006 verabschiedet wurde (CEN 2006) und die ihrerseits zurzeit (Frühjahr 2016) durch eine neue Norm ISO 17100 (mit Übernahme dieser Norm durch die EU-Mitgliedsländer in ihren nationalen Geltungsbereich, so auch in Deutschland und Österreich) abgelöst wird (DIN EN ISO 17100). Der dabei zugrunde gelegte Qualitätsbegriff ist ein wirtschaftlicher, ein kundenorientierter Begriff: Qualität wird bestimmt durch den Grad der Erfüllung von spezifizierten Erwartungen des Kunden. Die angesprochene Norm ist aber ein Leitfaden dafür, die Arbeitsprozesse der Erstellung einer translatorischen Dienstleistung zu überprüfen: Qualität einer solchen Dienstleistung ist dann gegeben, wenn die Bestimmungen der Norm in Bezug auf die Organisation der Arbeitsabläufe eingehalten werden, die zur Erstellung der eigentlichen Dienstleistung führen. Translatorisches Qualitätsmanagement nach der EN 15038 sowie nun auch

nach der DIN EN ISO 17100 ist also Prozessmanagement und sagt noch nichts aus über die konkrete Qualität einer bestimmten Dienstleistung. Letzteres wäre Qualitätsmanagement für Produkte, was ebenfalls notwendig ist. Dafür sind entsprechende Fehlertypologien entwickelt worden, die als Translationsmetrik auch zur Messung von Qualität von Translationsprodukten eingesetzt werden können (Budin 2007).

Der Einsatz von Qualitätssicherungsprozessen ist heute in der Regel Teil der sprachindustriellen Praxis, ebenso wie die unterschiedlichen Sprachtechnologien eingesetzt werden zur Erstellung bzw. Erbringung sprachlicher Dienstleistungen. Dies gilt auch für den in Kapitel zwei erwähnten Teilbereich des Sprachenlernens. Zahlreiche Arbeitsabläufe, die eLearning-Technologien und entsprechende (auch web-basierte) Werkzeuge und didaktische Formate nutzen, kommen im Sprachunterricht in Kursen, Lehrveranstaltungen sowie im Selbststudium zum Einsatz.

Die technischen Neuerungen der letzten Jahrzehnte haben traditionelle Berufsprofile regelrecht durcheinander gewirbelt. Ein typischer Arbeitsablauf der Erbringung einer translatorischen Dienstleistung sieht heute grundlegend anders aus als vor 20 Jahren. Für den Bereich des Übersetzens hat Daniel Gouadec 2007 eine meiner Ansicht nach nicht nur detaillierte Systematik des Übersetzens als Beruf, sondern damit auch eine visionäre Orientierungsmatrix für diesen Teil der Sprachindustrie vorgelegt („Translation as a Profession" – Gouadec 2007). Dieses umfassende Werk ist programmatischer Natur (so gibt es keine einzige Quellenangabe in diesem Buch von fast 400 Seiten!) und listet sämtliche relevanten Aspekte einer berufsorientierten Darstellung des Übersetzens auf: von den Prozessen der Erstellung einer Übersetzung über die Ausbildung, die Anforderungen an die am Arbeitsmarkt notwendigen Kompetenzen, Qualifikationsmöglichkeiten wie Zertifizierung, die technischen Arbeitsmittel, und schließlich die Aus- und Weiterbildung der in der Lehre tätigen Personen. Ähnlich detaillierte Darstellungen und Systematiken würden wir für alle anderen Teilbereiche der Sprachindustrie sowie für diese als Gesamtbereich benötigen! Gouadec war aber auch einer der Architekten des heutigen European Master of Translation (EMT), einem Qualitätssiegel für Masterstudiengänge im Bereich des (Fach-)Übersetzens, das seit 2009 verliehen wird und dem eine Kompetenzmatrix zugrunde liegt, die zwar grob und abstrakt ist,

Orientierungsmatrix für Sprachindustrie

die aber für die einzelnen Studiengänge als Orientierungsrahmen für ihre Ausarbeitung bzw. Verbesserung, aber auch als Bewertungsschema dieser Studiengänge verwendet wird.

EMT als Gütezeichen

Die Generaldirektion Übersetzung der EU-Kommission (DGT) vergibt dieses Siegel des Europäischen Masters für Übersetzen (EMT):

> EMT ist ein Partnerschaftsprojekt zwischen der Europäischen Kommission und Hochschuleinrichtungen, die Masterstudiengänge in Übersetzen anbieten.
>
> Im Rahmen des Projekts wurde ein Gütezeichen für Übersetzerstudiengänge geschaffen, die bestimmten beruflichen Standards und Markterfordernissen genügen. EMT ist ein eingetragenes EU-Markenzeichen, und die dem EMT-Netz angehörenden Hochschulen sind berechtigt, das Logo zu führen.
>
> Das EMT-Projekt zielt im Wesentlichen darauf ab, die Qualität der Übersetzerausbildung zu verbessern und darauf hinzuwirken, dass in der EU hochqualifizierte Übersetzerinnen und Übersetzer arbeiten. Das von europäischen Sachverständigen erstellte Kompetenzprofil für Übersetzer beschreibt detailliert die Fähigkeiten, die Übersetzer benötigen, um auf dem heutigen Markt zu bestehen. Immer mehr Hochschulen nutzen das Profil zur Orientierung bei der Gestaltung ihrer Studiengänge.
>
> Auf lange Sicht soll mithilfe des EMT der Übersetzerberuf in der EU aufgewertet werden.
>
> (Generaldirektion Übersetzen 2015)

Kompetenzen nach EMT

Das hier erwähnte Kompetenzprofil wurde 2009 entwickelt und umfasst folgende Bereiche (EMT Expertengruppe 2009), für die jeweils eine Reihe von Definitionsmerkmalen aufgelistet werden: die Dienstleistungskompetenz, die Sprachenkompetenz, die Interkulturelle Kompetenz, die Sachkompetenz, die technische Kompetenz, und die Recherchekompetenz. Die Operationalisierung dieses Kompetenzprofils in spezifischen Berufsprofilen, in konkreten Arbeitssituationen und in einzelnen Studiengängen sowie in der ständigen Weiterbildung, aber nicht zuletzt auch in der translationswissenschaftlichen Forschung kann als ständige Herausforderung für die Weiterentwicklung dieses Teils der Sprachindustrie bzw. dieser Industrie insgesamt angesehen werden.

Typologie der Arbeitsprozesse

Auf der Basis der vorangegangenen Überlegungen und unter Bezugnahme auf die verwendeten Quellen (AILIA siehe oben, etc.) lässt sich eine erweiterte Typologie von Arbeitsprozessen in der Sprachindustrie wie folgt denken:

1. *Translation*
   a. Übersetzen:
      i. Fachübersetzen (Recht, Wirtschaft, Kunst, Kultur, Wissen-schaften; unterschiedliche Textsorten; Fachtexte wie Sacht-exte), zunehmend (teil-)automatisiert und als Teil umfas-sender Arbeitsabläufe
      ii. Übersetzen in Literatur, Kunst und Medien (Übersetzen literarischer Texte, Oper, Theater, Film etc.) in sehr unter-schiedlichen Ausprägungen (siehe auch Medienbasierte Translation)
   b. Dolmetschen:
      i. Konferenzdolmetschen,
      ii. Dialogdolmetschen (Kommunaldolmetschen, Verhand-lungsdolmetschen, Behördendolmetschen, Gerichtsdol-metschen etc.)
   c. Medienbasierte Translation
      i. multimodal, im WWW, in der mobilen Telekommunika-tion, Social Web etc.
      ii. Synchronisation, Untertitelung, re-speaking, audio des-cription etc.
      iii. oft als Mischung aus „klassischen" Arten des Übersetzens oder Dolmetschens, neue Textsorten,
      iv. zunehmend teilautomatisiert
   d. Lokalisierung, Globalisierung, Internationalisierung
      i. Software
      ii. Web
      iii. Produkte aller Art (Benutzerschnittstellen – Interaktion und Kommunikation)
   e. Informationsdesign
      i. Mehrsprachige Technische Dokumentation
   f. Terminologiemanagement, Lexikographie, Sprachressourcen-management
2. *Sprachtechnologien*
   a. Machinelle Übersetzung und Werkzeuge zum computer-gestützten Übersetzen
   b. Content-Management
   c. Verarbeitung gesprochener Sprache (automatische Sprach-erkennung, Stimmbiometrie, automatische Sprachausgabe (text-to-speech) etc.)

    d. Sprachenlernen mit eLearning

3. *Sprachenlernen*

    a. Sprachausbildung

    b. Sprachausbildung mit eLearning-Methoden

    c. Testen von Sprachkompetenzen

Diese Aufstellung ist keinesfalls statisch, sondern dynamisch, je nach Betrachtungsschwerpunkt ergeben sich in jedem der aufgelisteten Bereiche weitere Unterscheidungen, weitere Details und Dimensionen.

Ausblick

Abschließend soll der zuvor angesprochene Konvergenzprozess zwischen Forschung, Technologien, und der Lehre in Bezug auf die Sprachindustrie veranschaulicht werden: Die Translationswissenschaft interagiert mit der Forschung und Entwicklung neuer Technologien (Informations- und Kommunikationstechnologien aller Art) im Kontext der Digitalen Geisteswissenschaften und der Computational Translation Studies in Bezug auf die Sprachindustrie als Untersuchungsgegenstand, aber auch als Ort der interdisziplinären Forschung und Entwicklung. Die Translationswissenschaft interagiert

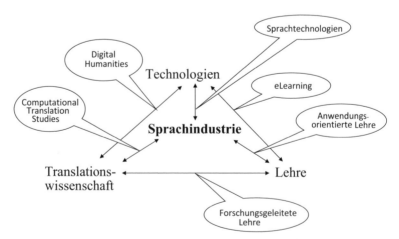

Abb. 1: Sprachindustrie im Spannungsfeld zwischen Technologien, Translationswissenschaft und der Lehre

mit der Lehre in Sinne der forschungsgeleiteten Lehre, die auch berufsorientiert ist. Die Lehre interagiert mit den Technologien in der Manifestation des eLearning und der anwendungsorientierten Lehre. Die Sprachindustrie im Zentrum verwendet als zentralen Innovationsmotor die Sprachtechnologien.

Die Sprachindustrie ist ein schillerndes Chamäleon, das ständig neue Facetten hervorbringt, die neue Forschungsthemen, neue Marktchancen und neue Berufsprofile generieren (und mitunter alte Berufsprofile verschwinden lassen). Es entstehen dadurch aber auch ständig neue Herausforderungen und Probleme für die Menschen, die in dieser Industrie arbeiten; einer Industrie, in der die Zeiten der national oder lokal wohlbehüteten „cottage industry" endgültig vorbei sind, die sich heute durchgängig globalisiert, industrialisiert manifestiert, die somit für die Profession der Sprachindustrie eine Professionalisierung auf hohem Ausbildungsniveau und mit ständigem Weiterbildungsbedarf bedeutet. Technologische Kompetenzen wie die professionelle Bedienung von Maschinellen Übersetzungssystemen, Controlled Natural Language Systemen, Crowdsourcing-Anwendungen, Technischen Dokumentations- und Autorensystemen, Medienübersetzungssystemen etc. sind dabei ebenso gefragt wie wirtschaftliche Kompetenzen im Bereich Projektmanagement, Prozess- und Qualitätsmanagement, Interkulturelles Management sowie didaktische Fähigkeiten im webgestützten Sprachunterricht etc.

Literatur

AILIA. 2015. Our Industry. Abrufbar unter: http://www.ailia.ca/Our+Industry (Stand: 25/01/2016).

Budin, Gerhard. 1994. New Challenges in Specialized Translation and Technical Communication – an interdisciplinary outlook, In: Snell-Hornby, M./Pöchhacker, F./Kaindl, K. (eds.) *Translation Studies: An interdiscipline*. Amsterdam/Philadelphia: John Benjamins, 247–254.

Budin, Gerhard. 2007. Entwicklung internationaler Normen im Bereich der Translationsqualität bei ISO/TC 37. In: Schmitt, P. A./Jüngst, H. E. (eds.) *Translationsqualität*. Frankfurt a. M.: Lang, 54–65.

Budin, Gerhard. 2015. Digital Humanities, Language Industry, and Multilingualism – Global Networking and Innovation in Collaborative Methods. In: Forstner, M./Lee-Jahnke, H. (eds.) *Pooling Academic Excellence with Entrepreneurship for New Partnerships. Proceedings of the*

CIUTI Forum 2014. Geneva, January 2014. Frankfurt a. M: Lang, 423–448.

Burchardt, Aljoscha/Rehm, Georg/Sasaki, Felix (eds.). 2011. The Future European Multilingual Information Society. Vision Paper for a Strategic Research Agenda. Abrufbar unter: http://www.meta-net.eu/ (Stand: 25/01/2016).

Cronin, Michael. 2004. *Translation and Globalization.* London: Routledge.

DG Translation. 2015. Language Industry Web Platform. Abrufbar unter: http://ec.europa.eu/dgs/translation/programmes/languageindustry/platform/index_en.htm (Stand: 25/01/2016).

DIN EN ISO 17100:2013-07: Übersetzungsdienstleistungen – Anforderungen an Übersetzungsdienstleistungen (ISO/DIS 17100:2013); Deutsche Fassung prEN ISO 17100:2013

EMT Expertengruppe. 2009. Kompetenzprofil von Translatoren, Experten für die mehrsprachige und multimediale Kommunikation. Abrufbar unter: http://ec.europa.eu/dgs/translation/programmes/emt/key_documents/emt_competences_translators_de.pdf (Stand: 25/01/2016).

EN 15038:2006. Die Europäische Norm für Übersetzungsdienstleistungen. Brüssel: CEN.

European Commission. 2009. Study on the size of the language industry in the EU. DGT-ML-Studies 08, prepared by the Language Technology Centre Ltd. (Adriane Rinsche/Nadia Portera-Zanotti). Abrufbar unter: http://bookshop.europa.eu/de/study-on-the-size-of-the-language-industry-in-the-eu-pbHC8009985/ (Stand: 25/01/2016).

European Commission. 2014. Digital Agenda for Europe – Language Technologies. Abrufbar unter: http://ec.europa.eu/digital-agenda/language-technologies (Stand: 25/01/2016).

Europäische Union. 2011. Sprachenleitfaden für europäische Unternehmen. Erfolgreiche Kommunikationsstrategie für das internationale Geschäft. Abrufbar unter: http://bookshop.europa.eu/en/the-language-guide-for-european-business-pbNC3110923/ (Stand: 25/01/2016).

Europäische Union. 2015a. Mehrsprachigkeit und EU: Förderung des Sprachenlernens und der sprachlichen Vielfalt. Abrufbar unter: http://ec.europa.eu/languages/policy/learning-languages/evidence-based-policy_de.htm (Stand: 25/01/2016).

Europäische Union. 2015b. Mehrsprachigkeit und EU: Sprachen für Wachstum und Beschäftigung
http://ec.europa.eu/languages/policy/learning-languages/languages-growth-jobs_de.htm (Stand: 25/01/2016).

Generaldirektion Übersetzen. 2015. Europäischer Master für Übersetzen (EMT). Abrufbar unter: http://ec.europa.eu/dgs/translation/programmes/emt/index_de.htm (Stand: 25/01/2016).

Gouadec, Daniel. 2007. *Translation as a profession*. Amsterdam/Philadelphia: John Benjamins.

Horizon 2020. 2015. WP2014–15 ICT 17. Cracking the language barrier Technical background notes. Abrufbar unter: http://ec.europa.eu/digital-agenda/en/news/cracking-language-barrier (Stand: 25/01/2016).

Industry Canada. 2006. Economic Study – Survey of Language Industry Companies in Canada. Abrufbar unter: http://publications.gc.ca/collections/Collection/Iu44–30–2006E.pdf (Stand: 25/01/2016).

Lazzari, Gianni. 2006. Human Language Technologies for Europe. *„Integrated Project" TC-STAR – Technology and Corpora for Speech-to-Speech Translation*. Abrufbar unter: http://tcstar.org/pubblicazioni/D17_HLT_ENG.pdf (Stand: 25/01/2016).

META. 2015. Multilinguale Europäische Technologie Allianz. Abrufbar unter: http://www.meta-net.eu/ (Stand: 25/01/2016).

OII/SCF. 2010. Oxford Internet Institute and SCF Associates Ltd, Towards a Future Internet: Interrelation between Technological, Social and Economic Trends, 2010. Abrufbar unter: http://cordis.europa.eu/fp7/ict/fire/docs/tafi-final-report_en.pdf (Stand: 25/01/2016).

Portal der Europäischen Union. 2015. Mehrsprachigkeit. Abrufbar unter: http://europa.eu/pol/mult/index_en.htm (Stand: 25/01/2016).

Somers, Harold. 2003. *Computers and Translation: A translator's guide*. Amsterdam/Philadelphia: John Benjamins.

Thematic Working Group „Languages for Jobs." 2011. Languages for Jobs. Providing multilingual communication skills for the labour market. Abrufbar unter: http://ec.europa.eu/languages/policy/strategic-framework/documents/languages-for-jobs-report_en.pdf (Stand: 25/01/2016).

8 Recherche und Arbeitsmittel

Frank Austermühl

Professionelles Übersetzen ist, das sollte jedem, der an diesem Beruf interessiert ist, klar sein, eine komplett computergestützte Tätigkeit. Die Vielfalt der dabei zum Einsatz kommenden technologischen Lösungen mit ihren unzähligen Funktionen kann dabei schon verwirrend sein – ganz zu schweigen von den endlosen Ressourcen des Internets. Dabei ist die Frage nach Hilfsmitteln und Ressourcen der ÜbersetzerIn, den Tools also, eigentlich gar nicht so kompliziert, vor allem dann, wenn man betrachtet, wer die Hilfsmittel benutzt und zu welchem Zweck. Für uns ÜbersetzerInnen geht es ja neben der Textverarbeitung und E-Mail-Kommunikation mit dem Auftraggeber oder Kollegen primär darum, Unterstützung bei der Rezeption eines Ausgangstextes (AT), bei dessen Transfer in eine Zielkultur sowie bei der Produktion eines Zieltextes (ZT) zu erhalten. Wenn ich also beispielsweise einen Text zur Behandlung von Nierensteinen übersetze, brauche ich auf der Rezeptionsseite je nach meinem Wissensstand und der Komplexität des AT zum einen Hintergrundwissen zu Nierensteinen (was sie sind, wie sie entstehen, welche Arten und Behandlungsformen es gibt) und zum anderen zu den Bedeutungen und Definitionen von Wörtern (was genau ist beispielsweise eine „perkutane Nephrolitholapaxie"?). Auf der Produktionsseite stellt sich dann die Frage, wie ich dieses Verständnis adäquat zum Ausdruck bringe, wie also „perkutane Nephrolitholapaxie" z. B. im Englischen heißt oder wie man Wortkombinationen wie „der Nierenstein wurde ausgeschwemmt" übersetzt, ohne den Zieltextleser zu verwirren oder ungewollt zu amüsieren.

Zur Beantwortung dieser Fragen stehen ÜbersetzerInnen zahlreiche unterschiedliche Ressourcen zur Verfügung. Diese reichen von Fachleuten und Fachbüchern über Enzyklopädien, Wörterbücher und Terminologiedatenbanken bis hin zu Paralleltexten, also nicht übersetzte Texte in der Zielsprache, die mit Blick auf Texttyp, Thema,

Funktion und Erscheinungszeitpunkt dem zu erstellenden Zieltext entsprechen und somit als textuelle Vorbilder dienen können. All diese Hilfsmitteltypen stehen heutzutage primär in elektronischer Form zur Verfügung.

Wenn wir also von technologischer Kompetenz bei ÜbersetzerInnen sprechen, geht es zunächst um das Wissen, wo und wie ich die zum Schließen meiner Informationslücken notwendigen Informationen schnell finden und korrekt verwenden kann. Mit Blick auf zukünftige Projekte wäre es dann aber vielleicht auch sinnvoll, die recherchierten Informationen, z. B. Übersetzungen und Definitionen, abzuspeichern, um sie später ohne einen erneuten Such- und Evaluationsvorgang abrufen zu können. Diese Nachhaltigkeit kann zum Beispiel dadurch erreicht werden, dass relevante Hintergrund- und Paralleltexte lokal abgespeichert werden, die ÜbersetzerIn also elektronische Textsammlungen und Korpora erstellt. Ein weiterer hilfreicher Schritt bestünde darin, eine spezielle Terminologiedatenbank aufzubauen, in der sprachliche und enzyklopädische Informationen gespeichert werden, die dann bei einem neuen Projekt manuell oder automatisch abgerufen und wiederverwendet werden können.

Mit den oben genannten Ressourcen und Anwendungstypen stehen uns eigentlich bereits alle Tools zur Verfügung, die wir für erfolgreiches Übersetzen benötigen. Und würde dieses Übersetzen in einem luftleeren Raum stattfinden, würde für uns ÜbersetzerInnen hier der Überblick der Übersetzungstechnologien eigentlich aufhören. Aber professionelles Übersetzen ist natürlich kein Selbstzweck, und aus einer entfernteren, wirtschaftlichen Perspektive geht an diesem Punkt, also dem automatischen Ersetzen und Übersetzen von AT-Elementen, die Diskussion um Übersetzungstechnologie erst richtig los. Wenn wir das Übersetzen als Geschäft und als Geschäftsprozess ansehen, dann spielt die Automatisierung eine zentrale Rolle. In einem Wirtschaftsbereich, in dem die Dienstleistung Übersetzen nach Wörtern bezahlt wird, entspricht jedes nicht zu übersetzende Wort barem Geld. Wenn also der Teilsatz „Klicken Sie auf OK, um" 51 Mal in einer Bedienungsanleitung vorkommt, ließen sich mit der Wiederverwendung einer einzigen Übersetzung 250 Wörter sparen, und dies pro Zielsprache. Wenn eine AuftraggeberIn also möchte, dass wir nur ganz bestimmte Termini verwenden oder bestehende Übersetzungen recyclen, dann führt das dazu, dass wir als Dienstleister wissen müssen, wie sich die Wünsche des Kunden techno-

Automatisierung

logisch (in diesem Fall mit so genannten Translation-Memory-Systemen) in die Tat umsetzen lassen. Und wenn eine ArbeitgeberIn möchte, dass wir einen Text erst mal maschinell vorübersetzen, zum Beispiel mit *Google Translate*, oder einen maschinell vom Kunden selbst erstellten Text überarbeiten und optimieren, dann muss unsere technologische Kompetenz auch ein grundlegendes Verständnis der Funktionsweise maschineller Übersetzungssysteme (MÜ-Systeme) und der Revision beinhalten. Wir sind also weit weg von der Verwendung digitaler Ressourcen und bewegen uns im Umfeld der computergestützten und maschinellen Übersetzung, in dem sich die eigentliche Übersetzungsleistung schrittweise vom Menschen weg und zur Maschine hin bewegt.

Übersetzen und Technologie – Zwei Perspektiven

Die Zweiteilung des Kapitels in Recherche und Ressourcen auf der einen Seite und CAT-Tools auf der anderen Seite spiegelt eine duale Perspektive wider, die zum einen die zentrale Bedeutung der translationsvorbereitenden und -begleitenden Informationsrecherche betont, zum anderen aber auch der Tatsache Rechnung trägt, dass Übersetzen in einem hoch professionellen und stark automatisierten industriellen Kontext stattfindet. Diese so genannte *language industry* stellt einen leistungsstarken Wirtschaftszweig dar, dessen Umsätze sich im Jahr 2014 auf 37 Milliarden US-Dollar belaufen (Common Sense Advisory 2014).

Translation als wissensbasierte Tätigkeit

Die folgende Beschreibung der translatorischen Informationsrecherche und der im Übersetzungsprozess eingesetzten elektronischen Hilfsmittel geht daher von zwei grundlegenden Prämissen aus. Zum einen wird die Translation als wissensbasierte Tätigkeit angesehen, die in einem sprachlich und fachlich hoch spezialisierten Umfeld abläuft. Dieser hohe Grad an Spezialisierung und die ständige Weiterentwicklung von Fach- und Sprachwissen bedeutet, dass ÜbersetzerInnen selten in der Lage sind, ihre Arbeit nur auf der Basis von vorhandenem Sprach-, Welt- und Fachwissen, also ohne Rückgriff auf externe Wissensressourcen, zu verrichten. Die Recherche von zusätzlichen, zuverlässigen Informationen, mit denen Wissenslücken effizient geschlossen werden können, wird somit zum Schlüssel translatorischer Qualität und beruflichen Erfolgs.

Zum anderen handelt es sich beim Übersetzen um eine profes-   CAT-Tools
sionelle Tätigkeit, eine Dienstleistung, deren Abläufe und Prozesse
nicht nur weitgehend standardisiert (vgl. European Committee for
Standardization 2006), sondern auch sehr stark automatisiert sind.
Diese Automatisierung, die primär auf Produktivitätssteigerung
abzielt, wird mittels einer Vielzahl von computergestützten Anwendungen, die in der Branche oft als CAT-Tools bezeichnet werden,
realisiert. CAT steht hierbei für *computer-assisted* (oder *-aided*)
translation, also computergestützte Übersetzung. Andere Sammel-
bezeichnungen für diese Art von Computerprogrammen sind Übersetzungstools, *translation tools, translation environment tools* (TenTs)
oder *translation technologies*. Typische Beispiele für CAT-Tools sind
die Produkte von *SDL* und *Across*.

Übersetzen und Wissensrecherche: Strategien und Ressourcen

Nach Hans Vermeer ist Übersetzen „die verwendung des verstandenen in einer eigenständigen translatorischen handlung" (1986:305).
Das Verstehen wird damit zur Vorstufe der Textproduktion. Das hört
sich erst einmal nicht so problematisch an, wird aber in der
professionellen Realität durch die Tatsache erschwert, dass sich die
ÜbersetzerIn nicht mehr in der Industriegesellschaft, sondern in der
Informationsgesellschaft bewegt und damit Teil einer Welt ist, in der
das *shelf life* des Wissens rapide abnimmt, sich das Weltwissen in
immer kürzer werdenden Abständen verdoppelt. ÜbersetzerInnen
sind mitten drin in dieser Informationsexplosion, statt nur dabei.

Wenn wir also von Informationsrecherche sprechen, dann geht es   Informations-
eigentlich um die informationstechnische Alphabetisierung von   kompetenz
ÜbersetzerInnen, also um die Entwicklung einer translationsspezi-
fischen *information literacy*. Diese Informationskompetenz beinhaltet die Fähigkeit, Informationsbedürfnisse identifizieren und
beschreiben zu können, Informationen aufzufinden, zu bewerten
und zu verwenden. Effiziente Informationsrecherche nimmt in zahlreichen übersetzungsbezogenen Kompetenzlisten eine zentrale Rolle
ein. Dies gilt beispielsweise für das Kompetenzprofil des Europäischen Master Übersetzen (EMT), das die Recherchenkompetenz
(sic.) als eine von sechs Kernkompetenzen auflistet (neben Sprachen-,
interkultureller, Fach-, Dienstleistungs- und Technikkompetenz).

In der Rubrik Recherchenkompetenz werden die folgenden Teil-kompetenzen aufgelistet:

a) den eigenen Informations- und Dokumentationsbedarf ermitteln können;
b) Strategien für die Dokumenten- und Terminologierecherche (auch im Kontakt mit Fachleuten) entwickeln;
c) in der Lage sein, sich die für die Erledigung der jeweiligen Aufgabe relevanten Informationen (Dokumentation, Terminologie, Phraseologie) zu beschaffen;
d) Kriterien für die Bewertung der Zuverlässigkeit von Information aus dem Internet oder aus anderen Quellen aufstellen, d. h. Informationen kritisch hinterfragen können;
e) die elektronischen Werkzeuge und Suchmaschinen effizient nutzen können (zum Beispiel Terminografie-Software, elektronische Korpora und Wörterbücher);
f) die Archivierung eigener Dokumente beherrschen. (EMT-Expertengruppe 2009:7)

Die Fähigkeit, eigene Informationsbedürfnisse identifizieren und detailliert beschreiben zu können, die zur Behebung der Defizite notwendigen Informationen auffinden und ihre Adäquatheit und Verlässlichkeit kritisch bewerten und dann zweckgerichtet verwenden zu können, steht also im Zentrum translatorischer Kompetenz.

Das Web als Nachschlagewerk

Bei der Frage, wie das Übersetzen als ein Prozess des Verstehens und Verwendens technologisch unterstützt werden kann, ist es wichtig zu bedenken, dass die beim Übersetzen auftretenden Probleme und die zu ihrer Lösung notwendigen Hilfsmittel je nach der jeweiligen Stufe des Übersetzungsprozesses variieren (vgl. Enriquez Raido 2011 und 2014). Die folgende Beschreibung unterscheidet daher nach Informationsbedürfnissen und -recherchen in den drei Hauptphasen der Übersetzung – Rezeption, Transfer und Produktion –, wobei diese Unterteilung natürlich künstlich ist und sich weder die Phasen, noch die dabei zum Einsatz kommenden Hilfsmittel ganz klar voneinander abtrennen lassen.

Wenn im Folgenden zudem der Fokus ausschließlich auf Internetressourcen liegt, dann resultiert dies natürlich aus der Dominanz dieses Mediums bei der Informationsrecherche und dem allgemeinen Trend zu *Cloud*-basierten Nachschlagewerken. Der Brockhaus beispielsweise ist letztmals 2006 in Druckform erschienen und ist nur noch online verfügbar. Es sollte aber nicht vergessen werden, dass gerade für das Deutsche immer noch exzellente Wörterbücher in Printform oder als Software verfügbar sind. Als Beispiel sei auf die unverzichtbaren Fachwörterbücher von Langenscheidt verwiesen.

Rezeption

In der Rezeptionsphase liefert zunächst Einführungsliteratur, die sich beispielweise mit den Suchphrasen „Einführung in" und „Grundlagen der" googlen lässt, ebenso grundlegendes Wissen wie Enzyklopädien, z. B. die altehrwürdige *Encyclopedia Britannica* und *Wikipedia.* Bei diesen Nachschlagewerken handelt es sich in der Regel um Ressourcen, die relativ etabliert sind und deren Webpräsenzen bekannt sind oder einfach recherchiert werden können (die Suche nach „encyclopédie en ligne" führt beispielsweise direkt zur Website des bekannten französischen Wörterbuchverlags *Larousse*). Die Hypertextstrukturen solcher Online-Angebote erlauben es Suchenden zudem, relevante Zusatzinformationen surfend schnell mit aufzunehmen und so das individuelle Wissensnetz zu erweitern und zu stabilisieren.

> Einführungsliteratur

Von den in der Regel allgemeiner gehaltenen und umfassenderen Enzyklopädien ist es ein kurzer Schritt zu speziellen Lexika, wie z. B. das Roche-Lexikon der Medizin und die Techniklexika von BMW und Volkswagen. Wenn man sich beispielsweise den Eintrag „Bremsenergie-Rückgewinnung" im VW-Techniklexikon anschaut, wird deutlich, dass diese Sachwörterbücher (im Englischen in der Regel als *Dictionaries of* bezeichnet) eine gute Quelle für Definitionen sind. Diese erlauben zum einen eine Begriffsbestimmung (was ist etwas?) und zum anderen eine Begriffsabgrenzung (was ist es nicht?) und fördern somit sowohl ein umfassenderes Verständnis des semantischen Umfeldes von Fachausdrücken als auch die lexikalische Präzision bei ihrer Verwendung. Für die punktuelle Suche nach Definitionen eignet sich zudem auch Googles *Define*-Operator („define:

> Fachlexika

nephrolithiasis"). Ähnliche Resultate bringt auch die Anfrage „what is nephrolithiasis".

Unter den Sprachwörterbüchern sind in der ersten Phase des Übersetzens die Rezeptionswörterbücher von besonderer Bedeutung. Diese Werke (wie z. B. Macmillan oder Merriam-Webster) zeichnen sich durch einen großen Lemmabestand aus (Lemmata sind die Einträge oder Stichwörter eines Wörterbuchs) und bieten neben Kurzdefinitionen primär paradigmatische Informationen wie Synonyme, Antonyme und Paraphrasen an.

Terminologie-
datenbanken

Ein weiterer Ressourcentyp, der das Verständnis des AT unterstützt, aber zudem Informationen zum Transfer und zur Produktion von Zieltexten enthält, sind Terminologiedatenbanken. Hierbei handelt es sich um zwei- oder mehrsprachige Sammlungen von Fachvokabular, die neben Begriffsbeschreibungen und -abgrenzungen (Definitionen, verwandte Begriffe) auch zusätzliche enzyklopädische (Fachgebiet, Bilder) und sprachliche (Genus, Numerus, ZS-Äquivalent) Informationen enthalten. Umfassende Terminologiedatenbanken werden häufig von internationalen Organisationen oder Regierungsbehörden veröffentlicht. Dazu gehört beispielsweise IATE, die Terminologiedatenbank der Europäischen Union (http://iate.europa.eu), die derzeit 8,4 Millionen Termini in allen 24 Amtssprachen der EU enthält. Datenbanken wie IATE bieten auch Übersetzungshinweise, Angaben zu der Zuverlässigkeit des Eintrages sowie Quellen- und Datumsangaben. Was allerdings auch bei diesen Datenbanken häufig fehlt, sind Hinweise auf die Verwendung der Termini in der Zielsprache, z. B. in Form von Kontextbeispielen.

Terminologiedatenbanken sind von ihren Inhalten und Funktionen her vergleichbar mit zwei- oder mehrsprachigen Fachwörterbüchern, von denen viele, insbesondere die qualitativ höherwertigen, nicht direkt online verfügbar sind, sondern (noch) als Software erworben und auf den eigenen Rechner heruntergeladen werden müssen (vgl. z. B. die *Professional*-Fachwörterbücher von Langenscheidt).

Transferbezogene
Recherchemittel

Von Terminologiedatenbanken und Fachwörterbüchern ist es dann ein kurzer Schritt zur Transferphase des Übersetzens, wo gerade umfassende zweisprachige Wörterbücher wie z. B. das Großwörterbuch Muret-Sanders nicht nur rezeptionsfördernde, sondern auch transferorientierte Informationen enthalten. Dazu zählen natürlich zielsprachliche Äquivalente, aber auch Informationen zu regional-

und fachsprachlichen Varianten. Allerdings ist es wichtig zu betonen, dass es eigentliche *translator dictionaries* nicht gibt. Dazu müssten diese Werke z. B. systematisch Warnungen vor falschen Freunden und anderen Interferenzen der Ausgangssprache und auch Hinweise zu kulturell determinierten *Shifts* (wann wird ein Wirbelsturm zum *typhoon*, wann zum *cyclone*?) oder Nulläquivalenzen, wie es sie bei vielen Realien gibt (z. B. *tapas*), zur Verfügung stellen. Das Fehlen von speziellen kultursensitiven Transferwörterbüchern muss also durch eine Kombination anderer Hilfsmittel (Enzyklopädien, allgemeinsprachliche Wörterbücher, Paralleltexte etc.) kompensiert werden.

Auf der Produktionsseite verschiebt sich die Problematik von dem Verständnis von AT-Elementen hin zu ihrer korrekten zielsprachlichen Verwendung. Was hier benötigt wird, sind Produktionswörterbucher wie das *Duden-Stilwörterbuch* oder *Collins Cobuild English Collocations*, die dem Benutzer nicht nur die Übersetzungen selbst, sondern auch syntagmatische Informationen zur Verwendung eines Ausdrucks in der Horizontalen, also im Satzkontext, liefern. Hierbei spielen Wortkombinationen eine herausragende Rolle.

Produktionsbezogene Recherchemittel

Gerade bei der ZT-Produktion zeigen sich die Grenzen vieler Wörterbücher (online wie offline). Auf *wordreference.com* findet sich beispielsweise kein Eintrag für die Kollokation „Zweifel zerstreuen" in der Richtung Deutsch-Englisch. Unter dem Eintrag „Zweifel" findet sich, natürlich, die Übersetzung „doubt(s)", aber das ist ja nicht das Problem. Der Hinweis auf den Kollokator „zerstreuen" fehlt. Unter dem Eintrag „zerstreuen" findet sich zwar auch kein Hinweis auf „Zweifel", aber zumindest auf „Bedenken". Allerdings gibt es dafür zwei (kontextlose) Übersetzungsvorschläge („dispel" und „dissipate"), von denen aber nur einer korrekt ist. Ähnlich verhält es sich bei fachsprachlichen Kollokationen. Nehmen wir das Beispiel „einen Nierenstein zertrümmern". Im *PONS Online-Wörterbuch* (de.pons. com) findet sich zwar der Eintrag „Nierensteinzertrümmerer" (engl. *lithotripter*), aber weder unter „Nierenstein", noch unter „zertrümmern" findet sich der jeweils andere Partner und folglich keine Übersetzung der Kollokation.

Grenzen der Wörterbücher

Die oben beschriebenen Nachschlagewerke, seien es von Verlagen publizierte Wörterbücher oder kollaborativ erstellte Wikis, haben naturgemäß ihre Grenzen, da sie immer nur einen Ausschnitt des sprachlichen Universums darstellen und Wörter oft ohne ihr textuelles Umfeld beschreiben. Mehr Kontext verspricht da ein Angebot wie *Linguee* (www.linguee.de). Hierbei handelt es sich um eine Sammlung von ausgangssprachlichen Sätzen und ihren Übersetzungen, also um ein öffentlich zugängiges und durchsuchbares Translation Memory. Die Übersetzungen kommen von mehrsprachigen Internetseiten und Korpora, z. B. dem Korpus des europäischen Parlaments, in dem die Reden von EU-Parlamentariern in mehreren Sprachen enthalten sind. Das erklärt dann auch, wie sich für „Zweifel zerstreuen" neben zahlreichen korrekten Optionen die wörtliche (und leider falsche) Übersetzung „to disperse doubts" findet.

Das Web als Korpus

Einen vielversprechenden Ansatz bei der Überwindung der natürlichen Grenzen von Offline- und Online-Ressourcen, stellt die Idee des *Web as/for Corpus* dar (de Schryver 2002), wobei im Internet verfügbare Texte entweder zur Kompilation eines Korpus verwendet werden (*Web for Corpus*) oder das gesamte Internet zu einem einzigen großen Paralleltextkorpus wird (*Web as Corpus*). Nehmen wir noch einmal das Beispiel der Kollokationen. Hier finden wir ja grundsätzlich zwei Rechercheziele. Zum einen geht es darum, über eine Konkordanzliste, also eine Auftstellung von Suchbegriffen in ihrem direkten Satzkontext, das Kollokationspotenzial eines Begriffes zu erfassen, also zu verstehen, welche Wortkombinationen ein Ausdruck wie Nierenstein grundsätzlich eingeht. Dazu können Online-Angebote wie WebCorp (http://wse1.webcorp.org.uk/home/) oder Offline-Lösungen wie WordSmith (http://www.lexically.net/wordsmith/) verwendet werden.

In dem zweiten Szenario geht es darum, Bestätigungen für tentative Übersetzungslösungen zu finden. In der Regel fangen wir ja bei der Übersetzung (von Kollokationen) nicht bei Null an. Zweifel sind *doubts*, und Nierensteine sind *kidney stones*. Und auch für die Mitspieler, die Kollokatoren zerstreuen und zertrümmern, haben wir potenzielle Kandidaten – „disperse", „dissipate", „dispel" für *doubts* und „smash", „break", „crash" oder „crush" für *kidney stones*. Hier geht es jetzt darum, durch eine präzise Suchanfrage den richtigen Kandidaten auf der Basis verlässlicher Quellen zu identifizieren (vgl. Austermühl 2012).

In beiden Szenarien, wie allgemein bei der Informationsrecherche im Internet, spielt die Verlässlichkeit der verwendeten Quellen und Texte eine herausragende Rolle. Um diese Verlässlichkeit sicherzustellen, ist sowohl unser technisches wie unser kulturelles Wissen gefragt. Unsere kulturelles Wissens erlaubt es uns, zuverlässige Quellen für unsere Suchen zu identifizieren, z. B. die *New York Times*, wenn es um allgemeinsprachliche Formulierungen, Orthographie oder Stilfragen geht, oder das amerikanische *National Institute of Health* (NIH) und angesehene Fachzeitschriften wie das *New England Journal of Medicine* bei der medizinischen Fachsprache. Es geht also vereinfacht gesagt darum, Texte zu finden, die die aktuelle Sprachverwendung muttersprachlicher Experten widerspiegeln. Verlässlichkeit der Quellen

Unser Kulturwissen kann dann mit Wissen über die Adressstrukturen von Websites und Kenntnissen um Suchoperatoren wie *site:* kombiniert werden, um eine Suchanfrage auf vorselektierte Angebote einzuschränken (z. B. site:nytimes.com, site:nih.gov). Durch die Verwendung weiterer Operatoren – z. B. der durch Anführungszeichen implementierten *Phrase*-Suche und des Platzhalters (*), lässt sich dann schnell herausfinden: Wie würde es die *New York Times* sagen? Die Suche „disperse * doubts" site:nytimes.com ergibt nur zwei Hits. Die gleiche Suche mit „dispel" dagegen ergibt mehr als dreihundert Ergebnisse und Kontextbeispiele. Suchoperationen

Weitere hilfreiche Operatoren sind *intitle:*, wodurch die Suche auf Dokumente beschränkt wird, bei denen der Suchbegriff im Texttitel auftaucht, sowie *filetype:*, der es erlaubt nach dem Dateiformat der Suchergebnisse zu filtern. Da viele Forschungsberichte oder Fachartikel in PDF-Format veröffentlicht werden, optimiert *filetype:pdf* die Zuverlässigkeit der Suchergebnisse und reduziert gleichzeitig die Zahl nichtrelevanter Treffer.

Mit den richtigen Suchbegriffen und durch Verwendung von zusätzlichen Operatoren wie z. B. des Minus-Zeichens (oder des Booleschen NOT) zum Ausschluss nicht gewünschter Suchbegriffe und OR, lässt sich das Profil der zu erwartenden Suchergebnisse und des aus diesen Suchergebnissen erstellbaren Korpus schließlich noch weiter präzisieren. Auf der Basis dieses Wissens könnte ich jetzt über die Suchanfrage

```
treatment „kidney stones" intitle:"kidney stone*" filetype:pdf site:
nejm.org OR site:nih.gov
```

eine Vielzahl von relevanten und zuverlässigen Texten auffinden, die ich – der Idee *Web for Corpus* folgend – herunterladen und dann mithilfe einer Konkordanzsoftware analysieren kann. Oder ich benutze das *Web as Corpus* und suche direkt nach der Verifikation meiner Übersetzung:

> „crush * kidney stones" OR „smash * kidney stones" filetype:pdf site: nejm.org OR site:nih.gov

CAT-Tools

CAT-Tools spielen in akademischen wie professionellen Diskussionen über das Übersetzen eine gewichtige Rolle. In Stellenanzeigen ist der Wunsch nach Erfahrung mit CAT-Tools eines der am häufigsten auftretenden Anforderungskriterien und in Studiengängen nimmt die Übersetzungstechnologie ebenfalls einen wichtigen Platz ein. Das oben genannte Kompetenzmodell der EMT-Expertengruppe listet Technikkompetenz als eine zentrale Kategorie. Es wird also viel Aufhebens betrieben um diese Tools, und viel Geld wird mit ihnen auch verdient, aber im Endeffekt handelt es sich eigentlich nur um Softwarepakete, die neben diversen Workflow-Aufgaben (Projektplanung, Budgetierung, Datenaustausch etc.; vgl. Dunne und Dunne 2011 sowie Risku 2009), von denen Freiberufler relativ wenig mitbekommen, primär darauf abzielen, vier Grundfunktionen auszuführen.

Funktionen von CAT-Tools   Zuerst einmal dienen CAT-Tools der Verwaltung von terminologischen Einheiten. Diese können dann direkt am Textverarbeitungsbildschirm angeboten und automatisch in den zu erstellenden Zieltext integriert werden. Zweitens erlauben es CAT-Tools über eine so genannte Translation-Memory-Funktion, bereits übersetzte und abgespeicherte ausgangssprachliche Textsegmente zu erkennen und sie dann zur Wiederverwendung in einem neuen Text anzubieten oder direkt in das Zieltextdokument einzufügen. Drittens, und gewissermaßen als logische Weiterführung der Recycle-Funktion von Translation-Memory-Systemen, kann der Ausgangstext auch direkt von einem Computerprogramm automatisch übersetzt werden. Hierbei wird der gesamte Text auf der Basis statistischer und/ oder grammatikalischer Regeln übersetzt. Je nach Qualitätsanspruch des Nutzers kann dieser maschinell angefertigte Zieltext noch qualitätsoptimierend nachbearbeitet werden. Viele CAT-Tools bieten hier entweder eigene MÜ-Lösungen oder Schnittstellen zu offenen Systemen wie z. B. *Google Translate* an.

Schließlich dienen CAT-Tools noch ganz einfach dazu, auf bestimmte Texte, oder genauer gesagt auf den zu übersetzenden Teil von bestimmten Texten, zuzugreifen. Das klingt banal, aber wenn man bedenkt, dass viele Texte, wie z. B. Websites oder Benutzeroberflächen von Computerprogrammen, höchst komplexe Gebilde sind, in denen die zu übersetzenden Texte (so genannte *translatables*) in Computercode eingebettet sind, dann wird die Frage nach der Verarbeitbarkeit von Ausgangstexten zu einem entscheidenden Aspekt eines jeden multimedialen Übersetzungsprojektes. Hier reicht *Microsoft Word* einfach nicht aus. Stattdessen werden so genannte Lokalisierungs-Tools benötigt, die direkt auf die Quelldateien von Computerprogrammen oder Websites zugreifen können.

Bei Terminologieverwaltungssystemen (TVS), wie z. B. *crossTerm* und *SDL MultiTerm*, handelt es sich um Datenbankprogramme, mit denen terminologische Daten, also Informationen zu Fachausdrücken, gespeichert und verwaltet werden können. Sie können von Einzelübersetzern am eigenen Arbeitsplatz und/oder von Teams über netzwerkbasierte Lösungen gefüllt und verwendet werden. Terminologische Daten können natürlich auch aus vorhandenen Beständen (z. B. einfachen Word- oder Excel-Tabellen) importiert werden. TVS dienen zunächst dazu, Datenbestände nachhaltig verfügbar zu machen. Einmal recherchierte Informationen wie zielsprachliche Äquivalente, Definitionen, Kollokationen und Kontextbeispiele können somit in zukünftigen Projekten wiederverwendet und mit anderen Übersetzern im Team geteilt werden. Gleichzeitig dienen die Datenbanken auch der sprachlichen Standardisierung. So kann eine AuftraggeberIn sicherstellen, dass ein Terminus wie z. B. USB-Speicher immer mit *USB stick*, und nicht mit *pen drive* oder *thumb drive* übersetzt wird. Gerade bei größeren, teambasierten Projekten sorgt dies für terminologische Konsistenz, insbesondere dann, wenn Übersetzungsvorschläge automatisch am Bildschirm angezeigt und direkt in den Zieltext eingefügt werden können. Das spart zudem Zeit und reduziert die Gefahr von Tippfehlern.

Eine ausführliche Beschreibung von TVS findet sich bei Keller (2006).

Terminologieverwaltungssysteme

Translation-Memory-Systeme

Translation-Memory-Systeme (TMS) basieren auf Datenbanken, in denen übersetzte Einzelwörter, Wortgruppen und Sätze sprachenpaarweise gespeichert sind. Die Generierung der bilingualen Segmentdatenbank erfolgt bereits während der Übersetzung. Sie steht somit sofort zur Verfügung. Zur nachträglichen Erfassung von bereits übersetzten Texten wird ein Abgleichverfahren (*alignment*) durchgeführt. Diese Satzdatenbanken können im Vorfeld oder während des eigentlichen Übersetzungsvorgangs eingesetzt werden. Hierbei untersucht ein Textabgleichprogramm, ob Teile des zu übersetzenden Textes zuvor übersetzt wurden und in der Datenbank enthalten sind. Ist dies der Fall, wird der gespeicherte Textbaustein als Übersetzungsvorschlag angeboten.

Da neue Sätze selten identische semantisch-syntaktische Strukturen zu bereits übersetzten Sätzen aufweisen (*exact matches*), wurde ein Verfahren entwickelt, wonach auch leicht veränderte Sätze erkannt und dem Übersetzer als so genannte *fuzzy matches* angeboten werden. Wenn also der Satz „Klicken Sie auf OK, um den Installationsvorgang zu beenden" bereits mit „Click OK to complete the installation" übersetzt und im TM abgespeichert wurde, dann würde dem Übersetzer für den neuen, noch nicht im TM enthaltenen Satz „Klicken Sie auf Abbr., um den Installationsvorgang abzubrechen" der Fuzzy-Match „Click OK to complete the installation" angeboten, wobei die nicht übereinstimmenden Elemente des ZT-Vorschlags typografisch markiert sind. Der Übersetzer müsste also nur „OK" durch „ESC" und „complete" durch „cancel" ersetzen.

Der Einsatz von Translation Memories hat zahlreiche Vor- und Nachteile (vgl. Enriquez/Austermühl 2003 sowie Austermühl 2007). Auf der Pro-Seite finden sich z.B. Fragen wie Kosten- und Zeitreduktion und terminologische und phraseologische Konsistenz, was gerade bei der Arbeit im Team qualitätsfördernd sein kann. Demgegenüber steht u.a. die Tatsache, dass in einer TM-Anwendung einzelne Sätze oder Teile davon, und nicht ganze Texte, zum eigentlichen Übersetzungsgegenstand werden. Darunter können sowohl der Textfluss als auch die Kontextverträglichkeit leiden. Weiterhin besteht die Gefahr, dass sich qualitativ schlechte Übersetzungen quasi automatisch fortpflanzen. Hier erhält das Qualitätsmanagement von TM-Inhalten eine besondere Bedeutung. Ein guter Überblick über aktuelle TM-Systeme findet sich in Keller (2014).

Die Technologie des Translation Memory ist auch zentraler Bestandteil so genannter Lokalisierungs-Tools. Diese Applikationen, wie z. B. *Alchemy Catalyst* und *SDL Passolo,* dienen primär der Übersetzung von Computerprogrammen und von darin enthaltenen Texten wie Menübefehlen, Schaltflächentexten, Warnmeldungen. Bei der Übersetzung von Bildschirmelementen wie z. B. Dialogfeldern ist dabei die Möglichkeit der bildschirmgetreuen Anzeige der übersetzten Texte nach dem WYSIWYG-Prinzip (*„what you see is what you get"*) besonders hilfreich, da bei diesen Texten oftmals die Trennung zwischen Programmiercode und den eigentlichen ATs nicht einfach ist. So würde z. B. ein Menu „Datei" im Programmiercode etwa wie folgt aussehen (vgl. Esselink 2000):

Lokalisierungstools

```
BEGIN
POPUP „&File"
BEGIN
    MENUITEM
    „&New"...\tCtrl+N", #57600
    MENUITEM
    „&Open"...\tCtrl+O",#57601
    MENUITEM
    „&Save"\tCtrl+N",#57603
    MENUITEM
    „Save &As...", #57604
    MENUITEM
    SEPARATOR
    MENUITEM
    „&Print"...\tCtrl+P",#57607
    MENUITEM
    „Print Pre&view...",#57608
    MENUITEM
    „Page Set&up...", #32771
```

Das &-Zeichen steht dabei für den so genannten Hotkey, einen unterstrichenen Buchstaben, mit dem der entsprechende Menübefehl direkt ausgeführt werden kann. Die Kombination \t steht für einen Tabulatorschritt, der dafür sorgt, dass die Tastenkombination Ctrl+ typographisch an den rechten Rand des Menüs verschoben wird. Wird auch nur eines dieser Zeichen gelöscht oder ein Hotkey zweimal vergeben, sind die Funktionalität und Optik der Software direkt negativ betroffen. Eine umfassendere Einführung in die Softwarelokalisierung findet sich in Reineke und Schmitz (2005).

Die maschinelle Übersetzung hat in den letzten Jahren signifikante Fortschritte erzielt. Hierbei sind es vor allem die statistikbasierten Ansätze, wie sie etwa *Google Translate* verwendet, die die MÜ in vielen Bereichen hoffähig gemacht haben (vgl. Austermühl 2011 für einen Überblick). Der Systemen wie *Google Translate* zugrunde liegende Ansatz wird als *Statistcal Machine Translation* (SMT) bezeichnet. Diese SMT-Systeme generieren Übersetzungsvarianten auf der Basis statistischer Analysen zweier Korpora, einem zweisprachigen Parallelkorpus auf der einen Seite und einem einsprachigen Zielsprachenkorpus auf der anderen Seite. Die zweisprachigen Texte stammen zumeist aus öffentlich zugänglichen Textsammlungen, wie z.B. den Übersetzungen des *Acquis Communautaire*, der Gesetzestexte-Sammlung der Europäischen Union, die in 22 Sprachen vorliegt und ungefähr eine Billion Wörter enthält (http://eurovoc.europa.eu/). Zu den einsprachigen Zielsprachenkorpora zählen beispielsweise das *British National Corpus* (BNC) (http://www.natcorp.ox.ac.uk/) und das *Corpus of Contemporary American English* (COCA) (http://corpus.byu.edu/coca/).

Wie funktioniert nun der Übersetzungsprozess? Über eine statistische Analyse des Paralleltextkorpus erstellen SMT-Systeme ein Übersetzungsmodell für die jeweilige Sprachenkombination. Das Übersetzungsmodell ist hierbei im Wesentlichen eine Tabelle mit Wörtern und Teilsätzen (*phrases*) in der Ausgangssprache und ihren möglichen Entsprechungen in der Zielsprache. Auf der Basis des einsprachigen Korpus wird zudem ein Zielsprachenmodell erstellt, das aufzeigt, wie wohlformulierte Wortfolgen in dieser Sprache typischerweise aussehen. Beide Modelle zusammen dienen dann zur Entschlüsselung des AT. Mithilfe der Daten, die im Übersetzungs- und Zielsprachenmodell des Systems enthalten sind, wird beim Übersetzen eines Satzes, Ausdrucks oder Wortes in einem geradlinigen Prozess die Übersetzungslösung ausgewählt, die laut Übersetzungs- und Zielsprachenmodell die höchste Wahrscheinlichkeit aufweist (vgl. Koehn 2010 für eine ausführliche Beschreibung des SMT-Prozesses).

Für bestimmte Sprachenkombinationen, Texttypen und Fachgebiete funktioniert der oben beschriebene *Big-Data*-Ansatz, der in manchen Systemen auch noch mit grammatikalischen Regeln kombiniert wird, inzwischen so gut, dass sich darauf aufbauend ein neues Geschäftsmodell entwickelt hat, in dem Texte erst maschinell übersetzt und dann, abhängig von den Qualitätswünschen des Auftraggebers, von Übersetzern optimiert werden. In einer Branche, in der Jahre lang Outsourcing betrieben wurde, Aufträge also an externe Freiberufler abgegeben wurden, führt diese Entwicklung nun zu einem Insourcing, wobei Übersetzer Festanstellungen als Projektmanager und Revisoren erhalten.

Für angehende Übersetzer heißt dies, dass sie auch „Verfahren und Strategien des Gegenlesens und Revidierens beherrschen" sollten (EMT-Expertengruppe 2009:7). Die Bedeutung der Revision, und nicht nur von maschinellem Output, wird auch in der Europäischen Norm für Übersetzungsdienstleistungen EN 15038 (vgl. Biel 2011) betont. Im Ganzen nennt die Norm vier Tätigkeiten, die der Optimierung des Zieltextes dienen:

Revision und Optimierung des Zieltextes

1. „*checking*" (der eigenen Übersetzung);
2. „*revising*" (der Übersetzung einer anderen Person auf der Basis eines AT-ZT-Vergleichs);
3. „*reviewing*" (der Übersetzung einer anderen Person nur auf der Basis des ZT); und
4. „*proofreading*" (ein letzter Check, bevor das Dokument gedruckt oder veröffentlich wird).

Bei all diesen Textoptimierungsmaßnahmen wird dann sicherlich auch wieder die Recherchekompetenz und die Verwendung des Web als Wörterbuch und als Korpus von zentraler Bedeutung sein.

Literatur

Austermühl, Frank. 2007. Translators in the Language Industry – From Localization to Marginalization. In: Holderbaum, A./Brenner, K. (eds.) *Gebundener Sprachgebrauch in der Übersetzungswissenschaft.* Trier: WVT Wissenschaftlicher Verlag, 39–51.

Austermühl, Frank. 2011. On clouds and crowds – Current developments in translation

technology. *T21N – Translation in Transition* 9, 1–25. Abrufbar unter: http://www.t21 n.com/homepage/articles/T21N-2011-09-Austermuehl.pdf (Stand: 08/02/2016).

Austermühl, Frank. 2012. Using concept mapping and the web as corpus to develop terminological competence among translators and interpreters. *Translation Spaces* 1:1, 54–80.

Biel, Łucja. 2011. Training translators or translation service providers? EN 15038:2006 standard of translation services and its training implications. *The Journal of Specialised Translation* 16, 61–76.

Common Sense Advisory. 2014. Market for Outsourced Translation and Interpreting Services and Technology to Surpass US$ 37 Billion in 2014. Abrufbar unter: http://www.commonsenseadvisory.com/Default.aspx? Contenttype=ArticleDet&tabID=64&moduleId=392&Aid=21546&PR= PR (Stand: 08/02/2016).

Dunne, Keiran J./Dunne, Elena S. (eds.) 2011. *Translation and Localization Project Management: The art of the possible.* Amsterdam/Philadelphia: John Benjamins.

EMT-Expertengruppe. 2009. Kompetenzprofil von Translatoren, Experten für die mehrsprachige und multimediale Kommunikation. Abrufbar unter: http://ec.europa.eu/dgs/translation/programmes/emt/key_documents/emt_competences_translators_de.pdf (Stand: 08/02/2016).

Enriquez Raido, Vanessa. 2014. *Translation and Web Searching.* London/New York: Routledge.

Enriquez Raido, Vanessa. 2011. Developing Web Searching Skills in Translator Training. *Revista Electrónica de Didáctica de la Traducción y la Interpretación* (6), 55–77. Abrufbar unter: http://www.redit.uma.es/Archiv/n6/4.pdf (Stand: 08/02/2016).

Enriquez Raido, Vanessa/Austermühl, Frank. 2003. Translation, Localization, and Technology – Current Developments. *Speaking in Tongues: Language Across Contexts and Users.* Pérez-González, Luis (ed.), Valencia: University of Valencia Press, 225–250.

Esselink, Bert. 2000. *A Practical Guide to Localization.* Amsterdam/Philadelphia: John Benjamins.

EN 15038:2006. Die Europäische Norm für Übersetzungsdienstleistungen. Brüssel: CEN.

Keller, Nicole. 2006. *Neue Wege in der Hilfsmittelkunde der Übersetzungswissenschaft: Zur Herleitung webbasierter Terminologiedatenbanken im Kontext von CAT-Systemen.* Trier: WVT Wissenschaftlicher Verlag.

Keller, Nicole. 2014. Translation-Memory-Systeme 2014: Unter der Lupe. *Fachzeitschrift MDÜ – Translation-Memory-Tools,* 2:2.

Koehn, Philipp. 2010. *Statistical machine translation.* New York: Cambridge University Press.

Reineke, Detlef/Schmitz, Klaus-Dirk. 2005. *Einführung in die Softwarelokalisierung.* Tübingen: Narr.

Risku, Hanna. 2009. *Translationsmanagement: Interkulturelle Fachkommunikation im Informationszeitalter.* Tübingen: Gunter Narr. Abrufbar unter: http://www.narr-shop.de/media/leseproben/16387.pdf (Stand: 08/02/2016).

de Schryver, Gilles-Maurice. 2002. Web for/as corpus: A perspective for the African languages. *Nordic Journal of African Studies* 112, 266–282.

Vermeer, Hans. 1986. *voraussetzungen für eine translationstheorie – einige kapitel kultur- und sprachtheorie.* Heidelberg: Selbstverlag.

Teil III   Translatorische Arbeitsfelder und reflektierte Praxis

1 Arbeitsfeld Europäische Institutionen

Martina Prokesch-Predanovic & Karin Reithofer-Winter

In den Römischen Verträgen zur Gründung der Europäischen Wirtschaftsgemeinschaft und der Euratom aus dem Jahr 1957 wurden ursprünglich die Sprachen aller Mitgliedstaaten als Amts- und Arbeitssprachen vorgesehen. Dieses Prinzip der Mehrsprachigkeit soll unter anderem gewährleisten, dass alle EU-BürgerInnen sich in ihrer Muttersprache an die Institutionen wenden können. Von den damals fünf Mitgliedern ist der Staatenbund jedoch mittlerweile auf 28 mit 24 offiziellen Amtssprachen angewachsen, was bedeutet, dass es 552 mögliche Sprachkombinationen gibt: sehr viel Arbeit also für TranslatorInnen.

Obwohl Übersetzen und Dolmetschen ansonsten meist als zusammengehörige Tätigkeiten betrachtet werden, sind diese beiden Bereiche in der Europäischen Union unabhängig voneinander organisiert. So gibt es beispielsweise im Europäischen Parlament und auch in der Kommission jeweils getrennte Generaldirektionen (GD) für Übersetzen und für Dolmetschen.

Eine Gemeinsamkeit der Übersetzungs- und Dolmetschdienste der EU ist, dass sie sich nach dem Muttersprachenprinzip orientieren, dem zufolge ÜbersetzerInnen und DolmetscherInnen nach Möglichkeit aus verschiedenen Fremdsprachen in ihre Muttersprache arbeiten. Für Sprachen, die weniger ExpertInnen als Arbeitssprachen beherrschen, wie beispielsweise Maltesisch, gibt es beim Dolmetschen auch Abweichungen von diesem Grundsatz; in diesen Fällen wird auch aus der Muttersprache in die B-Sprache übersetzt.

Getrennte Übersetzungs- und Dolmetschdienste

Ein weiteres gemeinsames Charakteristikum sind die unterschiedlichen Arbeitsverhältnisse der EU-TranslatorInnen: Sie können verbeamtet sein, mit einem Zeitvertrag angestellt oder freiberuflich tätig sein, was unterschiedliche Vor- und Nachteile mit sich bringt.

Im Folgenden sollen nun die beiden Felder Übersetzen und Dolmetschen nacheinander beleuchtet werden.

Übersetzen in der Generaldirektion Übersetzung der Europäischen Kommission

Folgende Einrichtungen der EU haben Übersetzungsabteilungen: die Europäische Kommission, der Rat der Europäischen Union, das Europäische Parlament, der Europäische Gerichtshof, der Europäische Wirtschafts- und Sozialausschuss sowie der Europäische Rechnungshof. Außerdem gibt es in Luxemburg ein Übersetzungszentrum, das für die zahlreichen Agenturen überall in der EU tätig ist.

Nachfolgend soll nur auf die Generaldirektion Übersetzung (GD Übersetzung) der Europäischen Kommission eingegangen werden, die der größte Übersetzungsdienst aller EU-Einrichtungen und gleichzeitig einer der größten der Welt ist. Derzeit zählt die GD Übersetzung rund 2.500 MitarbeiterInnen (ÜbersetzerInnen sowie Personen, die mit Management-, Sekretariats-, Kommunikations-, Informatik- und Schulungsaufgaben betraut sind).

Arbeiten für die GD Übersetzung

Die GD Übersetzung bietet wegen ihrer Größe eine Vielzahl von Möglichkeiten für ÜbersetzerInnen: eine Beschäftigung im BeamtInnenverhältnis oder auf Basis eines befristeten oder unbefristeten Vertrags.

Auswahlverfahren   Wie das gesamte festangestellte Personal der Kommission werden auch ÜbersetzerInnen im Zuge offener Auswahlverfahren aufgenommen. Auswahlverfahren für ÜbersetzerInnen finden im Allgemeinen ungefähr alle drei Jahre für eine bestimmte Zielsprache statt. Sie bestehen aus: computergestützten Vorauswahltests (Prüfung des sprachlogischen und abstrakten Denkens und des Zahlenverständnisses), Übersetzungsprüfungen in die Hauptsprache und einem mehrteiligen Test in einem Assessment-Center. Allgemeine Voraussetzungen für die Teilnahme an einem offenen Auswahlverfahren sind die Staatsangehörigkeit eines Mitgliedstaats der Europäischen Union und der erfolgreiche Abschluss eines mindestens dreijährigen Hochschulstudiums (Sprachen, Wirtschaft, Recht, Naturwissenschaften usw.).

Die Namen der erfolgreichen BewerberInnen kommen auf eine Reserveliste, die mehrere Jahre lang gültig ist und deren Gültigkeit gegebenenfalls verlängert werden kann. Allerdings ist die Aufnahme in die Reserveliste keine Einstellungsgarantie. Außerdem werden auch Aufträge regelmäßig an freiberufliche ÜbersetzerInnen vergeben, die im Zuge öffentlicher Ausschreibungen ausgewählt werden. An diesen Ausschreibungen können sich selbständige ÜbersetzerInnen genauso beteiligen wie Unternehmen. Zweimal jährlich wird auch einer kleineren Zahl von HochschulabsolventInnen (nicht nur solchen aus EU-Mitgliedstaaten) die Möglichkeit geboten, im Rahmen eines fünfmonatigen *Praktikums* in Brüssel oder in Luxemburg Berufserfahrung im Übersetzen zu sammeln. Die Praktika beginnen jeweils im März und im Oktober und die PraktikantInnen erhalten eine monatliche Aufwandsentschädigung zur Deckung ihrer Lebenshaltungskosten. Die Zieltexte werden von erfahrenen KollegInnen revidiert. Das Praktikum kann auch Terminologiearbeit oder andere übersetzungsbezogene Aufgaben umfassen.

Die GD Übersetzung ist nach Sprachen strukturiert, d. h. es gibt für jede der 24 Amtssprachen der EU eine eigene Sprachabteilung (bzw. – für Irisch – ein Referat). Diese Abteilungen bilden die vier Übersetzungsdirektionen. *(Randnotiz: Organisation der GD Übersetzung)*

Die Sprachabteilungen sind neben der eigentlichen Übersetzungsarbeit auch für Terminologiearbeit und Dokumentation zuständig und müssen dafür sorgen, dass die von der GD Übersetzung gelieferten Texte in allen Amtssprachen stets hochwertig und kohärent sind. Daneben gibt es noch zwei weitere Direktionen, die sich vor allem mit Verwaltungsfragen, Strategien und der Unterstützung der ÜbersetzerInnen befassen.

Geografisch verteilt sich das Personal der GD Übersetzung etwa je zur Hälfte auf die Dienstorte Brüssel und Luxemburg. Einige Sprachabteilungen sind ausschließlich in Luxemburg angesiedelt (wie die estnische und die lettische), einige nur in Brüssel (wie die bulgarische und die rumänische), und manche sind auf die Dienstorte Brüssel und Luxemburg verteilt, wie die deutsche Sprachabteilung. Diese hat übrigens vier Referate, zwei in Brüssel und zwei in Luxemburg.

Übersetzt werden selbstverständlich nicht nur Rechtsvorschriften. Das Spektrum der zu übersetzenden Texte ist sogar sehr breit: Reden und Sprechzettel, Vermerke und Pressemitteilungen, internationale Übereinkünfte, politische Erklärungen, Antworten auf schriftliche und mündliche Anfragen von Parlamentariern, Fachstudien, Finanzberichte, Sitzungsprotokolle, interne Verwaltungsmitteilungen, Ver- *(Randnotiz: Arbeitsweise der GD Übersetzung)* merke an das Personal, Skripts und Untertitel für Filme bzw. Bildunterschriften für anderes Werbematerial, Korrespondenz mit Ministerien, Unternehmen, Interessengruppen und Privatpersonen, Internetseiten und Veröffentlichungen aller Art für MeinungsbildnerInnen und die Öffentlichkeit und vieles mehr.

Die ÜbersetzerInnen müssen in der Lage sein, für jede Textsorte das entsprechende Sprachregister zu wählen. Ausgezeichnete Kenntnisse der Zielsprache sowie Anpassungsfähigkeit und Urteilsvermögen sind daher unentbehrlich. Gefragt ist zudem die Gabe, unterschiedlichste und oft komplexe Themen schnell zu erfassen. Innerhalb der Sprachabteilungen spezialisieren sich die ÜbersetzerInnen auf die Übersetzung von Texten aus bestimmten Themenbereichen: Außenbeziehungen, Beschäftigung und Soziales, Bildung, Kultur und Jugend, Binnenmarkt und Dienstleistungen, Energie und natürliche Ressourcen, Fischerei und maritime Angelegenheiten, Forschung, Wissenschaft und Technologie, Gesundheit und Verbraucherschutz, Handel, Informationsgesellschaft und Medien, Landwirtschaft, Justiz und Bürgerrechte, Regionalpolitik, Statistik, Steuern und Zoll, Umwelt, Unternehmertum, Verkehr, Verwaltung, Wettbewerb sowie Wirtschaft und Finanzen.

Natürlich wird keineswegs alles in alle Amtssprachen übersetzt. Die Kommission veröffentlicht nur Rechtsvorschriften und Strategiepapiere von besonderer öffentlicher Bedeutung in allen 24 Amtssprachen. Diese Dokumente machen etwa ein Drittel der Arbeit der GD Übersetzung aus. Sonstige Papiere (z. B. Schriftwechsel mit einzelstaatlichen Behörden und einzelnen Bürgern, Berichte, interne Papiere) werden nur in die jeweils benötigten Sprachen übersetzt. Interne Papiere werden stets auf Englisch, Französisch oder Deutsch verfasst und manchmal in diese Sprachen übersetzt. Ebenso werden in einer beliebigen Sprache eingehende Dokumente in eine dieser drei Sprachen übersetzt, damit sie von den Mitarbeitern der Kommission verstanden werden können. Es wurde auch festgelegt, dass zu übersetzende Texte nur eine gewisse Länge haben dürfen. Den Texten werden auch Wichtigkeits- und Dringlichkeitsstufen zugeordnet. Außerdem werden bestimmte Texte extern vergeben, an FreiberuflerInnen, die mit der Kommission zusammenarbeiten.

Das Dienstleistungsangebot der GD Übersetzung — Die GD Übersetzung bietet folgende Dienstleistungen an: Volltextübersetzung, schriftliche Zusammenfassung, mündliche Zusammenfassung, Übersetzungs-Hotline, Übersetzung für das Internet, redaktionelle Bearbeitung von Originalen, redaktionelle Nachbearbeitung von Maschinenübersetzungen sowie Maschinenübersetzung. Die Übersetzungsqualität wird durch Revision, Gegenlesen bzw. andere Arten der Prüfung gewährleistet sowie durch ständige Fortbildungs- und Informationsveranstaltungen für die ÜbersetzerInnen gefördert. Alle extern übersetzten Texte werden systematisch bewertet, und die externen DienstleisterInnen erhalten eine Rückmeldung. Die terminologische Einheitlichkeit wird unter anderem durch die Verwendung von Übersetzungsspeichern und EU-Terminologiedatenbanken sichergestellt. Eine Grundvoraussetzung für einen guten Zieltext ist eine gute redaktionelle Qualität des Ausgangstextes. Verständliche und knappe Texte sind bekanntlich für die Arbeit jeder Behörde von großer Bedeutung, ganz besonders aber in einer mehrsprachigen Organisation, in der die meisten VerfasserInnen nicht in ihrer Muttersprache arbeiten.

Damit die Ausgangstexte die erforderliche Qualität aufweisen, hat die GD Übersetzung einen Redaktionsdienst eingerichtet, der diese Texte bei Bedarf sprachlich nachbessert und die VerfasserInnen berät. Zugleich unterstützt dieser Redaktionsdienst die SachbearbeiterInnen in den anderen Generaldirektionen beim Verfassen ihrer Texte, denn im Gegensatz zu den ÜbersetzerInnen schreiben sie sehr oft nicht in ihrer Muttersprache. Deswegen hat die Generaldirektion Übersetzung mehrere Kampagnen durchgeführt, um einen klaren und knappen Stil in Kommissionsdokumenten zu fördern.

In den letzten zehn Jahren ist die Zahl der von der GD Übersetzung übersetzten Seiten ständig gestiegen. Die Tendenz geht dahin, immer mehr Ausgangstexte in Englisch abzufassen. 1997 hielten sich die in Französisch und die in Englisch abgefassten Ausgangstexte (einschließlich der nicht in der Kommission entstandenen Texte) noch fast die Waage. Heute werden die meisten Texte in Englisch abgefasst, das sich in den vergangenen Jahren als wichtigste Ausgangssprache in der Kommission durchgesetzt und Französisch von Platz eins verdrängt hat.

Den ÜbersetzerInnen stehen zahlreiche elektronische Hilfsmittel zur Verfügung, die zum Teil auch von anderen Kommissionsbediensteten sowie von ÜbersetzerInnen anderer EU-Institutionen genutzt werden können. Des Weiteren wurden verschiedene Hilfsmittel für die Arbeitsabläufe entwickelt, mit denen die Erstellung von nahezu zwei Millionen Seiten pro Jahr gesteuert werden, und der Produk-

Hilfsmittel für die Übersetzung

tionsprozess überwacht und verwaltet wird. Diese Hilfsmittel werden nachstehend kurz erläutert.

Seit 1997 steht den ÜbersetzerInnen eine Computeranwendung zur Verfügung, die es ihnen ermöglicht, lokale Übersetzungsspeicher zu erstellen. Sie eignet sich insbesondere zur Übersetzung stark repetitiver Texte. Mit ihrer Hilfe können die ÜbersetzerInnen identische oder ähnliche Teile aus bereits übersetzten Texten suchen und diese gegebenenfalls in ihren eigenen Zieltext einfügen. Da sich die in der Kommission verfassten Texte oft auf Vorläufertexte oder existierende Rechtsvorschriften stützen, lässt sich durch die Übernahme bereits übersetzter Teile viel Zeit sparen und gleichzeitig mehr terminologische Einheitlichkeit erreichen, was bei Rechtstexten von großer Bedeutung ist.

Euramis (European advanced multilingual information system) wurde von der Kommission entwickelt. Das System umfasst mehrere Webanwendungen. Über E-Mail ist der Zugriff auf eine Reihe von Sprachverarbeitungsdiensten möglich. Euramis ist Teil einer gemeinsamen Plattform, bei der alle elektronischen Übersetzungshilfsmittel in der GD Übersetzung zusammenlaufen. Einer der wichtigsten Bestandteile ist der zentrale Übersetzungsspeicher. Sobald ein Übersetzungsauftrag eingeht, wird der Ausgangstext automatisch an Euramis übermittelt. Ferner werden eventuelle frühere Zieltexte zum gleichen Thema aus dem zentralen Speicher abgefragt. Das Ergebnis kann direkt in einen lokalen Speicher importiert werden. Nach Fertigstellung des Zieltextes exportieren die ÜbersetzerInnen den lokalen Übersetzungsspeicher zur späteren Nutzung in den zentralen Speicher von Euramis.

Die GD Übersetzung hat ihre eigene Bibliothek, aufgeteilt auf die beiden Dienstorte Luxemburg und Brüssel. Ihre Aufgabe ist es, den ÜbersetzerInnen bei der Suche und Beschaffung der erforderlichen Unterlagen und Hilfsmittel zu helfen.

Die Verantwortung für die Terminologiearbeit in der GD Übersetzung obliegt jeder einzelnen Sprachabteilung, deren TerminologInnen in allen EU-Amtssprachen Hilfestellung leisten. Dazu gehört u. a. auch die Pflege von IATE, der größten mehrsprachigen Terminologiedatenbank der Welt, die Terminologie aller EU-Institutionen enthält. Die Terminologiearbeit wird abteilungsübergreifend koordiniert. In der deutschen Sprachabteilung sind zurzeit ein Terminologe und eine Terminologin tätig.

IATE (Inter-Active Terminology for Europe) ist eine interinstitutionelle Terminologiedatenbank, die nicht nur den MitarbeiterInnen der Europäischen Kommission, sondern auch der Öffentlichkeit zur Verfügung steht. Sie enthält terminologische Daten aller EU-Institutionen, d. h. insgesamt über acht Millionen Termini und 560.000 Kurzformen. Sämtliche Amtssprachen der EU und Latein sind abgedeckt. Für die Weiterentwicklung und Wartung der Datenbank ist ein interinstitutionelles Gremium verantwortlich; erfasst und gepflegt wird die Terminologie von den Sprachabteilungen selbst. Die in IATE enthaltene Terminologie umfasst alle Tätigkeitsbereiche der EU-Institutionen.

Dank der genannten Hilfsmittel stehen den ÜbersetzerInnen der GD Übersetzung alle Informationen rasch zur Verfügung und sie können sich auf ihre eigentliche Arbeit konzentrieren, nämlich schnell und effizient das treffende Wort zu finden, anstatt sich mit aufwändiger Routinearbeit aufzuhalten. Nicht zuletzt dieser Umstand macht die Generaldirektion Übersetzung der Europäischen Kommission zu einem äußerst attraktiven Arbeitsplatz für ÜbersetzerInnen.

Dolmetschen in der Generaldirektion Dolmetschen (SCIC) der Europäischen Kommission

Die EU ist der weltweit größte Arbeitgeber für DolmetscherInnen. Innerhalb der Union gibt es drei voneinander unabhängige Dolmetschdienste: die GD Dolmetschen (SCIC) der Kommission, die GD INTE im Parlament und die Direktion Dolmetschen des Europäischen Gerichtshofs. Im Folgenden soll die Arbeit in der größten dieser Einheiten beschrieben werden: in der GD SCIC.

Um die von der Generaldirektion abgewickelten ca. 135.000 Dolmetschtage pro Jahr bei ca. 50–60 Sitzungen pro Tag bewältigen zu können, beschäftigt die GD SCIC rund 600 fest angestellte DolmetscherInnen und schöpft zusätzlich aus einem Pool von 3.000 akkreditierten FreiberuflerInnen, von denen ca. ein Drittel regelmäßig für die GD Dolmetschen tätig ist. Pro Tag sind es zwischen 300 und 400 FreiberuflerInnen, die zum Einsatz kommen. Sie alle – übrigens 64 % Frauen und 36 % Männer – arbeiten in Sitzungen der Kommission, des Rates, des Ausschusses der Regionen und des Europäischen Wirtschafts- und Sozialausschusses (EWSA) sowie

Arbeiten für die GD SCIC

für diverse Agenturen der Union. Das bedeutet freilich auch, dass Arbeitstage völlig unterschiedlich aussehen können.

Sprachen   Das beginnt schon beim Sprachenregime: Dieses reicht von bilateralen Treffen mit zwei Sprachen bis hin zu Sitzungen mit Verdolmetschung aus 24 in 24 Sprachen, für die mindestens 72 DolmetscherInnen nötig sind. Während dieses volle Sprachenregime vor allem bei hochrangigen Sitzungen z. B. der Staats- und Regierungschefs vorgesehen wird, so tagen ExpertInnen aus den Mitgliedstaaten oder KommissionsbeamtInnen oft mit deutlich weniger Arbeitssprachen. Im Großteil der Sitzungen (52 %) wird mit zwei bis sechs Sprachen gearbeitet; in lediglich 5 % der Sitzungen kommen 18–23 Sprachen zum Einsatz. Wollte man ein volles Sprachenregime bei allen Sitzungen gewährleisten, so würde dies schon allein daran scheitern, dass nicht ausreichend DolmetscherInnen mit den nötigen Sprachkombinationen zur Verfügung stünden. Der Großteil der ZuhörerInnen (75 %), für deren Erstsprache es keine Verdolmetschung gibt, bedient sich des Englischen als Lingua Franca. Diese nichtmuttersprachlichen RednerInnen werden von vielen DolmetscherInnen als eine der größten Herausforderungen für unseren Berufsstand betrachtet, da ihre oft vom Standardenglisch abweichenden Formulierungen einen großen Stressfaktor beim Dolmetschen darstellen (vgl. Reithofer 2014).

Grundsätzlich wird immer im Team gearbeitet; ab sieben Arbeitssprachen sitzt man zu dritt in der Kabine. Bei großen Sprachenregimes kann jedoch auch eine Kabine mit drei DolmetscherInnen meist nicht alle Sprachen abdecken, obwohl verbeamtete DolmetscherInnen im Schnitt aus vier C-Sprachen arbeiten, fünf BeamtInnen sogar aus acht. Das bedeutet, dass auch manchmal retour gedolmetscht oder oft auch aus dem Relais gearbeitet wird und dass DolmetscherInnen sich in multilingualen Sitzungen nicht – wie anderswo üblich – halbstündlich ablösen, sondern eben dann das Mikrofon einschalten müssen, wenn eine ihrer C-Sprachen gesprochen wird. Solch große Sprachenregime bedeuten damit eine zusätzliche Anstrengung für die TranslatorInnen.

Arbeitsalltag   Neben den verschieden ausgerichteten Sprachenregimen gibt es aber auch große Unterschiede in der Art der Sitzungen. In einer Sitzung von Sachverständigen zu einem Thema wie Hypothekarkrediten kann man mit einer Flut von Powerpoint-Präsentationen – oft in nichtmuttersprachlichem Englisch – rechnen, während sich bei

einer Plenarversammlung des EWSA VertreterInnen von Arbeitneh-
merInnen, ArbeitgeberInnen und der Zivilgesellschaft meist in ihrer
Muttersprache frei zu den unterschiedlichsten Themen äußern und
oft auch durchaus heftig miteinander diskutieren. In den Arbeits-
gruppen des Rates werden hingegen meist Vorschläge für Rechtsakte
wie Verordnungen oder Richtlinien von VertreterInnen aller Mitgliedstaaten besprochen. Dabei sprechen zwar viele ihre Muttersprache, äußern sich aber zu einem englischen Textvorschlag, bei dem
manchmal auch ausführlich über einzelne Formulierungen und deren
Implikationen diskutiert wird. Etwas wiederum völlig anderes erwartet DolmetscherInnen auf Dienstreisen, die von Kontrollbesichtigun-
gen in Schlachthöfen bis hin zu eleganten Empfängen in historischen
Gebäuden in den Mitgliedstaaten reichen können.

In welchem dieser Settings man an einem bestimmten Tag
eingesetzt wird, erfährt man über das online abrufbare Arbeitsprogramm ca. zwei Wochen vorher. Sehr oft ändert sich dieses jedoch
noch im Laufe dieser zwei Wochen. Wenn man am Montag in einer
Fischereisitzung, am Dienstag in einer Zollsitzung und am Mittwoch
in einer Flugsicherheitssitzung arbeitet, muss man sich gezielt vor-
bereiten können. Grundlage dafür sind Unterlagen für die jeweilige
Sitzung, die über das Arbeitsprogramm abrufbar sind, sowie von
SCIC-DolmetscherInnen erstellte Glossare zu den unzähligen Themen, wie auch Terminologieressourcen wie das oben besprochene
IATE. Da sich das Programm oft ändert, ist eine Vorbereitung meist
erst kurz vor der Sitzung sinnvoll. Wie man aus der Flut von
Informationen und den oft mehreren hundert Seiten umfassenden
Sitzungsdokumenten das Essentielle herausfiltern kann, ergibt sich
meist erst aus der Erfahrung mit den unterschiedlichen Sitzungs-
formaten und zählt zum spezifischen Know-How von EU-Dolmet-
scherInnen.

Zusätzlich werden auch aktuelle Vorkommnisse wie eine z. B. ein
grassierendes Virus, eine Flüchtlingswelle, der Ausgang einer nationalen Wahl oder auch banalere Dinge wie die Fußball-WM in den
Sitzungen immer wieder spontan angesprochen oder auch nur
nebenbei bemerkt. Das aufmerksame Verfolgen solcher Geschehnisse
ist neben dem Fachwissen ein Muss, will man eine den Anforderungen entsprechende Leistung erbringen.

Wie bereits erläutert muss man für viele Besonderheiten der   Berufseinstieg
Arbeit in diesem Umfeld – die schnell wechselnden Themen, die

großen Sprachenregime – mit der Zeit eigene Strategien entwickeln. Einige Fertigkeiten muss man aber selbstverständlich schon mitbringen. So ist eine Grundvoraussetzung für eine Beamten- oder Freiberuflerkarriere bei der GD SCIC ein Hochschulabschluss in Konferenzdolmetschen oder ein anderer Hochschulabschluss und umfassende Erfahrung als KonferenzdolmetscherIn. Die erforderliche Sprachkombination für die Zulassung zu den Aufnahmeprüfungen wird jährlich für die einzelnen Spracheinheiten festgelegt und an den jeweiligen Bedarf der Dolmetschdienste angepasst. Zurzeit ist die Mindestanforderung für die deutsche Kabine die Beherrschung von drei C-Sprachen, wobei nicht alle im Rahmen eines Dolmetschstudiums erworben werden müssen. Englisch als C-Sprache ist mittlerweile – auch aufgrund der obengenannten Entwicklung – fast ein Muss. B-Sprachen kommen in der deutschen Kabine nicht sehr oft zum Einsatz, bei den Spracheinheiten aus den Ländern, die seit 2004 der Union beigetreten sind, hingegen häufiger. Die Anforderungen an ein B sind meist deutlich höher als bei der Ausbildung, weshalb auch nur wenige KollegInnen mit einer B-Sprache arbeiten.

Für eine Fixanstellung als DolmetscherIn muss man ein wie unter Übersetzen beschriebenes Auswahlverfahren durchlaufen, wobei statt der Übersetzungsprüfung ein Dolmetschtest stattfindet, der dem nachfolgend beschriebenen Test gleicht.

Um als FreiberuflerIn arbeiten zu können, muss man einen
Akkreditierungstest für freiberufliche MitarbeiterInnen sogenannten Akkreditierungstest bestehen, der interinstitutionell organisiert wird. Dabei müssen KandidatInnen vor einer Jury simultan und konsekutiv aus allen C-Sprachen in die A-Sprache dolmetschen. Die Erfolgsquote liegt bei ca. 20 %, wobei immer wieder eine unzureichende Simultantechnik und Probleme im Ausdruck als Gründe für das Nichtbestehen genannt werden. Auch die Nervosität dürfte einen entscheidenden Faktor darstellen. Man kann diesen Test theoretisch insgesamt drei Mal absolvieren. Vereinzelt organisiert der Dienst auch ein mehrwöchiges Aufbauprogramm für KandidatInnen, die den Zielwert knapp verfehlt, aber Potential zu haben scheinen (*Integration Programme*). Leider sind derzeit die Mittel sowohl für Testtage, als auch für die Aufbauprogramme begrenzt, was bedeutet, dass bei der Vorauswahl der KandidatInnen durch die drei Dolmetschdienste schon sehr streng selektiert wird. Dabei orientiert man sich auch an den Noten bei den Abschlussprüfungen an der jeweiligen Universität.

Bei Bestehen führt der Test zu einer Akkreditierung bei allen EU-Institutionen, die so geprüfte DolmetscherInnen bei Bedarf rekrutieren. Im Unterschied zu Beamten und Beamtinnen müssen FreiberuflerInnen nicht notwendigerweise EU-StaatbürgerInnen sein. Sie selbst bestimmen ihre Verfügbarkeit, die sie über einen Webkalender bekannt geben können. Die Rekrutierung erfolgt anhand von drei Kriterien: der Sprachenkombination, des Wohnsitzes und der Qualität. Letztere wird mit einem offenen Berichtsystem festgestellt: erfahrene verbeamtete KollegInnen werden regelmäßig dazu aufgefordert, die Leistung der FreiberuflerInnen, mit denen sie in einer Sitzung zusammenarbeiten, anhand eines Fragebogens zu bewerten. Diese Bewertungen, die von den Bewerteten kommentiert werden können, führen dann zu einer Qualitätseinstufung durch die LeiterInnen der jeweiligen Spracheinheit. Was den Wohnsitz betrifft, so rekrutiert die GD SCIC für Sitzungen in Brüssel fast ausschließlich DolmetscherInnen mit Berufswohnsitz in der belgischen Hauptstadt. Für Dienstreisen werden bevorzugt KollegInnen verpflichtet, die vor Ort oder in der Nähe des Veranstaltungsortes ansässig sind.

Rekrutierung und Evaluierung

Seit einigen Jahren organisiert die GD SCIC das sogenannte *Newcomer Scheme*, das ausgewählten BerufsanfängerInnen 80 Arbeitstage und zusätzliche Unterstützung durch erfahrene KollegInnen garantiert, will doch auch die nächste Generation von DolmetscherInnen aufgebaut werden.

Denn auch in Zukunft werden die Dienste der ÜbersetzerInnen und DolmetscherInnen von enormer Bedeutung sein, da niemand alle Sprachen der EU beherrschen kann. Die Translation ist der Schlüssel, um den anderen zu verstehen, das Glied, das die Europäische Union noch bürgernäher werden lässt. Die Translation ist, wie oft gesagt wird, „die Sprache Europas".

Literatur

Europäische Kommission. 2009. *Übersetzung – Hilfsmittel und Arbeitsablauf.* Broschüre abrufbar unter: http://bookshop.europa.eu/is-bin/INTER-SHOP.enfinity/WFS/EU-Bookshop-Site/de_DE/-/EUR/ViewPublication -Start?PublicationKey=HC8108467 (Stand: 01/02/2016).

Europäische Kommission. 2012. *Übersetzung und Mehrsprachigkeit.* Broschüre abrufbar unter: http://bookshop.europa.eu/is-bin/INTERSHOP.

enfinity/WFS/EU-Bookshop-Site/de_DE/-/EUR/ViewPublication-Start? PublicationKey=HC3210532 (Stand: 01/02/2016).

Europäische Kommission. 2014. *Übersetzen und Dolmetschen: mit Sprachen arbeiten*. Broschüre abrufbar unter: http://bookshop.europa.eu/is-bin/ INTERSHOP.enfinity/WFS/EU-Bookshop-Site/de_DE/-/EUR/View-Publication-Start?PublicationKey=HC3212079 (Stand: 01/02/2016).

Pariente, Audrey. 2009. *Geschichte des Übersetzungsdienstes der Europäischen Union*. Abrufbar unter: http://bookshop.europa.eu/is-bin/INTERSHOP. enfinity/WFS/EU-Bookshop-Site/de_DE/-/EUR/ViewPublication-Start? PublicationKey=HC3008397 (Stand: 01/02/2016).

Reithofer, Karin. 2014. *Englisch als Lingua Franca und Dolmetschen. Ein Vergleich zweier Kommunikationsmodi unter dem Aspekt der Wirkungsäquivalenz*. Reihe Translationswissenschaft. Tübingen: Narr.

Website der Generaldirektion Dolmetschen der europäischen Kommission. Abrufbar unter: http://ec.europa.eu/dgs/scic/index_de.htm (Stand: 01/ 02/2016).

Website der Generaldirektion Übersetzung der Europäischen Kommission. Abrufbar   unter: http://ec.europa.eu/dgs/translation/index_de.htm (Stand: 01/02/2016).

Europäisches Parlament. Abrufbar unter: http://www.europarl.europa.eu/ aboutparliament/de/007e69770 f/Mehrsprachigkeit.html (Stand: 01/02/ 2016).

2 Arbeitsfeld Politik und Diplomatie

Christian Koderhold & Mascha Dabić

Weltweit finden täglich wohl tausende Staatsbesuche, Ministertreffen, Botschaftertermine statt, bei denen Dolmetschdienste benötigt werden. Teils finden Treffen bilateral statt, etwa in Form eines Gedankenaustausches der Innenminister zweier Staaten, teils handelt es sich aber auch um größere Konferenzen oder Zusammenkünfte. Die Treffen haben nicht immer einen strengen Rahmen; auch der Besuch des Neujahrskonzerts oder einer Sportveranstaltung durch ausländische Gäste auf Einladung heimischer PolitikerInnen benötigt die Begleitung durch DolmetscherInnen.

Darüber hinaus ist dem Arbeitsfeld Politik und Diplomatie – eine scharfe Abgrenzung dieser zwei Begriffe ist weder zweckmäßig noch möglich – auch das weite Feld des Dolmetschens in internationalen Organisationen zuzurechnen. Großen Dolmetschbedarf haben nicht nur die Vereinten Nationen oder der Europarat, sondern etwa auch internationale Sportvereinigungen wie das Internationale Olympische Komitee oder der Weltfußballverband FIFA. Und dann ist die Europäische Union mit ihrem enormen Dolmetschbedarf zu nennen – wegen ihrer Bedeutung für den europäischen Dolmetschmarkt ist ihr ein eigener Beitrag in diesem Band gewidmet (▶ **Kap. III.1**).

Die Welt der Diplomatie

„Diplomatie ist die Fortsetzung des Krieges mit anderen Mitteln", lautet der Ausspruch des britischen Ökonomen und liberalen Politikers William Henry Beveridge, als eine Replik auf die berühmte Maxime des preußischen Offiziers Carl von Clausewitz „Krieg ist die Fortsetzung der Politik mit anderen Mitteln." Was nun zuerst da war, der Krieg oder die Diplomatie/die Politik, und ob der Krieg, wie von Heraklit überliefert, „der Vater aller Dinge" ist oder nicht, sei dahingestellt; fest steht, dass die Diplomatie als eine Strategie zur Vermeidung von Krieg eine Konstante in der Menschheitsgeschichte bildet. Kommt es zum Kriegsausbruch, bedeutet es, dass sämtliche diplomatische Bemühungen versagt haben und dass es nicht gelungen ist, einen Interessensausgleich zu erzielen.

Die Sprache der Diplomatie

Im Laufe der Geschichte wurden jeweils unterschiedliche Sprachen für diplomatische Verhandlungen gebraucht. Der Ägyptisch-Hethitische Friedensvertrag aus dem 12. Jahrhundert v. Chr., der als ältester schriftlicher Friedensschluss gilt, liegt in zwei Sprachen vor: im akkadischen Original und in der ägyptischen Hieroglyphenschrift (vgl. Baranyai 2011:2). Im Anschluss daran konnte sich die akkadische Sprache im diplomatischen Schriftverkehr durchsetzen. Die Vorherrschaft währte etwa tausend Jahre, bis das Akkadische vom Aramäischen als *lingua franca* verdrängt wurde. Durch die Eroberungszüge von Alexander dem Großen setzte sich das Altgriechische durch, bis es vom Latein abgelöst wurde (vgl. Baranyai 2011:3 ff.). Ab dem 18. Jahrhundert dominierte das Französische in der Welt der Diplomatie, so lange bis Ende des 19. Jahrhunderts zwei Entwicklungen für ein Erstarken des Englischen sorgten: Zum einen die Hinwendung Großbritanniens zu Kontinentaleuropa, zum anderen das Aufkommen der Vereinigten Staaten als einer neuen politischen Macht (vgl. Roland 1999).

Rolle der Diplomatie

Seit dem Zweiten Weltkrieg gelten vertiefte diplomatische Beziehungen und regelmäßige Kontakte als wesentliche Voraussetzung für die Bewahrung des Friedens und eines harmonischen Miteinander. Dieser Standpunkt festigte sich noch mehr nach dem Ende des Kalten Krieges zwischen der UdSSR und den USA. Mit dem Zerfall der Sowjetunion hat sich die politische Lage erheblich verändert. Nach 1989 waren die neu entstandenen Staaten bestrebt, ihre Interessen zu schützen und zu verteidigen und haben diplomatische Verhandlungen geführt, Beziehungen aufgenommen und Verträge unterzeichnet, die heute die Grundlage für dauerhafte und stabile Beziehungen zwischen vielen Ländern bilden.

Der Zweite Weltkrieg war auch der tragische Ausgangspunkt für die Entstehung und Erstarkung internationaler Organisationen, um durch Völkerverständigung und Verhandlungen zerstörerischen kriegerischen Auseinandersetzungen in Zukunft vorzubeugen. Die Vereinten Nationen, der Europarat und die Europäische Union haben diese gemeinsame geschichtliche Grundlage.

Sowohl das Wachstum der internationalen Organisationen als auch die immer engere politische und wirtschaftliche Verflechtung der Welt führen zu einem stetigen Anstieg an internationaler Kommunikation, die auf qualifizierte ÜbersetzerInnen und DolmetscherInnen angewiesen ist. Sie bilden jene Berufsgruppe, die den Verhandlungspartnern und Akteuren auf der internationalen Bühne Kommunikation ermöglichten, und ohne fundierte Ausbildung können sie ihre Rolle nicht erfüllen.

Mediale Aufmerksamkeit erlangt die Dolmetschtätigkeit meist erst dann, wenn es Fehlleistungen auf dem diplomatischen Parkett gibt. Es gibt unzählige Berichte, Legenden und Mutmaßungen darüber wie DolmetscherInnen wichtige politische Gespräche beeinflusst haben. Nicht immer ist es dabei klar, ob ein Fehler im eigentlichen Sinn vorliegt – etwa indem eine wichtige Information in der Dolmetschung unterging – oder ob ein Dolmetscher das Gespräch oder Gesprächsklima bewusst beeinflusst hat, etwa durch den Versuch, eine harsche Wortwahl oder Unhöflichkeit in der Dolmetschung zu glätten, zurechtzurücken und so gleichsam zu „vermitteln". Fehlerhafte Dolmetschungen ergeben sich häufig durch Überforderung, etwa eine zu hohe Geschwindigkeit des Sprechers, Erschöpfung des Dolmetschers, komplexe Syntax und daraus folgende Auslassung oder Verwendung einer „Sprechblase" zur Kaschierung derselben etc. Auf dem glatten diplomatischen Parkett fällt der Dolmetscher jedenfalls erst dann auf, wenn er, bildlich gesprochen, ausrutscht.

Macht und Diplomatie gehen stets mit einer gewissen Inszenierung einher, mit protokollarisch geregelten Verhaltensweisen und mehr oder minder vorgeschriebenen Phrasen, die es am richtigen Ort zur richtigen Zeit auf eine richtige Weise auszusprechen gilt. In seinem autobiographischen Buch *Titos Dolmetscher: Als Literat am Pulsschlag der Politik* beschreibt Ivan Ivanji (2007), wie im Rahmen großer internationaler Konferenzen Weltgeschichte geschrieben wurde und wie er, als Dolmetscher, ausgestattet mit dem aufmerksamen Blick eines Schriftstellers, diese Aushandlungsprozesse hautnah miterleben durfte. Als Dolmetscher von Josip Broz Tito, der in den 1970er-Jahren als Staatsoberhaupt des blockfreien Jugoslawien die multilaterale Diplomatie maßgeblich prägte und mitgestaltete, lernte Ivanji zahlreiche bedeutende Persönlichkeiten der Politik kennen (u. a. Willy Brandt, Helmut Schmidt, Bruno Kreisky und Kurt Waldheim) und erhielt einen exklusiven Einblick in die Mechanismen der Aushandlung von Macht auf internationaler Ebene. Dabei konnte er aus nächster Nähe die Beobachtung machen, dass es damals in der Diplomatie nicht nur auf die realen, politisch und wirtschaftlich begründeten Machtverhältnisse zwischen den Staaten ankam, sondern durchaus auch auf den menschlichen Faktor, das individuelle Charisma der handelnden Personen.

Memoiren von Dolmetschern

Während Ivanji mit seinem Arbeitgeber sehr zufrieden war (bereits einleitend heißt es „Ich habe gern für Tito gearbeitet"), hatte sein russischer Kollege Valentin Berežkov, der persönliche Dolmetscher Stalins, weitaus weniger Glück. So wie alle anderen Mitarbeiter in der engeren Umgebung Stalins war auch er paranoiden und aggressiven Angriffen des sowjetischen Diktators ausgesetzt und musste seine Arbeit in ständiger Angst vor dessen Launen verrichten (vgl. Berežkov 1998). Auch Hitlers Dolmetscher Paul Schmidt legte seine Erinnerungen an die Tätigkeit im (kriegs)diplomatischen Bereich in Form von Memoiren vor (vgl. Schmidt 1949/2005). Weitere hochrangige Dolmetscher haben ebenfalls ihre Erfahrungen in der Welt der Diplomatie veröffentlicht. Zu ihnen zählen Pavel Palažčenko, der unter anderem eng mit Michail Gorbačov und Edvard Ševardnadze zusammengearbeitet hat, und sein russischer Kollege Igor Korčilov, der im Laufe seiner Karriere zahlreiche Gespräche zwischen Präsidenten hautnah miterlebt und in Interviews darüber gesprochen hat (vgl. Palažčenkos Website, http://pavelpal.ru/).

Diesen Männern haben wir interessante Einblicke in das Arbeitsfeld Diplomatie zu verdanken: Ein Blick aus unmittelbarer Nähe, sodass die zutiefst menschlichen Eigenschaften der jeweiligen Akteure unweigerlich zu Tage treten, kombiniert mit fundierten und spezialisierten Kenntnissen über die komplexe Materie.

Diplomatie = diplomatisch?

Das Russische bietet für das Adjektiv „diplomatisch" zwei Varianten: *diplomatičeskij* und *diplomatičnyj*. Es lohnt sich aus inhaltlichen Gründen, diese Differenzierung einer eingehenderen Betrachtung zu unterziehen.

Besondere Kompetenzen

Die erste Form, *diplomatičeskij*, bezeichnet die Nähe zur Diplomatie, also die reine Zugehörigkeit zu diesem Arbeitsumfeld. Dieses

Adjektiv kann beispielsweise folgende Begriffe näher bestimmen: diplomatische Mission, diplomatischer Dienst, diplomatische Immunität, das diplomatische Protokoll, der diplomatische Corps etc. Die zweite Form dagegen, *diplomatičnyj*, bezeichnet die Eigenschaft oder die Fähigkeit, eine heikle Situation geschickt zu meistern, umgänglich zu sein, Zurückhaltung zu üben: ein diplomatischer Mensch, ein diplomatischer Zug, eine diplomatische Absage.

Bei dieser zweiten Form denken wir, salopp gesagt, an eine Situation, in der es einem Akteur gelingt, sein Ziel zu erreichen, ohne Porzellan zu zerschlagen. Es geht um eine Konstellation, in der Interessensgegensätze erfolgreich überwunden werden können.

Mit dem übergreifenden Ziel, nämlich Kompromisse zu erzielen und den kleinsten gemeinsamen Nenner zu finden, auf das schlussendlich sämtliche diplomatische Bestrebungen hinauslaufen – sowohl im Sinne von *diplomatičeskij*, als auch im Sinne von *diplomatičnyj* – könnte man ein russisches Sprichwort assoziieren: *I volki syty, i ovzy zely*: *Die Wölfe satt, und die Schafe unversehrt.* Es ist selbstverständlich nicht so, dass in der Diplomatie „Wölfe" mit „Schafen" verhandeln, und die DolmetscherInnen dazwischengeschaltet sind, sehr wohl kann es aber gerade im diplomatischen Kontext vorkommen, dass die Interessen der verhandelnden Parteien diametral entgegengesetzt sind und die Sprache, und somit auch die DolmetscherIn, als eine Art Waffe eingesetzt wird.

Im Hinblick auf das Dolmetschen im diplomatischen Kontext stellt sich nun die Frage, welche der beiden Adjektivformen eine adäquate Beschreibung für die erforderlichen Kompetenzen der Dolmetscherin liefert: *diplomatičeskij* oder *diplomatičnyj*? Erfordert das mitunter glatte diplomatische Parkett, dass auch DolmetscherInnen „diplomatisch" sind? Bis zu einem gewissen Grad kann man diese Frage bejahen. Für die DolmetscherInnen ist es unerlässlich, das Beziehungsgeflecht zwischen den AkteurInnen zumindest ansatzweise zu kennen, um das Gesagte wie auch das Nichtgesagte kontextualisieren und besser verstehen zu können.

Der Kontext der Diplomatie zeichnet sich generell durch einen hohen Stellenwert der Sprache aus. Nicht umsonst bezeichnen wir im gewöhnlichen Sprachgebrauch eine Aussage als „diplomatisch", wenn wir sagen wollen, dass der Sprecher eine negative Botschaft hübsch verpackt oder zwischen den Zeilen kommuniziert. Die Sprache der Diplomatie ist zum Teil formalisiert und geradezu

Stellenwert der Sprache

ritualisiert. Manche Floskeln und Sprechblasen mögen in puncto Informationsgehalt redundant klingen, sie sind jedoch Teil der diplomatischen Inszenierung und sollten nach Möglichkeit adäquat wiedergegeben werden. Für die DolmetscherInnen ist es wichtig, im Laufe der Zeit den „Konferenzjargon" in ihren jeweiligen Arbeitssprachen zu beherrschen und bis zu einem gewissen Grad zu automatisieren. Nach jahrelanger Arbeit fallen DolmetscherInnen (aber wohl auch Delegierten) vielfach Wiederholungen auf. Für die DolmetscherInnen hat dies den Vorteil, dass es mit zunehmender Erfahrung immer leichter wird, automatisierte Inhalte abzurufen und zu reproduzieren; der Nachteil ist jedoch, dass sich auch ein Ermüdungseffekt einstellen kann, wenn man als DolmetscherIn das Gefühl bekommt, leere Phrasen „nachzuplappern."

Der kommunikative Kontext färbt auf die Fremd- und Selbstwahrnehmung der DolmetscherInnen ab. Auf viele DolmetscherInnen hoher politischer Gespräche überträgt sich das Gefühl, bedeutend zu sein, Geschichte mitzuschreiben. Solche Dolmetschaufträge bilden den Idealfall: ein Dolmetscheinsatz, der mit einer hohen Beanspruchung und fachlicher Herausforderung einhergeht, aber zugleich durch eine angemessene Entlohnung und vor allem auch Anerkennung honoriert wird. In diesem Zusammenhang – Gipfeltreffen auf höchster Ebene – arbeiten DolmetscherInnen in einem Umfeld, das mit Macht, Prestige, Repräsentation, Wohlstand und Gestaltungswillen assoziiert wird. Die AkteurInnen – aus Sicht der DolmetscherInnen: die Sprecher (Machtakteure sind nach wie vor überwiegend Männer) – sind Amts- und Entscheidungsträger, die globale Anerkennung genießen, wodurch bei der DolmetscherIn das Gefühl entsteht, „auch jemand zu sein". Die Leistung der Dolmetscherin existiert also in einer starken Abhängigkeit vom Sprecher, und in dem Maße, in dem dieser bedeutend ist, ist auch sie mehr oder weniger bedeutend. Die jeweils angebotenen Rahmenbedingungen für DolmetscherInnen unterstreichen diese Wahrnehmung: Im Bereich des Konferenzdolmetschens sind die Tarife etwa vier Mal so hoch wie im Bereich des Kommunaldolmetschens (Gesundheitseinrichtungen, Behörden etc.), wo der niedrige soziale Status der KlientInnen ebenfalls auf die DolmetscherInnen abzufärben scheint, was sich in der Bezahlung spürbar niederschlägt. Die Arbeitsbedingungen selbst sind im Bereich der Diplomatie oft alles andere als glanzvoll.

Rahmenbedingungen für das Dolmetschen im diplomatischen Bereich

„Diplomatische DolmetscherInnen" benötigen neben politischen, sozialen und wirtschaftlichen Kenntnissen auch das Wissen um kulturelle und historisch bedingte Faktoren, die eine wichtige Rolle in der Kommunikation spielen können. Daher sollten sie sich im Vorfeld von Staatsbesuchen im Ausland so umfassend wie möglich über Traditionen und öffentliche Diskurse im jeweiligen Land informieren. Im Idealfall sind hochrangige Persönlichkeiten und DolmetscherInnen ein gut eingespieltes Team, das die jeweilige Gesprächssituation im Vorfeld gemeinsam abklärt und im Anschluss eine Nachbesprechung durchführt.

Das Dolmetschen in Diplomatie und Politik umfasst sehr breite Einsatzgebiete. Der Auftrag zur Dolmetschung bei Staatsbesuchen, Ministerterminen oder Gipfeltreffen ist nur ein Teilbereich des politischen und diplomatischen Dolmetschens; einen großen Arbeitsmarkt für Dolmetschungen bilden die Konferenzen der internationalen Organisationen. Der Bereich des Konferenzdolmetschens ist verglichen mit dem Kommunaldolmetschen relativ straff organisiert. Um im Berufsverband der KonferenzdolmetscherInnen AIIC Mitglied werden zu können, sind mindestens 150 Dolmetschtage in der Kabine nachzuweisen sowie eine Empfehlung von drei „Paten" vorzulegen. Auf diese Weise versucht der Verband, eine strikte Berufsethik, Professionalität und diskreten Umgang mit sensiblen Informationen sicherzustellen. Eine wichtige Anforderung an die DolmetscherInnen betrifft die Einhaltung der Schweigepflicht (vgl. Pöchhacker 2007:59). Die strengen Aufnahmebedingungen sind Ausdruck der hohen Ansprüche, die an die KonferenzdolmetscherInnen gestellt werden, beziehungsweise der Ansprüche, die die KonferenzdolmetscherInnen an sich selbst stellen (vgl. Kadrić/Kaindl/Cooke 2012:21 ff.). Der Kriterienkatalog und die angestrebte Standardisierung im Bereich des Konferenzdolmetschens stoßen auch auf Kritik. Eingewandt wird vor allem, dass sich die starren Vorgaben in puncto Neutralität, Objektivität und Unsichtbarkeit eher an uneinholbaren Idealen als an den Gegebenheiten in der Praxis orientieren und mitunter Konferenzdolmetscherpersönlichkeiten mit ausgeprägtem Geltungs- und Selbstdarstellungsbedürfnis hervorbringen (vgl. Bahadır 2007:226).

Einsatzbereiche

In internationalen Organisationen lassen sich die KonferenzdolmetscherInnen grob in zwei Gruppen einteilen: freiberufliche (freelance) und beamtete DolmetscherInnen.

Tätigkeit für europäische Organisation

Die großen europäischen Organisationen (OSZE und Europarat) greifen hauptsächlich auf FreiberuflerInnen zurück, die allerdings im Voraus Optionen (Arbeitstage) für bestimmte Sessionen erhalten, die wiederum in Trimester eingeteilt sind. Üblicherweise bekommen die DolmetscherInnen von der OSZE eine bestimmte Anzahl von Tagen pro Jahr angeboten.

Im Europarat wird ebenfalls vorausgeplant: Die Arbeitstage für die vier Sitzungswochen der Parlamentarischen Versammlung in Straßburg werden ein Jahr im Voraus vergeben und zwei Monate vor Beginn der Sitzungswochen noch einmal bestätigt.

Die Arbeitssprachen im Europarat sind Englisch und Französisch. Bei den Sitzungswochen der Parlamentarischen Versammlung kommen noch Deutsch, Italienisch, Spanisch, Russisch und inzwischen auch Türkisch dazu. Bei der Versammlung sind sechs Teams mit jeweils zwölf DolmetscherInnen im Einsatz. Jedes Team hat einen Teamchef (chef d'équipe). Der Teamchef oder die Teamchefin fungiert als Kontaktperson zu KundInnen und zum Sprachendienst. Darüber hinaus haben die Teamchefs die Aufgabe, sich zu äußern, wenn ungerechtfertigte Kritik an den DolmetscherInnen geübt wird oder wenn es zu Verstößen gegen die vertraglich vereinbarten Arbeitsbedingungen kommt.

Im Europarat arbeiten auch beamtete DolmetscherInnen für die Kombination Englisch-Französisch, vorzugsweise Bilinguale. Diese fix angestellten DolmetscherInnen arbeiten im Europäischen Gerichtshof für Menschenrechte (EGMR) oder kommen bei Sitzungen, wo nur Englisch und Französisch als Arbeitssprachen verwendet werden, zum Einsatz.

UNO, OSZE und Europarat haben eigene Abkommen mit der AIIC, in denen die Tarife und Arbeitsbedingungen für DolmetscherInnen festgelegt sind. Mit dem Europarat wurde kürzlich ein neues Abkommen unterzeichnet, das die Tarife stabil hält.

Tätigkeit für Vereinte Nationen

Die UNO beschäftigt für alle Amtssprachen beamtete DolmetscherInnen und rekrutiert für einzelne Kongresse zusätzlich FreiberuflerInnen. Im Gegensatz zum EU-Parlament, wo für die Sitzungswochen in Brüssel oder Straßburg viele FreiberuflerInnen eingesetzt werden, beschäftigt die EU-Kommission eher beamtete

DolmetscherInnen. Europarat und EU zahlen Arbeitgeberbeiträge in einen Rentenfonds ein und ziehen vom Dolmetschhonorar automatisch Arbeitnehmerbeiträge ab. (Zum Arbeitsfeld Europäische Union im Detail ▶ **Kap. III.1**)

Die Dolmetschmodi

Das diplomatische Dolmetschen ist durch die Vielzahl der Kommunikationssituationen und Dolmetschmodi gekennzeichnet. Es gibt keinen Dolmetschmodus, der beim diplomatischen Dolmetschen nicht regelmäßig vorkommt; oft wechseln im Laufe eines einzigen Tages, etwa bei der Begleitung eines Politikers bei einem Staatsbesuch, die Dolmetschmodi mehrmals. Diese Vielfalt wird deutlich, wenn man sich das breite Arbeitsfeld des diplomatischen Dolmetschens vor Augen hält: Es reicht von der Unterstützung bei einem Mittagessen von EU-FachministerInnen oder der Begleitung eines bilateralen Ministertreffens über die Dolmetschung in der Parlamentarischen Versammlung des Europarats bis zu den verschiedensten ExpertInnentreffen in Internationalen Organisationen. Je nach Szenario kommen die Modi des Gesprächsdolmetschens, des Begleitdolmetschens oder des Simultandolmetschens in der Kabine bei einer Konferenz zum Einsatz.

Im „klassischen" Konferenzdolmetschen werden technische Anlagen für das Simultandolmetschen benützt, das Alleinstellungsmerkmal dieses hoch spezialisierten und professionalisierten Segments ist. Bei allen anderen diplomatischen/politischen Einsätzen arbeiten die DolmetscherInnen überwiegend konsekutiv, also ohne Einsatz von Technik (vgl. Pöchhacker 1994 und ▶ **Kap. II.1**).

Einfluss der Technik

Die technische Anlage – die Dolmetschkabine – bietet den DolmetscherInnen eine gewisse Privatsphäre, ihre Sichtbarkeit beim Ausüben der Dolmetschtätigkeit ist stark eingeschränkt. Für einen nicht eingeweihten Beobachter könnte das Simultandolmetschen wie eine maschinelle Funktion wirken, die erst dann auffällt, wenn es eine Störung gibt. Der Kopf des Dolmetschers oder der Dolmetscherin ist dann gewissermaßen ein Kanal, der eine störungsfreie Kommunikation ermöglicht.

Zunehmend wird bei hochrangigen Treffen das Gesprächsdolmetschen durch Simultandolmetschen in der Kabine verdrängt, wodurch eine Automatisierung der Gesprächssituation stattfindet und die individuell-persönliche Komponente reduziert wird. Die DolmetscherInnen fungieren zunehmend als „Input-Output-Roboter" (vgl. Pöchhacker 2004:147), und auch die GesprächspartnerInnen werden auf Input-Output-GeberInnen bzw. -AbnehmerInnen reduziert. Sogar bei offiziellen Mittagessen und Banketten wird immer häufiger auf Simultandolmetschung zurückgegriffen, wobei man manchmal die Dolmetschkabinen sogar außerhalb des Veranstaltungssaals platziert, womit der Faktor des Transfers gewissermaßen unsichtbar gemacht werden soll. Einen entsprechenden Vorschlag machte der ehemalige Präsident des Europäischen Rates Hermann Van Rompuy für die Sitzungen des Europäischen Rates, in der Annahme, die SitzungsteilnehmerInnen würden sich ungehemmter miteinander unterhalten können, wenn die DolmetscherInnen nicht sichtbar wären.

Arbeitsalltag   Die Leistung und die Kapazitäten der DolmetscherInnen werden im Konferenzbereich oft und gerne quantifiziert (in Minuten abgemessen – bei Aufnahmeprüfungen sowie beim Abwechseln in der Kabine, wenn von einem Richtwert von ca. 30 Minuten die Rede ist) und klassifiziert (in A, B, und C-Sprachen), was ein weiterer Hinweis dafür ist, dass in diesem Kontext versucht wird, Sprachverarbeitung und -produktion auf eine tendenziell maschinelle, vom Inhalt abgekoppelte Weise in den Griff zu bekommen. Eine solche Herangehensweise ist angesichts der Masse an zu bewältigenden Arbeitsaufträgen sachlich gerechtfertigt, dennoch sollte im Einzelfall immer wieder die Frage aufgeworfen werden, ob solche Quantifizierungs- und Kategorisierungsversuche der Vielfalt und der Unberechenbarkeit im sprachlichen Agieren gerecht werden. Die Kabine ist eine technische Vorrichtung, die ihren Zweck nämlich nur dann erfüllt, wenn die darin arbeitenden DolmetscherInnen in der Lage sind, mit ihrem menschlichen Gehirn und Allgemeinwissen den Kontext zu erfassen und auch die Zwischentöne zu verstehen und adäquat wiederzugeben. In internationalen Organisationen arbeiten DolmetscherInnen in der Regel in ihre Muttersprache. Die Dauer eines Arbeitstages für SimultandolmetscherInnen ist normalerweise streng reglementiert. Bei Plenarsitzungen wechseln die DolmetscherInnen entweder nach einer Rede, oder nach 20 oder 30 Minuten. Bei bilateralen Veranstaltungen arbeiten DolmetscherInnen jedoch vorrangig in ihre B-Sprache, weil davon ausgegangen wird, dass MuttersprachlerInnen die Realien ihres Sprachraums besser kennen und daher das Original in allen Nuancen verstehen. Zudem werden die SimultandolmetscherInnen in internationalen Organisationen üblicherweise gut mit Unterlagen und Reden für die jeweiligen Sitzungen versorgt. Der Sprachendienst des Europarates und der OSZE seien an dieser Stelle als besonders positive Beispiele genannt.

Bei hochrangigen Treffen im Konsekutivmodus ist besonders darauf zu achten, dass sich ein guter Rhythmus etabliert, sodass die ZuhörerInnen nicht durch zu lange Passagen in einer für sie unverständlichen Sprache irritiert werden. Es wird erwartet, dass die Konsekutivdolmetschung nicht länger als das Original ausfällt. Redundantes wird daher häufig weggelassen.

Neben diesen technischen Fertigkeiten müssen DolmetscherInnen auch ein hohes Maß an Flexibilität mitbringen und sich rasch auf individuelle Besonderheiten von GesprächsteilnehmerInnen und RednerInnen einstellen. Manche RednerInnen etwa machen von sich aus keine Pausen, lassen sich auch nicht unterbrechen und erschweren damit eine konsekutive Dolmetschung. Als einzig zielführende Reaktion bietet sich in solchen Situationen der Wechsel zum Modus des Flüsterdolmetschens an.

Zwar wird bei der Ausbildung von DolmetscherInnen und bei Aufnahmetests Wert darauf gelegt, dass die DolmetscherInnen unter Zuhilfenahme ihrer Notizen möglichst lange Passagen in einem Stück wiedergeben können (bis zu acht Minuten), jedoch werden in der Praxis kürzere Abschnitte bevorzugt, um die Aufmerksamkeit der ZuhörerInnen nicht überzustrapazieren. Nichtsdestotrotz ist es für den Bereich des politischen und diplomatischen Dolmetschens unabdingbar, sich eine ausgefeilte Notizentechnik anzueignen und individuell nach den jeweiligen Bedürfnissen zu verfeinern. Es sind insbesondere Zahlen und Eigennamen, die das Gedächtnis der DolmetscherInnen beanspruchen und daher notiert werden sollten, um sicherzugehen, dass sie in der anderen Sprache korrekt wiedergegeben werden. Wird man also kurzfristig gebeten, konsekutiv zu dolmetschen, sollte man routinemäßig Notizblock und Kugelschreiber mitnehmen. Es empfiehlt sich, mit den jeweiligen AuftraggeberInnen die Dolmetschsituation vorab zu klären und gegebenenfalls Wünsche zu deponieren (z. B. die Aufstellung eines Rednerpults zur Erleichterung beim Notieren).

Notizen

Beim Konsekutivdolmetschen empfiehlt sich ein unauffälliges Erscheinungsbild und Auftreten. Ein dress code im engeren Sinne existiert für DolmetscherInnen nicht; wesentlich wichtiger als perfekt sitzender Anzug oder Kostüm ist ein professionelles Auftreten.

Ausblick

EU und große internationale Organisationen gehen zunehmend dazu über, Englisch als Arbeitssprache zu verwenden, weil viele schriftliche Unterlagen nur in Englisch verfügbar sind und dadurch auch nichtenglische MuttersprachlerInnen die Terminologie ihres Faches mitunter besser auf Englisch beherrschen als in ihrer jeweiligen Muttersprache (▶ **Kap. III.4**).

Der globale Siegeszug des Englischen – wobei es sich mitunter vielmehr um ein „Globish" handelt – wirkt sich naturgemäß auf das Arbeitsfeld der DolmetscherInnen aus. Fachleute und PolitikerInnen müssen heute zumindest grundlegende Kenntnisse der englischen Sprache mitbringen, um beruflich reüssieren und auf internationaler Ebene agieren zu können. Generell nimmt derzeit die Anzahl an Fachkongressen ab. Die Verwendung des „Globish" wird aller Voraussicht nach dazu führen, dass vermehrt nur noch ins Englische gedolmetscht werden wird. Auch bei hochrangigen bilateralen Treffen zeichnet sich ein solcher Trend ab. Vier-Augen-Gespräche finden inzwischen ebenfalls häufig in englischer Sprache und daher ohne DolmetscherInnen statt, wohingegen bei anschließenden Pressekonferenzen meistens noch gedolmetscht wird.

Ungeachtet der Entwicklung des Englischen zu einer *lingua franca* ist es für DolmetscherInnen weiterhin sinnvoll, sich um Mehrsprachigkeit zu bemühen. Sitzungen ab vier Arbeitssprachen werden etwa vom Europarat besser honoriert, wobei in diesem Fall die sechs Sitzungsstunden (drei am Vormittag und drei am Nachmittag) überschritten werden dürfen.

In jedem Fall werden qualifizierte DolmetscherInnen auch in Zukunft in Politik und Diplomatie gefragt sein. Ohne die Arbeit kompetenter DolmetscherInnen bliebe das Prinzip der Mehrsprachigkeit und der kulturellen Vielfalt, das sich internationale Organisationen gerne an die Fahnen heften, ein bloßes Lippenbekenntnis.

Literatur

Bahadır, Şebnem. 2007. *Verknüpfungen und Verschiebungen. Dolmetscherin, Dolmetschforscherin, Dolmetschausbildnerin.* Berlin: Frank & Timme.

Baranyai, Tamas. 2011. The role of translation and interpretation in the diplomatic communication *SKASE Journal of Translation and Interpretation* 5:2, 2–12. Abrufbar unter: http://www.skase.sk/Volumes/JTI06/pdf_doc/01.pdf (Stand 01/01/2015)

Boll-Palievskaya, Daria. 2014. Putin spricht in Bildern. *Russia beyond the headlines.* Abrufbar unter: http://de.rbth.com/gesellschaft/2014/06/24/putin_spricht_in_bildern_30095.html (Stand: 04/02/2016).

Bowen, David/Margareta Bowen. 1990. The life of a diplomatic interpreter: an interview with Irena Dobosz. In: Bowen, D./Bowen, M. (eds.) *Interpreting: yesterday, today, and tomorrow.* Binghamton: State University of New York, 23–33.

Ivanji, Ivan. 2007. *Titos Dolmetscher: Als Literat am Pulsschlag der Politik.* Wien: Promedia.

Kadrić, Mira/Kaindl, Klaus/Cooke, Michèle. 2012. *Translatorische Methodik.* Wien: facultas.

Lamberger-Felber, Heike. 2006. *Das war der Gipfel! UNIVERSITAS. Österreichischer Übersetzer und Dolmetscherverband.* Abrufbar unter: http://www.universitas.org/uploads/media/Mibl_2006–2.pdf (Stand 01/11/2014).

Matyssek, Heinz. 1989. *Handbuch der Notizentechnik für Dolmetscher: Ein Weg zur sprachunabhängigen Notation.* Tübingen: Julius Groos.

Менкес, Евгений. 2013. Переводя президентов – беседа с известным российским переводчиком. Abrufbar unter: http://www.unmultimedia.org/radio/russian/archives/149031/ (Stand: 04/02/2016)

Pace, Eric. 1998. Valentin M. Berezhkov, 82, Interpreter for Stalin at Talks. The New York Times. Abrufbar unter: http://www.nytimes.com/1998/11/27/world/valentin-m-berezhkov-82-interpreter-for-stalin-at-talks.html (Stand: 04/02/2016).

Палажченко, Павел. Мой несистематический website: лингвистика и политика. Abrufbar unter: http://pavelpal.ru/ (Stand 0/11/2014).

Pöchhacker, Franz. 1994. *Simultandolmetschen als komplexes Handeln.* Tübingen: Narr.

Pöchhacker, Franz. 2004. *Introducing interpreting studies.* London/New York: Routledge.

Pöchhacker, Franz. 2007. *Dolmetschen. Konzeptuelle Grundlagen und deskriptive Untersuchungen.* Tübingen: Stauffenburg.

Reithofer, Karin. 2014. *Englisch als Lingua Franca und Dolmetschen. Ein Vergleich zweier Kommunikationsmodi unter dem Aspekt der Wirkungsäquivalenz.* Tübingen: Narr.

Roland, Ruth. 1999. Interpreters as Diplomats: *A Diplomatic History of the Role of Interpreters in World Politics.* Ottawa: University of Ottawa Press.

Schmidt, Paul. 2005. *Statist auf diplomatischer Bühne 1923–1945.* Erlebnisse des Chefdolmetschers im Auswärtigen Amt mit den Staatsmännern Europas. Von Stresemann und Briand bis Hitler, Chamberlain und Molotow. München: Europäische Verlagsanstalt.

Siegloff, Roland. 2009. Höllenqual für Übersetzer: ‚Bitte lachen Sie' EU-Info. Deutschland. Abrufbar unter: http://www.eu-info.de/dpa-europaticker/148335.html (Stand: 04/02/2016).

3 Arbeitsfeld öffentlicher Sektor

Liese Katschinka

Einleitung

Das Arbeitsfeld des öffentlichen Sektors wird im Folgenden am Beispiel des Dolmetschens und Übersetzens bei Gericht, bei der Polizei und vor der Asylbehörde näher beschrieben. Vieles davon gilt auch für das translatorische Handeln vor anderen Ämtern und Behörden bzw. im Setting der Gesundheits- und Bildungseinrichtungen, die ebenfalls zu den Hauptbedarfsträgern von Translation im öffentlichen Bereich zählen (► **Kap. II.3**). Das Dolmetschen im öffentlichen Raum, insbesondere bei Gericht und Polizei, ist unter anderem dadurch gekennzeichnet, dass verschiedene Dolmetschmodi oft im Rahmen ein- und desselben Termins mehrfach abwechselnd zum Einsatz kommen können. So wird im Rahmen einer Gerichtsverhandlung etwa die Vernehmung des fremdsprachigen Angeklagten laut konsekutiv gedolmetscht, während die Einvernahmen deutschsprachiger Zeugen für den Angeklagten simultan im Flüstermodus zu dolmetschen sind. Beantwortet der Angeklagte zwischendurch Fragen, so ist wieder im Konsekutivmodus zu dolmetschen. Vorgelegte Urkunden sind häufig vom Blatt zu dolmetschen. Das Gerichts- und Behördendolmetschen benötigt also – wie alle Settings im öffentlichen Sektor – breite Fähigkeiten und verlangt viel Konzentration und Flexibilität. Dolmetscheinsätze bei Gericht unterscheiden sich in ihren Abläufen von solchen bei Polizei- oder Asylbehörden, und noch mehr von jenen im Gesundheits- oder Bildungsbereich. Das Dolmetschen im öffentlichen Bereich erfordert daher immer eine spezifische und professionelle Vorbereitung des einzelnen Auftrags.

Das Dolmetschen bei Polizei- und Asylbehörden sowie bei Gericht wird in der Sprache der EU-Dokumente in erster Linie von *legal interpreters* erbracht (vgl. *Reflection Forum on Multilingualism and*

Legal interpreting

Interpreter Training 2009). Die Bezeichnung wurde gewählt, um Assoziationen zu spezifischen nationalen Begriffen wie „GerichtsdolmetscherInnen" (*court interpreters*), „beeidete DolmetscherInnen" (*sworn interpreters*), „akkreditierte DolmetscherInnen" (*accredited interpreters*) und „zertifizierte DolmetscherInnen" (*certified interpreters*) zu vermeiden, sowie um sie u. a. von „KommunaldolmetscherInnen" (*community interpreters*), „KonferenzdolmetscherInnen" (*conference interpreters*) oder „BegleitdolmetscherInnen" (*escort interpreters*) zu unterscheiden. Übersetzungen werden von *legal translators* angefertigt (vgl. Albi/Ramos 2013). Die z. B. auf dem e-Justiz-Portal der Europäischen Union verwendeten deutschen Bezeichnungen „Gerichtsdolmetscher" und „Gerichtsübersetzer" für diese beiden Berufsgruppen greifen leider nur teilweise, da in den diesbezüglichen gesetzlichen Bestimmungen Österreichs, der Schweizer Kantone und der 16 Bundesländer Deutschlands unterschiedliche Berufsbezeichnungen verwendet werden. Wenn man vom Dolmetschen und/oder Übersetzen im (oder für den) Justizbereich spricht, kommt man der Sache schon wesentlich näher, doch wird im täglichen Gebrauch die Bezeichnung „GerichtsdolmetscherIn" sicher noch lange verwendet werden.

Begriffsabgrenzung   Wenn es um das Dolmetschen im kommunalen Bereich geht, also z. B. bei Gesundheits- oder Bildungseinrichtungen, werden in erster Linie DolmetscherInnen mit entsprechenden Qualifikationen für diesen Bereich – also „KommunaldolmetscherInnen" – eingesetzt. Die ISO-Norm 13611:2014 zum Kommunaldolmetschen führt in diesem Zusammenhang ganz explizit aus, dass Kommunaldolmetschen zwar im öffentlichen Bereich stattfindet, genauso gut aber auch im privaten Bereich (z. B. Arztbesuch) erforderlich sein kann.

Das Arbeitsfeld „öffentlicher Sektor" ist also nicht streng definiert und lässt sich nicht so ohne Weiteres klar abgrenzen. Die Arbeitsfelder für das Dolmetschen im kommunalen Bereich sind noch nicht ausreichend verfestigt, und selbst EU-Dokumente wie der SIGTIPS-Bericht (vgl. *Special Interest Group on Translation and Interpreting for Public Services* 2011) enthalten keine kurze und bündige Definition. Man wird daher den Arbeitstitel „Kommunaldolmetschen" noch einige Zeit antreffen.

Die Fokussierung dieses Beitrags auf Settings wie Polizei und Gericht sowie Asylverfahren bietet den Vorteil, dass auf strukturierte Konzepte und geregelte Grundlagen und Abläufe im nationalen deutschen und österreichischen, aber auch im europäischen Kontext verwiesen werden kann. In Deutschland und Österreich und vielen anderen europäischen Ländern, sowie auch in Nordamerika oder Australien, sollen gemäß den jeweils dafür geltenden gesetzlichen Bestimmungen die Dolmetschleistungen in diesen Settings von *legal interpreters* – also DolmetscherInnen für den Justizbereich (Gerichts- dolmetscherInnen im weitesten Sinn) – erbracht werden.

Kompetenzen für das Dolmetschen und Übersetzen im juristischen Bereich

Das Berufsprofil von DolmetscherInnen für den Justizbereich wird im oben genannten „Schlussbericht des Reflexionsforums – Mehrspra- chigkeit und Dolmetscherausbildung" der EU-Generaldirektion Dol- metschen aus dem Jahr 2009 im Detail beschrieben. Die dort angeführten Kompetenzen – Sprachkompetenz und Kenntnisse der Rechtssysteme – gelten auch für das Übersetzen. Die Kenntnis der jeweiligen Landes- und Kulturkunde ist sicherlich auch für die TranslatorInnen im Justizumfeld ein Muss. Die Kompetenzen für zwischenmenschliche Kontakte und Verhaltensweisen lassen sich vielleicht nicht ohne weiteres vom Dolmetschen auch auf das Über- setzen übertragen. Die Dolmetschfertigkeiten wird man wohl durch Übersetzungsfertigkeiten ersetzen müssen. Eine umfassende Kennt- nis des Berufskodex und des Leitfadens für die Gute Praxis sowie deren Verinnerlichung und entsprechende Anwendung gelten sowohl für ÜbersetzerInnen als auch für DolmetscherInnen. Da ein Gerichts- auftrag sowohl Dolmetsch- als auch Übersetzungsleistungen umfas- sen kann, ist die Trennung zwischen Übersetzen und Dolmetschen nicht von Bedeutung. Die universitäre Ausbildung an vielen Aus- bildungsstätten bietet nicht den gleichzeitigen Erwerb von Über- setzungs- und Dolmetschfertigkeiten an. Deshalb besteht bei den KandidatInnen für die Eintragung in die DolmetscherInnenlisten der Justizbehörden meist ein Mangel an der einen oder anderen Kom- petenz. In Ländern, in denen zwischen GerichtsübersetzerIn und GerichtsdolmerscherIn unterschieden wird, streben die meisten KandidatInnen ohnedies die Qualifikation für beide Berufsfelder an.

Dolmetschen und Übersetzen für den Justizbereich

Die große legislative Errungenschaft im Bereich des Gerichtsdolmetschens ist die Richtlinie 2010/64/EU des Europäischen Parlaments
und des Rates vom 20. Oktober 2010 über das Recht auf Dolmetschleistungen und Übersetzungen im Strafverfahren.

Richtlinie
2010/64/EU

Die inhaltliche Grundlage der Richtlinie sind die Konvention zum
Schutze der Menschenrechte und Grundfreiheiten, welche der
Europarat 1950 verabschiedete und seither durch mehrere Protokolle
ergänzt hat, sowie die Entscheidungen des Europäischen Gerichts-
hofes für Menschenrechte in Fällen, welche das Dolmetschen und
Übersetzen bei Gericht betrafen (im Rahmen der TRAFUT-Work-
shops wurden diese Gerichtsentscheidungen von James Brannan
kommentiert, siehe www.eulita.eu/TRAFUT). Die EU-Charta der
Grundrechte ist ein weiterer Baustein im Fundament der Richtlinie.
Die Richtlinie baut natürlich auch auf den nationalen, zumeist
gesetzlichen Regelungen auf und wirkt in Richtung Sicherung des
nationalen *status quo* und Weiterentwicklung nationaler Gegebenheiten zu einem einheitlicheren europäischen Format der Sprachdienstleistungen bei Polizei und Gericht. Zwar gilt sie in erster Linie
für Strafverfahren, doch lassen sich viele Bestimmungen der Richtlinie auch auf den Zivilrechtsbereich übertragen und haben auch ihre
Berechtigung im Asylverfahren.

Es sind also sowohl Dolmetscheinsätze bei den Polizeibehörden als
auch bei den Gerichten von der Richtlinie 2010/64 EU erfasst. Diese
sollen – so die Richtlinie – von entsprechend qualifizierten Personen
erbracht werden, denn

> die Mitgliedstaaten sollen sicherstellen, dass verdächtige oder
> beschuldigte Personen [...] die Möglichkeit haben, wenn Dolmetsch-
> leistungen zur Verfügung gestellt wurden, zu beanstanden, dass die
> Qualität der Dolmetschleistungen für die Gewährleistung eines fairen
> Verfahrens unzureichend sei.

Verpflichtung zur
Dolmetschung

Die Richtlinie normiert auch, bei welchen Schritten im Strafverfahren, eine DolmetscherIn anwesend zu sein hat: bei der Festnahme
und Einvernahme einer verdächtigen Person, bei deren Konsultationen mit dem Anwalt, während der Gerichtsverhandlung (in allen
Instanzen) bis zum rechtskräftigen Urteil. Die Kosten für diese
Dolmetscheinsätze im Strafverfahren sind vom Staat zu tragen

(Artikel 4 der Richtlinie). Es wird auch detailliert angegeben, welche Schriftstücke verbindlich verdächtigen oder beschuldigten Personen zu übersetzen sind, und zwar jegliche Anordnung einer freiheitsentziehenden Maßnahme, jede Anklageschrift und jedes Urteil (= wesentliche Unterlagen). Die Frage, ob weitere Dokumente wesentlich sind, entscheiden die zuständigen Behörden im konkreten Fall. Die verdächtige oder beschuldigte Person oder ihr Rechtsbeistand können im Einzelfall einen entsprechenden begründeten Antrag stellen.[2]

Die Dolmetschung in allen Stufen des Strafverfahrens erfordert vom Dolmetscher bzw. von der Dolmetscherin Sachkenntnis der Rechtslage und des Verfahrensablaufs. Den Berufsverbänden kommt bei der Vermittlung der einschlägigen theoretischen Kenntnisse (Rechtssystem, Gerichtsstruktur, Verfahrensabläufe) eine spezielle Aufgabe zu. So bietet z. B. der Österreichische Verband der Gerichtsdolmetscher Einführungsseminare als Vorbereitung auf die gerichtliche Zulassungsprüfung an. In letzter Konsequenz werden sich aber DolmetscherInnen mit allgemeinen Dolmetsch-Grundkenntnissen durch ihre gezielte Vorbereitung auf konkrete Dolmetscheinsätze im Laufe der Jahre die ausreichende Praxis erwerben, um auf die unterschiedlichen Vernehmungsstrategien einzelner PolizeibeamtInnen und das spezifische Verhandlungsmanagement von RichterInnen professionell reagieren zu können.

Die Fähigkeit und Fertigkeit, auf die ständig wechselnden Personen und Verfahrensbeteiligten einzugehen und sich flexibel an die vorherrschenden Gegebenheiten anzupassen, helfen dem Dolmetscher bzw. der Dolmetscherin, erfolgreich die oft kurzen Dolmetscheinsätze zu meistern. Das erfordert große Routine und fundierte Basiskompetenzen, vor allem im Dolmetschen und Übersetzen, schon auch deswegen, weil sowohl PolizeibeamtInnen als auch StaatsanwältInnen, aber auch RichterInnen rasch ungeduldig werden, wenn die – ohnehin als lästig und zeitaufwändig empfundene Dolmetschung – nur zögerlich und stockend erbracht wird. Gleichermaßen werden terminologische Fehlleistungen, die durch mangelnde Kenntnisse der Rechtsgrundlagen verursacht werden, als störend empfunden. Allerdings ist das von RechtsanwältInnen oder Rechtsanwaltsanwär-

Ausbildung und Berufsvorbereitung

---

2   Zur RL 2010/64/EU als Ausdruck staatlicher Fürsorgepflicht vgl. Kadrić (2012); zur Umsetzung in den Mitgliedstaaten Katschinka (2014).

terInnen häufig vorgebrachte Argument, dass sie die besseren GerichtsdolmetscherInnen seien, weil sie über fundiertes juristisches Wissen verfügen, nur sehr beschränkt gültig, da sie ihre translatorischen Kompetenzen meist nur im Selbststudium erworben haben und nur sehr sporadisch in der Praxis einsetzen.

Rechtliche Grundlagen auf nationaler Ebene Neben der EU-Richtlinie finden sich die näheren Regelungen für die Dolmetschung in zahlreichen nationalen Gesetzen, u. a. auch in den einzelnen Verfahrensordnungen für das Zivil-, Straf- und Verwaltungsverfahren. Für Österreich bildet etwa das Sachverständigen- und Dolmetschgesetz 1975 in seiner jeweils gültigen Fassung die Rechtsgrundlage für das Dolmetschen und Übersetzen in juristischen Kontexten. Dazu kommt noch das ebenfalls 1975 verabschiedete Gebührenanspruchsgesetz, das die – vor allem im Strafverfahren – bei Dolmetscheinsätzen und Übersetzungsaufträgen zur Anwendung gelangenden Honorare sehr detailliert auflistet. Mit diesen beiden Gesetzen entspricht Österreich schon vielen der in der Richtlinie erhobenen Forderungen, was aber keineswegs heißt, dass die „allgemein zertifizierten und gerichtlich beglaubigten DolmetscherInnen" Österreichs – so die volle, gesetzlich geschützte Bezeichnung – nur ideale Arbeitsbedingungen vorfinden. In Deutschland ist die Rechtslage etwas komplexer, zumal sich die allgemeine Beeidigung, öffentliche Bestellung bzw. allgemeine Ermächtigung von Dolmetscherinnen und Dolmetschern sowie Übersetzerinnen und Übersetzern nach dem Recht der einzelnen Länder richtet. Es bestehen somit länderspezifische Anforderungen.

Das Recht auf Dolmetschung im Strafverfahren ist in Deutschland und Österreich schon seit vielen Jahrzehnten gelebte Realität. Auch wenn es sich um eingebürgerte Personen handelt, die über ausreichende Deutschkenntnisse verfügen könnten, wird von den Gerichten oft eine DolmetscherIn zu den Verhandlungen beigezogen.

Auch das Recht auf Übersetzung wurde schon vor der Richtlinie weitgehend gewährt, vor allem wenn bei der Verkündung eines Gerichtsurteils schon in der Verhandlung eine Berufung angekündigt und die Urteilsbegründung schriftlich ausgefertigt wurde.

Der Staat war bereits bisher durch die Europäische Menschenrechtskonvention verpflichtet, im Strafverfahren die Kosten für die Dolmetschung zu übernehmen, wenn der Angeklagte fremdsprachig ist.

Die Möglichkeit, die Qualität der Dolmetsch- oder Übersetzungsleistung zum Gegenstand eines Rechtsmittels im Strafverfahren zu machen, erhält durch die Richtlinie mehr juristische Substanz. Zumeist wird es wohl dem Rechtsvertreter bzw. der Rechtsvertreterin obliegen, einen entsprechenden Antrag zu stellen, da ja die Bedolmetschten diese Möglichkeit nicht unbedingt kennen müssen.

Die im Artikel 6 angesprochene Weiterbildung bezieht sich nicht auf diesbezügliche Aktivitäten der DolmetscherInnen, vielmehr sollen die anderen Beteiligten im Strafverfahren – also PolizeibeamtInnen, RichterInnen, StaatsanwältInnen und RechtsanwältInnen – in effektiver dolmetschergestützter Kommunikation mit festgenommenen und beschuldigten Personen geschult werden. Tatsächlich ließe sich hier noch einiges verbessern: Man denke an ein verbindliches Modul für die Ausbildung bei Justiz und Polizei, in dem die Besonderheiten der mittels Dolmetschung ermöglichten Kommunikation anhand von praktischen Fallbespielen und *Best Practices* vorgestellt werden könnten. Dies wäre auch eine vertrauensbildende Maßnahme, die letztlich zu mehr Effizienz in der Verhandlungsführung beitragen könnte. Bisherige Schritte in diese Richtung sind entweder nur regional beschränkt oder in Ansätzen stecken geblieben.[3]

> *Schulung von Polizei- und Rechtsberufen*

Die in der Richtlinie vorgesehene Führung von Aufzeichnungen ist zum Teil eine neue Forderung. Sie gilt für den Fall, dass eine verdächtige oder beschuldigte Person durch eine Ermittlungs- oder Justizbehörde unter Beiziehung eines Dolmetschers oder einer Dolmetscherin gemäß Artikel 2 der Richtlinie einer Vernehmung oder Verhandlung unterzogen bzw. unterworfen wurde. Sie gilt ebenso, wenn eine mündliche Übersetzung oder eine mündliche Zusammenfassung wesentlicher Unterlagen in Anwesenheit einer solchen Behörde nach Artikel 3 Absatz 7 zur Verfügung gestellt wurde, oder wenn eine Person einen Verzicht auf das Recht auf Übersetzung nach Artikel 3 Absatz 8 erklärt hat.

Die in vielen EU-Staaten verbreitete Angst, dass die Umsetzung der Richtlinie in nationales Recht enorme Kostensteigerungen bringt, kann zumindest für Deutschland und Österreich nicht gänzlich

> *Honorierung*

---

3 In Österreich war der Erlass des Bundesministeriums für Justiz vom 14. Februar 2008 über einen Leitfaden für die Zusammenarbeit zwischen Justiz und GerichtsdolmetscherInnen zwar ein sehr konstruktiver erster Schritt, doch zeigt die Praxis, dass der Erlass nur beschränkte Verbreitung gefunden hat.

nachvollzogen werden, da ja schon bisher die Kosten für Dolmetschungen in Strafverfahren im Regelfall vom Staat getragen wurden. Am österreichischen Beispiel zeigt sich, dass die allgemeinen Spartendenzen und Budgetkürzungen den GerichtsdolmetscherInnen in den letzten Jahren erhebliche finanzielle Einbußen gebracht haben. Da eine gemeinsame Plattform von GerichtsdolmetscherInnen und Justizbehörden plus zuständigem Ministerium noch immer fehlt, konnten vom Berufsverband im Rahmen der Erarbeitung der für GerichtsdolmetscherInnen geltenden Bestimmungen keine zweckdienlichen Hinweise auf andere Einsparungsmöglichkeiten gegeben werden, welche nicht so unmittelbar die ohnedies mäßige Entlohnung von GerichtsdolmetscherInnen betroffen hätten. Das Resultat dieser Entwicklung ist eine Abwärtsspirale: Es wächst zwar das Auftragsvolumen, sowohl für Dolmetschungen als auch für Übersetzungen im Justizbereich, aber nicht unbedingt die Begeisterung bei jungen DolmetscherInnen und ÜbersetzerInnen, als GerichtsdolmetscherIn tätig zu werden. Im Zivilverfahren haben GerichtsdolmetscherInnen zwar mehr Spielraum bei der Gestaltung ihrer Honoraransprüche, doch beschränken häufig die für Rechtshilfe geltenden Bestimmungen diese Möglichkeiten.

Zur Umsetzung der EU-Dolmetschrichtlinie wurden im Rahmen des *Criminal Justice Programme* der EU zahlreiche Projekte finanziell unterstützt, die einzelne Aspekte der Richtlinie behandelten.

Projekte zur Umsetzung der RL 2064/10/EU

TRAFUT (*Training for the Future*) erläuterte in vier regionalen Workshops, zu denen die im Strafverfahren beteiligten Berufe eingeladen wurden, die einzelnen Artikel der Richtlinie und präsentierte die Vorstellungen von DolmetscherInnen und ÜbersetzerInnen für den Justizbereich zur praktischen Umsetzung der Richtlinie, vor allem in Bezug auf das Dolmetschen.

QUALETRA (*Quality in Legal Translation*) konzentriert sich auf die Übersetzung der wesentlichen Unterlagen und den in der Richtlinie explizit angeführten Europäischen Haftbefehl und baut auch eine Datenbank zur Terminologie dieser Schriftstücke für einige EU-Sprachen und einige ausgewählte Straftaten auf. Als Begleitprodukte werden auch das Programm für einen Lehrgang und eine Zertifizierungsmöglichkeit für ÜbersetzerInnen für den Justizbereich ausgearbeitet.

ImPLI (*Improving Police and Legal Interpreting*) beschäftigt sich mit dem Dolmetschen bei Polizeibehörden in sechs ausgewählten EU-

Staaten und wendet sich sowohl an die DolmetscherInnen als auch an die PolizeibeamtInnen.

Schließlich sollen auch noch AVIDICUS I und II erwähnt werden. Bei diesen Projekten wurde die Thematik des Ferndolmetschens mittels Videokonferenzschaltung behandelt. Von Seiten der EU wird der verstärkte Einsatz von moderner Technologie zur effizienteren Abwicklung von Dolmetscheinsätzen sehr gefördert: Diese kann bei seltenen Sprachkombinationen eine Hilfestellung bieten, da DolmetscherInnen in anderen Ländern ohne großen Kostenaufwand eingesetzt werden können, wenn im eigenen Land nicht Personen mit der erforderlichen Sprachkombination zur Verfügung stehen. In einigen Fällen (z. B. Vergewaltigung) kann es so zudem den Verbrechensopfern oder ZeugInnen erspart werden, direkt mit dem oder der Beschuldigten konfrontiert zu werden.

Dies ist nur eine kleine Auswahl aus den EU-Projekten, die bereits abgeschlossen wurden oder derzeit noch laufen und die dem Zweck dienen, die dolmetschergestützte Kommunikation im Strafverfahren effizienter zu gestalten und die Umsetzung der EU-Richtlinie 2010/64 zu erleichtern. Auf der Website von EULITA (*European Legal Interpreters and Translators Association*), www.eulita.eu, finden Interessierte nähere Informationen und Links zu den genannten Projekten.

Eintragungsverfahren für GerichtsdolmetscherInnen

In Deutschland sind die einzelnen Länder für das Justizwesen und damit auch für die allgemeine Beeidigung, öffentliche Bestellung bzw. allgemeine Ermächtigung von Dolmetscherinnen und Dolmetschern sowie Übersetzerinnen und Übersetzern zuständig (vgl. Driesen/ Petersen 2011). In der Schweiz finden sich die einschlägigen Regelungen auf Kantonsebene (zum Gerichts- und Behördendolmetschen in der Schweiz vgl. Hofer/General 2012). In Österreich besteht dagegen eine bundesweit einheitliche Regelung (im Detail vgl. Kadrić 2009 [2001] und Springer 2002). Die Eintragung als GerichtsdolmetscherIn berechtigt, wie schon erwähnt, sowohl zum Dolmetschen als auch zum Übersetzen.

Erwähnenswert ist die Tatsache, dass mit der Eintragung als GerichtsdolmetscherIn in einem EU-Land nicht automatisch das

Keine einheitliche Regelung

Recht auf entsprechende Eintragung in einem anderen EU-Land erworben wird. Laut einer Vorabentscheidung des Gerichtshofs der Europäischen Union vom 17. März 2011 (Verbundene Rechtssachen C-372/09 und C-373/09) fallen „gerichtssachverständige Übersetzer" – so der Wortlaut der Vorabentscheidung – nicht unter den Begriff der „reglementierten Berufe" im Sinne von Art. 3 Abs. 1 Buchst. a der Richtlinie 2005/36/EG des Europäischen Parlaments und des Rates vom 7. September 2005 über die Anerkennung von Berufsqualifikationen. Möchte man als GerichtsdolmetscherIn in einem anderen Land tätig werden als jenem, in dem man diese Qualifikation erworben hat, muss man die in diesem anderen Lande geltenden Bestimmungen erfüllen. Hier wird man noch Modalitäten finden müssen, wenn GerichtsdolmetscherInnen auch grenzüberschreitende Tätigkeiten ausüben sollen, wie sie ja im Rahmen eines EU-Projektes für eine europaweite Datenbank von GerichtsdolmetscherInnen (*LIT Search*) angestrebt werden.

Dolmetscheinsätze bei Polizeibehörden

Translatorische Einsätze bei der Polizei sind dadurch gekennzeichnet, dass sie oft kurzfristig abgerufen werden. Bei der Festnahme von Verdächtigen benötigen die Polizeibehörden rasch einen Dolmetscher bzw. eine Dolmetscherin; die Auftragserteilung erfolgt in solchen Fällen in der Regel telefonisch oder per e-mail. Eine gute Erreichbarkeit ist daher Voraussetzung für eine auch wirtschaftlich erfolgreiche Tätigkeit in diesem Berufsfeld. Polizeiliche Einvernahmen finden – wenn sie im Vorhinein geplant und terminisiert sind – zu den üblichen Tageszeiten, aber auch in den Nachtstunden oder am Wochenende statt. Der spezielle Polizeijargon und die Vernehmungsmethoden von PolizeibeamtInnen sollten dem Dolmetscher bzw. der Dolmetscherin vertraut sein. Da es bei Nachteinsätzen oft um Raufhändel und Körperverletzungsdelikte geht, empfiehlt sich die Kenntnis der medizinischen Terminologie. Das gleiche gilt für Fachausdrücke im Zusammenhang mit Suchtmitteldelikten und -milieu. Häufig stehen Dolmetschende vor dem Problem, dass ihre Arbeitssprache und die von der Polizei angeforderte Sprache nicht die Muttersprache der Verdächtigen ist. So werden zu Einvernahmen von aus Afrika stammenden Menschen häufig Englisch- oder FranzösischdolmetscherInnen bestellt, während die Muttersprache eine ganz andere ist, für die in Zentraleuropa kaum qualifizierte Dolmetschende zur Verfügung stehen. Die Verständigung kann hier mitunter problematisch sein. Für Österreich bietet der Berufsverband der Gerichtsdolmetscher (ÖVGD) auf diese Konstellation zugeschnittene Fortbildungsveranstaltungen an.

Um Qualitätsstandards bei Einvernahmen vor der Polizei zu gewährleisten, sehen gesetzliche Regelungen häufig einen Vorrang von Dolmetschenden vor, die ein bestimmtes Registrierungsverfahren durchlaufen haben. So sollen die österreichischen Polizeibehörden kraft gesetzlicher Anordnung bei Einvernahmen im Rahmen des strafrechtlichen Ermittlungsverfahrens in erster Linie allgemein beeidete und gerichtlich zertifizierte DolmetscherInnen heranziehen, die ihre Leistungen dann nach dem Gebührenanspruchsgesetz verrechnen können. Auf Grund der Sprachenvielfalt und der oft großen Eile, mit der DolmetscherInnen gefunden werden müssen, kommen auch andere Sprachmittler zum Einsatz, für welche die Polizeibehörden oft eigene Listen führen. Bedauerlicherweise entsprechen deren Qualifikationen nicht unbedingt den Erfordernissen, die man an diese Dolmetschungen stellen sollte (zur Lage in Deutschland vgl. Stanek 2011; für Österreich Kadrić 2012). Mitunter wird auch von PolizeibeamtInnen mit Fremdsprachenkenntnissen und/oder Migrationshintergrund selbst gedolmetscht. Zwar erfasst die Richtlinie 2010/64 EU auch Einvernahmen bei der Polizei, doch sind gerade in Österreich, mit dem Hinweis, dass die Richtlinie 2010/64 EU in den Bereich des Justizministerium fällt, die Polizeibehörden aber dem Innenministerium unterstehen, bisher auf Polizeiebene keine nennenswerten Schritte zur Umsetzung der Richtlinie gesetzt worden.

Ein anschauliches *best practice*-Modell bietet dagegen die Handhabung von Dolmetscheinsätzen für die Polizeidienststellen in London. Durch die Schaffung von in ganz London angesiedelten Dolmetschzentren (= *hubs*), in denen per Videokonferenz gedolmetscht werden kann, konnten erhebliche Einsparungen bei den Reisekosten und Wartezeiten der DolmetscherInnen erzielt werden. So ist es auch verstärkt möglich, qualifizierte SprachmittlerInnen rechtzeitig aufzustöbern und einzusetzen.

Die neutrale und unparteiische Haltung von DolmetscherInnen ist bei Polizeieinsätzen manchmal einer harten Probe ausgesetzt, da im Verlaufe von Vernehmungen auf beiden Seiten (Vernehmende und

Rahmenbedingungen für Qualitätsstandards

Vernommene) Emotionen frei werden. Auch neigen die Festgenommenen dazu, sich hilfesuchend an den Dolmetscher bzw. die Dolmetscherin zu wenden, der bzw. die sich selbstverständlich jeglicher Parteinahme enthalten muss.

Dolmetscheinsätze im Straf- und Zivilprozess

Im Strafverfahren stehen einander öffentliche Anklage (Staatsanwaltschaft) und Verdächtiger bzw. Verdächtige oder Angeklagter oder Angeklagte gegenüber. Beim Zivilverfahren handelt es sich dagegen um eine Auseinandersetzung zwischen Privaten, also etwa um einen Schadenersatzprozess nach einem Verkehrsunfall oder Bauschaden oder um eine Mietstreitigkeit. In der Hauptverhandlung des Strafverfahrens ist daher ein Vertreter bzw. eine Vertreterin der Staatsanwaltschaft anwesend, während sich in der Verhandlung des Zivilverfahrens BürgerInnen gegenüberstehen. Die unterschiedliche Natur der beiden Verfahren spiegelt sich in den Abläufen und in unterschiedlichen Prozessordnungen. Sehr verkürzt lässt sich sagen, dass das Strafverfahren strenger und offiziöser wirkt. Wer einen Auftrag für ein Gerichtsverfahren annimmt, muss die Grundzüge der unterschiedlichen Verfahrensarten kennen.

Strafverfahren   Die verschiedenen Strafprozessordnungen des deutschsprachigen Raums sehen alle sinngemäß vor, dass die Beiziehung von DolmetscherInnen für Beschuldigte und ZeugInnen zu erfolgen hat, wenn diese der Gerichtssprache (Deutsch) nicht kundig sind. Analog dazu haben Personen, die taub oder stumm sind, ein Anrecht auf die Beiziehung von GebärdensprachendolmetscherInnen. Im Gerichtsalltag wird die Befragung der Beschuldigten oder ZeugInnen durch den Richter bzw. die Richterin, den Vertreter bzw. die Vertreterin der Staatsanwaltschaft und der Verteidigung in aller Regel zur Gänze konsekutiv gedolmetscht. Bei der Befragung von Deutsch sprechenden ZeugInnen ordnen RichterInnen in Österreich oft an, die Aussage dem fremdsprachigen Beschuldigten in gestraffter Form zu dolmetschen. In Deutschland ist es dagegen üblich, dem Beschuldigten eine vollständige simultane Dolmetschung aller Aussagen und Verfahrensschritte im Flüstermodus zu bieten. Diese Vorgangsweise wird in Österreich teils von RichterInnen untersagt, teils von den Dolmetschenden abgelehnt. Zudem ist in Österreich gelegentlich die für den

Dolmetschenden sehr störende Angewohnheit von RichterInnen zu beobachten, während der Konsekutivdolmetschung bereits das Verhandlungsprotokoll zu diktieren.

Die Bestellung von DolmetscherInnen für Strafverhandlungen erfolgt per Ladung in schriftlicher oder telefonischer Form. Eine Vorbereitung auf die Verhandlung durch Einsicht in den Akt oder Übersendung von Aktenstücken, etwa der Anklageschrift, wird dem Dolmetschenden vom Gericht normalerweise nicht angeboten. Zumindest bei aufwändigeren und komplizierteren Verfahren sollte sie von den DolmetscherInnen mit Nachdruck durchgesetzt werden. Die Einsicht in die Anklageschrift etwa gewährleistet in der Regel eine gute Vorbereitung auf den Dolmetscheinsatz in der Hauptverhandlung. Bei der Mehrzahl der Strafverhandlungen, die für 30 bis 60 Minuten anberaumt sind, genügen ein Hinweis auf die strafbare Handlung (diese scheint meist in der Ladung auf) und ein Blick auf die Namen der handelnden Personen und Orte der Handlung, um angemessen vorbereitet zu sein.

Bei Zivilverfahren findet man als DolmetscherIn mehr Verständnis bei RichterInnen und RechtsanwältInnen für den Wunsch, sich vor der Verhandlung in die Materie einzuarbeiten. Für Verhandlungen vor dem Wiener Handelsgericht etwa werden von RichterInnen und/oder RechtsanwältInnen gelegentlich sogar regelrechte Briefings veranstaltet, um den DolmetscherInnen eine handfeste Grundlage für ihren Einsatz in den meist mehrstündigen oder mehrtägigen Verhandlungen zu vermitteln. Hier unterliegt die Entlohnung generell nicht dem Gebührenanspruchsgesetz, vielmehr wird eine marktgerechte Entlohnung geboten. Dafür wird von den DolmetscherInnen eine höchst professionelle Leistung verlangt.

Zivilverfahren

Dolmetscheinsätze im Asylverfahren

Das Asylverfahren ist durch seine große Bedeutung für den weiteren Lebensweg der Betroffenen gekennzeichnet (zu Asylverfahren, Flüchtlingsrecht und Traumafolgen im Asylverfahren vgl. Tiedemann/Gieseking 2014). Entsprechend hoch müssen die Anforderungen an die Qualität des Verfahrens und damit auch die translatorische Leistung sein. Der Bedarf nach einzelnen Sprachen unterliegt entsprechend den jeweiligen Krisenherden und politischen Ereignissen einem raschen Wandel. Die im Asylverfahren benötigten Sprachen orientieren sich nach wie vor an den politischen Entwicklungen auf der Weltbühne. Eine Planung der benötigten SprachmittlerInnen lässt sich nur sehr schwer bewerkstelligen. Gerade in diesem Bereich sollte man die ad-hoc-Vereidigung von Sprachkundigen – insbesondere für afrikanische und asiatische Sprachen – konsequenter betreiben. Kurzschulungen für die wichtigsten Dolmetschkompetenzen in Form von Wochenendseminaren wurden von den Berufsverbänden, allen voran dem österreichischen ÖVGD, immer wieder bei den Behörden angeregt (und vom UNHCR unterstützt). (Zum Ablauf eines Dolmetscheinsatzes im Asylbereich vgl. Zaczek 2002; zur grundsätzlichen Problematik in diesem Bereich vgl. Pöllabauer 2005; zur neueren Forschung Kolb 2010 und Kadrić 2014).

DolmetscherInnen mit großer Erfahrung im Dolmetschen für Asylverfahren beklagen häufig, dass es kaum Möglichkeiten für ein De-Briefing nach mehrstündigen, emotional anstrengenden Befragungen von Asylwerbern gibt, was für den langfristigen Einsatz als DolmetscherIn im Asylverfahren anzustreben wäre. Für die psychische Belastung durch die in den Interviews offengelegten Menschenschicksale sowie die Verständnisprobleme auf Grund der von den AsylwerberInnen verwendeten Dialekte oder ihrer unzureichenden Beherrschung der für die Kommunikation gewählten Sprache, welche den Ablauf der Dolmetschung verzögern oder behindern, braucht man als DolmetscherIn ein Ventil, um den akkumulierten Stress abzubauen.

Schlusswort

Das Schwergewicht dieses Beitrags lag auf dem Dolmetschen, das bei translatorischen Tätigkeiten für den öffentlichen Bereich stärker nachgefragt ist als das Übersetzen. Die Palette der Übersetzungsaufträge, die von Gerichten und Behörden an GerichtsdolmetscherInnen herangetragen werden, ist so vielfältig, dass es den Rahmen dieses Beitrags sprengen würde, darauf im Detail einzugehen.

Literatur

Albi, Anabel Borja/Prieto Ramos Fernando (eds.) 2013. *Legal Translation in Context, Professional Issues and Prospects. New Trends in Translation Studies.* Oxford/New York: Lang.

AVIDICUS I und II. Abrufbar unter: www.eulita.eu/LIT materials/European projects (Stand: 01/01/2015).

Charta der Grundrechte der Europäischen Union. *Amtsblatt der Europäischen Gemeinschaften,* C 364/01 vom 18. 12. 2000. Abrufbar unter: http://www.europarl.europa.eu/charter/pdf/text_de.pdf (Stand: 01/02/2016).

Driesen, Christane/ Petersen, Haimo-Andreas. 2011. *Gerichtsdolmetschen.* Tübingen: Narr.

Erlass des (Österreichischen) Bundesministeriums für Justiz vom 14. Februar 2008 über einen Leitfaden für die Zusammenarbeit zwischen Justiz und GerichtsdolmetscherInnen.

Gebührenanspruchsgesetz (Österreich) – GebAG 1975, BGBl 136/1975. Abrufbar unter: https://www.ris.bka.gv.at/GeltendeFassung.wxe?Abfrage=Bundesnormen&Gesetzesnummer=10002337 (Stand: 01/02/2016).

Hofer, Gertrud/General Claudia. 2012. Standortbestimmung Schweiz – Professionalisierung von Behörden- und Gerichtsdolmetschern. In: Ahrens, B./Albl-Mikasa, M./Sasse, C. (Hg.) *Dolmetschqualität in Praxis Lehre und Forschung. Festschrift für Sylvia Kalina.* Tübingen: Narr, 123–147.

ImPLI. *Improving Police and Legal Interpreting.* Abrufbar unter: www.eulita. eu/LIT materials/European projects (Stand: 01/01/2015).

ISO 13611:2014 Interpreting – Guidelines for Community Interpreting. Abrufbar unter: www.iso.org/iso/catalogue_detail.htm?csnumber=54082 (Stand: 01/02/2016).

Kadrić, Mira. 2009 [2001]. *Dolmetschen bei Gericht. Erwartungen, Anforderungen, Kompetenzen.* Wien: WUV.

Kadrić, Mira. 2012. Dolmetschung als Ausdruck staatlicher Fürsorgepflicht – neue Impulse durch die RL 2010/64/EU. *Juridikum,* 1, 76–85.

Kadrić, Mira. 2012. ,Polizei. Macht. Menschen. Rechte.' Rekrutierung von Polizeidolmetschenden im Lichte empirischer Forschung. In: Ahrens, B./Albl-Mikasa, M./Sasse, C. (Hg.) *Dolmetschqualität in Praxis Lehre und Forschung. Festschrift für Sylvia Kalina.* Tübingen: Narr, 93–110.

Kadrić, Mira. 2014. Dolmetschen im Asylverfahren als Vermittlung zwischen Lebenswelten: Behördensicht und Dolmetschpraxis. In: Tiedemann, P./Gieseking J. (Hg.) *Flüchtlingsrecht in Theorie und Praxis. Schriften zum Migrationsrecht.* Baden-Baden: Nomos, 57–73.

Katschinka, Liese. 2014. The impact of Directive 2010/64/EU on the right to interpretation and translation in criminal proceedings. In: Viezzi, M./

Falbo, C. (eds.) *Traduzione e interpretatione per la società e le istituzioni*. Trieste: EUT.

Kolb, Waltraud. 2010. ‚Wie erklären Sie mir diesen Widerspruch?' Dolmetschung und Protokollierung in Asylverfahren. *Stichproben*. *Wiener Zeitschrift für kritische Afrikastudien*, 19/10, 83–101.

Pöllabauer, Sonja. 2005. ‚*I don't understand your English, Miss.*' *Dolmetschen bei Asylanhörungen*. Tübingen: Narr.

QUALETRA. *Quality in Legal Translation*. Abrufbar unter: www.eulita.eu/ QUALETRA (Stand: 01/02/2016).

Reflection Forum on Multilingualism and Interpreter Training, Final Report. 2009. Brüssel: Generaldirektion Dolmetschen. Abrufbar unter: http://ec. europa.eu/dgs/scic/docs/finall_reflection_forum_report_en.pdf (Stand: 01/02/2016).

Richtlinie 2010/64/EU des Europäischen Parlaments und Rates vom 20. Oktober 2010 über das Recht auf Dolmetschleistungen und Übersetzungen im Strafverfahren. *Amtsblatt der Europäischen Union*, L 280 vom 26. 10. 2010. Abrufbar unter: http://eur-lex.europa.eu/LexUriServ/LexUriServ.do?uri=OJ:L:2010:280:0001:0007:de:PDF (Stand: 01/02/2016).

Sachverständigen- und Dolmetschergesetz (Österreich) – SDG 1975, BGBl 137/1975. Abrufbar unter: https://www.ris.bka.gv.at/GeltendeFassung. wxe?Abfrage=Bundesnormen&Gesetzesnummer=10002338 (Stand: 01/ 02/2016).

Special Interest Group on Translation and Interpreting for Public Services, Final Report. 2011. Brüssel: Generaldirektion Dolmetschen. Abrufbar unter: http://ec.europa.eu/dgs/scic/docs/sigtips_en_final_2011.pdf (Stand: 01/02/2016).

Springer, Christine. 2002. Zur Praxis des Gerichtsdolmetschens in Österreich. In: Kurz, I./Moisl, A. (Hg.) *Berufsbilder für Übersetzer und Dolmetscher*. Wien: WUV, 138–144.

Stanek, Małgorzata. 2011. *Dolmetschen bei der Polizei. Zur Problematik des Einsatzes unqualifizierter Dolmetscher*. Berlin: Frank & Timme.

Tiedemann, Paul /Gieseking Janina (Hg.) *Flüchtlingsrecht in Theorie und Praxis. Schriften zum Migrationsrecht*. Baden-Baden: Nomos.

TRAFUT. *Training for the Future*. Abrufbar unter: http://eulita.eu/training-future (Stand: 01/02/2016).

Vorabentscheidung des Gerichtshofs der Europäischen Union vom 17. März 2011 (Verbundene Rechtssachen C-372/09 und C-373/09). Abrufbar unter: http://curia.europa.eu/juris/document/document.jsf?docid=8045 3&doclang=DE&mode=&part=1 (Stand: 01/02/2016).

Zaczek, Marion. 2002. Beim Bundesasylamt. Ein Einsatz für Gerichtsdolmetscher. In: Kurz, I./Moisl, A. (Hg.) *Berufsbilder für Übersetzer und Dolmetscher*. Wien: WUV, 145–148.

4 Arbeitsfeld Wirtschaft

Elke Anna Framson

Einleitung

Die Wirtschaft hat aufgrund ihrer globalen Ausrichtung einen hohen Bedarf an translatorischen Dienstleistungen und ist daher für TranslatorInnen ein bedeutendes Arbeitsfeld. Die Abgrenzung zu anderen Bereichen, wie z. B. dem öffentlichen Sektor, ist dabei nicht immer eindeutig gegeben. Im vorliegenden Beitrag erfolgt zunächst eine Eingrenzung des Arbeitsfeldes, danach wird auf die globale Ausrichtung der Wirtschaft und den dadurch entstehenden Translationsbedarf eingegangen. Nach einem kurzen Überblick über die Arbeitsabläufe anhand eines Auftragsbeispiels geht der Beitrag auf eine Entwicklung näher ein, die das Arbeitsfeld Wirtschaft in den letzten Jahren besonders stark geprägt hat und die auch den Tätigkeitsbereich von TranslatorInnen zunehmend beeinflusst: die dominante Rolle des Englischen sowohl als Arbeits- und Kooperationssprache im und zwischen Unternehmen als auch als Zielsprache für den internationalen Markt. Die letztgenannte Entwicklung stellt TranslatorInnen vor neue Herausforderungen, die zu Ende des Beitrags angesprochen werden.

Wer oder was ist „die Wirtschaft"?

Die Wirtschaft wird aus der Gesamtheit der Einrichtungen und Maßnahmen gebildet, die sich auf die Produktion und den Konsum von Wirtschaftsgütern beziehen (Duden 2011:2018). Ein Wirtschaftsgut ist ein Mittel zur Bedürfnisbefriedigung, woraus folgt, dass die Wirtschaft dem Ziel dient, durch die Bereitstellung von Gütern Bedürfnisse zu befriedigen.

Zu den HauptakteurInnen der Wirtschaft gehören sowohl Unternehmen und öffentliche Institutionen als auch die VerbraucherInnen. Die Wirtschaft umfasst folglich eine Vielzahl an potentiellen und tatsächlichen AuftraggeberInnen translatorischen Handelns und eine Vielzahl an potentiellen und tatsächlichen Zielgruppen. Die AuftraggeberInnen, für die TranslatorInnen tätig sind, reichen von kleinen Unternehmen mit Exporttätigkeit über transnationale Konzerne mit Produktionsstätten auf der ganzen Welt bis hin zu staatlichen Unternehmen und öffentlichen Einrichtungen, wie der Wirtschaftskammer eines Landes. Im Hinblick auf die Aktivitäten, die der Begriff Wirtschaft umfasst, nennen Scherrer/Kunze (2011:12) als Hauptbereiche den Handel mit Gütern und Dienstleistungen, die Organisation der Produktion, Kapitalinvestitionen und das Angebot von Arbeitskraft.

In eingeschränkter Begriffsverwendung, die für diesen Beitrag aufgrund des Umfangs sinnvoll ist, wird „die Wirtschaft" auch oft der Gesamtheit der Unternehmen gleichgesetzt. Ein Unternehmen ist dabei als wirtschaftlich-rechtlich organisiertes Gebilde definiert (Gabler 2014:3271), dessen Zweck es ist, Waren oder Leistungen anzubieten, und das nach Gewinn bzw. Gewinnmaximierung strebt. Der wirtschaftliche Erfolg von Unternehmen wird dadurch erreicht, dass das Angebot optimal auf die Bedürfnisse des Marktes, also auf die potentiellen und tatsächlichen KäuferInnen der Waren oder Dienstleistungen (Kotler et al. 2007:425), abgestimmt wird (vgl. Kotler et al. 2007:30).

Der Translationsbedarf der Wirtschaft

Translationsbedarf ergibt sich in der Wirtschaft daher, dass Unternehmen heute oft international, also über die Grenzen eines Staates hinaus, tätig und organisiert sind und die genannten Aktivitäten, wie z. B. der Handel mit Gütern und Dienstleistungen oder die Organisation der Produktion, grenzüberschreitend stattfinden: Tätigkeitsbereiche werden auf verschiedene Länder verteilt, Wertschöpfungsketten sind zunehmend global und Arbeitsprozesse umfassen Menschen aus verschiedenen Kulturen (vgl. Koch 1997:3 ff.). Dieser „Bedeutungsschwund" nationaler Grenzen für wirtschaftliches Handeln (Scherrer/Kunze 2011:12), der heute kennzeichnend für die globalisierte Wirtschaft ist, wurde vor allem durch Entwicklungen im Bereich des Transports und der Kommunikationstechnologien möglich gemacht, die dazu geführt haben, dass große Distanzen relativ leicht und ohne hohen finanziellen Aufwand überwunden werden können: Als Folge können heute Güter, Dienstleistungen, Geld, aber auch Menschen effizient über große Entfernungen bewegt werden, und auch Kommunikation kann rasch und effektiv über große Distanzen ablaufen. Das ist eine Voraussetzung für die globale Organisation von Unternehmensaktivitäten. Außerdem ist der Markt heute für viele Unternehmen international, womit auch die Tätigkeiten zur Vermarktung grenzüberschreitend stattfinden.

Die Überschreitung staatlicher Grenzen im Zuge der wirtschaftlichen Tätigkeit geht zumeist mit einer Überschreitung kultureller und sprachlicher Grenzen einher. Es entstehen Situationen, in denen die Kommunikation und die Zusammenarbeit zwischen Unternehmen und ihren Partnereinrichtungen, zwischen Unternehmen und Markt, aber auch innerhalb von international aufgestellten Unternehmen durch Sprach- und Kulturunterschiede erschwert oder verhindert werden. Translatorisches Handeln wird erforderlich, um Kommunikation und Kooperation zu ermöglichen.

Kultur wird hier mit der Kultur eines Landes gleichgesetzt, da die Landeskultur in der Wirtschaft, insbesondere bei der Gestaltung und Lokalisierung von Marketingmaßnahmen, aber auch im Bereich des interkulturellen Managements, eine bedeutende Einflussgröße darstellt (vgl. Emrich 2011; Witchalls 2012). Natürlich sind wir als Individuen Teil vieler sich überlappender und ergänzender Kulturen bzw. Subkulturen, die nicht unbedingt durch Staatsgrenzen definiert sind.

Bedeutung der Landeskultur

Marketing als Prozess im Wirtschaftsgefüge

„Marketing ist ein Prozess im Wirtschafts- und Sozialgefüge, durch den Einzelpersonen und Gruppen ihre Bedürfnisse und Wünsche befriedigen, indem sie Produkte und andere Dinge von Wert erzeugen, anbieten und miteinander austauschen" (Kotler et al. 2007:30).

Marketing stellt einen Kernbereich der wirtschaftlichen Tätigkeit dar und umfasst sämtliche Maßnahmen, die das Unternehmen setzt, um sein Angebot bestmöglich auf den Markt abzustimmen und so die

Marketing-Mix

erwähnten Wünsche und Bedürfnisse zu befriedigen. Diese Maßnahmen werden auch als Marketing-Mix bezeichnet und in vier Gruppen (die vier „Ps") kategorisiert: *Produkt, Preis, Promotion* und *Platzierung* (Kotler et al. 2007:121). Dazu gehören z. B. Entscheidungen hinsichtlich des Produktdesigns und der Verpackung (*Produkt*), der Preisgestaltung (*Preis*), des Vertriebs und der Angebotsorte (*Platzierung*) sowie alle kommunikativen Maßnahmen zur Förderung des Bekanntheitsgrades, wie etwa die Werbung, oder zum Aufbau eines positiven Images von Unternehmen und Angebot, wie etwa die PR-Arbeit (*Promotion*). Bei diesen Maßnahmen und Entscheidungen nehmen die Zielgruppe und ihre Bedürfnisse eine zentrale Stellung ein.

Lokalisierung   Im internationalen Marketing müssen die Besonderheiten der einzelnen Märkte berücksichtigt werden. Auch wenn wir davon ausgehen, dass Kulturen keine abgeschlossenen Einheiten sind, sondern einander beeinflussen und sich vermischen, so sind die einzelnen Märkte nach wie vor durch den Einsatz unterschiedlicher Sprachen, durch kulturell bedingtes Verhalten und durch unterschiedliche Gegebenheiten gekennzeichnet, wodurch sich auch unterschiedliche Bedürfnisse und Prioritäten ergeben (vgl. Kotler et al. 2007:275). Lokalisierung, die Anpassung an die lokalen Gegebenheiten und Bedürfnisse, ist deshalb für Unternehmen ein wichtiger Schritt im Zuge ihrer grenzüberschreitenden Tätigkeit. Lokalisiert werden sowohl die angebotenen Waren und Dienstleistungen als auch die kommunikativen Maßnahmen, die mit diesen einhergehen: Software-Befehle, Produktbeschreibungen, Betriebsanleitungen, Wartungshandbücher, Werbebroschüren, Webseiten, Pressemappen, Kundenmagazine und vieles mehr. Informationen werden für einzelne Märkte kulturell gefiltert und sprachlich neu aufbereitet, um sicherzustellen, dass die gesendeten Botschaften im Sinne des Unternehmens rezipiert werden und gleichzeitig auch den Richtlinien und Vorschriften des Marktes entsprechen. Eine Printwerbung in einer Zeitschrift ist nur dann effektiv, wenn sie von den LeserInnen verstanden wird, und die Sicherheit der KäuferInnen kann nur dann gewährleistet werden, wenn die Sicherheitshinweise in der jeweiligen Landessprache angegeben sind. Lokalisierung wird heute als Voraussetzung für wirtschaftlichen Erfolg betrachtet (vgl. Quelch/Jocz 2012:84 ff.).

Bei der Kommunikation mit dem Markt geht es nicht nur um die korrekte Weitergabe von Sachinformationen, sondern es geht auch bzw. vor allem um die Vermittlung von Inhalten, die dem Unternehmen wichtig und dem Erfolg des Unternehmens förderlich sind: Ein bestimmtes Markenimage muss aufgebaut werden, die Botschaften müssen die gewünschten Assoziationen auslösen und Unternehmenswerte müssen so präsentiert werden, dass auf den Märkten ein Bezug dazu hergestellt werden kann. Somit findet auch translatorisches Handeln immer vor dem Hintergrund der vom Unternehmen gesetzten Ziele statt. TranslatorInnen stehen an der Schnittstelle zwischen Unternehmen und Markt (vgl. Framson 2011:55), sie müssen den Bedürfnissen beider Rechnung tragen. Das erfordert einerseits Verständnis für die Werte und Ziele des Unternehmens und andererseits eine genaue Kenntnis der lokalen Gegebenheiten und der Menschen in den verschiedenen Lokalitäten – und es erfordert ExpertInnen, die wissen, wie man diese Kenntnisse so umsetzt, dass sie den Zielen und somit dem Erfolg des Unternehmens förderlich sind. TranslatorInnen gehören zu diesen ExpertInnen.

Kommunikation mit dem Markt

Arbeiten in der Wirtschaft

Die grenzüberschreitende Tätigkeit von Unternehmen schafft für TranslatorInnen Arbeit. Das Spektrum an Aufträgen, die sich in der Wirtschaft ergeben, ist sehr breit und reicht von der Übersetzung von Verträgen und Geschäftsberichten über das Korrekturlesen informativer Produktliteratur, das Adaptieren von Werbeslogans und PR-Materialien und die Lokalisierung von Webseiten bis hin zur Dolmetschung von Geschäftsverhandlungen. Die Wirtschaft hat sowohl Bedarf an ÜbersetzerInnen als auch an DolmetscherInnen. Außerdem umfasst translatorisches Handeln im Sinne von Holz-Mänttäri (1984, 1994) Tätigkeiten außerhalb des traditionellen Übersetzens und Dolmetschens, wie etwa beratende Aufgaben. Diese können Teil des Übersetzungs- oder Dolmetschauftrags sein, sie können aber auch als eigenständige Leistung angeboten werden. Translatorisches Handeln kann z. B. in Form von Kultur- und Kommunikationsberatung für kleine und mittlere Exportunternehmen oder in Form von interkulturellen Trainings für ManagerInnen in internationalen Konzernen stattfinden.

Translatorisches Handeln im Arbeitsfeld Wirtschaft ist sehr vielfältig und kann keinesfalls auf eine oder wenige Tätigkeitsarten, Branchen, AuftraggeberInnen, RezipientInnengruppen oder gar Textsorten reduziert werden. Folglich gestaltet sich auch die Zusammenarbeit zwischen Unternehmen und TranslatorInnen unterschiedlich, wobei die Deckung des translatorischen Leistungsbedarfs häufig ausgelagert wird (Framson 2007:166 ff.). (Natürlich wird in Unternehmen Translationsbedarf auch anderweitig gedeckt, z. B. wenn mehrsprachige MitarbeiterInnen Übersetzungen anfertigen oder zum Dolmetschen herangezogen werden.)

Freiberuflich tätige TranslatorInnen können einen Auftrag direkt von dem Unternehmen bekommen, welches eine Übersetzung oder Dolmetschung benötigt (siehe Beispiel unten), häufig erhalten sie ihre Aufträge aber über andere Dienstleistungsunternehmen, wie etwa Marketing-, Werbe- oder PR-Agenturen, mit denen Unternehmen bei der Umsetzung ihrer Kommunikationsstrategie zusammenarbeiten. Translatorisches Handeln im Arbeitsfeld Wirtschaft, insbesondere Übersetzen, ist zumeist eingebunden in umfassendere Kommunikations- und Lokalisierungsprozesse, die von Unternehmen gänzlich an externe Partnerunternehmen vergeben werden. Sind dann als zusätzliche Stelle auch noch Übersetzungsbüros zwischengeschaltet, kann die Distanz zwischen TranslatorIn und Unternehmen durchaus groß werden und es ist nicht ungewöhnlich, dass TranslatorInnen mit den eigentlichen BedarfsträgerInnen im Unternehmen gar nicht in Kontakt treten. In diesem Fall erhält die funktionierende Informationskette (vgl. Framson 2007:175) für die erfolgreiche Auftragsabwicklung enorme Bedeutung.

Aufgrund der Vielfältigkeit des Arbeitsfeldes können die Tätigkeit von TranslatorInnen und die Abläufe der Auftragsabwicklung und -erfüllung nur beispielhaft umrissen werden, wie etwa anhand des folgenden Auftragsbeispiels: Eine freiberufliche Translatorin wird telefonisch von der Kommunikationsabteilung eines Automobil-Clusters (ein Netzwerk aus Unternehmen der Automobilbranche) kontaktiert. Benötigt wird die Übersetzung einer Imagebroschüre vom Deutschen ins Englische. Dieser grob definierte Auftrag erfordert genaueres Nachfragen seitens der Translatorin, bevor sie entscheiden kann, ob sie den Auftrag annehmen kann bzw. möchte: Textlänge, Englischvarietät, Zielgruppe(n), Zweck, Abgabeformat und -termin usw. müssen mit dem Auftraggeber spezifiziert werden.

Außerdem bittet die Translatorin vor der Auftragsannahme um die elektronische Zusendung des Textes, um den Grad der Fachspezifik und den Arbeitsaufwand besser einschätzen zu können. Die Mitarbeiterin der Kommunikationsabteilung ist damit einverstanden, bittet aber um rasche Rückmeldung. Nach *Evaluierung des Textes* und gleichzeitiger Internetrecherche über das Unternehmen beschließt die Translatorin den Auftrag anzunehmen. Die Details zum Auftrag und zur Abwicklung (unter anderem auch das Honorar) werden besprochen, die Eckpunkte schriftlich festgehalten und bestätigt. Anfragen seitens der Translatorin, ob es Glossare oder Ähnliches gebe, werden negativ beantwortet, die englische Internetseite des Automobil-Clusters stellt jedoch eine brauchbare Quelle an Paralleltexten dar.

Die Translatorin plant die Erledigung des Auftrags, bearbeitet diesen in mehreren Schritten (Recherche, Rohfassung, Überarbeitung usw.) und sendet schließlich die fertige Übersetzung an die Kommunikationsabteilung. Es folgt eine Rückmeldung mit einigen Fragen zu konkreten sprachlichen Formulierungen in der Übersetzung. Die Translatorin weiß aus Erfahrung, dass dies bei Übersetzungen ins Englische durchaus vorkommt und begründet in einem Telefongespräch, warum sie sich für bzw. gegen bestimmte Formulierungen entschieden hat. Es kommt zu einem erfolgreichen Abschluss des Auftrags. Als ausschlaggebend für die erfolgreiche Auftragserledigung seien hier die *Spezifizierung* und vor allem die *genaue Evaluierung des potentiellen Auftrags vor der Annahme* hervorgehoben, da in der Wirtschaft häufig verwendete Begriffe wie „Imagebroschüre", „Presseaussendung" oder „Marketingtext" sehr wenig über die Komplexität, die Fachspezifik und somit auch den Recherche- und Arbeitsaufwand aussagen. Erst die Evaluierung ermöglicht eine realistische Einschätzung und somit eine für beide Seiten zufriedenstellende Auftragserledigung.

Englisch – die globale Lingua franca der Wirtschaft

In den vergangenen Jahren hat sich eine Entwicklung abgezeichnet, die die Kommunikation in der Wirtschaft in zunehmendem Maße prägt: der vermehrte Einsatz des Englischen als Lingua franca. Englisch gilt heute als *die* internationale Wirtschaftssprache (vgl.

Ipsos 2014; Kankaanranta 2009; Neeley 2012). Wenn wir Englisch als „globale Lingua franca der Wirtschaft" oder als „internationale Wirtschaftssprache" bezeichnen, so wird damit auf die *Funktion* der englischen Sprache Bezug genommen (Meierkord/Knapp 2002:10): Englisch kommt dann zum Einsatz, wenn die Kommunizierenden keine gemeinsame Muttersprache haben, wenn aber zum Zwecke der Kooperation eine gemeinsame sprachliche Basis hergestellt werden muss.

Lingua franca-
Funktion
Grundsätzlich kann jede Varietät des Englischen als Lingua franca fungieren – Englisch als Lingua franca ist situationsabhängig und wird von den VerwenderInnen sowie dem Kontext und dem Zweck der Kommunikation bestimmt (House 2013:281). Aus diesem Grund wird in diesem Beitrag auch weiterhin von *Englisch* gesprochen – Englisch steht hier stellvertretend für alle sprachlichen Varianten des Englischen. In der Wirtschaft erfüllt Englisch die Lingua-franca-Funktion in mehrerlei Hinsicht, als drei Hauptbereiche können folgende genannt werden:

a) die Überwindung *unternehmensinterner* Sprachbarrieren im international bzw. multikulturell aufgestellten Unternehmen,

b) die Überwindung von Sprachbarrieren *zwischen* kooperierenden Unternehmen sowie Unternehmen und all den Stellen, mit denen zum Zwecke der wirtschaftlichen Tätigkeit kommuniziert wird, und

c) die Ermöglichung der Kommunikation mit einer möglichst großen Gruppe potentieller AbnehmerInnen auf dem globalen Markt.

Die ersten beiden Bereiche werden im Anschluss unter „Englisch als Arbeitssprache" zusammengefasst, der dritte Bereich wird unter „Englisch als Sprache des globalen Marktes" besprochen.

Englisch als Arbeitssprache

Wo grenzüberschreitend gehandelt wird, treffen meist auch unterschiedliche Sprachen aufeinander. Dies kann die Kommunikation und in weiterer Folge auch die Kooperation erschweren und zu Ineffizienz führen (Neeley 2012). Immer dort, wo zum Zwecke der Kooperation Informationen weitergegeben werden müssen, z. B. von der Niederlassung zum Headquarter oder vom Zulieferunternehmen zum Endproduktthersteller, wird die Sprachbarriere zur Informationsbarriere, wodurch Arbeitsprozesse verlangsamt und Ziele möglicherweise nicht erreicht werden. Dies gilt sowohl für Unternehmen, deren Belegschaft aus MitarbeiterInnen besteht, die unterschiedliche Sprachen sprechen, als auch für Unternehmen, die mit Partnerunternehmen in anderssprachigen Märkten zusammenarbeiten. Da der Einsatz von TranslatorInnen in *allen* grenzüberschreitenden Kommunikationssituationen nicht praktikabel ist, entsteht Bedarf an einer gemeinsamen Arbeitssprache. Englisch hat sich eindeutig als Sprache der wirtschaftlichen Kooperation herauskristallisiert (vgl. Ipsos 2014).Die wesentlichen Gründe dafür, dass Englisch heute die globale Sprache ist, sind (vgl. Crystal 2003): die politische und militärische Macht des britischen Reiches im 18. und 19. Jahrhundert, das Englisch in vielen Teilen der Welt etabliert hat, und die wirtschaftliche und kulturelle Macht der USA im 20. Jahrhundert. Darüber hinaus ist insbesondere auch der dominante Fremdsprachenstatus von Englisch hervorzuheben: In der EU z. B. ist Englisch die am häufigsten erlernte Fremdsprache (vgl. Eurostat 2011).

Die Quantifizierung der Auswirkungen dieser Entwicklung auf den Tätigkeitsbereich von TranslatorInnen ist schwierig, man kann jedoch davon ausgehen, dass sie Folgen für unternehmensinterne und -externe Kommunikationsvorgänge hat, die auch den Bereich der Translation betreffen bzw. zukünftig betreffen werden. Unternehmensinterne Texte, die vor Einführung einer einheitlichen Unternehmenssprache (möglicherweise von TranslatorInnen) in mehrere Sprachen übersetzt wurden, werden nun gleich bzw. nur auf Englisch erstellt und ohne Übersetzung weitergeleitet, oder sie werden, wenn sie in einer anderen Sprache vorliegen, nicht mehr in mehrere Sprachen, sondern nur mehr ins Englische übersetzt. Dies könnte zu einer Reduzierung des allgemeinen Translationsbedarfs führen. Es könnte aber auch bedeuten, dass sich der Translationsbedarf nur in bzw. zwischen gewissen Sprachen reduziert und dass Englisch eine zunehmend zentrale Rolle sowohl als *Ausgangssprache* als auch als *Zielsprache* translatorischen Handelns einnimmt, was sich im unternehmerischen Kontext bereits abzeichnet (Framson 2007:136 ff.).

Auswirkungen auf den Translationsbedarf

Englisch als Sprache des globalen Marktes

Marktstudien weisen darauf hin, dass der Translationsbedarf stetig ansteigt und der Translationsmarkt weiter wachsen wird (vgl. Kelly/ DePalma 2012). Dies mag angesichts der Tatsache, dass in der Wirtschaft immer mehr auf Englisch gearbeitet wird, paradox erscheinen.

Ein wichtiger Grund für den steigenden Translationsbedarf liegt in der Kommunikation mit dem Markt, der global gesehen eine große kulturelle und sprachliche Vielfalt aufweist und nach der Lokalisierung von Angebot und Kommunikation verlangt. Je mehr Güter und Dienstleistungen international ausgetauscht werden, umso größer ist der entstehende Bedarf. Dennoch ist auch die Kommunikation mit dem Markt von der verstärkten Verwendung des Englischen betroffen, wobei besonders zwei Phänomene hervorzuheben sind: Englisch als *Werbesprache* und Englisch als *internationale Zielsprache*.

Englisch als Werbesprache   Der vermehrte Einsatz von Englisch in der Werbung kann als globales Phänomen bezeichnet werden (vgl. Bulawka 2006; Hahn/ Wermuth 2011). Englisch wird dabei vor allem als „pair-language" (Bulawka 2006:7) verwendet, also in Kombination mit der lokalen Sprache: So endet z. B. eine deutschsprachige Radiowerbung mit einem englischen Slogan. An dieser Stelle sei auch auf die Verwendung des Englischen für Produktnamen und -kategorien hingewiesen, die ebenfalls dazu führt, dass es in der Werbung zu einer Kombination von lokaler und englischer Sprache kommt. Als Folge kommen TranslatorInnen verschiedenster Sprachrichtungen bei der Ausübung ihrer Tätigkeit mit Englisch in Berührung. Es gibt verschiedene Gründe für die genannten Entwicklungen (vgl. Kuppens 2009; Gerritsen et al. 2010), einer der wichtigsten ist der symbolische Wert des Englischen: Englisch wird als Zeichen der Modernität und Internationalität betrachtet und kann somit einem Unternehmen oder einem Produkt ein modernes und internationales Image geben.

Englisch als internationale Zielsprache   Die Verwendung von Englisch als Zielsprache für den globalen Markt wirkt sich unmittelbar auf die Tätigkeit von TranslatorInnen aus. Dort, wo die Lokalisierung von kommunikativen Maßnahmen für viele einzelne Märkte aus verschiedenen Gründen als nicht praktikabel angesehen wird, wird Englisch als internationale Zielsprache eingesetzt. Gleichzeitig bietet Englisch aufgrund seiner globalen Präsenz die Möglichkeit, die potentielle Zielgruppe der

Kommunikation um das Vielfache zu erweitern, ohne sie geographisch genau definieren zu müssen. Lokalisierung ist zeitaufwendig und verursacht (laufende) Kosten, denn meist ist sie kein einmaliger Vorgang. Ein Webauftritt etwa muss in regelmäßigen Abständen überarbeitet und auf den neuesten Stand gebracht werden. Unternehmen können durch die Verwendung einer globalen Sprache den Zeit- und Kostenaufwand verringern und trotzdem eine große Reichweite erzielen. Besonders für kleine und mittlere Unternehmen mit Exporttätigkeit ist die Übersetzung von Marketingmaterialien ins Englische auch oft der erste Schritt in Richtung sprachlicher Internationalisierung und internationaler Gestaltung des Auftritts. Als Beispiel können Webseiten europäischer AnbieterInnen genannt werden, die neben Informationen in der Landessprache des Unternehmenssitzes eben auch Informationen auf Englisch für den „internationalen Markt" anbieten.

Der internationale Markt bzw. die internationale Zielgruppe ist für jedes Unternehmen anders definiert und kann lediglich ein paar wenige Ländermärkte umfassen oder, am anderen Ende der Skala, synonym mit dem Weltmarkt sein. Es ist aber davon auszugehen, dass die Zielgruppe mehrere Kulturen, im Sinne von Landeskulturen, und Sprachen umfasst. MuttersprachlerInnen des Englischen können Teil der Zielgruppe sein, sind aber oft nicht die primären RezipientInnen und mitunter auch gar nicht angesprochen.Für TranslatorInnen bedeutet das, dass die Definition einer spezifischen Zielgruppe, ein Schritt der für translatorisches Handeln als zentral betrachtet wird, zumindest im Hinblick auf den landeskulturellen Hintergrund schwierig wird. Zudem kann die traditionelle Verknüpfung von englischer Sprache und angloamerikanischer Kultur nicht mehr vorausgesetzt werden, was mehrere Fragen, z.B. hinsichtlich der Wahl der Varietät oder der eventuell gegebenen Notwendigkeit, Texte syntaktisch einfacher und lexikalisch neutraler zu gestalten, aufwirft. Die Kultur der BotschaftsempfängerInnen gilt jedoch als wichtige Einflussgröße translatorischen Handelns (Reiß/Vermeer 1984; Vermeer 1994) und Entscheidungen die Textgestaltung oder Informationsauswahl betreffend sind geleitet vom Wissen und den Erfahrungswerten, welche TranslatorInnen hinsichtlich der Zielkultur haben: Dazu zählen z.B. Wissen über die in der Zielkultur geltenden Textsortenkonventionen und Kommunikationsnormen und Erfahrungswerte hinsichtlich des Vorwissens der Zielgruppe zu einem

Definition der internationalen Zielgruppe

Thema. Auf welcher Basis sollen Entscheidungen aber nun getroffen werden, wenn dieses Wissen und diese Erfahrungswerte fehlen?

Das Problem
der Zielgruppen-
definition

Zielgruppenmerkmale abseits der Landeskultur, wie Alter, Kaufkraft und Vorlieben, sind für translatorisches Handeln in der Wirtschaft, insbesondere im Marketing, immer relevant, sie rücken aber stärker in den Vordergrund (vgl. Framson 2007, 2011) und werden zu bestimmenden Größen für Entscheidungen im Translationsprozess, indem sie z. B. die Wortwahl oder den Stil eines Textes beeinflussen. Unternehmen definieren meist sehr genau, wen sie als potentielle AbnehmerInnen ihres Angebots sehen. Aspekte, nach denen das (potentielle) Zielsegment definiert wird, sind mit der angebotenen Ware oder Dienstleistung verflochten und können grenzüberschreitende Gültigkeit haben. Nun bedeuten die Zugehörigkeit oder das *Zugeordnetwerden* zu einem über diverse Eigenschaften und Interessen definierten transkulturellen KundInnensegment aber nicht die gleichzeitige Auflösung aller anderen kulturellen Bindungen. Im Falle der internationalen Zielsprache Englisch stehen TranslatorInnen daher vor der komplexen Aufgabe, Botschaften zu gestalten, die von einer möglichst breiten, ihnen jedoch nicht genau bekannten und oft nicht muttersprachlichen Zielgruppe, der gewisse gemeinsame Eigenschaften zugeschrieben werden, die aber auch mitunter große kulturelle Unterschiede aufweist, rezipiert werden können und bei dieser auch die gewünschte Wirkung erzielen. Informationen über die Eigenschaften des Zielsegments abseits der Zugehörigkeit zu einer Landeskultur werden in diesem Fall für translatorisches Handeln enorm wichtig und müssen von TranslatorInnen im Bedarfsfall auch eingefordert werden.

Abschließende Bemerkungen

Im vorliegenden Beitrag wurde nach einem Überblick über das Arbeitsfeld Wirtschaft mit der dominanten Rolle des Englischen ein Aspekt näher behandelt, der besondere Aktualität aufweist und von dem angenommen werden kann, dass er die Anforderungen an TranslatorInnen in der Wirtschaft immer stärker prägen wird. Es gibt eine Reihe anderer einflussreicher kommunikativer Entwicklungen in der Wirtschaft, wie etwa die partizipatorische Gestaltung der Kommunikation in den sozialen Medien oder der Trend des Crowd-

Sourcings von Übersetzungen, die hier aufgrund des eingeschränkten Rahmens nicht behandelt werden können. Die dominante Rolle des Englischen im Arbeitsfeld Wirtschaft bedeutet, dass TranslatorInnen verschiedenster Sprachrichtungen zunehmend mit der englischen Sprache in Berührung kommen, auch dann, wenn diese nicht zu ihren aktiven Arbeitsprachen gehört. Zudem stellen die beschriebenen Entwicklungen TranslatorInnen vor neue Herausforderungen, wie etwa die Abstimmung der Kommunikation auf eine nur schwer definierbare Zielgruppe oder die Gestaltung von Texten, die nicht an ein muttersprachliches Publikum gerichtet sind. Die Auseinandersetzung mit diesen Themen, auch in der Ausbildung, ist unbedingt nötig, um den Bedürfnissen des Marktes Rechnung zu tragen (vgl. Taviano 2013) und sicherzustellen, dass TranslatorInnen im Berufsleben erfolgreich sein können.

Zusammenfassend kann festgehalten werden, dass der wirtschaftliche Erfolg von Unternehmen in sehr hohem Maße davon abhängt, wie gut sie die Bedürfnisse ihrer potentiellen und tatsächlichen KundInnen identifizieren und befriedigen können. TranslatorInnen stellen an der Schnittstelle zwischen Unternehmen und internationalem Markt ein wichtiges Bindeglied dar, da sie als Kultur- und KommunikationsexpertInnen die gelungene Kommunikation zwischen den beiden ermöglichen können. Außerdem ist effektive und angemessene Kommunikation für die internationale Kooperation eine Grundvoraussetzung. Unternehmen sind heute oft international aufgestellt, mit Niederlassungen, Partnerunternehmen und anderweitigen Verknüpfungen in fremden Ländern. Trotz des vermehrten Einsatzes von Englisch zur Überwindung von Sprachbarrieren stellen TranslatorInnen auch hier ein wichtiges Bindeglied dar. Die internationale Ausrichtung der Wirtschaft, sowohl im Hinblick auf die KundInnen als auch auf die KooperationspartnerInnen, braucht TranslatorInnen.

Literatur

Bulawka, Hanna M. 2006. *English in Polish Advertising*. Dissertation. University of Birmingham. Abrufbar unter: http://www.birmingham.ac.uk/ Documents/college-artslaw/cels/essays/appliedlinguistics/BulawkaDissertation.pdf (Stand: 08/02/2016).

Crystal, David. 2003. *English as a Global Language.* (Second Edition) Cambridge: Cambridge University Press.

Duden Deutsches Universalwörterbuch. 2011. (7. Auflage) Mannheim: Dudenverlag.

Emrich, Christin. 2011. *Interkulturelles Management. Erfolgsfaktoren im globalen Business.* Stuttgart: Kohlhammer.

Eurostat. 2011. Europäischer Tag der Sprachen. 95 % der Schüler der Sekundarstufe II in der EU27 lernten Englisch als Fremdsprache im Jahr 2009. Abrufbar unter: europa.eu/rapid/press-release_STAT-11-138_de.pdf (Stand: 08/02/2016).

Framson, Elke A. 2007. *Translation in der internationalen Marketingkommunikation. Funktionen und Aufgaben für Translatoren im globalisierten Handel.* Tübingen: Stauffenburg.

Framson, Elke A. 2011. *Transkulturelle Marketing- und Unternehmenskommunikation.* (2., überarbeitete Auflage) Wien: Facultas.

Gabler Wirtschaftslexikon. 2014. (18., aktualisierte und erweiterte Auflage) Wiesbaden: Springer Gabler.

Gerritsen, Marinel/Nickerson, Catherine/van Hooft, Andreu/van Meurs, Frank/Korzilius, Hubert/Nederstigt, Ulrike/Starren, Marianne/Crijns, Roger. 2010. English in Product Advertisements in Non-English-Speaking Countries in Western Europe: Product Image and Comprehension of the Text. *Journal of Global Marketing* 23, 349–365.

Hahn, Alexander/Wermuth, Inga. 2011. Slogan Trends 2011. Global. Total. Radikal. Wie Unternehmen ihre Markenslogans aufrüsten. Abrufbar unter: http://www.slogans.de/studie2011.php (Stand: 08/02/2016).

Holz-Mänttäri, Justa. 1984. *Translatorisches Handeln. Theorie und Methode.* Helsinki: Suomalainen Tiedeakatemia.

Holz-Mänttäri, Justa. 1994. Translatorisches Handeln – theoretisch fundierte Berufsprofile. In: Snell-Hornby M. (Hg.) *Übersetzungswissenschaft – Eine Neuorientierung. Zur Integrierung von Theorie und Praxis.* (2. Auflage) Tübingen: Francke, 348–374.

House, Juliane. 2013. English as a Lingua Franca and Translation. *The Interpreter and Translator Trainer* 7:2, 279–298.

Ipsos. 2012. English is the Common Link for Employees Who Interact with People From Other Countries (News Release). Abrufbar unter: http://ipsos-na.com/download/pr.aspx?id=11632 (Stand: 08/02/2016).

Kankaanranta, Anne. 2009. Business English Lingua Franca in intercultural (business) communication. Abrufbar unter: http://ojs.statsbiblioteket.dk/index.php/law/article/view/6193/5381 (Stand: 08/02/2016).

Kelly, Nataly/DePalma, Donald A. 2012. The Top 100 Language Service Providers. Abrufbar unter: http://www.commonsenseadvisory.com/portals/0/downloads/120531_qt_top_100_lsps.pdf (Stand: 08/02/2016).

Koch, Eckart. 1997. *Internationale Wirtschaftsbeziehungen. Band 1. Internationaler Handel: Chancen und Risiken der Globalisierung.* München: Vahlen.

Kotler, Philip/Armstrong, Gary/Saunders, John/Wong, Veronica. 2007. *Grundlagen des Marketing.* (4., aktualisierte Auflage) München: Pearson.

Kuppens, An H. 2009. English in Advertising: Generic Intertextuality in a Globalizing Media Environment. *Applied Linguistics* 31/1, 115–135.

Meierkord, Christiane/Knapp, Karlfried. 2002. Approaching Lingua Franca Communication. In: Meierkord, C./Knapp, K. (eds.) *Lingua Franca Communication.* Frankfurt a. M.: Lang, 9–28.

Neeley, Tsedal. 2012. Global Business Speaks English: Why You Need a Language Strategy Now. *Harvard Business Review* 90:5 (May), 116–124.

Quelch, John, A./Jocz, Katherine E. 2012. *All Business is Local. Why Place Matters More than Ever in a Global, Virtual World.* London: Portfolio/Penguin.

Reiß, Katharina/Vermeer, Hans J. 1984. *Grundlegung einer allgemeinen Translationstheorie.* Tübingen: Niedermeyer.

Taviano, Stefania. 2013. English as a Lingua Franca and Translation. Implications for Translator and Interpreter Education. *The Interpreter and Translator Trainer* 7:2, 155–167.

Vermeer, Hans J. 1994. Übersetzen als kultureller Transfer. In: Snell-Hornby M. (Hg.) *Übersetzungswissenschaft – Eine Neuorientierung. Zur Integrierung von Theorie und Praxis.* (2. Auflage) Tübingen: Francke, 30–53.

Witchalls, Peter J. 2012. Is national culture still relevant? *interculture journal* 11:19, 11–19.

5 Arbeitsfeld Literatur

Margret Millischer

Einleitung

Wenn man sich dafür entscheidet, eine universitäre Übersetzungsausbildung zu absolvieren, steht dabei in der Regel nicht das Ziel im Vordergrund, Betriebsanleitungen oder Softwarebeschreibungen zu übersetzen. Vielmehr liegen die Motive häufig in der Liebe zur Sprache, im Vermitteln zwischen und Verbinden von verschiedenen Kulturen und vor allem auch im Interesse an literarischen Texten. Gerade die mit dem literarischen Übersetzen verbundenen Vorstellungen einer kreativen und schöpferischen Tätigkeit machen die Attraktivität dieses Berufs aus. Wenn man während des Studiums jedoch mit dessen Schattenseiten konfrontiert wird, entscheiden sich letztlich viele Studierende doch für eine Karriere als FachübersetzerIn, in der man mit Finanzierungsverträgen, Polizeiprotokollen, Versicherungspolicen, Bedienungsanleitungen und dergleichen konfrontiert ist – Texten also, die zwar wenig mit künstlerischem Gestalten zu tun haben, dafür aber ein Einkommen sichern, von dem man auch leben kann. Denn mit dem Übersetzen von Literatur kann man in der Regel nicht sein tägliches Brot verdienen, nur wenigen „StarübersetzerInnen", die es auch in diesem Bereich gibt, gelingt dies. Wenn man sich dennoch für diesen Beruf entscheidet – und dies tun gar nicht so wenige – so weil das literarische Übersetzen trotz aller ökonomischen Nachteile eine faszinierende, spannende, abwechslungsreiche und erfüllende Tätigkeit ist bzw. sein kann.

Im Folgenden sollen die Vor- und Nachteile – durchaus auch aus meiner persönlichen Sicht – dargestellt werden, wobei ich ausgehend von einer kurzen Beschreibung der Stellung der literarischen ÜbersetzerInnen in unserer Gesellschaft, zunächst die Möglichkeiten des Berufseinstiegs skizzieren werde. Danach sollen die Arbeitsprozesse und -abläufe beim literarischen Übersetzen vorgestellt werden, bevor anhand von Beispielen Einblicke in Übersetzungsprobleme und Lösungsmöglichkeiten gegeben werden. Abschließend sollen nach einigen Überlegungen zum Verhältnis zwischen Theorie und Praxis Schlussfolgerungen für ein Berufsverständnis gezogen werden, das für angehende LiteraturübersetzerInnen eine Hilfestellung bei ihrer Entscheidungsfindung sein möchte.

Zur Situation der literarischen Übersetzer

Was ist der Grund dafür, dass jemand LiteraturübersetzerIn werden will, ein Beruf, der alles, nur kein Brotberuf ist, „der uns nicht ernährt" (Schmidt-Henkel 2009:3)? Der bekannte Übersetzer rechnet auch gleich vor, dass man mindestens acht Seiten pro Tag übersetzen muss, um auf den bescheidenen Lohn von 80 € netto zu kommen. Christian Hansen, Übersetzer so berühmter Autoren wie Julio Cortázar und Alan Pauls, dem unter anderem 2014 der Europäische Übersetzerpreis Offenburg verliehen wurde, meint, dass nicht nur Geld, sondern auch Anerkennung für literarische ÜbersetzerInnen Mangelware sei:

> Fordern sie Anerkennung für ihre schöpferische Leistung, entsteht schnell der Verdacht, sie wollten sich als Autoren aufspielen. Fordern sie angemessene Honorare für professionelle Arbeit, wird ihnen vorgehalten, in einem künstlerischen Beruf gebe es keinen Anspruch darauf, von der eigenen Arbeit leben zu können. (2009:15)

Die mangelnde Anerkennung führt letztlich auch zur, wie Venuti (1995) es nannte, „Unsichtbarkeit", wie es der Übersetzer Ulrich Blumenbach (Blumenbach 2011) prägnant formulierte: „Dem guten Übersetzer schenkt man ungefähr so viel Aufmerksamkeit wie einem gut geputzten Fenster, das ungetrübte Sicht ins Freie gewährt. Mit steigender Qualität unserer Arbeit sinkt unsere Sichtbarkeit." Wenn man bedenkt, dass es lange Zeit nicht einmal selbstverständlich war, dass ÜbersetzerInnen auch namentlich in den Büchern, die sie übersetzt haben, angeführt werden und es viel Engagement der Berufsverbände bedurfte, damit ihr Name – wenn schon nicht auf dem Buchdeckel – so zumindest auf der ersten Seite gedruckt wird, versteht man das Klagelied, das viele ÜbersetzerInnen anstimmen. Sogar als fiktionale Gestalten, wie etwa in Brice Matthieussents

(Un)Sichtbarkeit

Roman *La vengeance du traducteur* (2009), fristen sie häufig ein Dasein als Hampelmänner oder Schachfiguren, die von anderen beliebig hin- und hergeschoben werden können (vgl. Plassard 2010:170).

Motivationsquellen   Angesichts dieser „dreifachen Missachtung – Geringschätzung, Unterbezahlung und Zeitdruck" (URL: Petra 2011) erstaunt es etwas, wenn Kohlmayer (Kohlmayer 2004) meint, „narzisstischer Stolz" sei „eine starke Motivationsquelle für das Literaturübersetzen". Vielmehr dürfte Cornelia Lauber (1996) Recht haben, die in ihrer Untersuchung zu den Berufwegen literarischer ÜbersetzerInnen immer wieder konstatiert, dass Idealismus und Liebe zur Literatur zentrale Faktoren darstellen. Und tatsächlich wird die Übersetzungsarbeit von vielen mit emotionalen Kategorien in Zusammenhang gebracht: Begeisterung, Liebe, Passion, Herzblut, Faszination, Vergnügen, Lust. So schildert etwa die Übersetzerin Lulu Norman die Auseinandersetzung mit dem literarischen Texte als durchaus lustvolles Erlebnis:

> I like nearly everything: [...] the endless rereading, the looking up words and weighing options, the slow going through, making impromptu lists of possibilities and themes, taking a line this way or that, building a voice, cutting away, as well as those times when it suddenly, miraculously all comes together, further down the line, if you're lucky, and as a result of that work. The eureka moments are of course fantastic, but it's all interdependent, all about the process." (Norman 2014)

Und Emrah Imre beschreibt die Möglichkeit, sich mit Sprache und Literatur zu beschäftigen, gar als himmlisches Vergnügen: „Language and literature are two of my favourite things in the world. Being involved with them on a daily basis is like heaven." (Imre 2014)

,Glanz und Elend' des Literaturübersetzens   Vielleicht können diese sehr widersprüchlichen Befunde zur Literaturübersetzung am besten mit Ortega y Gassets (1956) berühmter Dichotomie „Glanz und Elend des Übersetzens" umschrieben werden. Auch der „Starübersetzer" Burkhart Kröber, der unter anderem Umberto Eco ins Deutsche übersetzte, bezog sich auf Ortega y Gassets Essay, als er anlässlich der Verleihung des Johann-Heinrich-Voss-Preises 2001 feststellte, dass für ihn „die private Freude des Übersetzers an seiner Arbeit" (Kröber 2001) und die positive Aufnahme seiner Übersetzungen beim Publikum ausschlaggebend sind und die Schattenseiten des Berufs mehr als kompensieren.

Literaturübersetzen stellt – und darin werden sich wohl viele, die diesen Beruf ausüben, einig sein – „Schwerstarbeit" dar, die allerdings auch „Spaß machen kann. Literaturübersetzen ist im Grunde ein Vergnügen" (Kohlmayer 2004:53) und Kohlmayer lässt neben dem narzisstischen Stolz auch noch „die (kompensatorische) Freude an der Arbeit als Motivationsquelle für Literaturübersetzen" (Kohlmayer 2004) gelten.

Wege in den Beruf

Laut einer Studie des deutschen Literaturübersetzer-Verbandes VdÜ sind etwa 60 % der literarischen ÜbersetzerInnen – freiwillig oder gezwungener Weise – TeilzeitarbeiterInnen und gehen dem Literatur-übersetzen als Nebenbeschäftigung nach (vgl. URL: Literaturüber-setzer). Wie Cornelia Lauber in der bereits erwähnten Studie zum soziologischen Profil von LiteraturübersetzerInnen feststellt, besitzen über 90 % einen Hochschulabschluss, allerdings haben nur wenige (16,8 %) ein Studium an translationswissenschaftlichen Instituten absolviert, fast die Hälfte hat einen Abschluss in einem philologischen Studium und nur eine Minderheit hat nicht einschlägige Fächer studiert (vgl. 1996:19 ff.).

Deutlich wird auch, dass es keinen geregelten, „klassischen" Weg in den Beruf gibt, sondern vielfältige Zugänge, wie Landers (2001:18–22) aufzeigt. Manche schicken Probeübersetzungen und Lebenslauf an Verlage – nicht ohne vorab deren Programme studiert zu haben, um zu sehen, ob die beigelegte Übersetzung überhaupt von Interesse ist. Andere versuchen, ihre Übersetzungen in Feuilletons von Zeitungen oder Literaturmagazinen unterzubringen. Häufig entdeckt man einen Autor bzw. eine Autorin, und möchte ihn bzw. sie unbedingt auch in seiner Sprache zugänglich machen. Dies war auch bei meinem Berufseinstieg der Fall: Bei einer Lesung von Jean-Michel Maulpoix, dem französischen Dichter und Litera-turprofessor, aus seinem Band *Une Histoire de Bleu* (1992) verspürte ich den Wunsch, mich mit den Impressionen, Stimmungen, Nuancen, dem Klang und Rhythmus, übersetzerisch zu beschäftigen. Bei meinem Eintritt in die Welt der AutorInnen und Verlage hatte ich großes Glück (das mir damals noch gar nicht wirklich bewusst war): Ich fand einen Kleinverlag, der sich bereit erklärte, das Buch auf

Einstiegsmöglich-keiten

Deutsch herauszubringen, das dann auch noch eine Förderung bekam und – in einem winzigen Artikel in der FAZ – positiv bewertet wurde.

Natürlich gibt es auch viel weniger erfreuliche Erfahrungen, insbesondere bei den Verlagskontakten. Häufig erhält man auf seine Vorschläge nicht einmal eine Antwort bzw. eine Absage mit dem Hinweis, dass zwar das Projekt interessant wäre, nur leider für die Übersetzung keine Mittel vorhanden sind. Wie Landers es formuliert: „There is no time for self-pity: the day you get a rejection, sit down and send the manuscript elsewhere." (2001:19)

Berufsverbände   Um mit Enttäuschungen leichter umzugehen, aber auch um sich Ärger mit Verlagen zu ersparen, ist es zweifelsohne wichtig, sich mit BerufskollegInnen zu vernetzen und sich gerade als NeueinsteigerIn von den Berufsvertretungen beraten zu lassen. Die Verbände literarischer Übersetzer, wie der *Verband deutschsprachiger Übersetzer literarischer und wissenschaftlicher Werke* VdÜ (URL: Literaturübersetzer) oder die *Interessengemeinschaft von Übersetzerinnen und Übersetzern literarischer und wissenschaftlicher Werke* (IG) (URL: IG Übersetzerinnen Übersetzer) bieten nicht nur Informationen und Beratung an, sondern veranstalten regelmäßig Workshops. Ihnen ist es auch zu verdanken, dass Normverträge ausgearbeitet wurden, die die vielfältigen rechtlichen und finanziellen Aspekte mit den Verlagen auf eine einheitliche Basis stellen, auch wenn diese in der Praxis nicht immer eingehalten wird.

Arbeitsprozesse

Jede Translationsform hat ihren Reiz, und es ist wohl auch eine Frage der Persönlichkeit, ob man sich eher zum Simultandolmetschen, Fachübersetzen oder Literaturübersetzen hingezogen fühlt. Während beim Simultandolmetschen die Ad-hoc-Leistung unter großem Zeitdruck gefragt ist, beim Fachübersetzen die Auseinandersetzung mit immer neuen Sachgebieten, steht beim Literaturübersetzen vor allem die sprachliche Gestaltung, die Art und Weise, wie AutorInnen eine eigene Welt schaffen, im Mittelpunkt. Dementsprechend steht für literarische ÜbersetzerInnen die intensive Beschäftigung mit den ästhetischen, poetischen und rhetorischen Ausdrucksmitteln, mit dem Tonfall des Textes, dem Sprachduktus der Figuren, dem Klang der Vokale und Konsonanten im Mittelpunkt.

Bevor man sich jedoch an die konkrete „Knochenarbeit" macht, sollte man den Arbeitsprozess organisieren. Jeder Übersetzer bzw. jede Übersetzerin hat dabei ihre eigene Vorgehensweise, im Allgemeinen umfassen jedoch die Arbeitsschritte zumeist folgende Punkte (vgl. auch Landers 2001:45 f.):

- *Lesen des Textes*: Meist reicht ein einmaliges Lesen nicht aus, dient die Lektüre doch dazu, ein tiefes Verständnis für den Text, seine Form und seine Aussage zu entwickeln. Dabei kann auch lautes Lesen zweckmäßig sein, um ein Gefühl für die musikalische und klangliche Beschaffenheit des Sprachmaterials zu entwickeln. Im Prozess des Sich-Aneignens des Textes – Landers spricht vom Erkennen der „authorial voice" (2001:45) – kann man mit Kennzeichnungen wie etwa Unterstreichungen, Fragezeichen, Anmerkungen etc. arbeiten. Diese dienen dazu, eine erste Orientierung vorzunehmen, indem man z. B. unklare Stellen markiert, spontane Übersetzungseinfälle festhält, mögliche Übersetzungsschwierigkeiten identifiziert usw. Vorbereitungsphase
- *Besseres Kennenlernen des Autors, anderer Werke desselben Autors, vergleichbarer Werke derselben Zeit.* Heranziehen von literaturkritischen Artikeln, Rezensionen, literarischen Abhandlungen, bestehender Übersetzungen desselben oder ähnlicher Werke. Wenn möglich, Kontaktaufnahme mit dem Autor.
- *Zurechtlegen der Recherchiermittel*: Auch LiteraturübersetzerInnen sind immer wieder mit Fachtermini konfrontiert. Ein Roman über einen Philosophieprofessor, eine Erzählung die im Finanzmarktmilieu spielt – jeder literarische Text kann auch profundes Fachwissen erfordern, und es ist daher sinnvoll, das entsprechende Recherchematerial zu sichten. In diesem Zusammenhang ist das Internet natürlich eine wertvolle, weil auch zeitsparende Quelle. Vor allem bietet sie auch die Möglichkeit, sich mit anderen LiteraturübersetzerInnen zu vernetzen. Mailinglisten, wie das Diskussionsformum für literarische ÜbersetzerInnen (URL: U-litfor) dienen dazu, Fragen zu stellen, gemeinsam an Übersetzungsproblemen zu arbeiten oder einfach auch Kontakte zu KollegInnen aufzubauen.

- *Analysieren der lexikalischen, der stilistischen Elemente, des kulturellen Kontexts.* Feststellen von Besonderheiten, absichtlichen Regelverstößen, Abweichungen von der Norm, Überlegungen zur Verwendung der grammatikalischen Zeiten, zu Kultur- und Realiabegriffen.

Kerntätigkeit
- *Erstellen der ersten Rohfassung:* Hier geht es noch nicht so sehr um stilistische Feinheiten, sondern vor allem darum, den Inhalt in die Zielsprache zu bringen.

- *Überarbeitungen:* Das stellt gewissermaßen die eigentliche Arbeit dar. Das Feilen am Text, Umstellungen, Änderungen, aber auch das Experimentieren mit sprachlichen Ausdrucksmitteln stehen hier im Mittelpunkt. Gerade an diesem Punkt wird deutlich, dass Übersetzen immer ein, wie Jiri Levy (1967/1981) es formuliert hat, „Entscheidungsprozess" ist. Es gibt immer mehrere Möglichkeiten, Grundlage für die Entscheidung bildet dabei immer die profunde Auseinandersetzung mit dem Text, die eben deshalb zu Beginn des Arbeitsprozesses steht.

Redaktion und Lektorat
- *Einholen von Meinungen von außen*, von MuttersprachlerInnen, die man z. B. bei Verständnisschwierigkeiten des Ausgangstextes konsultieren kann, KollegInnen, mit denen man Übersetzungslösungen diskutiert, aber auch von unvoreingenommenen LeserInnen, die weder den Ausgangstext noch die Fremdsprache kennen, denen man – um die Wirkung zu überprüfen – die Übersetzung vorliest bzw. zu lesen gibt.

- Und schließlich als letzter Schritt *die Arbeit mit LektorInnen.* Diese passiert häufig in mehreren Durchgängen, bis man schließlich zum Endprodukt gelangt, das dann in die Druckerei geht und beim Fahnenlesen noch ein letztes Mal einer Prüfung unterzogen wird.

Einblicke in die Werkstatt

Beim literarischen Übersetzen geht es nicht nur um ein analytisches, sondern vielmehr auch um ein intuitives Verständnis. Die Art, sich einem Text zu nähern, ist mehr ein Herantasten, Umkreisen, Nachspüren, um die verschiedenen Bedeutungsnuancen und Interpretationsspielräume auszuloten. Viele LiteraturübersetzerInnen betonen, wie wichtig Faktoren wie Empathie, Einfühlungsvermögen, Assoziationen, Fantasie und Kreativität sind. All das braucht man, um die vielfältigen sprachlichen Probleme zu analysieren und schließlich zu lösen: Wie Umberto Eco in seinem von Burkart Kröber ins Deutsche übersetzte Werk *Quasi dasselbe mit anderen Worten – Über das Übersetzen* (2006:97 ff.) anmerkt, geht es ums Verhandeln, um ein Abwägen, das Setzen von Prioritäten, den Versuch, möglichst viel zu erhalten.

Dies gelingt nicht immer. Oft sind es gar nicht komplexe Wortspiele, die in unterschiedlichsten Formen und Funktionen ÜbersetzerInnen Kopfzerbrechen bereiten (vgl. Heibert 1993). Bereits die Grammatik kann ein Übersetzungsproblem darstellen.

Bei *Une Histoire de Bleu* von Maulpoix stellte die Übersetzung von „la mer" ein Problem dar. Beim Lesen des Originals wurde rasch deutlich, dass „das Meer", das im Französischen weiblich ist, insofern eine besondere Rolle spielte, als dabei immer auch die Frau mitgedacht war. Dies ist aufgrund des weiblichen Artikels im Französischen möglich, im Deutschen funktioniert das jedoch nicht. Es gibt zwar „die See", aber das ist (zumindest im österreichischen Deutschen) ein anderes Sprachregister, nämlich nicht Alltagssprache, sondern poetische Sprache. Ich habe mich dann letztlich dafür entschieden, es nicht durchgängig zu übersetzen, sondern an den doppeldeutigen Stellen mit „die See" und im Übrigen mit „das Meer". Nicht ganz zufriedenstellend, sondern ein Kompromiss. *(Beispiele)*

Bei *Pas sur la neige* von Maulpoix (2004) wirft der Titel viele Fragen auf: „Pas sur la neige" – „Schritte im Schnee" – oder vielleicht „Spuren im Schnee" oder „Fußstapfen im Schnee" – oder eigentlich „Schritte *auf* dem Schnee" – es steht ja „sur la neige" und nicht „dans la neige". Hier stellt sich die Frage, ob man, wie Venuti (1995) es in Anlehnung an Schleiermachers berühmte Dichotomie formuliert, verfremdend oder einbürgernd übersetzen soll, also das Fremde einer Sprache in der Übersetzung durchschimmern lassen will oder eher eine für das Zielpublikum gewohnte Ausdrucksweise wählt. Darüber hinaus spielen auch die Assoziationen, die mit den einzelnen Formulierungen verbunden sind, eine Rolle: Das Bild, das man bei „Schritte auf dem Schnee" vor sich sieht, ist harter gefrorener Schnee, über den jemand knirschend geht, ohne einzusinken. Bei Schritten *im* Schnee hingegen sieht man eine weiche dicke Schneeschicht, in der jemand tiefe Spuren hinterlässt. Und noch ein weiteres Problem stellt sich, nämlich das der Intertextualität: Der französische Titel leitet sich von Debussys Prélude mit dem Titel „Des pas sur la neige" her – das in der deutschen Übersetzung überall mit *Schritte im Schnee* wiedergegeben wird. Für meine Übersetzungsentscheidung war in diesem Fall diese Anspielung auf Debussy ausschlaggebend.

Zahlreiche andere Probleme wie das Übersetzen von Sprachvarietäten, der Umgang mit Rhythmus, Klang und Reim, der Übersetzung von Namen usw. fordern die Interpretationskunst und die Kreativität der ÜbersetzerInnen. Es ist eine Tätigkeit, die viel Zeit benötigt, Sorgfalt und Genauigkeit. Von vielen wird Übersetzen auch als „Kunsthandwerk" bezeichnet, bei dem man zuerst das Handwerk, die Technik, die Methode beherrschen muss, bevor es sich – im besten Fall – zur Kunst entwickeln kann.

Der Titel des von Leupold/Raabe (2008) herausgegebenen Buches *In Ketten tanzen. Übersetzen als interpretierende Kunst* charakterisiert meiner Meinung nach sehr bildhaft diese schwierige Arbeit. Wie die HerausgeberInnen im Vorwort ausführen, gehören LiteraturübersetzerInnen zu den reproduzierenden KünstlerInnen wie MusikerInnen oder SchauspielerInnen. Bei allen diesen Berufen geht es um die „Virtuosität des Handwerks", um „ein Üben und Lernen, das nie endet", um „entziffern, deuten, umformen und nachschöpfen", um die „Täuschung der Leichtigkeit", um eine Arbeit, die „Zeit, Geduld, Reife und Ruhe erfordert", um sinnliche Qualitäten, um Spielerisches, um „Hören, Verstehen und Antworten" und um Empathie (2008:10 ff.).

Theorie und Praxis

Erstaunlich ist, dass LiteraturübersetzerInnen den ÜbersetzungswissenschaftlerInnen, die sich theoretisch mit dem Übersetzen befassen, auch nach dreißig Jahren noch immer skeptisch gegenüber stehen. So meint etwa Jürgen Ritte bei seiner Rede anlässlich der Verleihung des Eugen Helmlé-Preises 2013:

> Wir (Literaturübersetzer) überlassen den Übersetzungswissenschaftlern das Feld, die sehr kluge Sprachvergleiche anstellen, schöne und interessante Theorien entwickeln – und uns doch keinen Schritt weiter helfen, wenn wir das nächste Buch auf dem Tisch liegen haben und stunden- und tagelang darüber nachdenken, wie sich wohl die

Poesie des Einfachsten und Naheliegendsten halbwegs adäquat ins Deutsche bringen ließe. (Ritter 2013)

Viele PraktikerInnen beklagen die zu starke Kopflastigkeit („Zerebralismus") der Übersetzungstheorien (Kohlmayer 2003) und erklären sich für theoriefeindlich, die WissenschaftlerInnen wiederum wundern sich manchmal über die Unbedarftheit der ausübenden Zunft. Es scheint also so zu sein, dass die einen lieber etwas tun und die anderen darüber reflektieren, was getan wird oder getan werden muss (es aber oft selbst nicht – mehr – tun).

Selbst ein berühmter Übersetzer wie Elmar Tophoven, dem es sein Leben lang darum ging, eine Methode zu entwickeln, die das Übersetzen in eine argumentierte, nachvollziehbare Methode verwandelt und der damit keineswegs a priori theoriefeindlich war, kommt zu dem Schluss, dass Übersetzungsprobleme meist intuitiv, dank „unmittelbarer Anschauung ohne wissenschaftliche Erkenntnis" (Tophoven 2011:224) gelöst werden. Die Theorieskepsis wird – zumindest vordergründig – auch durch so manchen Theoretiker unterstützt, wie etwa George Steiner, wenn er schreibt dass die „subjektive Natur der Sprache sie resistent gegen alle theoretische Abstraktion macht" und dass es bei den Arbeiten übers Übersetzen um „reflektierte Beschreibungen und Verfahrensweisen, bestenfalls um Erfahrensberichte" geht (Steiner 1994:XI).

Vielleicht beruht diese gegenseitige Ablehnung aber auch auf einem Missverständnis bzw. falschen Erwartungen. Ebensowenig wie es Aufgabe einer Literaturtheorie ist, bessere SchriftstellerInnen hervorzubringen, ist es die Aufgabe der theoretischen Beschäftigung mit literarischen Übersetzungen, den PraktikerInnen Vorgaben für ihr Tun zu machen. Vielmehr blicken WissenschaftlerInnen und ÜbersetzerInnen aus unterschiedlichen Perspektiven auf einen gemeinsamen Gegenstand, wobei sich aber beide Seiten für mehr Sichtbarkeit und Wertschätzung der literarischen Übersetzung engagieren. So plädiert etwas Hans Vermeer (1986) dafür, den Status von literarischen ÜbersetzerInnen aufzuwerten und liefert wissenschaftlich fundierte Argumente, warum sie nicht DienerInnen des Ausgangstextes, sondern auch Co-AutorInnen sind. Ein gutes Beispiel für die geglückte Verbindung von Theorie und Praxis stellt unter anderem die Internetzeitschrift *ReLü* dar, eine Initiative von Studierenden und Lehrenden des Studiengangs Literaturübersetzen in

Gemeinsamer Gegenstand, unterschiedliche Perspektiven

Düsseldorf, in der fundierte und ausführliche Rezensionen von Übersetzungen veröffentlicht werden, um so der Tatsache entgegenzuwirken, dass in der Literaturkritik „die Übersetzung nur in den seltensten Fällen wahrgenommen und der Übersetzer fast nie als Autor des deutschen Textes honoriert" wird (URL: ReLü).

Darüber hinaus gibt es auch noch andere positive Anzeichen, dass sich die Dinge langsam ändern, eigene Programme bei den Buchmessen, verschiedene Übersetzungspreise, die von der Öffentlichkeit verstärkt wahrgenommen werden, Einzelinitiativen wie der Blog von Cristina Vezzaro über Autoren und Translatoren. Nicht zu unterschätzen ist auch die Wirkung von europaweiten Initiativen wie den Petra-Empfehlungen. (URL: Petra 2011). Ein stärkeres Miteinander ist auch auf Veranstaltungen der Berufsverbände zu erleben, bei denen immer öfter auch ein produktiver Austausch zwischen WissenschaftlerInnen und PraktikerInnen stattfindet, von dem beide Seiten profitieren.

Wenn ich die hier dargelegten Vor- und Nachteile des Berufs zusammenfassen müsste, so würde mein Rat an angehende LiteraturübersetzerInnen wie folgt lauten: Auch wenn das literarische Übersetzen vielfach als einsame Tätigkeit beschrieben wurde, die Arbeit nicht immer die Wertschätzung erhält, die sie verdient, und vor allem nicht dazu ausreicht, um seinen Lebensunterhalt damit zu verdienen, sollte man sich nicht abhalten lassen, seine diesbezüglichen Wünsche und Vorstellungen zu verwirklichen. Und wenn man mit einem gewissen Pragmatismus vorgeht – wie etwa das Schaffen mehrerer Standbeine, die einem auch ermöglichen, selbstbestimmt zu agieren – so erreicht man hoffentlich jenen Zustand, den Albert Camus mit LiteraturübersetzerInnen verbindet (vgl. URL: Literaturübersetzer): „Man muss sich die Übersetzer als glückliche Menschen vorstellen."

Literatur

Blumenbach, Ulrich. 2011. Wider Deutsch mit Bügelfalten oder: Aufs Maul schauen 2.0. *ReLü* 11. Abrufbar unter: http://www.relue-online.de/neu/2011/01/wider-deutsch-mit-buegelfalten/ (Stand: 01/02/2016).

Eco, Umberto. 2006. *Quasi dasselbe mit anderen Worten – Über das Übersetzen.* Aus dem Italienischen von Burkhart Kroeber. München: Hanser.

Hansen, Christian. 2009. Aus: Wer die Welt lesen will, muss sie verstehen. Wir arbeiten daran. Die Literaturübersetzer. Abrufbar unter: http://www. uebersetzercolloquium.de/uploads/tx_useruedoku/dieLiteraturueber-setzer.pdf (Stand: 01/02/2016).

Heibert, Frank. 1993. *Das Wortspiel als Stilmittel und seine Übersetzung: am Beispiel von sieben Übersetzungen des „Ulysses" von James Joyce*. Tübingen: Narr.

IG Übersetzerinnen und Übersetzer. Abrufbar unter: http://www.literatur-haus.at/index.php?id=6540 (Stand: 01/02/2016).

Kohlmayer, Rainer. 2004. Literarisches Übersetzen. Die Stimme im Text. In: DAAD (Hg.) *Germanistentreffen Deutschland-Italien 8.-12. 10. 2003, Dokumentation der Tagungsbeiträge*. Bonn: DAAD, 465–486. Abrufbar unter: http://www.rainer-kohlmayer.de/downloads/files/stimme_im_text.pdf (Stand: 03/11/2014).

Kroeber, Burkhart. 2001. Glanz und Elend des Übersetzers. Dankrede anlässlich der Verleihung des Johann-Heinrich-Voß-Preis für Übersetzung 2001. Abrufbar unter: http://literaturuebersetzer.de/pages/preise-preistraeger/kroeber.htm (Stand: 01/02/2016).

Landers, Clifford. E. 2001. *Literary Translation. A Practical Guide*. Clevedon: Multilingual Matters.

Lauber, Cornelia. 1996. *Selbstporträts. Zum soziologischen Profil von Literaturübersetzern aus dem Französischen*. Tübingen: Narr.

Leupold, Gabriele/Raabe, Katharina (Hg.) 2008. *In Ketten tanzen. Übersetzen als interpretierende Kunst*. Göttingen: Wallstein.

Levy, Jiri. 1967/1981. Übersetzen als Entscheidungsprozeß. In: Wilss, W. (Hg.) *Übersetzungswissenschaft*. Darmstadt: Wiss. Buchgesellschaft, 219–235.

Literaturübersetzer. Abrufbar unter: http://www.literaturuebersetzer.de/ (Stand: 03/11/2014).

Maulpoix, Jean Michel. 1992. *Une Histoire de Bleu*. Paris: Mercure de France.

Maulpoix, Jean Michel. 2009. *Eine Geschichte vom Blau*. Aus dem Französischen übersetzt von Margret Millischer. Leipzig: Leipziger Literaturverlag.

Maulpoix, Jean Michel. 2004. *Pas sur la neige*. Paris: Mercure de France.

Maulpoix, Jean Michel. 2012. *Schritte im Schnee*. Aus dem Französischen übersetzt von Margret Millischer. Leipzig: Literaturverlag.

Norman, Lulu. 2014. Abrufbar unter: http://authors-translators.blogspot.co. at/2014/07/lulu-norman-and-her-authors.html (Stand: 01/02/2016).

Ortega y Gasset, José. 1956. *Elend und Glanz der Übersetzung*, aus dem Spanischen übersetzt von Gustav Kilpper, Ebenhausen b. München: Edition Langewiesche-Brandt.

Petra. 2011. Abrufbar unter: http://www.petra2011.eu/sites/default/files/ die_petra_empfehlungen_0.pdf (Stand: 03/11/2014).

Plassard, Freddie. 2010. Bergarbeiter oder Schönheitschirurg? Brice Matthieussents ‚La vengeance du traducteur'. In: Kaindl, K./Kurz, I. (Hg.)
*Machtlos, selbstlos, meinungslos? Interdisziplinäre Analysen von Über-
setzerInnen und DolmetscherInnen in belletristischen Werken.* Wien: LIT-
Verlag, 169–178.

ReLü. Abrufbar unter: http://www.relue-online.de/neu/relue/ (Stand: 01/02/
2016).

Ritter, Jürgen. 2013. Rede anlässlich der Verleihung des Eugen-Helmlé-
Preises 2013. Abrufbar unter: http://literaturuebersetzer.de/download/
uebersetzer/rede-juergen-ritte.pdf (Stand: 01/02/2016).

Schmidt-Henkel, Hinrich. 2010. Das literarische Übersetzen und der Berufsalltag des Literaturübersetzers. Abrufbar unter: http://linguapolis.hu-
berlin.de/germanopolis/erfahrungsberichte/631.html (Stand: 01/02/
2016).

Schmidt-Henkel, Hinrich. 2009. Aus: Wer die Welt lesen will, muss sie
verstehen. Wir arbeiten daran die Literaturübersetzer. Abrufbar unter:
http://www.uebersetzercolloquium.de/uploads/tx_useruedoku/dieLite-
raturuebersetzer.pdf (Stand: 01/02/2016).

Steiner, George. 1994. *Nach Babel. Aspekte der Sprache und des Übersetzens.*
Erweiterte Neuauflage. Frankfurt: Suhrkamp.

Tophoven, Elmar. Transparentes Übersetzen als Erfahrungsaustausch. 1987/
99. In: Tophoven E. (Hg.) *Glückliche Jahre. Übersetzerleben in Paris.
Gespräche mit Marion Gees.* Berlin: Matthes & Seitz, 215–234.

U-litfor. Abrufbar unter: http://www.techwriter.de/thema/u-litfor.htm
(Stand: 01/02/2016).

Venuti, Lawrence. 1995. *The Translator's Invisibility: A History of Translation.*
London: Routledge.

Vermeer, Hans J. 1986. Naseweise Bemerkungen zum literarischen Übersetzen. *TextconText* 1:3, 145–150.

6 Arbeitsfeld Kunst und Kultur

Yvonne Griesel

Translation in Kunst und Kultur hat einen guten Klang. Bietet man Proseminare mit klingenden Namen wie: „Translation in den Medien" an, kommen erfahrungsgemäß viele Studierende, denn die Berufsfelder Theater, Film, Fernsehen etc. erscheinen sehr spannend. Später dann im Hauptstudium kommen schon viel weniger. In der Berufspraxis sind es nur noch wenige Unverdrossene, die Literatur übersetzen, Untertitel anfertigen, Museumsführer übersetzen, im Theater dolmetschen. Kein Wunder wenn man bedenkt, dass sehr viel weniger in diesen Bereichen verdient wird, die Arbeitszeiten je nach Branche am Abend sind, am Wochenende, Festivals die TranslatorInnen teilweise mehrere Tage rund um die Uhr beschäftigen.

Als Theaterübertitlerin fliegt man viel in die großen Städte der Welt, ist mit großen Theatern auf Reisen, in schicken Hotels untergebracht und darf sein Hobby zum Beruf machen. Dass man nur halb so viel verdient wie die KollegInnen aus der Wirtschaft, nimmt man dafür in Kauf. Die Arbeit macht sehr viel Freude, bringt künstlerische Erfüllung mit sich, aber sie lässt sich auch hinter keiner Tür verschließen. Jedes Buch, das man liest, jedes Theaterstück, das man sieht, ist Teil der Arbeit.

Das Arbeitsfeld

Translation in Kunst und Kultur ist ein weitgefächertes Feld, das ich exemplarisch an einigen ausgewählten Bereichen beleuchten möchte. Die vier Grundgattungen der Kunst, die Darstellende Kunst, die Bildende Kunst, Musik und Literatur sollen hier als Orientierung dienen, auch wenn es noch etliche Untergattungen gibt, ermöglichen sie als Hauptbereiche doch einen Einblick in die Arbeitsbereiche der Translation in Kunst und Kultur.

Im Bereich Bildende Kunst übersetzen TranslatorInnen Kunstkataloge, dolmetschen Museumsführungen, fertigen Audiodeskriptionen für Museen an, übersetzen und besprechen Audioguides etc. In der Darstellenden Kunst fertigen sie Übertitel für fremdsprachige Inszenierungen an, dolmetschen Inszenierungen, untertiteln Filme, übersetzen Hörspiele etc. In der Musik dolmetschen sie Publikumsgespräche, übertiteln Opern, übersetzen Programmhefte für Konzerte etc. In der Literatur übersetzen sie Dramen, Lyrik, Prosa etc. Zudem gibt es noch Zwischenbereiche wie die neuen Medien, Comics, Computerspiele etc., die sich mehreren Bereichen zuordnen lassen.

Aus drei Grundgattungen wird im Folgenden exemplarisch ein Bereich des Dolmetschens, Übersetzens und einer Hybridform vorgestellt.

Dramenübersetzen

Das präsenteste Arbeitsfeld in der Translation in Kunst und Kultur ist sicher das Literaturübersetzen. Es gibt berühmte ÜbersetzerInnen, die Auszeichnungen erhalten und bisweilen sogar im Feuilleton erwähnt werden. Es gibt natürlich auch viele vergessene ÜbersetzerInnen, aber ich würde gerne den knapp bemessenen Platz in diesem Artikel nicht mit den üblichen Jammereien füllen, sondern eher die guten Seiten der Tätigkeit betonen. So hat es in Deutschland der Verband der literarischen Übersetzer (VdÜ) in vielen Jahren guter Arbeit geschafft, dass sich mehr Literatur- und DramenübersetzerInnen zusammengeschlossen haben, Lobbyarbeit betreiben, um das Lohnniveau zu heben, Normverträge zu erstellen, eine Stimme zu werden, die gehört wird als gleichberechtigter Partner für Verlage.

Spezialisierung auf eine literarische Gattung

Oft legen sich literarische ÜbersetzerInnen im Laufe ihres Lebens auf eine bestimmte literarische Gattung wie zum Beispiel die Dramenübersetzung fest. Die Dramenübersetzung ist immer ein wenig geheimnisvoll und selbst sehr guten ProsaübersetzerInnen bleibt dieser Bereich teilweise verschlossen. DramenübersetzerInnen kommen aus unterschiedlichen Bereichen, sind DramatikerInnen, ÜbersetzerInnen, TheaterwissenschaftlerInnen, DramaturgInnen, SchauspielerInnen … wer es am besten kann, bleibt die große ungeklärte Streitfrage. Vollständig lässt sich nicht erklären, wie jemand eine gute DramenübersetzerIn wird. Die Grundvoraussetzung sind Affinität zum Theater, sichere Sprachbeherrschung und ein Gefühl für die Bühne. Da es ein kreativer Beruf ist, kann man ihn nicht zu 100 % erlernen. Das erklärt vielleicht auch, dass die Wissenschaft sich schwer getan hat mit der Dramenübersetzung. Es wird oft gesagt, die Dramenübersetzung sei ein Stiefkind der Forschungsliteratur. Aber es kommt darauf an von welcher Seite man es betrachtet. Literaturwissenschaftlich ist kaum etwas so genau erforscht wie die Shakespeare-Übersetzungen (vgl. Greiner 2004:133).

Aber der Übersetzungsprozess als solcher ist kaum erforscht, sieht man den Dramentext als Partitur für eine Inszenierung, sperrt er sich vielen Theorien. Susan Bassnett, die sich seit Jahrzehnten mit der Dramenübersetzung beschäftigt, hat 1998 über sich und ihre Forschung gesagt: „Over the years I have revised my view several times, though I still find that the image of the labyrinth is an apt one for this most problematic and neglected area of translation studies research." (Bassnett 1998:90) Dramenüber-
setzung als For-
schungsgegenstand

Zu den ersten, die die Dramenübersetzung in den Inszenierungskontext gestellt haben, gehören Levy (1967) und Mounin (1969). Dadurch dass die Inszenierung vom geschriebenen Text zu gesprochenem Spiel wird, kommt neben Kategorien wie Wortlaut, Grammatik, Syntax und Stil der Figurenreden die Bühnenwirksamkeit als wichtiger Faktor für die Übersetzung hinzu.

Snell-Hornby (1984:105) sah das „atembare Sprechen" als ganz wichtigen Faktor der Dramenübersetzung an. Man ging davon aus, dass die Spielbarkeit von übersetzungsrelevanten Faktoren abhängt, dass Übersetzung immer eine stille Art der Inszenierung ist. Dramentexte entstehen aber erst vollkommen im Zusammenspiel mit Regie und Schauspiel, sie legen nichts fest, sondern legen nur Dinge nahe. Bassnett verwarf den Begriff der Spielbarkeit 1998 als zu ungenau und bemerkte, dass er die Gefahr berge, dass es unter dieser Prämisse nicht möglich sei, einen schauspielerischen Subtext zu entwickeln. Inszenierungs-
kontext

Greiner (2004:137) bemerkt, dass man über den Gedanken der Spielbarkeit vergessen hat, dass ein Theater mit ausschließlich gut sprechbaren Texten arm wäre und Schauspieler ja dazu ausgebildet sind, jeden Text sprechen zu können. Außerdem ginge die Überlegung der Sprechbarkeit fälschlicherweise immer von einer naturalistischen Sicht auf das Theater aus, das auf psychologisch wahrscheinlichen Charakteren basiere (vgl. Espasa 2000:53). Das Hauptproblem liege bei der Dramenübersetzung aber in der Analyse der Figurenreden (vgl. Greiner 2004:141 ff.). Für Greiner finden sich die Gründe des klassischen Übersetzerkonflikts in der Frage, ob das eigentlich Gemeinte unter dem Gesagten verborgen liegt oder sich ein Bild oder eine besondere Redeweise auf einen zuvor gestellten Zusammenhang mit gleichen, ähnlich, konstatierenden Bildern bzw. Redeweisen bezieht oder einen solchen begründe. Er leitet die Spezifika der Dramenübersetzung und damit ihre Problematik im Wesentlichen von der Funktion der Sprache im Theaterschauspiel ab.

Ich gehe hier explizit von der Wissenschaft aus, da ich weiß, dass es gerade in der literarischen Übersetzung eine Kluft zwischen Wissenschaft und Praxis gibt, was ich sehr schade finde. Natürlich befähigt die Wissenschaft nicht automatisch jeden, phantastisch Dramen zu übersetzen – ebenso wenig wie literaturwissenschaftliche Bücher einen guten Autor formen. Aber die Reflexion über unser Tun gibt uns die Kraft unseren Beruf zu verteidigen, denn das ist immer noch nötig. Geht man davon aus, dass es sich nur um einige Genies handelt, die aus ihrer Intuition heraus wundervoll übersetzen, wird man der Dramenübersetzung nicht gerecht.

Auch wenn die meisten, die Dramen übersetzen, aus dem Theater kommen, bleibt es schwierig, die Dramenübersetzung zu fassen. Theater ist flüchtig, es lebt zwischen gesprochenem und geschriebenem Text in einer gesprochenen Kunstsprache, die auf ihre Art sprechbar sein muss. Bühnenwerke zu übertragen ist ein komplexer künstlerischer Vorgang, und Dramen werden übersetzt, seit man sich im alten Rom mittels Übersetzung die griechischen Tragödien aneignete.

Freiberufliche Tätigkeit

DramenübersetzerInnen sind als FreiberuflerInnen meist auf sich gestellt und nicht festangestellt. Ein Drama zu übersetzen dauert Wochen bis Monate, in denen man allein arbeitet. Erst nach Abschluss der ersten Fassung arbeitet man mit seiner Lektorin und gegebenenfalls der Dramaturgie eines Theaters zusammen. Die Dramenübersetzungen werden von einem Theaterverlag verwaltet, der eng mit den Theatern zusammenarbeitet. Die Bücher werden nicht gedruckt, sondern nur auf Anfrage an Theater verschickt. Kommt eine Übersetzung zur Aufführung, werden an AutorInnen, ÜbersetzerInnen und Verlag Tantiemen vom Theater bezahlt. Die ÜbersetzerInnen erhalten einen Vorschuss, von dem dann die Tantiemen abgezogen werden. Wenn man ein Stück übersetzt hat, das sehr viel gespielt wird, kann das einträglich sein. Wird das Stück nicht gespielt, so verdient man nichts. Es ist also nicht ganz planbar. Eine Besonderheit der Dramenübersetzung ist, dass man seine Übersetzung auf der Bühne hört und sofort merkt, ob der Text funktioniert oder nicht. Häufig arbeiten Regie und Dramaturgie noch an dem Text, aber auch Schauspieler verändern die Übersetzung. Da es in den seltensten Fällen eine gedruckte Übersetzung gibt, kann man seine Übersetzung immer noch verbessern und anpassen.

Das Schöne an dem Beruf ist, dass man ihn ortsunabhängig ausüben kann, so dass viele ÜbersetzerInnen zwischen zwei Ländern pendeln. Gemeinhin sagt man, dass der Beruf familienkompatibel ist. Da das Lohnniveau aber recht niedrig ist, arbeiten die meisten LiteraturübersetzerInnen, die ihren Lebensunterhalt mit dem Übersetzen verdienen, weit mehr als 40 Stunden die Woche und verdienen weit weniger als andere AkademikerInnen.

Das ist der Grund, warum wir eine starke Lobby brauchen, laut sagen müssen, dass Übersetzen weder nur mit Genie noch nur mit Handwerk zu beschreiben ist, sondern ein akademischer und kreativer Beruf im wahrsten Sinne des Wortes ist. Wenn Elfriede Jelinek sagt, sie habe nur eine Prise Heidegger in ihr neustes Werk gestreut, dann nehmen Gitta Honegger, Barbora Schnelle und viele andere Jelinek-ÜbersetzerInnen auf der Welt das Werk Heideggers zur Hand, setzen sich in Bibliotheken und fangen an zu arbeiten im wahrsten und reinsten Sinne des Wortes. Es liegt an uns allen, unseren Beruf zu ehren, und wie der VdÜ in Deutschland und alle anderen Übersetzerverbände auf der Welt dafür zu kämpfen, dass wir angemessen bezahlt werden, wie es diesem akademischen Beruf gebührt.

Übertiteln im Theater

Theaterübertitelung ist ein sehr kleiner Bereich im großen Feld Kunst und Kultur. Es gibt zwar noch nicht viele Theater- und OpernübertitlerInnen, aber es werden mehr, da internationale Gastspiele zunehmen und meist übertitelt werden (vgl. Griesel 2007). Im Gegensatz zu DramenübersetzerInnen sind TheaterübertitlerInnen nicht viel allein, und auch nicht ortsungebunden. Als Teil eines Theaterensembles reisen sie mit, wenn ein Gastspiel ansteht und blenden vor Ort simultan zum Spiel auf der Bühne die Übertitel ein, passen sie nach jeder Probe und Aufführung den neusten Änderungen an und reagieren auf Improvisationen, Umbesetzungen etc. Ein kleines Teilchen im großen Reigen der Theatergewerke, angesiedelt zwischen Videotechnik, Dramaturgie und Regieassistenz. Trotzdem arbeiten die meisten ÜbertitlerInnen freiberuflich, einige wenige OpernübertitlerInnen sind festangestellt. Das bringt mit sich, dass man immer für andere Theater arbeitet und sehr flexibel und anpassungsfähig sein muss. Man ist immer nur Ensemblemitglied auf Zeit, das ist manchmal traurig, da man nie wirklich ankommt, manchmal gut, da man auch wieder gehen kann.

Verschriftlichtes
Dolmetschen
Die Arbeit des Übertitelns ist eine Translation, die zwischen Mündlichkeit und Schriftlichkeit angesiedelt ist, denn Übertitelung ist eine schriftliche Übersetzung, die während der Vorstellung eingeblendet wird, simultan zur Inszenierung. Zunächst wird eine Übersetzung angefertigt, die dann am Abend ganz von der Situation abhängt und simultan und live eingeblendet wird – also ein Dolmetschprozess, der durch eine schriftliche Übersetzung gestützt wird.

Geschriebene Übertitel werden vorbereitet und mit einer speziellen Software mittels Beamer oder Led Screens auf die Bühne projiziert, die Projektion erfolgt manuell und simultan zu der jeweiligen Vorstellung. Die ÜbertitlerInnen sitzen meist bei den Licht-und Tontechnikern.

Es handelt sich um einen zweiphasigen Translationsprozess. Die erste Phase ist die Übersetzung, die eine Dramenübersetzung zur Grundlage hat, sich aber von der „klassischen" Dramenübersetzung dadurch unterscheidet, dass der Text eben nicht zum Sprechen geschrieben wird, sondern zum Lesen bzw. schnellen Rezipieren. Übertitel sind in sich geschlossene Einheiten, die möglichst eine Satzeinheit darstellen und von Umfang und Aufteilung Untertiteln im Film ähneln. Es gelten ähnliche Standzeiten wie beim Film, eher etwas längere, aufgrund der räumlichen Begebenheiten. Da Übertitel nicht direkt im Bild sein müssen, sind sie natürlich auch nicht auf die zwei Zeilen wie beim Film reduziert. Man kann durchaus auch Dreizeiler einblenden oder ganze Textblöcke. Die kreative Gestaltung der Übertitel steckt aber leider noch in den Kinderschuhen, da wenige Regisseure den Mut haben, ungewöhnliche Übertitel zu wählen.

Im Gegensatz zum Film handelt es sich bei Übertiteln um Literatur, die teilweise zum literarischen Kanon gehört, daher ist die Übersetzungsarbeit immer ein Spagat zwischen Literarizität und

Pragmatismus. Die originalen Dramentexte, die teilweise im kulturellen Gedächtnis des Publikums präsent sind, müssen mit einbezogen werden, teilweise zitiert werden. Sätze wie „Hier steh ich nun, ich armer Tor ..." können natürlich nicht unter rezeptionspragmatischen Aspekten eingekürzt werden.

Der zweite Teil der Translation findet vor Ort am jeweiligen Abend statt. Situative Faktoren wie Sprechgeschwindigkeit, technische Faktoren, Fehler etc. beeinflussen stark den Translationsprozess. Abgesehen von diesen Faktoren, die für jeden Dolmetschprozess von Belang sind, kommen im Theater Licht, Positionen der Übertitel, Sichtbarkeit, Einblendrhythmus hinzu. ÜbertitlerInnen kommen häufig aus dem Theaterbereich oder auch vom Dolmetschen. Da sie bei den Proben und Aufführungen in engem Kontakt mit der Regie stehen, müssen sie gelassen sein und sehr genau arbeiten. Die Übertitel sind auf der Bühne extrem präsent und können allein durch einen falschen Rhythmus eine Inszenierung beeinträchtigen.

Situative Faktoren der Übertitelung

Der Rhythmus spielt für die Übertitelung eine große Rolle, man muss ihn in einer Inszenierung erspüren und dann umsetzen. Das Timing ist ganz wichtig bei humoristischen Passagen, denn das fremdsprachige Publikum sollte weder zu früh noch zu spät lachen, da das die Schauspieler irritiert. Improvisationen sind eine besondere Herausforderung für die Übertitelung, da die Möglichkeiten, darauf zu reagieren, beschränkt sind.

Vom Sprechtempo und von der Bekanntheit eines Dramentextes hängt der Kürzungsgrad ab. Dieser kann im Theater stark variieren, teilweise kann der Text fast vollständig projiziert werden, teilweise muss er um die Hälfte gekürzt werden. Prinzipiell kann man fast jedes Stück übertiteln, man muss sich nur bei erhöhtem Sprechtempo des Kürzungsgrads bewusst sein und diesen dem Publikum transparent machen.

ÜbertitlerInnen müssen sehr teamfähig und gelassen sein und sich in die Hierarchie des Theaters einordnen können. Gleichzeitig müssen sie durchsetzungsstark sein und auch gegen Widerstände der RegisseurInnen vorgehen können, um Textkürzungen zu Gunsten der Rezeption durchzusetzen. Es muss sehr genau gearbeitet werden, da Rechtschreibfehler, Zeichensetzungsfehler, stilistische Ungenauigkeiten großflächig projiziert werden und das Theaterpublikum empfindlich auf Fehler reagiert. In der Probenzeit kommt es oft zu Nachtschichten, aber da man ja während des Gastspiels Teil des

Ensembles ist, arbeitet man eben unter ganz normalen Theaterbedingungen.

Gebärdensprachdolmetschen von Opern

Als Beispiel für das Dolmetschen in Kunst und Kultur werde ich einen Bereich der Teilhabe skizzieren. Zum 1. Januar 2009 trat in Deutschland die UN-Konvention über die Rechte von Menschen mit Behinderung in Kraft (vgl. URL: BRK 2009). In diesem Übereinkommen werden die Rechte für Menschen mit Behinderung konkretisiert, mit dem Ziel, ihre gleichberechtigte Teilhabe am gesellschaftlichen Leben sicherzustellen. Artikel 30 der Konvention verlangt barrierefreie Teilhabe von Menschen mit Behinderung am kulturellen Leben sowie in den Lebensbereichen Erholung, Freizeit und Sport. Das bedeutet, dass die Teilhabe behinderter Menschen am Theater mittels Gebärdensprachdolmetschen, Audiodeskription für blindes Publikum oder deutscher Übertitelung für Hörgeschädigte etc. zu gewährleisten ist. In Großbritannien ist das schon der Fall, mehr als 500 Vorstellungen pro Jahr werden mittels Captioning gezeigt (vgl. Allum 2014:196). In Deutschland hingegen gibt es massiven Nachholbedarf, es gibt nur wenige Theater, die sporadisch eine Teilhabe gewährleisten. Blindes Publikum muss durch ganz Deutschland reisen, um einmal im Jahr eine Theateraufführung mit Audiodeskription zu sehen. Es gibt ehrenvolle Bestrebungen einzelner, hier Abhilfe zu schaffen, den Verein Audioskript, der für die Heidelberger Oper arbeitet und langsam mehr und mehr Theater davon überzeugt, Audiodeskription anzubieten, das Hans-Otto-Theater in Potsdam, das als einziges Theater seit Jahren Gebärdensprachdolmetschen anbietet (vgl. Gerlach/Hillert 2014:185 ff.).

Gebärdensprachdolmetschen in der Oper ist in Deutschland ebenso wie im Theater sehr selten. Bisweilen werden deutsche Übertitel angeboten oder die Gehörlosen nutzen die englischen Übertitel, die im Theater und in der Oper für Touristen angeboten werden. Das ist nicht mehr als eine Notlösung, denn in Übertiteln für Gehörlose müssen Informationen über Geräusche inkludiert sein, ebenso wie SprecherInnen angezeigt werden müssten. Zudem sind Übertitel kein Ersatz für GebärdensprachdolmetscherInnen, da die deutsche Gebärdensprache (DGS) eine eigenständige Sprache und die deutsche Schriftsprache nicht die Muttersprache der Gehörlosen ist (vgl. Grbić 1998).

Bietet man eine Oper mit Verdolmetschung an, wird diese natürlich simultan verdolmetscht, die DolmetscherInnen arbeiten in dunkler Kleidung und abgestimmter Beleuchtung so dass sie nicht auffallen, aber gut zu sehen sind. Weaver (2010:o. S.) vergleicht sie mit dem Orchester in der Oper. Sie können in verschiedenen Positionen zum Einsatz kommen, Gebron macht hier vier alternative Vorschläge (1996:15–23):

1. eine feste Position am vorderen Bühnenrand, oft vor dem Vorhang (*platform interpreting*),

2. eine feste Position auf der Bühne, meist seitlich des Bühnengeschehens (*sightline interpreting*),

3. festgelegte Positionen im rechten und/oder linken Bühnenabschnitt (*zone interpreting*),

4. keine festgelegte Positionierung; die DolmetscherInnen bewegen sich frei auf der Bühne (*shadow interpreting*).

Positionierung der Dolmetschenden

Besonders faszinierend ist das Shadow interpreting, da das Publikum mit den Augen bei dem jeweiligen Schauspieler bleiben kann. Für die Regisseure ist es aber eine besondere Herausforderung zu akzeptieren, dass eine weitere Person auf der Bühne steht. In Deutschland gibt es das bislang nur im Hans-Otto-Theater in Potsdam, das 2012 dafür für den BKM-Preis für kulturelle Bildung nominiertwurde, und in Erfurt beim Sommertheater.

Wichtig ist, dass Geräusche und Tonlagen ebenfalls verdolmetscht werden, also darauf hingewiesen wird, wenn Schüsse fallen, Türen knarren etc. Die Musik wird ebenfalls verdolmetscht, das heißt nicht nur der Librettotext, sondern auch Lautstärke und Rhythmus werden durch Gebärden wiedergegeben. Auch die Rollenaufteilung unter den Dolmetscherinnen ist zu beachten, meist entscheidet man sich für Gender-matching, also eine Dolmetscherin dolmetscht alle Schauspielerinnen und ein Dolmetscher alle Schauspieler.

Inklusion an Schulen wird vehement gefordert, aber unsere Gesellschaft ist noch nicht bereit, Gebärdensprachdolmetscher auf der Bühne als etwas Normales zu akzeptieren. In der Oper werden hingegen erste Schritte gegangen, im Juni 2014 wurde „My Fair Lady" in Leipzig verdolmetscht. Und der Opernkomponist Helmut Oehring, der als einzig Hörender in einer gehörlosen Familie als sogenannter

Coda aufgewachsen ist, ist sicher für die Oper ein großer Brücken-
bauer. Nachdem er sich erst so weit wie möglich von seiner Muttersprache, der DGS, entfernt hat, stehen jetzt taube Solisten ganz
selbstverständlich neben oder über dem Orchester im Konzertsaal
oder auf der Opernbühne. „Wenn sie in seine Partituren Satzpassagen
oder Gedichte mit weit ausholenden Gesten gebärden, entsteht
Raumklang im wahrsten Sinne des Wortes. Musik für Ohr und
Auge." (Herbron 2012)

Bühnenpräsenz der Dolmetschen-den

DolmetscherInnen in diesem Bereich müssen sich darüber klar
sein, dass sie auf der Bühne stehen, sie müssen eine gute Bühnenpräsenz haben, mit Improvisationen umgehen können und flexibel
sein. Auch für die SchauspielerInnen ist es eine große Herausforderung, da plötzlich mehr Menschen auf der Bühne sind, aber
wie die Schauspielerin Bettina Stucky in einem Interview zu mir sagte,
als ich fragte ob sie Übertitel und Dolmetscher stören: „Ach eigentlich
nicht, wir spielen ja als Schauspieler sowieso gerne."

Und das ist auch das Leitmotiv für DolmetscherInnen auf der
Bühne: Man muss gerne spielen. Die Grundvoraussetzung ist, dass
man sehr gut simultan dolmetschen kann, das kreative Element
kommt dann dazu. Das kann sehr viel Spaß machen, da hier auch die
DolmetscherInnen Applaus auf der Bühne bekommen. Und das ist
auch nötig, denn wieder muss man damit rechnen, nur die Hälfte von
dem zu verdienen, was in der freien Wirtschaft bezahlt wird.

Translation in Kunst und Kultur – ja oder nein?

Ich arbeite sehr gerne in diesem Bereich, finde es aber immer
schwierig, Studierenden zu diesem Tätigkeitsfeld zu raten. An den
drei beschriebenen, doch recht unterschiedlichen Bereichen wird
deutlich, dass es einige Gemeinsamkeiten gibt. Zunächst muss man
sich bewusst sein, dass man in fast allen Arbeitsbereichen in Kunst
und Kultur weniger verdient als in anderen Bereichen. Die Arbeit als
Translatorin für Kunst und Kultur erfordert in jedem Fall Kreativität,
eine solide Kenntnis in den gewählten Kunstgattungen, große Flexibilität in den Arbeitszeiten. Voraussetzung ist in jedem Fall sehr
hohe translatorische Kompetenz.

Außerdem sind die TranslatorInnen mit ihrer Arbeit sehr expo-
niert, so dass man häufig direkter Kritik ausgesetzt ist, vor allem wenn

es sich um additive Formen der Translation handelt. Umgekehrt wird man aber auch positiv wahrgenommen und für seine Arbeit gelobt, bis hin zum Sonderapplaus. Für eine angemessene Vergütung muss man mehr als gewöhnlich streiten.

Da in diesem Arbeitsfeld viele Kompetenzen gebündelt werden, viele sehr international arbeitende Menschen zusammenkommen, sich alle mit Kunst und Kultur beschäftigen, ist das Berufsbild für Menschen aus den unterschiedlichsten Bereichen offen. Häufig werden Berufsgruppen dabei gegeneinander ausgespielt. Wer sind die besseren ÜbersetzerInnen, die Autorin, der gelernte Übersetzer, die Literaturwissenschaftlerin, der Schauspieler...? Oft hört man, ich bin nicht „nur" Übersetzerin, unterschätzt mich nicht. Ich habe die Diskussion sehr oft geführt, es handelt sich nicht um einen geschützten Beruf und die Ausbildungswege können unterschiedlich sein. Ich würde nie sagen, es sollten nur die Menschen den Beruf ergreifen, die Übersetzen und Dolmetschen studiert haben. Es gibt Talente, die werden ihren Weg finden, aber was ich auf jeden Fall wichtig finde, und gerne noch einmal wiederhole, Translation in Kunst und Kultur ist nicht ausschließlich mit Genie und Begabung zu meistern, sondern mit erlernbaren translatorischen Fähigkeiten. Letztere müssen immer die Grundlage sein, Kreativität allein reicht nicht aus.

Offenes Berufsbild

Es gibt phantastische Quereinsteiger in den Beruf, die sich weiterbilden, aufnehmen, was es an Erkenntnissen gibt, und es ist gerade im Bereich Kunst und Kultur wichtig, dass wir uns nicht gegeneinander ausspielen, sondern gemeinsam mit all den uns zur Verfügung stehenden Instrumentarien, wissenschaftlich, praktisch und künstlerisch deutlich machen, dass es sich um einen anspruchsvollen Beruf handelt, der mit großer Sorgfalt, Fachkompetenz und Kreativität ausgeübt wird. Erst dann werden sich das Ansehen dieses Berufes und damit auch die Bezahlung bessern. Ich wünschte, mehr PraktikerInnen rezipierten die translationswissenschaftliche Erkenntnisse und mehr WissenschaftlerInnen ließen die Gedanken und das Wissen der praktisch Arbeitenden empirisch in ihre Forschung einfließen.

Literatur

Allum, Tabitha. 2014. Jedes Wort zählt. Captioning im Theater. In: Griesel, Y. (Hg.) *Welttheater verstehen*. Berlin: Alexander.

Bassnett, Susan. 1998. Still trapped in the Labyrinth: Further Reflections on Translation and Theatre. In: Bassnett S./Lefevere, A. (eds.) *Constructing Cultures: Essays on Literary Translation.* Clevedon: Multilingual Matters, 90–108.

Espasa, Eva. 2000. Performability in „Translation. Speakability? Playability? Or just Aleabiltiy? In: Upton, C.-A. (ed.) *Moving Target.* Amsterdam/ Philadelphia: John Benjamins, 49–62.

Gebron, Julie. 1996. *Sign the Speech. An Introduction to Theatrical Interpreting.* Hillsboro: Butte Publications.

Gerlach, Manuela & Hillert, Gudrun. 2014. Zeichenkunst – Gebärdensprachdolmetschen für ein taubes Publikum. In: Griesel, Y. (Hg.) *Welttheater verstehen.* Berlin: Alexander Verlag.

Grbić, Nadja. 1998. Gebärdensprachdolmetschen. In: Salevsky, H. (Hg.) *Sachwörterbuch der Translationswissenschaft.* Heidelberg: Julius Groos.

Greiner, Nobert. 2004. *Übersetzung und Literaturwissenschaft.* Tübingen: Narr.

Griesel, Yvonne. 2014. Welttheater verstehen. In: Griesel, Y. (Hg.) *Welttheater verstehen.* Berlin: Alexander.

Griesel, Yvonne. 2007. *Die Inszenierung als Translat.* Berlin: Frank & Timme.

Güttinger, Fritz. 1963. *Zielsprache, Theorie und Technik des Übersetzens.* Zürich: Manesse.

Herbron, Bernd. 2012. Musiker für Ohr und Auge. Abrufbar unter: http:// www.sueddeutsche.de/kultur/komponist-helmut-oehring-musiker-fuer-ohr-und-auge-1.1251398 (Stand: 05/02/2016)

Levy, Jiri. 1969. *Die literarische Übersetzung, Theorie einer Kunstgattung.* Frankfurt a. M: Athenäum.

Mounin, George. 1967. *Übersetzung, Geschichte, Theorie, Anwendung.* München: Nymphenburger.

Prunč, Erich. 2007. *Die Entwicklungslinien der Translationswissenschaft.* Berlin: Frank & Timme.

Snell Hornby, Mary. 1984. Sprechbare Sprache – Spielbarer Text. Zur Problematik der Bühnenübersetzung. In: Watts R. J./U. Weidman, U. (eds.) *Modes of Interpretation.* Tübingen: Narr, 101–116.

UN-Behindertenrechtskonvention (BRK). 2009. Abrufbar unter: https:// www.behindertenbeauftragter.de/SharedDocs/Publikationen/DE/Broschuere_UNKonvention_KK.pdf?__blob=publicationFile (Stand: 08/02/ 2016).

Weaver, Sarah. 2010. Opening Doors to Opera: the strategies, challenges and general role of the translator. *InTralinea*, 12. Abrufbar unter: http://www. intralinea.org/archive/article/Opening_doors_to_opera (Stand: 05/02/ 2016).

7 Lokalisierung von Websites

Karl-Heinz Freigang

Einführung

Industrieunternehmen, Dienstleister, öffentliche Organisationen und Verbände, die nicht nur lokal, regional oder national aktiv sein, sondern auch international oder gar global wahrgenommen werden wollen, müssen ihre Produkte und Dienstleistungen heutzutage im Internet präsentieren und dabei auch für Angehörige fremder Sprachgemeinschaften und Kulturen sichtbar sein. Dies bedeutet, dass ihre Internetpräsenz im World Wide Web angeboten und nutzbar gemacht wird. Dies betrifft nicht nur große, international tätige Unternehmen und Konzerne sondern auch z. B. in grenznahen Gebieten kleinere und mittlere Unternehmen, wenn sie ihre Produkte und Dienstleistungen grenzüberschreitend bekannt machen wollen. Den Prozess der sprach- und kulturübergreifenden Aufbereitung von Internetauftritten im World Wide Web bezeichnet man allgemein als „Lokalisierung von Websites", eine Aufgabe, die in den letzten Jahren einen immer größeren Stellenwert im Tätigkeitsspektrum von ÜbersetzerInnen erlangt hat. Dieses Arbeitsfeld stellt heutzutage eine große Herausforderung in der Praxis des Übersetzens und damit auch in der einschlägigen Aus- und Weiterbildung dar.

Begriffsdefinitionen

Eine Website ist die „Gesamtheit aller HTML-Seiten [...], die eine Person oder ein Unternehmen im Internet zur Verfügung stellt. Eine Website wird i. d. R. über die Homepage des Betreibers erreicht" (URL: Gabler Wirtschaftslexikon). Eine Website setzt sich somit aus einer Vielzahl einzelner „Webseiten" zusammen, die heutzutage allerdings in verschiedenen Formaten vorliegen können, von denen das HTML-Format nur eines darstellt. Einzelne Webseiten bestehen aus verschiedenen Elementen wie Textblöcken, Grafiken, Tonaufzeichnungen, Videos, Links zu anderen Websites oder Webseiten sowie Informationen zu Struktur der Seite, Formatierung u. ä.

Lokalisierungsdefinition nach LISA

Lokalisierung wird von der Localisation Industry Standards Association (LISA), einem Zusammenschluss von im Bereich der Software- und Website-Lokalisierung tätigen Unternehmen, folgendermaßen definiert: „Localization involves taking a product and making it linguistically and culturally appropriate to the target locale (country/region and language) where it will be used and sold" (zitiert nach: Esselink 2000:3). Im Bereich der Website-Lokalisierung ist das Produkt, das sprachlich und kulturell an die Anforderungen des Zielmarktes angepasst werden muss, eine Website mit allen zugehörigen Webseiten und den in diesen enthaltenen Elementen.

Das Arbeitsfeld der Website-Lokalisierung

Die Aufgabe der Website-Lokalisierung besteht demnach daraus, die Website einer Organisation (Unternehmen, Dienstleister, Behörde, Verband etc.) an die sprachlichen und kulturellen Gegebenheiten des Zielmarktes anzupassen. Hierzu gehört neben der adressatengerechten Übertragung der Inhalte der Website auch die Anpassung der Strukturierung und Anordnung dieser Inhalte gemäß den Lesegewohnheiten der Adressaten in der Zielkultur, z. B. bevorzugtes Lesen vom Allgemeinen zum Speziellen oder umgekehrt. Diese Gliederung oder Strukturierung der Inhalte betrifft sowohl die Darstellungsweise der allgemeinen Präsentation des Unternehmens als auch die konkrete detaillierte Darstellung der einzelnen Produkte und Dienstleistungen, wobei natürlich schon vor Beginn der eigentlichen Lokalisierung unternehmensstrategisch festgelegt werden muss, welche Produkte und Dienstleistungen auf dem Zielmarkt überhaupt angeboten werden sollen; ist dies geschehen, muss festgelegt werden, wie die einzelnen Produkte dargestellt und mit welchen Bezeichnungen oder Namen sie in der Zielkultur angeboten werden sollen.

Gegebenheiten der Zielkultur richtungsweisend

Neben den Inhalten von Webseiten in Form von Texten werden aufgrund der vielfältigen technischen Möglichkeiten im Web Inhalte auch häufig in Form von Bildern und anderen multimedialen Mitteln wie Tonaufzeichnungen, Videos oder Animationen dargestellt; diese müssen ebenfalls an die Zielkultur angepasst werden, indem z. B. kulturadäquate Abbildungen oder Symbole – etwa von Personen, von typischen Alltagssituationen u. ä. – gesucht werden müssen, da nicht unbedingt in den Original-Webseiten benutzte Bilder einfach direkt übernommen werden können (z. B. Icons für Personen mit bestimmter Haar- oder Hautfarbe für Zielkulturen in Afrika oder Asien). Ebenso müssen Texte, die in audio-visuellen Medien auf Webseiten benutzt werden, in der Zielsprache aufgezeichnet und auch Filme und Animationen an die Gegebenheiten der Zielkultur angepasst werden. Dasselbe gilt auch für die auf der Website verwendeten Farben; hier muss bei der Lokalisierung darauf geachtet werden, dass bestimmte Farben in bestimmten Kulturen unterschiedliche Konnotationen hervorrufen können – z. B. drückt die weiße Farbe in Westeuropa Reinheit, Tugend aus, in asiatischen Kulturen eher Tod oder Trauer, oder Rot in Europa Gefahr, während es in anderen Kulturen Freude oder festliche Stimmung bedeutet. Idealerweise werden allerdings diese Aspekte bereits bei der Erstellung der Original-Website berücksichtigt, wenn von Beginn an klar ist, dass die Website auch für andere Zielkulturen lokalisiert werden soll. Es können bereits beim Design der Original-Website Elemente verwendet werden, die nicht an die ausgangssprachliche Kultur gebunden sind, sondern problemlos in andere kulturelle Kontexte übertragen werden können. Dies gilt natürlich auch für andere, formale Aspekte, indem die Original-Website bereits die Möglichkeit vorsieht, verschiedene Datums- und Währungsformate oder Maßeinheiten zu unterstützen. Eine solche Vorbereitung einer Website auf eine spätere einfachere Lokalisierung, ohne für die verschiedenen Zielkulturen jeweils ein komplettes Re-Design der Website vornehmen zu müssen, bezeichnet man auch als „Internationalisierung".

Neben all diesen das Design der Website betreffenden Eigenschaften des Arbeitsfelds der Website-Lokalisierung sind auch ökonomische und technische Aspekte zu beachten, die die Anforderungen an die Arbeitsprozesse beeinflussen. Unternehmens-Websites werden im Allgemeinen in regelmäßigen Abständen an neue Gegebenheiten angepasst, wie die Einführung neuer Produkte oder Produktvarianten oder Umstrukturierungen im Unternehmen. Solche Änderungen an den Original-Websites müssen zeitnah auch in die lokalisierten Versionen übernommen werden, so dass der Prozess der Website-Lokalisierung, genauso wie die Pflege der Original-Website, ein ständiger Prozess ist, der durch den Einsatz geeigneter Workflows und übersetzungsunterstützender Werkzeuge optimiert

Ökonomische und technische Aspekte

werden muss. Hierbei muss z. B. gewährleistet werden, dass bei der Lokalisierung von Veränderungen in der Original-Website die unverändert bleibenden Elemente erhalten bleiben und nur tatsächliche Änderungen bearbeitet werden müssen.

Der formale Aufbau von Websites

Generell werden die Inhalte von Websites in Form elektronischer Dokumente dargestellt, in denen neben den eigentlichen Texten zusätzliche Informationen über die Struktur der Texte sowie ihre Formatierung enthalten sind. Traditionellerweise wurden diese Dokumente lange Zeit in Form von HTML-Dokumenten (Hypertext Markup Language) erfasst, in denen die Struktur-, Layout- und Formatinformationen als Steuerkodes („Tags") dargestellt wurden.

HTML Dieses zunächst relativ einfach aufgebaute HTML-Format einer „statischen" Website wurde in den letzten Jahren sehr stark in verschiedene Richtungen weiterentwickelt. Grundlegend gleich geblieben ist allerdings die Tatsache, dass bei einer Übersetzung solcher Dokumente der zu übersetzende Text von den Steuerinformationen (den „Tags") getrennt werden muss, wenn in der übersetzten Fassung der Webseite Struktur, Layout und Formatierung erhalten bleiben sollen. In einer statischen Webseite beinhaltet das HTML-Dokument alle Texte, die auf der betreffenden Seite erscheinen, sowie Links zu anderen, in der Regel ebenfalls statischen HTML-Dokumenten. Auf der Webseite erscheinende Bilder werden ebenfalls statisch referenziert, d. h. sie werden dem HTML-Dokument fest zugeordnet, ebenso wie Stylesheets, die generelle Layout- und Formatierungsinformationen enthalten.

Dem gegenüber werden heutzutage sehr häufig Webseiten „dynamisch" realisiert, wobei ein HTML-Dokument, falls überhaupt vorhanden, nur noch als Vorlage dient, in die beim Aufruf der Seite die eigentlichen Inhalte häufig aus einer Datenbank eines Content-Management-Systems (CMS) eingefügt werden und die Seite somit dynamisch generiert wird.

CMS Diese CMS gewinnen seit einigen Jahren als Systeme zur Verwaltung von Inhalten immer größere Bedeutung, wobei darin Inhalte von Websites aber auch z. B. von Katalogen und anderen Publikationen in Datenbanksystemen verwaltet werden, aus denen sie dann je nach Verwendungszweck in unterschiedlichen Formaten extrahiert werden können. In solchen CMS-Datenbanken werden identische Inhaltselemente, die an verschiedenen Stellen in einer Website wieder verwendet werden, jeweils nur einmal abgelegt und beim Generieren der Webseite an der richtigen Stelle eingefügt. Die Inhalte von Websites können im Editor des CMS bequem bearbeitet werden, ohne dabei auf Steuerkodes achten zu müssen. Layout und Formatierungsinformationen werden in getrennt verwalteten Dateien mitgeführt und beim Aufruf der betreffenden Webseite mit dem Text zusammengeführt. Solche CMS erlauben es auch, innerhalb desselben Systems mehrere Sprachversionen zu verwalten. Für die Übersetzung/Lokalisierung werden die Inhalte aus dem CMS exportiert und je nach System in unterschiedlichen Formaten bereitgestellt.

Neben diesen, den formalen Aufbau von Websites und Webseiten betreffenden Aspekten, sind für die Lokalisierung noch andere formale Eigenschaften relevant und müssen bei der Bereitstellung in anderen Sprachen beachtet werden. Webseiten enthalten häufig Querverbindungen zu anderen Seiten innerhalb derselben Website oder zu anderen Websites.

Die „Hyperlinks" innerhalb derselben Website müssen ebenfalls übersetzt und ihr Funktionieren in der lokalisierten Fassung der Website getestet werden. Externe Hyperlinks zeigen in der Regel auf andere Websites in der Originalsprache der zu lokalisierenden Website. Hier muss bei der Lokalisierung geprüft und entschieden werden, ob der Hyperlink in der zielsprachlichen Fassung der Website auf dieselbe externe Website verweisen soll wie im Original oder ob eine Website in der Zielsprache gesucht werden soll, die inhaltlich der im Original verlinkten Site entspricht. Gibt es von der im Original verlinkten Website eine lokalisierte Fassung in der Zielsprache, wird sicherlich in der Regel der Hyperlink auf diese Site gesetzt werden. Gibt es eine solche lokalisierte Fassung jedoch nicht, muss geklärt werden, ob stattdessen eine inhaltlich entsprechende andere Website eingesetzt werden soll.

All diese, den formalen Aufbau von Websites betreffenden Aspekte bestimmen die Anforderungen an den Lokalisierungsprozess und an die zu wählenden Workflows sowie an die sinnvollerweise einzusetzenden Lokalisierungswerkzeuge.

Hyperlinks

Arbeitsprozesse

Den eigentlichen Arbeitsschritten im Workflow eines Projekts zur
Website-Lokalisierung geht in der Regel eine Vorbereitungsphase
voraus, in der geklärt wird, was der Zweck der Lokalisierung ist, für
welchen Zielmarkt und welches Zielpublikum lokalisiert werden soll,
welche Inhalte der Website übersetzt und welche angepasst oder gar
neu eingefügt werden müssen, damit sie ihren Zweck in der Zielkultur
erfüllt. Die im Rahmen der Lokalisierung zu bearbeitenden Texte und
Elemente der einzelnen Webseiten müssen identifiziert und ihre
Position und Funktion analysiert werden.

Vorarbeiten   Neben den eigentlichen Texten der Webseiten kann es sich dabei
um Elemente in den unterschiedlichsten Formaten handeln: dyna-
mische Elemente, die mögliche interaktive Benutzereingaben steuern,
wie Programmiersprachenelemente (z. B. Java, Perl, PHP), Grafik-
dateien mit Abbildungen, die evtl. zu übersetzenden Text enthalten
oder kulturspezifisch angepasst werden müssen, animierte Grafiken
(z. B. „Flash"-Elemente) oder auch Ton- und Videodateien in Formaten wie WMV, MP3, MPEG. Es muss bei solchen Elementen
jeweils festgelegt werden, mit welchen Werkzeugen ihre Lokalisierung
erfolgen soll.

*Formen der zu übersetzenden Texte und Einsatz von
Lokalisierungstools*

Um die Effizienz des Lokalisierungsprozesses zu steigern, ist der
Einsatz von Lokalisierungstools sinnvoll, die bereits übersetzte Textpassagen speichern und so die Konsistenz der Übersetzung sowie die
Konsistenz der Terminologie und die Regeln einer „Unternehmenssprache" („Corporate Language") unterstützen können. Ob man sich
in einem Projekt für den Einsatz „Integrierter Übersetzungstools"
(Translation-Memory-Systeme) oder die Nutzung von Werkzeugen
zur Softwarelokalisierung entscheidet, die beide über die angesprochenen Übersetzungsspeicher verfügen, hängt stark vom Typ und vom
Format der zu übersetzenden Texte ab. Handelt es sich eher um Texte,
die sehr viel Elemente von Programmiersprachen und Programmier-
umgebungen enthalten, wird man sich wohl eher für den Einsatz von
Softwarelokalisierungstools entscheiden, bei herkömmlichen HTML-

oder XML-Formaten werden in der Regel eher Translation-Memory-Systeme genutzt.

Allen Texten von Websites ist gemeinsam, dass sie in einer kodierten Form vorliegen, wobei die Kodierungen sowohl die strukturelle Gliederung steuern als auch die Darstellung der Texte auf dem Bildschirm bestimmen. Für die Übersetzung müssen die zu übersetzenden Elemente der Website zugänglich gemacht werden, d. h. es muss eine Trennung von Kodierungselementen (den sogenannten „Tags") und dem zu übersetzenden Text vorgenommen werden. Dabei müssen die Kodierungselemente für den Übersetzungsprozess ausgeblendet, zumindest aber geschützt werden, sodass sie im Zieltext erhalten bleiben und die Gestaltung der zielsprachlichen Seiten analog zu den Originalseiten übernehmen können. Werkzeuge wie Translation-Memory-Systeme oder Softwarelokalisierungstools verfügen über Editoren, die diese Aufgabe erfüllen können. Versierte ÜbersetzerInnen werden evtl. eher Werkzeuge einsetzen wollen, in denen diese Tags nicht komplett ausgeblendet, sondern nur vor versehentlicher Bearbeitung geschützt werden, weil sie Informationen enthalten, die für die Übersetzung relevant sein können.

Werden die Inhalte der zu lokalisierenden Website mit Hilfe eines Content-Management-Systems in einer Datenbank verwaltet, müssen sie für die Übersetzung aus diesem System extrahiert oder exportiert werden, da meistens weder die ÜbersetzerInnen selbst noch die verwendeten Übersetzungstools direkt auf die Inhalte der Datenbank des CMS zugreifen können. Die exportierten Inhaltselemente können dann im XML-Format (oft auch in Form einer Excel-Tabelle) in einem geeigneten Übersetzungseditor bearbeitet werden. Im Anschluss an die Übersetzung muss es möglich sein, die übersetzten Inhaltselemente wieder zurück in das CMS zu importieren, so dass sie von dort aus auf der Website dargestellt werden können.

Lokalisierungsszenarien

Anhand von drei Beispielen sollen im Folgenden exemplarisch verschiedene Lokalisierungsszenarien dargestellt werden.

Im *ersten Beispiel* (▶ **Abb. 1**) liegt eine zu übersetzende Webseite in Form einer *einfachen HTML-Datei* vor. Hierbei muss der Übersetzungseditor lediglich die Kodierungselemente („Tags") vom zu

Randspalten:

Kodierte Textform

Beispiel 1: Einfache HTML-Datei

übersetzenden Text trennen können und in der Lage sein, die Tags vor
versehentlicher Bearbeitung zu schützen.

Abb. 1: Einfache HTML-Datei im Internetbrowser

Im HTML-Format in einem einfachen Texteditor geöffnet, sieht diese
Webseite so aus wie in ► **Abb. 2.**

```
Sample.htm
  1    <HTML>
  2    <HEAD>
  3    <META HTTP-EQUIV="Content-Type" content="html/text; charset=windows-1252">
  4    <TITLE>Association for Road Safety Conference</TITLE>
  5    </HEAD>
  6    <BODY LINK="#0000ff" VLINK="#800080">
  7
  8    <P><IMG SRC="images/618671.gif" WIDTH=154 HEIGHT=153
  9    ALT=""></P>
 10    <P>Association for Road Safety</h2>
 11    <P>County Hotel, 18
 12    Washington Street, Cork, Ireland on 7 November 2000</P> <P>The
 13    National Association for Road Safety (NARS) presents its new
 14    curriculum for education on road safety. The NARS spokesman stated
 15    that a senior government official would present the <I>education
 16    programme</I> unveiled by the Minister for Education last year.</P> <P>To register, contact your local branch
 17    of the Road Safety Association. Hurry, as places are limited!</P>
 18    <P>Agenda:</P>
 19
 20
 21
 22    <UL>
 23    <LI>9.00&#9;&#9;Registration and Welcome </LI>
 24    <LI>9.30 - 11.00&#9;Road Safety Awareness in 4 - 11 year old children: A Case Study </LI>
 25    <LI>11.00 - 11.30&#9;Coffee </LI>
 26    <LI>11.30 - 1.00&#9;Road Safety Education Programme (Minister for Education) </LI>
 27    <LI>1.00 - 2.00&#9;Lunch </LI>
 28    <LI>2.00 - 4.30 &#9;Workshops: Bringing road safety into the classroom </LI>
 29    <LI>4.30 - 5.00&#9;Conclusions and Close.</LI>
 30    </UL>
 31    <IMG SRC="images/ca_unten.gif" ALIGN="RIGHT" WIDTH=154 HEIGHT=153>
 32    </BODY>
 33    </HTML>
 34
```

Abb. 2: Einfache HTML-Datei im Texteditor

Öffnet man dieses Dokument zum Übersetzen im Editor eines
Übersetzungstools (hier SDL Trados Studio), ergibt sich das Bild
aus ▶ **Abb. 3**:

Abb. 3: Einfache HTML-Datei im Übersetzungseditor

In diesem Beispiel sind im Übersetzungseditor die Tags ausgeblendet
worden, sind aber natürlich im Hintergrund noch vorhanden. Im
Editor wird der ausgangssprachliche Text links, die Übersetzung
rechts angezeigt. ÜbersetzerInnen können anhand der ganz rechts
angezeigten Spalte sehen, welche strukturellen Eigenschaften die
einzelnen Übersetzungseinheiten („Segmente") aufweisen, z. B. T+
= Titelzeile der Webseite (erscheint in der Titelzeile des Browsers)
oder H = Überschrift, LI+ = Listenelement, P = normaler Absatz.
Diese Strukturinformationen werden beim Übersetzen in den Zieltext
übernommen und steuern die Darstellung der zielsprachlichen Webseite.

Im *zweiten Beispiel* (▶ **Abb. 4**) handelt es sich um eine *komplexere
HTML-Datei*, die zusätzlich zu den HTML-Kodes auch Elemente von
JavaScript enthält. Diese Seite enthält neben dem eigentlichen Text in
der Mitte der Webseite auch noch eine Leiste mit Navigationsele-
menten, die zu anderen Seiten der Website führen sollen. Hier muss
der Editor des Übersetzungstools neben den HTML-Elementen auch

Beispiel 2:
HTML-Datei mit
JavaScript

noch Elemente der Programmiersprache Java erkennen und ausblenden bzw. schützen.

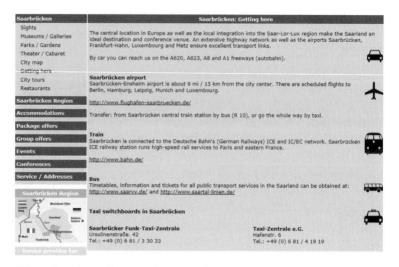

Abb. 4: Komplexe HTML-Datei im Internetbrowser

In einem einfachen Texteditor sieht man die Komplexität des Dokuments; ▶ **Abb. 5** zeigt Ausschnitte aus dem Original-HTML-Kode.

Abb. 5: Ausschnitte aus einer komplexen HTML-Datei im Editor

Öffnet man diese Datei zum Übersetzen im Editor eines Übersetzungstools (hier wiederum SDL Trados Studio), sieht man, dass auch hier die Steuerelemente erkannt und ausgeblendet bzw. geschützt werden (► **Abb. 6**).

Abb. 6: Komplexe HTML-Datei im Editor des Übersetzungstools

Auch hier erkennen erfahrene ÜbersetzerInnen in der Spalte ganz rechts Angaben zu den Struktureigenschaften der einzelnen Übersetzungseinheiten. Einige Tags werden im Editor angezeigt, da es sich um sogenannte „interne" Tags handelt, die Formatierungsinformationen u. ä. enthalten (z. B. BR = Zeilenumbruch oder IMG = die Information, dass hier zur Laufzeit der Webseite eine Grafik eingefügt wird). Diese Steuerelemente werden angezeigt, da sie beim Übersetzen evtl. im Text verschoben bzw. an der richtigen Stelle im Zieltext positioniert werden müssen.

Beispiel 3: CMS
verwaltete Datei   Das *dritte Beispiel* zeigt eine zu übersetzende Datei, die in einem *Content-Management-System* verwaltet wird und für die Übersetzung aus diesem exportiert und anschließend wieder zurück importiert werden muss. ▶ **Abb.** 7 zeigt die Webseite, wie sie im Internetbrowser angezeigt wird. Die Webseite enthält in der Mitte den eigentlichen Text, auf der linken Seite ein Navigationsmenü, mit dessen Hilfe in der gesamten Website navigiert werden kann, und rechts weitere Verweise zu anderen, zu dieser Seite gehörigen Elementen wie Übungen und Links zu Zwischenüberschriften des aktuellen Kapitels.

Abb. 7: Webseite aus Content-Management-System im Browser

Im zugrunde liegenden CMS (hier das System Typo3) werden die verschiedenen Sprachversionen der Webseite in einer Datenbank verwaltet (▶ **Abb. 8**).

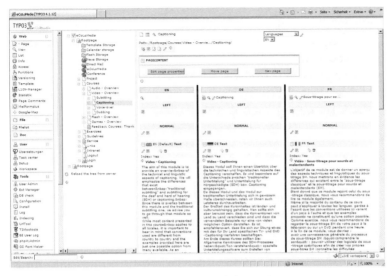

Abb. 8: Drei Sprachversionen in der Datenbank des CMS

Die Datenbank des CMS verfügt zwar auch über einen eigenen Editor, in dem in der Regel die Originalversion der Inhaltselemente der Webseite erstellt und bearbeitet wird; dieser Editor verfügt jedoch nicht über eine Schnittstelle zu einem Übersetzungstool, so dass zwar theoretisch die Übersetzung in diesem Editor erstellt werden könnte, dabei jedoch nicht auf ein Translation Memory mit bereits übersetzten und gespeicherten Textpassagen zugegriffen werden kann (▶ **Abb. 9**).

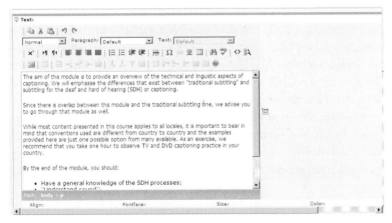

Abb. 9: Inhaltselement des CMS-Systems im systemeigenen Editor

Ein Zusatzprogramm zum CMS ermöglicht den Export von Inhaltselementen in Form von XML-Dateien und erzeugt gleichzeitig eine Filterdatei, der das Übersetzungstool entnehmen kann, welche XML-Steuerkodes Strukturelemente sind, welche dieser Elemente übersetzt werden müssen und welche evtl. Formatierungsinformationen tragen und daher beim Übersetzen gegebenenfalls bearbeitet oder verschoben werden müssen (► **Abb. 10**).


```
- <a href="http://ecolomedia.uni-saarland.de/?id=820" class="internal-link">
    <img border="0" width="200" src="http://ecolomedia.uni-saarland.de/uploads/RTEmagicC_getStarted.jpg.jpg" height="150" />
  </a>
 </p>
- <p>
  <a href="http://ecolomedia.uni-saarland.de/?id=820" class="internal-link">You are now ready to start!</a>
 </p>
</data>
<data table="tt_content" elementUid="4230" key="tt_content:NEW/1/4230:header">Video - Captioning</data>
- <data table="tt_content" elementUid="4230" key="tt_content:NEW/1/4230:bodytext" transformations="1">
  <p>The aim of this module is to provide an overview of the technical and linguistic aspects of captioning. We will emphasise the differences that exist
   between "traditional subtitling" and subtitling for the deaf and hard of hearing (SDH) or captioning.</p>
  <p>Since there is overlap between this module and the traditional subtitling one, we advise you to go through that module as well.</p>
  <p>While most content presented in this course applies to all locales, it is important to bear in mind that conventions used are different from country to
   country and the examples provided here are just one possible option from many available. As an exercise, we recommend that you take one hour to
   observe TV and DVD captioning practice in your country.</p>
  <p>By the end of the module, you should:</p>
- <ul>
   <li>Have a general knowledge of the SDH processes;</li>
   <li>"Understand sound";</li>
   <li>Be able to use specific subtitling software to create your own captions for the deaf and hard of hearing;</li>
   <li>Be aware of the technical translation and cultural difficulties. The cultural aspect is very important for the understanding of this community and the
    writing of satisfactory subtitles.</li>
  </ul>
</data>
```


Abb. 10: Aus CMS exportierte XML-Datei

Mit Hilfe der angesprochenen Filterdatei kann das Übersetzungstool diese XML-Datei einlesen und im Editor zum Übersetzen anzeigen (wiederum SDL Trados Studio). Auch hier werden die strukturierenden Tags ausgeblendet bzw. geschützt und lediglich „interne" Tags angezeigt (► **Abb. 11**).

Auch in dieser Datei im Übersetzungseditor werden in der rechten Spalte Strukturinformationen zu den einzelnen Übersetzungseinheiten angezeigt, die den ÜbersetzerInnen zumindest einen groben Anhaltspunkt geben, wie die einzelnen Einheiten im Endprodukt aussehen. Ist die Übersetzung im Übersetzungstool fertiggestellt, wird sie wiederum als XML-Datei gespeichert und kann mit Hilfe des Zusatztools des CMS wieder in dieses zurück importiert werden und wird dann im Browser direkt korrekt angezeigt.

Die drei gezeigten Beispiele stellen lediglich eine Auswahl aus den vielen möglichen Formaten dar, mit denen ÜbersetzerInnen bei der Website-Lokalisierung konfrontiert werden können, zeigen aber exemplarisch, welche Arbeitsschritte beim Übersetzen anfallen können.

Abb. 11: Aus CMS exportierte XML-Datei im Übersetzungseditor

Eine exemplarische Auswahl möglicher Probleme bei der Lokalisierung

Probleme bei der Website-Lokalisierung entstehen zum einen durch die besondere Form und Darbietungsweise der zu übersetzenden Texte und damit auch durch die für die Übersetzung eingesetzten Editoren der Lokalisierungstools, zum anderen aber auch durch bestimmte besondere Charakteristika von Websites und generell von digitalen Texten.

Probleme der Bearbeitung im Übersetzungseditor

Betrachtet man die kodierten oder aus einem CMS exportierten Inhaltselemente im Übersetzungseditor des Lokalisierungstools, stellt man häufig fest, dass im Editor nur ein kleiner Ausschnitt des Kontextes sichtbar ist. Was ÜbersetzerInnen im Editor zur Bearbeitung angeboten wird, ist in der Regel eine Folge von Übersetzungseinheiten, bereinigt von den Strukturierungs-Tags, die in tabellarischer Form untereinander angeordnet sind und keinerlei Rückschlüsse auf das Aussehen der gesamten Webseite, die sie darstellen, zulässt. Beim Einlesen der kodierten Dokumente und bei der Umwandlung in ein vom Editor bearbeitbares Format werden die Texte nach Regeln, die im Editor eingebaut sind, in Übersetzungseinheiten segmentiert. Diese Segmentierung kann zum einen dazu führen, dass weniger erfahrene ÜbersetzerInnen dazu verführt werden, sich zu sehr auf eine einzelsatzorientierte Übersetzung zu konzentrieren und den größeren Zusammenhang aus den Augen zu verlieren, andererseits geht aus Platzgründen in der Tat häufig der Blick auf den Kontext verloren. Dies muss dann in der Regel dadurch ausgeglichen werden, dass man beim Übersetzen immer – evtl. auf einem zweiten Bildschirm – die Original-Website mit im Blick haben sollte.

In komplexen Websites werden häufig Textelemente, die an verschiedenen Stellen der Website immer wieder auftreten, nur einmal als Teil eines Inhaltselements aufgeführt und dann zur Laufzeit der Website über interne Verknüpfungen an verschiedenen anderen Stellen eingefügt. Da diese Textelemente dadurch möglicherweise in ganz verschiedenen Kontexten eingesetzt werden, muss beim Übersetzen versucht werden, immer die verschiedenen Stellen im Auge zu behalten und, da diese Elemente dann auch nur einmal übersetzt werden, ist die Übersetzung möglichst so zu halten, dass sie in den verschiedenen Kontexten korrekt ist.

Oft werden auch Inhaltselemente in der kodierten Form der Website bzw. im CMS als Platzhalter dargestellt, die dann bei Benutzung der Website durch zuvor abgefragte Benutzereingaben ersetzt werden. In solchen Situationen ist für die ÜbersetzerInnen je nach Sprache, in die übersetzt werden muss, kaum erkennbar, welche Artikel, Adjektivendungen o. ä. im Umfeld der Platzhalter benutzt werden müssen, da evtl. die hier zur Laufzeit eingesetzten Benutzereingaben unterschiedliches Genus aufweisen können.

Probleme aufgrund der besonderen Charakteristika digitaler Texte

Websites, genauso wie digitale Texte generell, weisen die Eigenschaft auf, dass sie häufig in relativ kurzen Zeitabständen weiterentwickelt oder aktualisiert werden. Oft muss auch mit der Lokalisierung einer Website bereits begonnen werden, bevor diese komplett fertig gestellt ist, d. h. es ist davon auszugehen, dass neue Inhalte später hinzugefügt oder andere Teile umformuliert werden. Für solche Szenarien müssen Arbeitsprozesse und Vorgehensweisen, aber auch Eigenschaften der zu benutzenden Tools definiert und entwickelt werden, die eine möglichst effiziente Verwaltung und Verarbeitung dieser Updates erlauben, ohne dass bei jeder Aktualisierung der Originalwebsite die gesamte Website neu übersetzt werden muss. Es müssen Workflows und Tools eingesetzt werden, die erkennen, welche Elemente geändert oder neu eingefügt wurden, so dass nur diese Änderungen für den Übersetzungsprozess zugänglich gemacht werden.

Am Ende der Lokalisierung einer Website muss neben der sprachlichen und terminologischen Überprüfung des Textes auch eine Überprüfung der formalen und technischen Aspekte erfolgen, die die korrekte Funktionsweise der Website garantiert. Hierbei müssen Links zu anderen Websites sowie zu Elementen derselben Website getestet werden, ebenso wird das korrekte Funktionieren der Navigation durch die Website geprüft, die korrekte Darstellung der eingebetteten Grafiken, Videos, Animationen und die Funktionsweise eingebetteter Datenbank- oder Benutzerabfragen. Erst wenn die lokalisierte Version der Website all diese Formen der Qualitätssicherung durchlaufen hat, kann sie schließlich für die öffentliche Nutzung freigegeben werden.

Qualitätssicherung

Fazit und Schlussbemerkungen

Aus den beschriebenen Anforderungen an die Arbeit der Website-Lokalisierung ergeben sich eine Reihe von Qualifikationen, die ÜbersetzerInnen mitbringen müssen, um erfolgreich im Bereich der Website-Lokalisierung arbeiten zu können, und die z. T. auch über die „klassischen", im Rahmen einer herkömmlichen Übersetzungsausbildung vermittelten Qualifikationen hinausgehen: Neben dem Wissen über das in einer Website behandelte Fachgebiet und die möglichen Zielmärkte sowie den sprachlichen Kenntnissen und dem Wissen über die Bedienung moderner Übersetzungswerkzeuge handelt es sich dabei z. B. um die Kenntnis der verschiedenen, für die Website-Lokalisierung relevanten Dateiformate, das Wissen um verschiedene Grafikbearbeitungswerkzeuge sowie die Kenntnis effizienter Lokalisierungsstrategien und Übersetzungsworkflows. Eine ausführliche Beschreibung der Anforderungen an eine in diesem Sinn effiziente Übersetzungsausbildung findet sich u. a. bei Freigang,

Ramírez, Zielinski (2009), die detaillierte Darstellung des Ablaufs eines konkreten Website-Lokalisierungsprojekts bietet Zielinski (2008).

Literatur

Esselink, Bert. 2000. *A Practical Guide to Localization.* Amsterdam/Philadelphia: John Benjamins.

Freigang, Karl-Heinz/Ramírez, Yamile/Zielinski, Daniel. 2009. Didaktisch-methodische Überlegungen zum Einsatz moderner Übersetzungstechnologie im Rahmen einer praxisorientierten Fachübersetzerausbildung. In: Varela Salinas, M.-J. (ed.) *Panorama actual del estudio y la enseñanza de discursos especializados.* Bern: Lang, 237–277.

Gabler Wirtschaftslexikon – online. Abrufbar unter: http://wirtschaftslexikon.gabler.de/Archiv/75916/website-v10.html (Stand: 22/01/2016).

Zielinski, Daniel. 2008. Website localisation: challenges, processes, workflows. In: Dimitriu, R./Freigang, K.-H. (eds.) *Translation Technology in Translation Classes.* Iaşi: Institutul European, 41–57.

Teil IV Ausblick

Berufsziel Translation: Zurück in die Zukunft

Michèle Cooke

Einleitung: Rosen, Sardinen und Translationsprodukte

Haben Sie je versucht, einen Fisch zu übersetzen? Im Jahr 2004 tat eine Gruppe frustrierter Fischer im Süden Englands genau dies. Die *sardina pilchardus* war über Jahrzehnte ein wirtschaftlich erfolgreicher Fang. Mitte der 1990er Jahre begann aber ihr Image zu bröckeln und die Verkaufszahlen stürzten ab. Die pelagische Fischart, auf Englisch als *pilchard* bekannt, war nicht mehr zeitgemäß. Sie erinnerte an fantasielose Mahlzeiten in der Schulkantine und an harte Zeiten, in denen man sich mit dem begnügen musste, was auf den Tisch kam. In Zeiten des Massentourismus, der Grillpartys und Ferien in Portugal wollte niemand mehr Dosenfische in Tomatensauce essen. Die Fischerei in Cornwall litt dementsprechend. Bis jemand sich an ein bekanntes Prinzip erinnerte, das auch William Shakespeare verewigt hat: *A rose by any other name would smell as sweet.* Als Julia sich in ihren Romeo verliebt, stellt sie gleichzeitig fest, dass er Mitglied der verfeindeten Familie Montague ist. Warum nur muss er Montague heißen? Ohne diesen Namen – oder mit einem anderen versehen – wäre er ja genauso liebenswert. In ihren Fantasien bittet sie ihn, seinen Namen zu ändern, damit sie ihn lieben darf.

Wie die Fischer in Cornwall hat Julia erkannt, dass ein Ding sich nicht ändert, wenn wir es mit anderen Worten ausdrücken. Was sich aber wohl ändert, ist unsere Einstellung dazu. Die Pilchards wurden zu *Cornish sardines*, mit Konnotationen von Sommer, Ferien im Ausland, und *fun* (siehe URL: Cornish Sardine 2004). Die Pilchard wurde auf einmal cool. Das Prinzip lautet: Translation.

Translation ist überall

Dinge mit anderen Worten zu sagen, damit man versteht, worum es geht, ist das, was TranslatorInnen tun. Es ist Translation. Translation ist „in erster Linie [...] a *fact of life*". (Kaindl 2013:153, Hervorhebung im Original).

Translation ist eine Tatsache des Lebens. Translation ist eine Tat-Sache. Etwas, das wir tun.

Menschen sprechen miteinander, schreiben einander, wollen einander verstehen. Auch wenn wir uns dagegen wehren, andere zu verstehen, spielt die Dimension des Verstehens eine wesentliche Rolle. Menschliche Kommunikation ohne das Bedürfnis, verstehen und verstanden zu werden, ergibt evolutionstheoretisch gesehen keinen Sinn (siehe z. B. Roth 2003). Wir wollen also verstehen. Da aber jede und jeder eine ganz eigene, einzigartige Erfahrung und daher auch Sicht der Welt hat, ist Nichtverstehen genauso zwangsläufig wie das Verstehensbedürfnis. Es ist kein Zufall, sondern biologische, kognitive, soziale Notwendigkeit, dass Menschen die Fähigkeit besitzen, einander verstehen zu können und zu wollen.

Wenn wir nicht verstehen oder nicht verstanden werden, geht etwas in der Kommunikation schief. Verstehen als Vorgang ist nicht statisch, sondern dynamisch. Es ist nie endgültig, vollkommen, definitiv, sondern prekär, ein Moment in einem Kontinuum, das selbst keine Stabilität besitzt.

Sehr oft brauchen wir andere Menschen, die uns helfen können, neue Informationen zu verstehen, sie aus einem anderem – oder dem eigenen – Blickwinkel zu sehen. Menschen, die die Dinge so präsentieren, dass wir sie verstehen: Wir brauchen Menschen, die Translation betreiben.

Es ist wichtig, die Allgegenwärtigkeit von Translation zu erkennen, wenn wir uns die Frage stellen, wo translatorische Expertise gebraucht werden könnte. Und auch, wie wir diese Expertise als Produkt auf den Arbeitsmarkt bringen können. Die vorläufige Antwort lautet: Translation wird überall dort gebraucht, wo Menschen etwas verstehen oder sich verständlich machen wollen. Die Ubiquität des Translationsprozesses impliziert also einen ubiquitären Translationsbedarf, oder zumindest einen latenten. Wenn wir neue Tätigkeitsbereiche erschließen wollen, gilt es, wie beim Launchen von jedem neuen

Produkt, diesen Bedarf zu wecken. Wie wir das machen könnten, wird weiter unten diskutiert.

Translation als Übersetzen-und-Dolmetschen hat in den letzten Jahren eine gesellschaftliche Wandlung erlebt. Sie ist nicht mehr eine unsichtbare, kaum wahrgenommene Tätigkeit. Nicht nur die mediale Beschäftigung mit Übersetzen und Dolmetschen im konventionellen Sinne (siehe z.b Kaindl 2008 und Kaindl/Kurz 2010), sondern auch die Social Media haben dazu beigetragen, dass die Tatsache von Translation und deren Relevanz für die globale Kommunikation zunehmend sichtbar wird. Ein wichtiges Beispiel für diese Entwicklung ist das Crowdsourcing. Translation-Crowdsourcing – also das online Übersetzen von Texten durch mehrere Personen (eine Crowd; Deutsch: Menschenmenge) spart nicht nur Kosten (es kostet nichts), sondern erfüllt auch eine wichtige gesellschaftliche Rolle. Abgesehen vom *fun factor*, vermittelt die Arbeit an einer gemeinsamen Sache in der Gruppe ein Solidaritätsgefühl und die Zufriedenheit, einen Beitrag zur Unterstützung einer guten Sache oder ganz allgemein der globalen Gemeinschaft geleistet zu haben (siehe z. B. URL: DGT 2012; URL: getLocalisation 2014; Howe 2006, 2014; Köstler 2014; Pym et al. 2012:13; Rauch 2014).

Die ersehnte Sichtbarmachung von Translationsdienstleistungen (vgl. Venuti 1995) findet also statt. Die gewünschte finanzielle Anerkennung und Prestigesteigerung lassen leider auf sich warten. Dies ist der Status Quo, mit dem wir uns auseinandersetzen müssen. Die öffentliche Präsenz von Translation ist gegeben.

Allerdings haftet dem Produkt *Translation* noch das alte Image an. Wie beim *pilchard*, ist dieses Image nicht mehr zeitgemäß. Nicht nur die KonsumentInnen haben aufgrund gesellschaftlicher und technologischer Entwicklungen neue Bedürfnisse. Auch wir TranslatorInnen entwickeln auf der Basis zunehmender theoretischer Reflexion das Bewusstsein, dass unsere Kompetenzen in anderen als den konventionellen Bereichen Übersetzen und Dolmetschen eingesetzt werden können. Wie aber können wir aus unserem *pilchard* eine coole Sardine machen?

Produkt ohne Verpackung?

Wer nach neuen Bereichen für den Einsatz seiner/ihrer Kompetenz sucht, muss zuerst wissen, was diese Kompetenz ausmacht. Also nicht nur, was er oder sie kann, sondern auch, welches Potenzial in dieser Expertise steckt. Dass TranslatorInnen übersetzen und dolmetschen können ist weitgehend bekannt, auch wenn der Begriff Translation im deutschen Sprachraum noch erklärungsbedürftig ist. Allein aber das Vorhandensein eines relativ unbekannten Begriffs birgt auch die Chance, translatorische Expertise als neue Produkte auf den Markt zu bringen, neue Marktlücken zu erschließen und, wie die Fischer in Cornwall, den Bedarf nach diesen neuen Produkten zu wecken.

Wie können wir wissen, was wir können? Indem wir reflektieren und analysieren, was wir tun. Wir können diesen Vorgang das Explizitmachen von implizitem Wissen nennen (vgl. Kempa 2013). Wir können es als das Erklären der unterschiedlichen Schritte und Phasen unseres Tuns bezeichnen. Wir könnten es auch Theorienbildung nennen. Denn Theorien sind ja nichts anderes als der Versuch, Dinge, die es in der Welt gibt, Prozesse, die stattfinden, zu analysieren und zu erklären.

Wir brauchen theoretisch fundiertes Wissen also, um unsere berufliche Praxis effizient zu verkaufen. Das Verstehen des Produkts oder der Produkte, die wir auf den Markt bringen wollen, ist allerdings nur der erste Schritt. Der erste Schritt ist natürlich unverzichtbar, denn auf ihn bauen alle anderen auf (vgl. Tseng 1992:18).

Der nächste Schritt ist die Professionalisierung der „neuen" Produkte. Professionalisierung ist ein Prozess, der einem beruflichen Kollektiv die gesellschaftliche Anerkennung der Komplexität und der Notwendigkeit einer akademischen Fundierung der beruflichen Praxis bringt (Tseng 1992:15 f.). In diesem Sinne kann Professionalisierung als Kontinuum betrachtet werden, das durch Theorienbildung konsolidiert und weiterentwickelt wird. Es ist ein Merkmal von akademischen Berufen, dass sie ihre eigene Expertise selbst definieren (Tseng 1992:21). Gerade die zunehmende Sichtbarkeit der translatorischen Praxis wirkt der Eigendefinition und der Entwicklung unserer Produkte entgegen. Die sogenannte Öffentlichkeit hat noch nicht erkannt, dass Translation mehr ist als Wörter ersetzen (siehe auch Burjak 2012). Eine Kernfrage lautet also: Wie können wir unsere Theorien dafür verwenden, um unsere Produkte selbst zu definieren?

Exklusivität und Mystifizierung

Wie reagieren wir auf etwas ganz Neues? Meist mit Ablehnung und Schock. Was man nicht kennt, kann man nicht aufnehmen. Die moderne Kunst jeder Epoche z. B. wird zunächst als ‚nicht wirklich Kunst' herabgesetzt, eben weil sie einen neuen Blick auf eine vermeintlich bekannte Welt wirft (siehe z. B. Hughes 2009 und Read 1959). Das Neue darf demnach nicht allzu neu sein. Es muss, systemtheoretisch gesehen, anschlussfähig sein (siehe z. B. Luhmann 1990:271 f. und 383 f.).

Auf der anderen Seite braucht das Neue auch eine Dimension des Unbekannten. Nur Bekanntes ist nichts Neues. Die Öffentlichkeit darf nicht das Gefühl haben, wirklich zu wissen, worum es geht. Eines der Probleme in Bezug auf den Status des Translationberufes ist eben, dass die Öffentlichkeit *glaubt zu wissen*, dass Übersetzen und oder Dolmetschen nur den Austausch von Wörtern von einer Sprache in eine andere erfordert.

Expertise braucht also eine Aura von tatsächlicher oder vermeintlicher Komplexität und kognitiver Anstrengung, bevor sie ernst genommen wird. Wie kommen wir nun gegen die fixen Ideen, die in der Öffentlichkeit kursieren, an? Eine Strategie könnte darin bestehen, den Blickwinkel zu ändern. Alles sieht anders aus, wenn es sich in einem neuen und ungewöhnlichen Licht präsentiert. Rosemary Arrojo schreibt im Kontext der Ausbildung: „we […] have to review all of our traditional notions concerning the translator's craft" (2005:239). Das gilt auch für die Vermarktung von Translationsprodukten, für die Erschließung neuer Tätigkeitsbereiche. Wir brauchen einen Make-over: eine Synthese von Fremdheit und Bekanntheit, die Glaubwürdigkeit, Vertrauen und nicht zuletzt Neugier und Anziehungskraft erzeugt (siehe z. B. Olson 2009:55 f.).

Wer Translation beruflich praktiziert, kommuniziert im Namen eines anderen Menschen oder einer Gruppe von Menschen. Vertrauen ist damit ein fundamentales Merkmal des Abkommens zwischen den translatorischen HandlungspartnerInnen (vgl. Tseng 1992:26 f.). Auch Pym et al. betonen die Schlüsselrolle von Glaubwürdigkeit und Vertrauen in der Beziehung zwischen AuftraggeberIn und AuftragnehmerIn (2012:12). Vertrauen ist eine Beziehung. Etwas, das aufgebaut und gepflegt werden muss. „Im Anfang ist die Beziehung", sagt Martin Buber (1983:18). Die Natur der Beziehung bestimmt die Art und Weise, wie der Inhalt einer Botschaft wahrgenommen und aufgenommen wird (Watzlawick et al 1967:54). Vertrauen kann unter anderem dadurch entstehen, dass wir anderen Menschen Verständnis entgegenbringen. Zum Beispiel, indem wir zeigen, dass wir ihre Kommunikationsbedürfnisse erkennen und verstehen. Dies hat die zweifache Wirkung, dass wir damit sowohl unsere Autorität untermauern als auch unsere Produkte definieren. „Professionals [...] have to define the need of the clients" (Tseng 1992:27). Vertrauensbildende Maßnahmen können wir auch als Öffentlichkeitsarbeit bezeichnen. Geeignete Publicity trägt wie auch Theorienbildung dazu bei, Bereiche zu benennen, in denen Menschen ihre Kommunikationsbedürfnisse nicht ohne translatorische Unterstützung erfüllen können.

Wir stellen also fest, dass Vertrauen in Dienstleistungen und Produkte nicht nur von Kompetenz und Expertise, sondern auch von abstrakten, schwer fassbaren, aber doch essentiellen Aspekten wie Status, Prestige und gesellschaftlichen Erwartungen bestimmt wird. Diese Werte reichen zwar „beyond questions of objective competence or expertise" (Pym et al. 2012:12), sind jedoch, wie wir sehen werden, mit den Kernkompetenzen der Translationsexpertise eng verbunden.

Sei nicht so wissenschaftlich!

Wissenschaftliche Theorien sind notwendig; cool sind sie meist nicht. Sie verkaufen sich nicht gut. So viel zu lesen, zu verstehen. Zu viel Anstrengung und Mühe. Die Menschen wollen nicht wissen, wie der Verbrennungsmotor funktioniert, wenn sie ein Auto kaufen. Sie wollen nur wissen, *dass* er funktioniert. Sie wollen sich darauf verlassen können. Sie überlegen sich vielleicht auch, ob das gewählte Auto ihnen das richtige Image verleiht. Vertrauen ist Voraussetzung. Verpackung verkauft. Um den Bedarf an Translations-produkten zu wecken, müssen wir uns von der Kopflastigkeit der Wissenschaft verabschieden (vgl. Olson 2009:17 f.) und den Menschen anbieten, was für sie wichtig ist: Sicherheit und Wirkung (vgl. Olson 2009:81 f. und 119 f.).

Image, Wirkung und Wahrheit

Mit anderen Worten: Wir müssen uns selbst – und unsere Theorien – übersetzen. Wir müssen nicht immer alles erklären. Es geht nicht darum, wie Translation *wirklich* geschieht (wenn wir das wüssten!), in ihrer ganzen Komplexität. Die ganze Wahrheit (wenn wir sie hätten!) ist zu viel. Selektion ist angesagt. Die nackte Wahrheit ist nicht immer adäquat. Wir müssen sie verpacken. Ein Image muss nicht die Wahrheit entstellen; sie stellt sie nur in ein anderes Licht (vgl. Olson 2009:49 f. und Cooke 2012).

Wir können ohnehin nie die ganze Wahrheit sagen. Als TranslatorInnen wissen wir, dass Kommunikation, auch die Kommunikation von fundierten Erkenntnissen, immer eine Selektion von Wahrheiten bedeutet. Die Vermittlung von Wissen unterliegt denselben Gestzmäßigkeiten wie die Vermittlung von Kultur (vgl. Knorr-Cetina 1999).

Sympathie oder Erkenntnis?

Wie bereits festgestellt, spielt Vertrauen bei der Anerkennung und Inanspruchnahme von Expertise eine wesentliche Rolle. Mit diesem Begriff sowohl kognitiv als in praktischer Hinsicht eng verbunden ist der der Sympathie. Einfach gesagt: Wir vertrauen Menschen, die wir mögen. Menschen, die sympathisch wirken, zeigen Verständnis, erkennen, was für uns wichtig ist. Und was uns wichtig ist, finden wir auch interessant. Das bloße Aufzählen von Tatsachen in logisch geordneter Reihenfolge erzeugt nicht Sympathie, sondern Langeweile. Die Tatsachen mögen zwar einen rational nachvollziehbaren Bezug zu einander aufweisen, aber keine Beziehung zu uns: „Nothing is as boring as a straight line" (Olson 2009:50). Es ist die Relevanz einer Äußerung, die Wirkung erzeugt. Und Relevanz ist immer relational. Die Devise lautet also: „Motivate, then educate" (Olson 2009:69).

Die Definition der Produkte, die wir anbieten können, ist ein Prozess der Kommunikation unserer Erkenntnisse darüber, was wir können. Wissenschaftskommunikation ist transkulturelle Kommunikation (siehe auch Aikenhead 2001). Die Relevanz unserer Erkenntnisse für die Öffentlichkeit besteht in deren Nutzen für sie (siehe auch Wynne 1996). Eine wichtige Herausforderung bei der Erschließung neuer Tätigkeitsbereiche ist also die Identifizierung und Artikulie-

rung dieses Nutzens in einer Sprache, die unsere potenziellen Zielgruppen verstehen und akzeptieren wollen.

Theorie in der Praxis

Das ist alles schön und gut. Aber wie sieht es denn in der Praxis aus?
Können wir diese theoretischen Überlegungen in eine Praxis umsetzen, die wirklich ankommt? Mit der wir Geld verdienen können?
Anhand von drei Beispielen aus der Translationspraxis werden wir
jetzt sehen, wie die oben diskutierten Erkenntnisse und Strategien
erfolgreich realisiert werden. Es handelt sich in allen drei Fällen um
Unternehmen, die sich mit Translation im oben erweiterten Sinne
beschäftigen und international bekannt sind.

cApStAn

Das Unternehmen verkauft translatorische Expertise unter den
Namen *Translation Verification* und *Linguistic Quality Control*:
„Translation verification refers to linguistic quality control with
equivalence checks, and cApStAn is a pioneer in this field". Auch
wenn Begriffe wie *equivalence* oder *linguistic quality* wissenschaftlich
umstritten sind und nicht „wirklich" dem „eigentlichen" Arbeitsprozess entsprechen, klingen sie gleichzeitig wissenschaftlich und
nachvollziehbar. Die potentiellen KundInnen können sich etwas
darunter vorstellen, weil das ihre Wörter sein könnten. cApStAn
spricht die Sprache der KundInnen auch bei der Definition seiner
Produkte: „a literal translation of a data collection instrument is a
poor translation. [...] good translations [...] strike the right balance
between faithfulness and fluency". Somit bleibt die definitorische
Macht bei den Produktanbietern und die KundInnen können lernen,
eine bewusste Produktauswahl zu treffen. „Linguistic expertise forms
only part of the skills [...] equivalence – [...] response elicited,
intelligibility, [...] register, appropriateness [...] for the target audi-
ence, response categories, social desirability, psychometric charac-
teristics – of the adapted version versus the original."Zur Produkt-
palette gehören: Translation verification, Post-editing und
Proofreading, die alle entsprechend wissenschaftlichen Erkenntnis-

sen, aber in einer zielgruppengerechten Sprache präsentiert werden
(vgl. URL: Capstan 2014).

Auch die Angst der Klientel wird durch vertrauensbildende
Sprache thematisiert: „All changes are tracked and the author can
accept or reject changes, and usually discusses [...] corrections with
the proofreader before finalising the paper". Der Beziehungsaspekt
der Kommunikation wird ernst genommen. Folgendes Zitat stellt die
zielgerechte Übersetzung mehrerer translationswissenschaftlicher
Werke dar: *„A translation is no translation, he said, unless it will
give you the music of a poem along with the words of it"* (John
Millington Synge, in: Capstan 2014).

Capito

Capito spezialisiert sich auf Translationsprodukte, die in der Fachliteratur konventionell als monolinguales Übersetzen bezeichnet
werden. Das Unternehmen bietet „Information, die ankommt!". In
drei Wörtern wird das Produkt auf emotionaler und inhaltlicher
Ebene präsentiert. Später kommen die vertrauensbildenden Maßnahmen: „Bei capito haben wir uns auf das Texten und Gestalten von
leicht verständlichen Informationen spezialisiert [...] Die Inhalte des
Originaltexts bleiben vollständig erhalten." Es ist hier unwichtig, dass
– wissenschaftlich gesehen – Inhalte nicht „vollständig erhalten"
bleiben. Wir müssen die Dinge nicht immer wörtlich nehmen (vgl.
Olson 2009:49 f.).

Wie weckt man einen Bedarf? Indem man den Menschen klar
macht, dass sie etwas brauchen: „Halbseidene Werbebotschaften oder
komplizierte Sätze, gespickt mit vielen Fremdwörtern, liest niemand
gerne [...]. Studien belegen, dass viele Menschen auf solche Texte mit
Ablehnung reagieren [...] „ (vgl. URL: Capito 2014). Es ist unsere
Aufgabe, die Kommunikationsbedürfnisse des Marktes zu identifizieren und diese in geeigneter Form mitzuteilen. Die Verantwortung
für die Verständlichkeit der Botschaft liegt bei uns. Die Realisierung
dieser Aufgabe bezeugt auch mehr als jede detaillierte Erklärung, dass
wir das können, was wir versprechen.

Mapi Group

Die Mapi Group bietet Produkte, die denen von cApStAn sehr ähnlich
sind. Sie heben sich aber davon ab durch andere Produktnamen und

Definitionen: „[…] we are a […] Linguistic Validation specialist team with […] know-how in cross-cultural adaptation. […] easily understood and correctly interpreted in all countries […]“. Auch hier werden Termini verwendet, die streng wissenschaftlich gesehen nicht unproblematisch sind: „[…] conceptual equivalence and international harmonization of all language versions“ (vgl. URL: Mapi Group 2014). Bekannte Prozesse werden als neue Produkte eingeführt, wie z. B. „Translatability Assessment“ als Teil der Linguistic Validation. Translation außerhalb der Kernbereiche? Oder einfach die Erschließung neuer Tätigkeitsfelder durch das Auffächern und Benennen bereits bekannter Aspekte und Dimensionen der konventionellen Translation? Spielt es eine Rolle, wie wir das Kind nennen?

Bereits im Jahr 2009 stellte die Europäische Kommission in einem Dokument zum Translationsmarkt eine Erweiterung des Translationsbegriffs fest: „The Term ,Translation' itself has come to be ambiguous“ und führte folgende mögliche Bedeutungen an:

> „word-for-word transfers […] localisation […] versioning […], transediting […], multilingual and technical writing, adaptation […], revision, summary translation, etc.“ (URL: DGT 2009). Wir können also bereits von einem Prozess der Produktdiversifizierung am Translationsmarkt sprechen, wobei die angebotenen Produkte weit über die Kernbereiche der konventionellen Auffassung des Translationsberufs hinaus reichen. Das wichtigste Wort beim letzten Zitat ist „etc.“. Es deutet auf die fast unbegrenzten Möglichkeiten hin, das Translationspotential in der menschlichen Kommunikation zu entwickeln und beruflich zu nutzen. „It is difficult to anticipate all the changes still to come in the next 20–30 years […] even though the students undergoing training will still be in the labour markets.“

Worin besteht die Spezifik dieser Bereiche, außerhalb der sogenannten Kernbereiche? Sie besteht eben in der Unbegrenztheit: Überall, wo Menschen verstehen und verstanden werden wollen, brauchen sie auch Translation. Und es ist gerade diese Unbegrenztheit, die sowohl unsere Chance als auch unsere Herausforderung ausmacht.

Zusammenfassung

Die Beziehung bestimmt den Inhalt. Wenn wir uns auf sich neu entwickelnden Märkten erfolgreich positionieren wollen, ist Beziehungspflege angesagt. Wissenschaftlichkeit und Marktorientierung schließen einander nicht aus. Im Gegenteil. Der Arbeitsmarkt ist die reale Praxis. Theorie und Praxis bedingen und ergänzen einander. Was bedeuten diese Erkenntnisse für die Ausbildung von TranslatorInnen?

Die didaktischen Konsequenzen, also Handlungsanweisungen, die daraus sowohl für Lehrende als auch für Lernende entstehen, sind sehr einfach. Um Translation außerhalb der Kernbereiche als berufliches Tätigkeitsfeld zu erschließen, brauchen wir eine Rückkehr gerade zu den Kernkompetenzen des translatorischen Handelns. Lernen wir

a) *uns selbst zu verstehen.* Wir müssen lernen, unser implizites Wissen explizit zu machen, zu reflektieren und zielgruppengerecht zu artikulieren. Dabei sind folgende Fragen unerlässlich: Was sind unsere eigenen Auffassungen von Translation? Passen unsere Theorien zur tatsächlichen Praxis?

b) *uns zu erklären*, unsere eigenen Theorien im Dialog mit anderen innerhalb und außerhalb der Disziplin, mit PraktikerInnen zu überprüfen. Lernen wir, unsere Theorien zu kontrollieren, indem wir versuchen, sie in Worte zu fassen und mitzuteilen. Nur so besteht die Chance, dass der sogenannte Markt erkennt, was wir tun und warum unsere Produkte gebraucht werden.

c) *eine neue Sprache zu sprechen*, die auf wissenschaftliche Stringenz verzichten darf. Wir werden dabei wohl Fehler machen. Fassen wir den Mut, diesen Lernprozess zu beginnen.

d) *eine neue Kultur kennenzulernen*, die wissenschaftliche, universitäre Kultur gedanklich zu verlassen und die Konventionen und Gepflogenheiten des marktorientierten Handelns wahrzunehmen und zu akzeptieren. Es ist anzunehmen, dass wir eine Zeit lang im Kulturschock sein werden. Der Schock des Neuen gehört zum Lernen.

e) *Lernen wir also, uns zu übersetzen.* Unterschiedliche Realitäten zusammenzubringen; eine neue Sichtweise auf Wissenschaft, Öffentlichkeit, ExpertInnen und Laien einzunehmen. Eine wörtliche Übersetzung wird, wie wir bereits gesehen haben, für solche Zwecke nicht genügen. Funktionales, zielgerichtetes Übersetzen wird hier gebraucht.

Um in Zukunft neue Tätigkeitsbereiche zu identifizieren und zu erschließen, brauchen wir schließlich nur das zu tun, was wir immer schon konnten: zielgruppengerecht übersetzen. Translation ist *a fact of life*. Sie wird immer gebraucht. Nur das „Wie" ändert sich.

Literatur

Aikenhead, Glenn S. 2001. Science communication with the Public: A Cross-cultural Event. In: Stocklmayr, S./Gore, M. M./Bryant, C. (eds.) *Science Communication in Theory and Practice*. Dordrecht: Kluwer, 23–45.

Arrojo, Rosemary. 2005. The ethics of translation in contemporary approaches to translator training. In: Tennent, M. (eds.). *Training for the New Millenium. Pedagogies for translating and interpreting*. Amsterdam/ Philadalphia: John Benjamins, 225–245.

Buber, Martin. 1983 (1995). *Ich und Du*. Stuttgart: Reclam.

Burjak, Anna. 2012. Mehr als Worte ersetzen. Warum Übersetzen kreatives Handeln ist. In: Zybatow, L./Petrova, A./Ustaszki, M. (Hg.) *Translationswissenschaft interdisziplinär: Fragen der Theorie und Didaktik*. Frankfurt: Peter Lang, 47–52.

Capito, barrierefreie Information. 2014, Abrufbar unter: http://www.capito. eu/de/Home/Leistungen/ (Stand: 11/07/2014).

cApStAn, Linguistic Quality Control. 2014. Abrufbar unter: http://www. capstan.be/content/lqc_verification.html (Stand: 11/07/2014).

Cooke, Michèle. 2012. Ode to joy: why science needs poetry. In: Cooke, Michèle (Hg.) *Tell it like is? Science, society and the ivory tower*. Frankfurt: Peter Lang, 105–126.

Cornish sardine Management Association. 2004. The Cornish Sardine. Abrufbar unter: www.cornishsardines.org.uk (Stand: 25/01/2016).

DGT – Directorate General for Translation/European Commission. 2009. Competences for professional translators, experts in multilingual and multimedia communication. Abrufbar unter: http://ec.europa.eu/dgs/ translation/programmes/emt/key_documents/emt_competences_trans-lators_en.pdf (Stand: 25/01/2016).

DGT – Directorate-General for Translation/European Commission. 2012. Crowdsourcing translation. Abrufbar unter: http://bookshop.europa.eu/ en/crowdsourcing-translation-pbHC3112733 (Stand: 09/07/2014)

Get Localisation. 2014. Crowdsourcing. Abrufbar unter: https://www.get-localization.com/crowdsourcing/ (Stand: 25/01/2016).

Howe, Jeff. 2006. Crowdsourcing: A Defintion. Abrufbar unter: http://www. crowdsourcing.com/cs/2006/06/index.html (Stand: 25/01/2016).

Howe, Jeff. 2014. Rules of the New Labor Pool. Abrufbar unter: http://archive. wired.com/wired/archive/14.06/labor.html (Stand: 25/01/2016).

Hughes, Robert. 2009. *The shock of the new.* New York: Alfred A. Knopf.

Kaindl, Klaus (Hg.). 2008. *Helfer, Verräter, Gaukler? Das Rollenbild von TranslatorInnen im Spiegel der Literatur.* Wien: LIT.

Kaindl, Klaus. 2013. Das Potential des *fictional turn* für die Translationsdidaktik. In: Meyer, Felix/Nord, Britta (Hg.). 2013. *Aus Tradition in die Zukunft. Perspektiven der Translationswissenschaft.* Festschrift für Christiane Nord. Berlin: Frank und Timme, 143–155.

Kaindl, Klaus/Kurz, Ingrid. (Hg.) 2010. *Machtlos, selbstlos, meinungslos? Interdisziplinäre Analysen von ÜbersetzerInnen und DolmetscherInnen in belletristischen Werken.* Wien: LIT.

Kempa, Thomas. 2013. Kreativität im Translationsunterricht. *Lebende Sprachen.* 58:2, 333–340.

Knorr-Cetina, Karin. 1999. *Epistemic Cultures. How the Sciences make Knowledge.* Cambridge, MA/London: Harvard University Press.

Köstler, Laura. 2014. *Does crowdsourced translation rule out expert translation?* Wien: Unveröffentlichte Seminararbeit.

Luhmann, Niklas. 1990. *Die Wissenschaft der Gesellschaft.* Frankfurt a.M.: Suhrkamp.

Mapi Group, 2014, Abrufbar unter: http://www.mapigroup.com/Services/ Linguistic-Validation (Stand: 11/07/2014).

Olson, Randy. 2009. *Don't be such a scientist. Talking substance in an age of style.* Washington etc.: Island Press.

Pym, Anthony/Grin, François/Streddo, Claudio/Chan, Andy L.J. 2012. *The Status of the Translation Profession in the European Union. Final Report.* Luxembourg: European Commission.

Rauch, Catharina. 2014. *Crowdsourcing und Qualität.* Wien: Unveröffentlichte Seminararbeit.

Read, Herbert. 1959. *A concise history of modern painting.* London: Thames and Hudson

Roth, Gerhard. 2003. *Fühlen, Denken, Handeln. Wie das Gehirn unser Verhalten steuert.* Frankfurt a.M.: Suhrkamp.

Tseng, Joseph. 1992. *Interpreting as an emerging profession in Taiwan – a sociological model.* New Taipei City: Unveröffentlichte Masterarbeit, Graduate Institute of Translation and Interpretation Studies, Fu Jen Catholic University.

Venuti, Lawrence. 1995. *The Translator's Invisibility.* London/New York: Routledge.

Watzlawick, Paul/Beavin Bavelas, Janet/Jackson, Don D. 1967. *Pragmatics of Human Communication. A Study of Interactional Patterns, Pathologies, and Paradoxes.* New York: W.W. Norton & Company.

Wynne, Brian. 1996. Misunderstood misunderstandings: social identities and public uptake of science. In: Irwin, A./Wynne, B. (eds.). *Misunderstanding Science? The public reconstruction of science and technology.* Cambridge: Cambridge University Press, 19–46

Kurzbiographien

Barbara Ahrens: promovierte 2003 an der Universität Mainz/Germersheim), wo sie von 2003–2006 eine Juniorprofessur (Translationswissenschaft) übernahm. Seit 2006 Professur (Dolmetschen Spanisch) am ITMK/TH Köln, Forschung zum Konsekutivdolmetschen und zur Notizentechnik

Frank Austermühl ist Inhaber des Lehrstuhls Translationswissenschaft an der Aston University in Birmingham, wo er auch als Prodekan für internationale Beziehungen tätig ist. Seine Forschungsinteressen liegen bei der Schnittstelle von Informationstechnologie und Translation sowie der politischen Diskursanalyse.

Gerhard Budin ist Professor für Translatorische Terminologiewissenschaft und Übersetzungstechnologien an der Universität Wien. Schwerpunkte in Forschung und Lehre: Terminologie- und Fachsprachenforschung, Corpuslinguistik, Übersetzungstechnologien, Sprachindustrie und Digitale Geisteswissenschaften.

Michèle Cooke forscht und lehrt am Zentrum für Translationswissenschaft der Universität Wien. Zu ihren Forschungsschwerpunkten zählen Ethik der interkulturellen Kommunikation; Translationsphilosophie; Kognition und Affekt im Kommunikationsprozess.

Mascha Dabić: Studium der Translationswissenschaft (Englisch und Russisch); Studienaufenthalte in St. Petersburg und Edinburgh. Journalistisch tätig bei derStandard.at, Lehrende an den Universitäten Wien und Innsbruck. Zahlreiche literarische Übersetzungen.

Elke Anna Framson: Lehrtätigkeit an der Universität Wien, Fachhochschule St. Pölten/Department Medien und Wirtschaft. Schwerpunkte: Translation im unternehmerischen Kontext, interkulturelle Unternehmenskommunikation sowie Global English als Sprache der internationalen Wirtschaft. Seit 2014 Leitung der Unternehmens-kommunikation in einem Start-Up-Unternehmen in den USA.

Karl-Heinz Freigang arbeitete als Leiter der Abteilung „Sprachdaten-verarbeitung" an der Fachrichtung für Übersetzen und Dolmetschen der Universität Saarbrücken. Leonardo-Projekte zur Entwicklung von Lehrmaterialien für Übersetzungstechnologie und Multimedia-Loka-lisierung.

Yvonne Griesel ist Diplomdolmetscherin für Russisch und Franzö-sisch und arbeitet freiberuflich als Übertitlerin, Übersetzerin und Dolmetscherin. Mit ihrer Firma *SPRACH>SPIEL* hat sie sich darauf spezialisiert fremdsprachige Inszenierung für Festivals und Gastspiele zu übertragen. Sie forscht und publiziert vor allem zur Translation im Theater.

Mira Kadrić ist Professorin für Dolmetschwissenschaft und Trans-lationsdidaktik an der Universität Wien. Zu ihren Forschungsschwer-punkten zählen Translation und Gesellschaft, Dolmetschen im inter-disziplinären Austausch, Behördendolmetschen und -übersetzen sowie Translationsdidaktik.

Klaus Kaindl lehrt und forscht am Zentrum für Translationswissen-schaft der Universität Wien. Zu seinen Forschungsschwerpunkten zählen die Übersetzung semiotisch komplexer Texte, fiktionale Dar-stellungen von TranslatorInnen sowie Übersetzungstheorie und Übersetzungsdidaktik.

Liese Katschinka ist freiberufliche Konferenzdolmetscherin, Fach-übersetzerin und Gerichtsdolmetscherin. Funktionen in nationalen und internationalen Berufsverbänden (Universitas, ÖVGD, F.I.T., AIIC), derzeit Präsidentin von EULITA (Europäischer Verband der DolmetscherInnen/ÜbersetzerInnen im Rechtsbereich).

Christian Koderhold: Übersetzer- und Dolmetscherausbildung sowie Studium der Publizistik und Politikwissenschaften an der Universität Wien. Zwischen 1989 und 1991 Aufenthalt in Moskau, seither frei-beruflicher Übersetzer und Dolmetscher (u.a für OSZE und Europa-rat). Lehrender an der Universität Wien.

Waltraud Kolb: Übersetzungsstudium für Englisch, Französisch und Portugiesisch, Doktorratsstudium in Vergleichender Literaturwissenschaft. Senior Lecturer am Zentrum für Translationswissenschaft der Universität Wien, Forschungsschwerpunkt Literaturübersetzung. Übersetzerin, Gerichtsdolmetscherin.

Margret Millischer ist freiberufliche Übersetzerin und Dolmetscherin in Wien, Lehrbeauftragte am Zentrum für Translationswissenschaft. Literarische Übersetzungen (insbesondere Jean-Michel Maulpoix, Bernard Noel, Driss Chraibi).

Franz Pöchhacker lehrt und forscht am Zentrum für Translationswissenschaft der Universität Wien, wo er sich mit Fragen der Dolmetschwissenschaft als Disziplin sowie verschiedenen Arten und Einsatzbereichen des Dolmetschens beschäftigt.

Martina Prokesch-Predanovic ist verbeamtete Übersetzerin in der Generaldirektion Übersetzung der Europäischen Kommission (DGT) und arbeitet hauptsächlich mit den Sprachen Englisch, Französisch und Spanisch. Sie war auch drei Jahre lang in der DGT-Außenstelle in Wien tätig.

Karin Reithofer-Winter arbeitet als freiberufliche Dolmetscherin (AIIC) für Englisch, Italienisch, Rumänisch und Spanisch vor allem für die Institutionen der Europäischen Union und ist Lektorin am Zentrum für Translationswissenschaft der Universität Wien.

Hanna Risku ist Professorin für Translationswissenschaft an der Universität Graz. Forschungsschwerpunkte: Kognitionswissenschaftliche Aspekte der Translation, Translationsnetzwerke und -management, Translationsprozessforschung, Transkulturelle Kommunikation, Usability und Wissensmanagement.

Peter Sandrini ist wissenschaftlicher Mitarbeiter am Institut für Translationswissenschaft der Universität Innsbruck mit den Forschungsschwerpunkten Rechtsterminologie, Fachübersetzen und Translationstechnologie.

Christina Schäffner ist Professorin für Translationswissenschaft an der Aston University in Birmingham (UK). Sie unterrichtet Translationswissenschaft, Textanalyse, Übersetzen und Dolmetschen in Bachelor- und Masterstudiengängen und betreut DoktorandInnen. Forschungsschwerpunkte: politische Diskursanalyse, Metaphernforschung, Übersetzungsdidaktik.

Günther Fetzer

Berufsziel Lektorat

Tätigkeiten - Basiswissen - Wege in den Beruf

UTB 4220 M
2015, VIII, 184 Seiten
€[D] 22,99
ISBN 978-3-8252-4220-6

Lektorin oder Lektor ist im Unterschied zu den buchhändlerischen Berufen kein Ausbildungsberuf mit geregeltem Ausbildungsgang und vorgeschriebenen Inhalten. Dieses Buch beschreibt erstmals die unterschiedlichen Aufgaben im Lektorat eines Publikumsverlags, Fachverlags und wissenschaftlichen Verlags von der Autorenakquisition über Lektorat und Redaktion bis zum Projektmanagement. Ein eigenes Kapitel ist der Arbeit als freie Lektorin oder freier Lektor gewidmet.
Erfolgreiche Lektoratsarbeit besteht nicht zuletzt in der engen Zusammenarbeit mit anderen Abteilungen. Daher vermittelt der Band wichtiges Basiswissen über die Abläufe in den anderen Verlagsbereichen. Der dritte Teil behandelt die Wege in den Beruf sowie die Aussichten, Chancen und Herausforderungen.

Dr. Günther Fetzer ist wissenschaftlicher Mitarbeiter am Lehrstuhl Buchwissenschaft an der Friedrich-Alexander-Universität Erlangen-Nürnberg. Davor war er viele Jahre als Lektor und verlegerischer Geschäftsführer bei großen deutschen Publikumsverlagen tätig.

Narr Francke Attempto Verlag GmbH+Co. KG \ Dischingerweg 5 \ 72070 Tübingen \ Germany
Tel. +49 (07071) 97 97-0 \ Fax +49 (07071) 97 97-11 \ info@narr.de \ www.narr.de
Stand: September 2015 · Änderungen und Irrtümer vorbehalten!

Holger Siever

Übersetzungswissenschaft

Eine Einführung

bachelor-wissen

2015, 256 Seiten, zahlr. Abb.

€ [D] 24,99

ISBN 978-3-8233-6942-4

Diese Einführung bietet Anfängern und Fortgeschrittenen einen kompakten und verständlich geschriebenen Überblick zu Themen, Theorien und Theoretikern der Übersetzungswissenschaft von den Anfängen bis in die Gegenwart. Zur besseren Orientierung und zur Verdeutlichung der Gemeinsamkeiten und Unterschiede der einzelnen Theorien nutzt der Autor ein Paradigmenkonzept, das sich im Unterricht einsetzen lässt, aber auch Lernern im Selbststudium als Leitfaden dienen kann. Am Ende jeder mit Beispielen, Merksätzen und Zusammenfassungen didaktisch aufbereiteten Einheit finden sich Fragen und Aufgaben zum Stoff, zahlreiche Hinweise zu wichtiger weiterführender Literatur, ein detailliertes Begriffsregister zum Nachschlagen sowie Anregungen zum Weiterdenken und zu Diskussionen. Ein Downloadbereich unter www.bachelor-wissen.de hält überdies weitere Aufgaben samt Lösungen sowie zusätzliche Materialien bereit.

Narr Francke Attempto Verlag GmbH+Co. KG \ Dischingerweg 5 \ 72070 Tübingen \ Germany
Tel. +49 (07071) 97 97-0 \ Fax +49 (07071) 97 97-11 \ info@narr.de \ www.narr.de
Stand: Oktober 2015 · Änderungen und Irrtümer vorbehalten!

Paul Kußmaul

Verstehen und Übersetzen

Ein Lehr- und Arbeitsbuch

narr STUDIENBÜCHER

3., überarbeitete und erweiterte Auflage 2014

229 Seiten

€[D] 24,99

ISBN 978-3-8233-6877-9

Bewusst verstanden – besser übersetzt! Das bewährte Lehr- und Arbeitsbuch mit Aufgaben widmet sich einem Kernthema des Übersetzens: es geht um das Verstehen der Wörter des Ausgangstextes. Auf diesen Aspekt wird in der Übersetzer-Ausbildung großer Wert gelegt, da garantiert eine Fehlübersetzung herauskommt, wenn ein Übersetzer ein Wort der Ausgangssprache nicht richtig verstanden hat – mit z.T. amüsanten, z.T. aber auch gravierenden Folgen. Erfahrungsgemäß sind Wörter für Studierende das größte Problem – größer noch als Syntax und Stil. Dies zeigt sich u.a. darin, dass die Studierenden beim Übersetzen eines Textes zunächst einmal viele Wörter nachschlagen. Ziel des Studienbuches ist es, den StudentInnen Verstehenstechniken und -strategien auf kognitionslinguistischer Grundlage an die Hand zu geben, mit deren Hilfe sie professionell übersetzen lernen. Die Neuauflage enthält bibliographische Aktualisierungen und inhaltliche Präzisierungen.

Narr Francke Attempto Verlag GmbH+Co. KG \ Dischingerweg 5 \ 72070 Tübingen \ Germany
Tel. +49 (07071) 97 97-0 \ Fax +49 (07071) 97 97-11 \ info@narr.de \ www.narr.de
Stand: September 2015 · Änderungen und Irrtümer vorbehalten!

Jörn Albrecht

Übersetzung und Linguistik

Grundlagen der Übersetzungsforschung: Band II

narr STUDIENBÜCHER

2. überarbeitete Auflage 2013

XVI, 312 Seiten

€[D] 24,99

ISBN 978-3-8233-6793-2

Der Band *Übersetzung und Linguistik* besteht aus drei Teilen. Im ersten wird die allgemeine Übersetzungstheorie behandelt, wobei die Frage nach dem Anteil der Sprache am Übersetzungsvorgang und analog dazu der Sprachwissenschaft an der Übersetzungsforschung im Mittelpunkt steht. Im zweiten Teil werden die verschiedenen Disziplinen der „Systemlinguistik" knapp vorgestellt, nicht um ihrer selbst willen, sondern in ihrer Funktion als mögliche Hilfsdisziplinen der Übersetzungsforschung. Entsprechend wird im dritten Teil mit der Linguistik im weiteren Sinn (Semiotik, Varietätenlinguistik, Textlinguistik und Fachsprachenforschung) verfahren. Der Band ist nicht nur als Hilfe beim Studium, sondern auch als Anregung für die Forschung und die Lehre gedacht: Einzelprobleme, die in den zahlreichen Unterkapiteln oft nur aufgezeigt werden, könnten in Seminar- oder Examensarbeiten auf theoretischer, im Rahmen von problembezogenen Übersetzungsübungen auf praktischer Ebene weiterverfolgt werden.

Für die Neuauflage wurde der Text durchgesehen und korrigiert, die Lektürehinweise und das Literaturverzeichnis wurden aktualisiert.

Narr Francke Attempto Verlag GmbH+Co. KG \ Dischingerweg 5 \ 72070 Tübingen \ Germany
Tel. +49 (07071) 97 97-0 \ Fax +49 (07071) 97 97-11 \ info@narr.de \ www.narr.de
Stand: September 2015 · Änderungen und Irrtümer vorbehalten!

Holger Siever

Übersetzen Spanisch – Deutsch

Ein Arbeitsbuch

narr STUDIENBÜCHER

3., durchgesehene und aktualisierte Auflage 2013

176 Seiten

€[D] 18,–

ISBN 978-3-8233-6789-5

Wer aus dem Spanischen ins Deutsche übersetzt, bemerkt bald, dass es für bestimmte typisch spanische Satzkonstruktionen keine direkte Entsprechung im Deutschen gibt. Für andere gibt es zwar Entsprechungen, diese sind aber im Deutschen oftmals unüblich, weil sie holprig und schwerfällig klingen. Dieses Arbeitsbuch rückt aus der Übersetzerperspektive genau solche Unterschiede auf der Satzebene zwischen den beiden Sprachen in den Mittelpunkt.

Für die Konstruktionen, deren elegante Übersetzung Deutschen erfahrungsgemäß besonders schwer fällt, zeigt es grundlegende Lösungsmöglichkeiten auf. Diese bilden den Ausgangspunkt für eine stilistische und textsortenadäquate Optimierung. Das Buch festigt den übersetzerischen Umgang mit grammatikalischen Strukturen und liefert den Studierenden damit grundlegende Fertigkeiten für den weiteren Studienverlauf.

Narr Francke Attempto Verlag GmbH+Co. KG \ Dischingerweg 5 \ 72070 Tübingen \ Germany
Tel. +49 (07071) 97 97-0 \ Fax +49 (07071) 97 97-11 \ info@narr.de \ www.narr.de
Stand: September 2015 · Änderungen und Irrtümer vorbehalten!